튼튼한 **개념!** 흔들리지 않는 **실력!**

숨마쿰라우데 중학수학

개념기본서

2-상

숨마쿰라우데® 중학수학 개념기본서 2-상

이 책을 집필한 선생님

강순모 동신중학교 **김동은** 대신고등학교 **김명수** 저현고등학교
신지영 개운중학교 **박정숙** 양재고등학교 **설정수** 신목고등학교
한혜정 창덕여자중학교 **원슬기** 신일고등학교 **천태선** 자카르타 한국국제학교
이서진(이산) 메가스터디, 엠베스트 인강

1판 8쇄 발행일 : 2023년 7월 28일

펴낸이 : 이동준, 정재현
기획 및 편집 : 박영아, 남궁경숙, 김재열, 박문서, 강성희
디자인 : 굿윌디자인

펴낸곳 : (주)이룸이앤비
출판신고번호 : 제2009-000168호
주소 : 경기도 성남시 수정구 위례광장로 21-9 kcc 웰츠타워 2층 2018호
대표전화 : 02-424-2410
팩스 : 070-4275-5512
홈페이지 : **www.erumenb.com**
ISBN : 978-89-5990-459-4

이 책을 펴내면서

수학 공부를 아주 열심히 하는 학생이 상담을 요청한 적이 있었습니다.
그 학생은 의기소침한 얼굴로 말하더군요.

"선생님, 하루도 안 빼고 문제집을 푸는데 왜 점수는 그대로일까요?"

짐작이 가는 점이 있었지만 일단 옆에서 공부하는 모습을 지켜보기로 했습니다.
그리고 이 학생의 공부법에 문제가 있다는 것을 아는 데는 오랜 시간이 걸리지 않았습니다.
많은 학생들이 그렇듯이 이 학생 역시 개념과 원리 부분은 대충 훑어보고 지나가는 것이었습니다.
오히려 굳이 공식이 필요하지 않은 문제인데 공식에 집착하였고,
풀이가 잘못되었어도 답만 맞으면 다음 문제로 넘어갔습니다.
그래서 "너 이 문제 잘 알고 푼 거니? 한번 설명해 줄래?"했더니 우물쭈물하였습니다.

여러분은 어떤가요?
지금까지 보아 온 많은 학생들이 다양한 문제를 풀면서도 이렇게 원리를 제대로 탐구하지 않아
수학의 무게에 항상 힘겨워하곤 했습니다.
시중에 나와 있는 문제집들도 개념은 간략하게 설명하고, 문제만 많이 실어 이런 잘못된 학습 방법을 계속하게 합니다.
개념을 잘 알면 굳이 많은 문제를 풀지 않아도 되는데 말입니다.
공식 위주로만 공부하면 습관적으로 문제를 풀게 되어 변형 문제에 대한 응용력이 현저하게 떨어지게 됩니다.

수학을 공부하는 가장 바람직한 방법은 많은 문제 풀이보다는 개념 공부에 힘쓰는 것입니다.
잘 이해한 개념 하나가 열 개의 문제를 풀 수 있게 합니다.

『숨마쿰라우데 개념기본서』로 개념을 통한 수학 공부를 시작해 보세요.

QA를 통한 이야기식 문답법으로 개념을 쉽게 이해할 수 있을 뿐 아니라,
직접 설명하면서 점검할 수 있도록 하여 자연스럽게 개념을 자기 것으로 만들 수 있도록 하였습니다.
꿈을 위해 나아가는 길에 『숨마쿰라우데 개념기본서』가 등불이 되어 줄 것입니다.

저자 일동

숨마쿰라우데® 중학수학 개념기본서 2-상

개념 BOOK

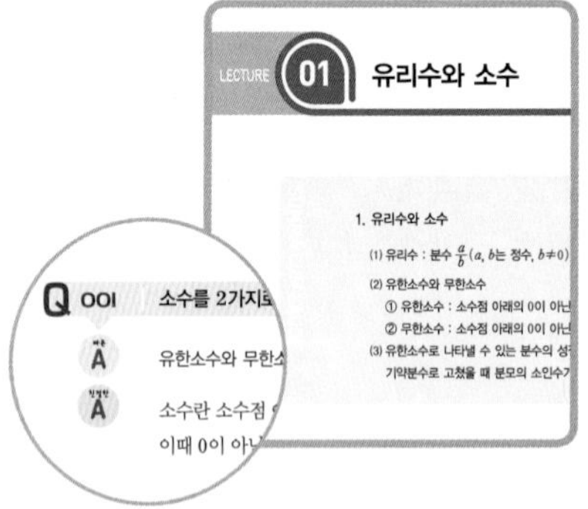

단원의 감을 잡자! INTRO to Chapter

학습을 시작함에 있어 가장 중요한 것은 내가 무엇을 공부하는지,
어떻게 공부해야 하는지를 아는 것입니다.
대단원 전체의 흐름, 배경, 학습목표 등을 통해 학습을 즐겁게 시작할 수 있도록 하였습니다.

단원의 핵심개념을 모은 SUMMA NOTE

공부할 내용 중 핵심적인 개념을 모아 정리해 두었습니다.

이보다 더 상세할 수 없다! QA를 통한 스토리텔링 강의

Q 001 공부를 하면서 꼭 필요한 물음

A Q에 대한 짧고 확실한 Answer

A Q에 대한 친절하고 자세한 Answer

본문 설명에 있어서 중요한 개념, 주의할 점, 기억해야 할 점 등 모든 것을 묻고 답하는 형식으로 설명함에 따라 충분한 이해를 기반으로 공부할 수 있습니다.

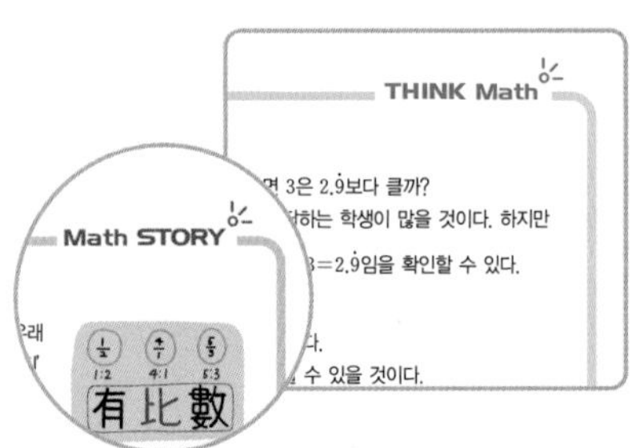

창의적 사고를 위한 THINK Math

사고를 한 단계 UP 할 수 있는 내용을 담아 수학을 생각하게 하였습니다.

***재미있는 쉼터 Math STORY**
역사적인 일화, 수학자 이야기 등 본문과 관련된 흥미 있는 이야기를 담았습니다.

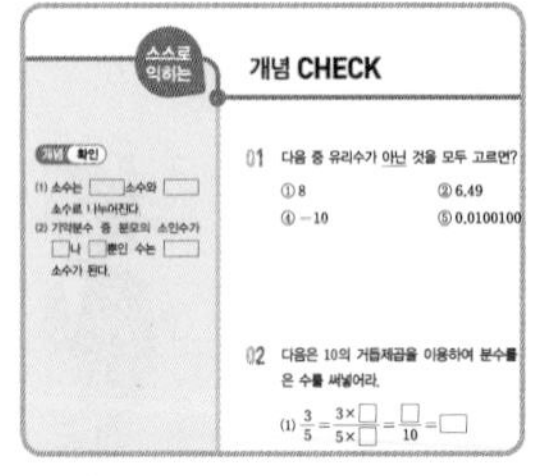

개념을 이해했는지 확인하는 개념 CHECK

개념 확인 이 강에서 새로 배운 용어 또는 학습 원리를 간단하게 □ 안에 넣기로 확인합니다.
개념 CHECK 앞에 배운 개념들을 완벽히 이해하고 있는지 확인합니다.
틀린 문제가 있다면 본문을 다시 한 번 읽어 주세요!

이 책의 구성과 특징

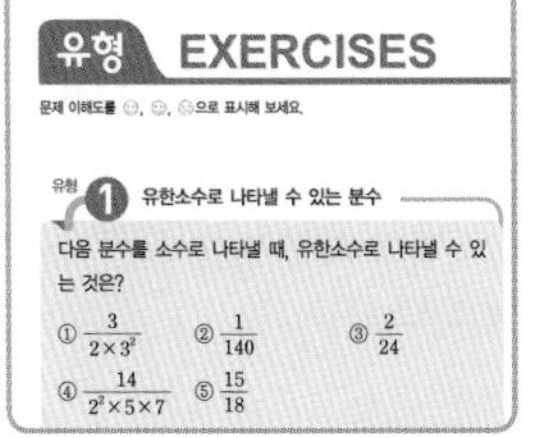

유형으로 문제를 정리하는 유형 EXERCISES

소단원별로 시험에 반드시 나오는 유형들을 모아 정리해 놓았습니다.
어려운 부분이 생기면 본문 QA로 Go Go~
문제 이해도를 ☺, 😐, ☹으로 표시해 보고 이해가 잘 되지 않는 문제는 반드시 다시 풀어봅니다.

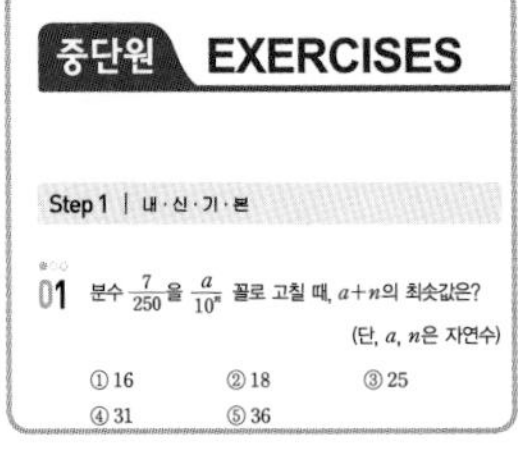

실력을 완성하는 중단원 EXERCISES

유형에서 벗어나 스스로 문제를 파악하여 해결하는 시간입니다.
시험에 출제되는 다양한 유형의 문제를 풀어 볼 수 있습니다.

- 난이도 표시 (●○○ : 하, ●●○ : 중, ●●● : 상)
- 창의융합 : 새 교육과정에서 강조하는 수학적 창의성 신장 문제를 풀어봅니다.

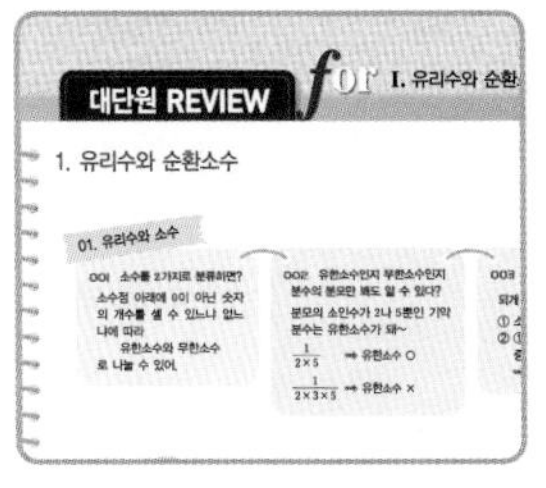

QA로 완벽 정리하는 대단원 REVIEW

본문 속 Q를 따라 학습의 흐름을 정리하는 시간입니다.
묻고 답하면서 복습해 보세요. 내용이 더욱 오래 기억될 거예요.

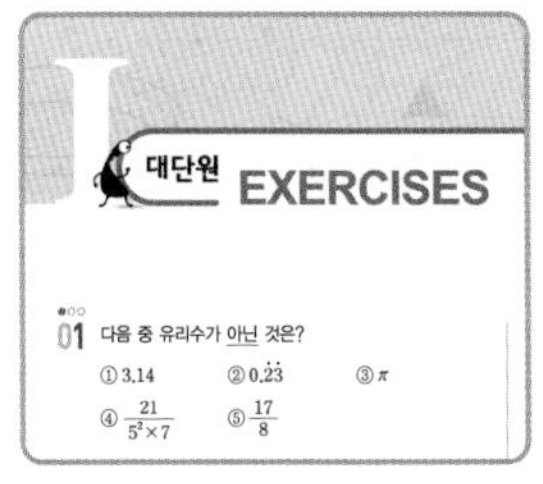

단원을 마무리짓는 대단원 EXERCISES

한 단원 전체의 내용을 문제를 통해 확인하는 시간입니다.
개념을 잘 이해하고 있으니 서술형 문제도 술술~ 풀릴 거예요!

숨마쿰라우데® 중학수학 개념기본서 2-상

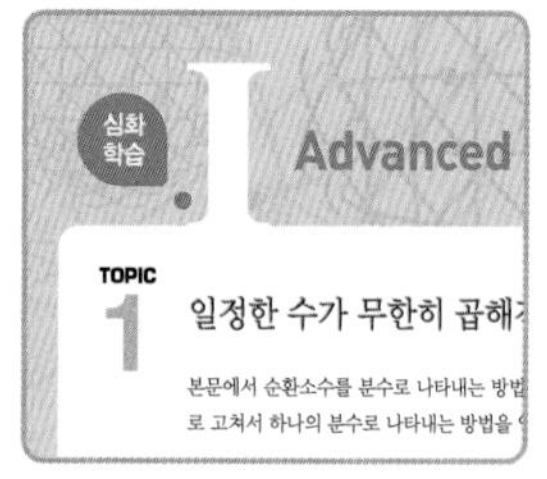

한 단계 높은 차원의 수학을 원한다면 Advanced Lecture

수학의 개념을 확장해 놓은 수학의 장입니다. 본문 개념의 확장 및 고학년의 수학으로의 연계 뿐만 아니라 교과서 밖의 해결 방법 등을 논함으로써 한 차원 높은 수학을 맛볼 수 있습니다.

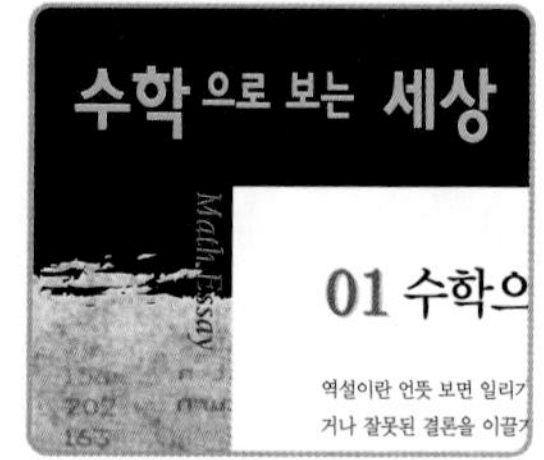

수학으로 보는 세상 Math Essay

실생활에서 볼 수 있는 흥미 있는 수학 이야기, 수학자 이야기 등을 실어 놓았습니다. 술술 읽어 가며 가볍게 단원을 마무리하세요~

테스트 BOOK

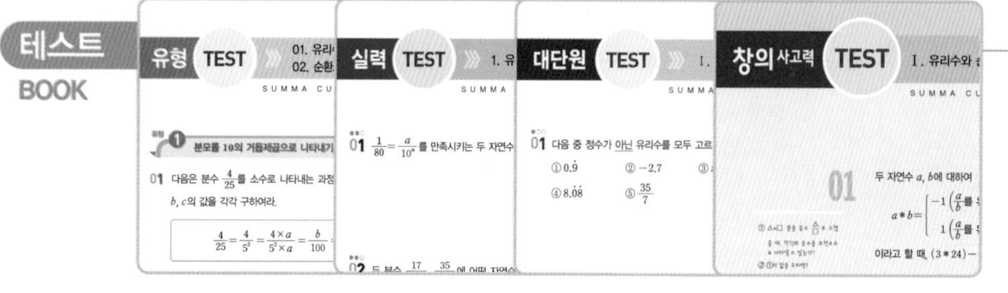

다양한 실전 문제를 통해 학교 시험을 준비할 수 있도록 문제편을 구성하였습니다.

해설 BOOK

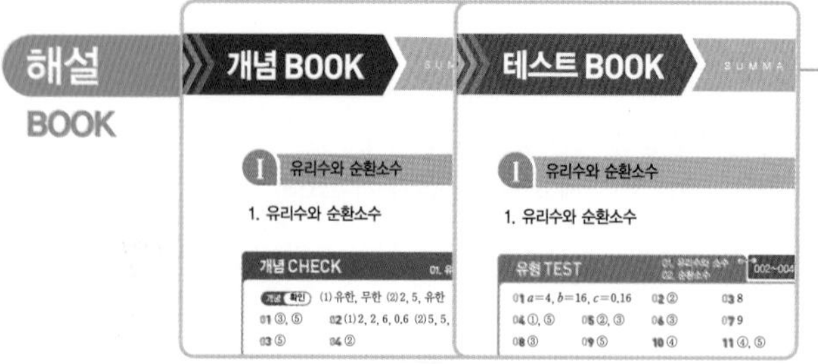

스스로 학습하는 데 어려움이 없도록 상세한 해설과 문제에 대한 다양한 풀이를 실어 놓았습니다.

이 책의 학습 시스템

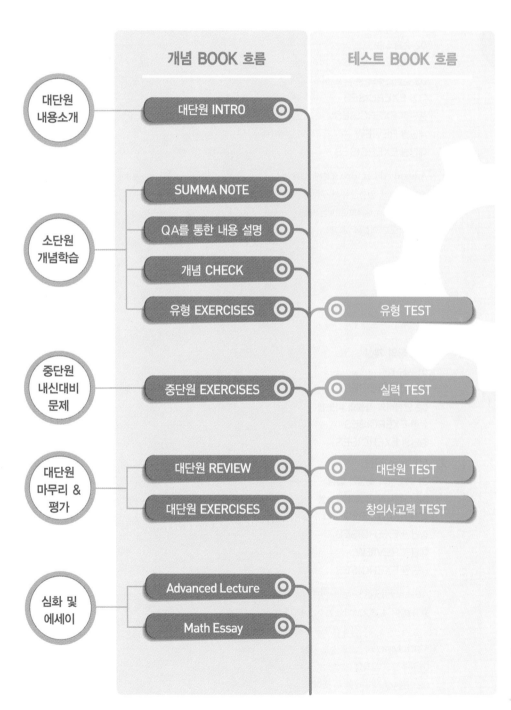

단계	개념 BOOK 흐름	테스트 BOOK 흐름
대단원 내용소개	대단원 INTRO	
소단원 개념학습	SUMMA NOTE	
	QA를 통한 내용 설명	
	개념 CHECK	
	유형 EXERCISES	유형 TEST
중단원 내신대비 문제	중단원 EXERCISES	실력 TEST
대단원 마무리 & 평가	대단원 REVIEW	대단원 TEST
	대단원 EXERCISES	창의사고력 TEST
심화 및 에세이	Advanced Lecture	
	Math Essay	

숨마쿰라우데® 중학수학 개념기본서 2-상

I 유리수와 순환소수

II 식의 계산

이 책의 차례

부등식과 방정식

일차함수

묻고 답하면서 공부하는

숨마쿰라우데® 중학수학 개념기본서 2-상

학습할 부분의 질문(Question)을 대단원별로 읽어 보세요.
학습 순서에 따라 제시되는 핵심 주제이므로 단원의 흐름을 한눈에 파악할 수 있습니다.
흐름에 따라 내용을 숙지하면 이해력과 기억력이 높아지므로 공부의 효율 또한 높아집니다.

유리수와 순환소수

II

식의 계산

부등식과 방정식

❶ 예습 — 주제들을 읽어 보며 학습의 감을 잡자!
❷ 자율학습 — 궁금한 주제가 있다면 본문으로 들어가 바로바로 확인!
❸ 복습 — 주제를 읽으며 학습한 내용을 떠올려 보자. ○△×에 체크하여 모두 ○가 되는 그날까지 화이팅!
❹ 시험 대비 — 중요QA 를 중점적으로 공부하여 실전에 대비!

※ 아래의 Q를 읽고 스스로에게 물어 보세요! 정확하게 설명할 수 있으면 ○에, 보통이면 △에, 미흡하면 ×에 각각 체크해 보세요.

묻고 답하면서 공부하는

숨마쿰라우데® 중학수학 개념기본서 2-상

QA

학습할 부분의 질문(Question)을 대단원별로 읽어 보세요.
학습 순서에 따라 제시되는 핵심 주제이므로 단원의 흐름을 한눈에 파악할 수 있습니다.
흐름에 따라 내용을 숙지하면 이해력과 기억력이 높아지므로 공부의 효율 또한 높아집니다.

❶ 예습 — 주제들을 읽어 보며 학습의 감을 잡자!
❷ 자율학습 — 궁금한 주제가 있다면 본문으로 들어가 바로바로 확인!
❸ 복습 — 주제를 읽으며 학습한 내용을 떠올려 보자. ○△×에 체크하여 모두 ○가 되는 그날까지 화이팅!
❹ 시험 대비 — 중요QA 를 중점적으로 공부하여 실전에 대비!
※ 아래의 Q를 읽고 스스로에게 물어 보세요! 정확하게 설명할 수 있으면 ○에, 보통이면 △에, 미흡하면 ×에 각각 체크해 보세요.

오스트리아의 잘츠부르크

오스트리아의 서부에 있는 도시 잘츠부르크는 로마시대에 생긴 도시이다.
모차르트가 태어난 곳으로 이를 기념하여 해마다 음악제가 개최된다.
언덕 위에는 1077년에 창건된 호헨잘츠부르크 성이 보존되어 있다.

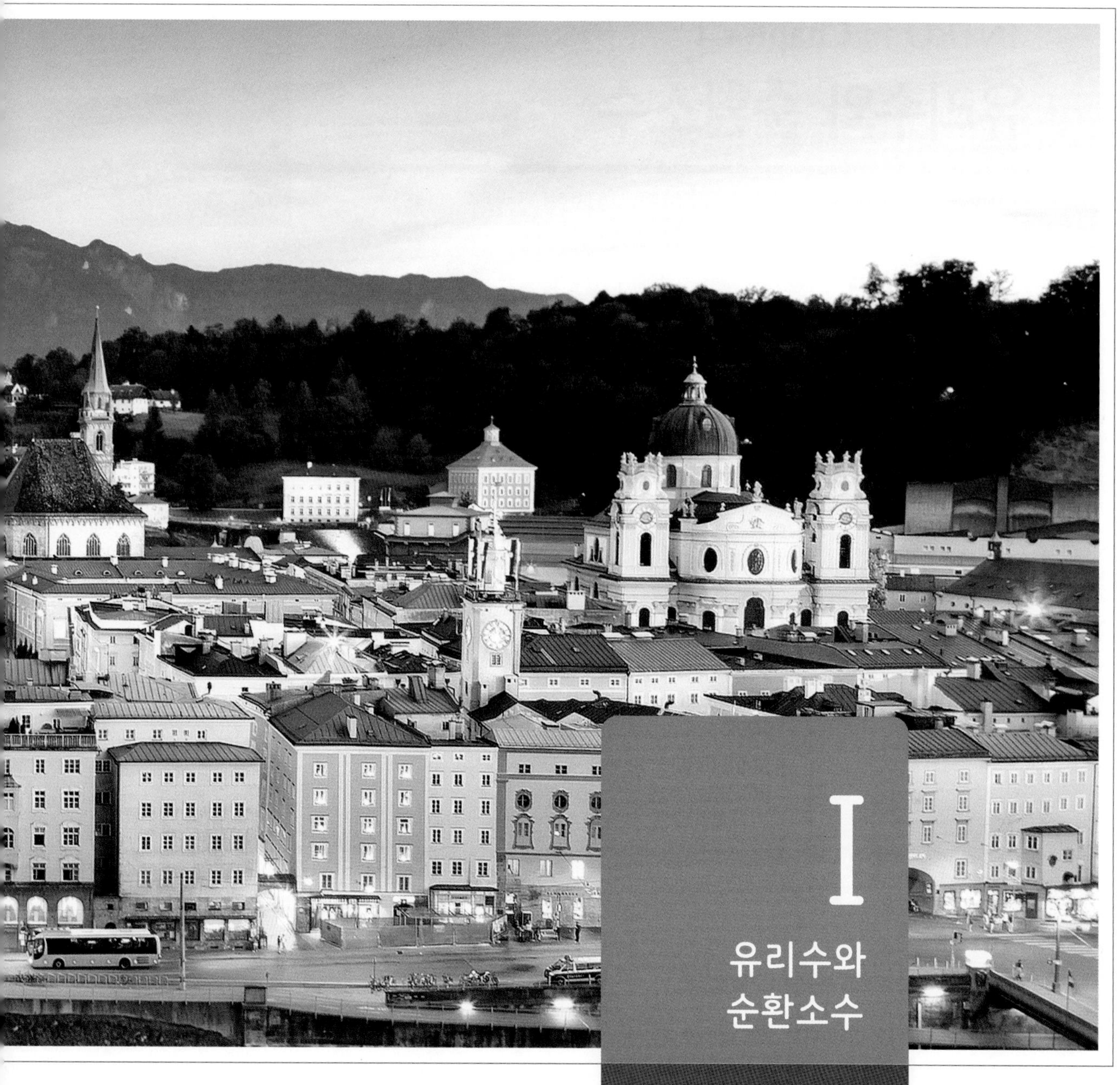

I
유리수와 순환소수

1. 유리수와 순환소수

숨마쿰라우데® 개념기본서

INTRO to Chapter Ⅰ

유리수와 순환소수

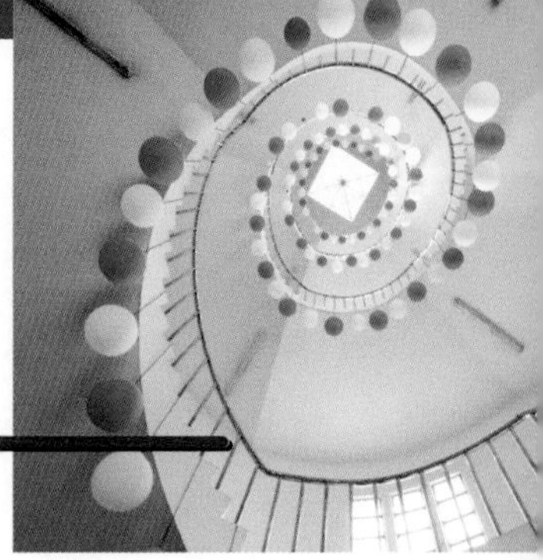

SUMMA CUM LAUDE - MIDDLE SCHOOL MATHEMATICS

기원전 2000년경에도 분수는 존재하였다...

기원전 2000년경 고대 바빌로니아에서는 60진법을 사용한 분수가 사용되었다. 바빌로니아에서는 분모가 60의 거듭제곱인 분수를 사용하였는데 한 단위를 60등분 하고, 그것을 다시 60등분 하여 수를 나타내었다. 예를 들어 12,35는 $12+\frac{35}{60}$를 의미하였다.

60진법을 사용하게 된 이유로는 1년을 약 360일로 본 것에서 비롯되었다고 추측하고 있다. 바빌로니아의 60진법은 후에 아라비아로 계승되었고, 이어서 유럽까지 퍼져 16세기까지는 천문학이나 수학의 어려운 계산에 사용되기도 하였다.

10진법이 일상화된 현재에도 60진법이 사용되는 경우가 있다. 보통 시간과 각도를 측정할 때 사용되는데, 이를테면 $\underset{\text{15도 20분 14초}}{15°20'14''}$는 $\left(15+\frac{20}{60}+\frac{14}{60^2}\right)^{\circ}$를 의미한다.

스테빈-지금의 소수와 유사한 표기 방법을 고안하다...

역사적으로 분수를 연구한 사람은 알려져 있지 않지만 소수를 연구한 사람으로는 벨기에의 수학자 스테빈(1548~1620)이 잘 알려져 있다.
스테빈은 당시 군인이었는데 그가 하는 일은 기부금이나 병사의 월급을 계산하는 것이었다. 계산을 많이 하게 된 그는 어떻게 하면 좀 더 간단하게 계산할 수 있을까를 늘 고민했다. 특히 분수를 어떻게 하면 쉽게 계산할지 고민하였다. 스테빈은 오랜 연구 끝에 간단한 계산법을 찾아내었는데, 그것은 분수들을 분모가 10, 100, 1000, …인 분수로 바꾸어 생각하는 것이었다.
예를 들어 $\frac{1}{11}$은 간단히 $\frac{9}{100}$로, $\frac{1}{12}$은 간단히 $\frac{8}{100}$로 생각하였다. 이런 식으로 분모가 10, 100, 1000, …인 분수로 바꾼 다음, 숫자 옆에 동그라미를 그려 그 안에 10의 거듭제곱의 지수를 써넣어 자릿수를 표시하였다.

$$\frac{567}{1000}=5\cdot\left(\frac{1}{10}\right)^1+6\cdot\left(\frac{1}{10}\right)^2+7\cdot\left(\frac{1}{10}\right)^3 \Rightarrow 0⓪5①6②7③$$

스테빈의 표기 방법 이후 소수를 나타내는 모양은 여러 가지로 바뀌었다. 그러다가 오늘날과 같이 정수 부분과 소수 부분을 나누어 소수점만 찍는 방법을 사용한 것은 스테빈이 소수를 처음 생각했을 때보다 30여 년이 지난 뒤였다. 지금도 소수를 나타내는 방법은 세계적으로 완전히 통일되지 않았다. 유럽에서는 소수점 대신 쉼표를 찍기도 한다.
비록 스테빈이 지금과 같은 소수의 표기법을 고안한 것은 아니지만 분수를 10진법으로 표현하여 소수를 나타낸 그의 연구는 큰 의미를 가진다. 분수의 10진법으로의 표현은 60진법 등을 사용하면서 생기는 불편함을 크게 줄여주었다. 이후 소수 영역의 수의 발전이 크게 이루어졌고 오늘날 자연스럽게 소수의 계산을 할 수 있게 되었다.

분수와 소수의 관계를 파악하자...

초등학교에서 분수와 소수의 관계에 대해 배웠다. 이때에는 분모가 10인 분수는 소수 한 자리의 수, 분모가 100인 분수는 소수 두 자리의 수, …와 같이 분모가 10의 거듭제곱인 분수를 소수로 나타낼 때의 특성에 대해 배웠다.
중등에서는 이를 확장하여 분모가 10의 거듭제곱이 아닌 분수들을 소수로 나타내어 그 특성을 살펴볼 것이다.
이로부터 소수가 2가지로 분류된다는 것도 알게 되고, 그 중 어떠한 수가 유리수가 되는지 확인할 수도 있다. 자 그러면 분수와 소수에 대해 본격적으로 살펴보도록 하자~!

LECTURE 01

유리수와 소수

SUMMA **NOTE**

1. 유리수와 소수

(1) 유리수 : 분수 $\frac{a}{b}$ (a, b는 정수, $b \neq 0$) 꼴로 나타낼 수 있는 수

(2) 유한소수와 무한소수

① 유한소수 : 소수점 아래의 0이 아닌 숫자가 유한개인 수

② 무한소수 : 소수점 아래의 0이 아닌 숫자가 무한개인 수

(3) 유한소수로 나타낼 수 있는 분수의 성질

기약분수로 고쳤을 때 분모의 소인수가 2나 5뿐인 분수는 유한소수로 나타내어진다.

1. 유리수와 소수

중 1 때, 분수에 $+$, $-$ 부호를 붙인 수와 0을 통틀어 유리수라고 배웠다. 이때 유리수의 체계는 다음과 같았다.

유리수
- 정수
  - 양의 정수(자연수) : $+1,\ +2,\ +3,\ \cdots$
  - 0
  - 음의 정수 : $-1,\ -2,\ -3,\ \cdots$
- 정수 아닌 유리수 : $+\frac{1}{2},\ -\frac{2}{3},\ 0.4,\ -1.5,\ \cdots$

중 2에서는 유리수를 다음과 같이 좀 더 수학적인 표현으로 나타낸다.

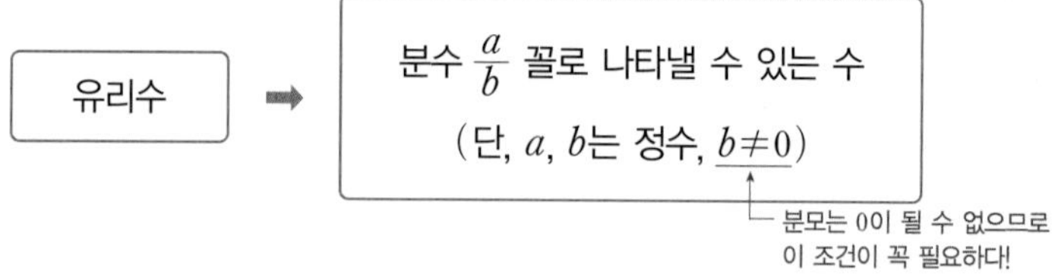

유리수
분수 $\frac{a}{b}$ 꼴로 나타낼 수 있는 수
(단, a, b는 정수, $b \neq 0$)
분모는 0이 될 수 없으므로
이 조건이 꼭 필요하다!

분수를 소수로 나타낼 수 있으므로 정수가 아닌 유리수 $\frac{a}{b}$는 모두 소수로도 표현된다.

'유리수와 소수' 라는 단원명에서 짐작할 수 있듯이 이 단원에서는 유리수를 소수와 연관지어 알아보고자 한다.

Q 001 소수를 2가지로 분류하면?

빠른 A 유한소수와 무한소수

친절한 A 소수란 소수점 아래에 0이 아닌 숫자가 있는 수이다.
이때 0이 아닌 숫자의 개수를 셀 수 있느냐 없느냐에 따라

유한소수　　**무한소수**

로 나눈다. 말 그대로 셀 수 있으면 유한소수, 셀 수 없으면 무한소수라고 한다.

0.125 ➡ 소수점 아래 0이 아닌 숫자가 3개로 **유한개** ➡ 유한소수
0.333⋯ ➡ 소수점 아래 0이 아닌 숫자가 **무한개** ➡ 무한소수
3.10000⋯ ➡ 소수점 아래 0이 아닌 숫자는 1개로 **유한개** ➡ 유한소수
=3.1　　　　0의 반복은 의미가 없다.

유한소수와 무한소수는 용어만 새롭게 배울 뿐 이미 익숙한 소수이다.
유한소수는 0.1, 5.45와 같이 흔히 접해왔던 소수이고, 무한소수는 나눗셈에서 살짝 접했다.
우리는 계속 나누어도 나누어떨어지지 않는 나눗셈의 경우 몫에 '⋯'을 사용하는 대신 반올림하여 몫을 간단히 나타내었다. 그때 반올림하기 전 실제 몫이 바로 무한소수였다.

Q 002 유한소수인지 무한소수인지 분수의 분모만 봐도 알 수 있다?

빠른 A 기약분수 중 분모의 소인수가 2나 5뿐이면 유한소수!

친절한 A 정수가 아닌 분수 $\frac{a}{b}$에서 분자 a를 분모 b로 나누면 소수가 된다. 이때 어떤 분수는 유한소수가 되고, 어떤 분수는 무한소수가 된다. 다음 표는 그 예들을 유한소수와 무한소수로 나누어 놓은 것이다.

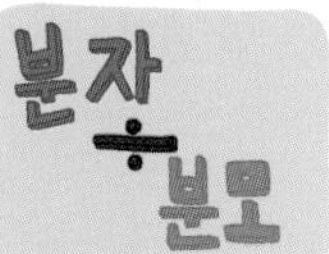

유한소수가 되는 분수들			무한소수가 되는 분수들	
$\frac{1}{2}=0.5$	$\frac{1}{4}=0.25$	$\frac{3}{4}=0.75$	$\frac{1}{3}=0.333\cdots$	$\frac{1}{6}=0.1666\cdots$
$\frac{1}{5}=0.2$	$\frac{3}{5}=0.6$	$\frac{4}{5}=0.8$	$\frac{1}{7}=0.142857142857\cdots$	$\frac{1}{9}=0.111\cdots$
$\frac{1}{10}=0.1$	$\frac{1}{20}=0.05$	$\frac{1}{50}=0.02$	$\frac{1}{11}=0.090909\cdots$	$\frac{1}{12}=0.08333\cdots$

그런데 표를 잘 살펴보면 직접 나누지 않고도 유한소수가 되는지 무한소수가 되는지 판단할 수 있는 다음과 같은 기준을 엿볼 수 있다.

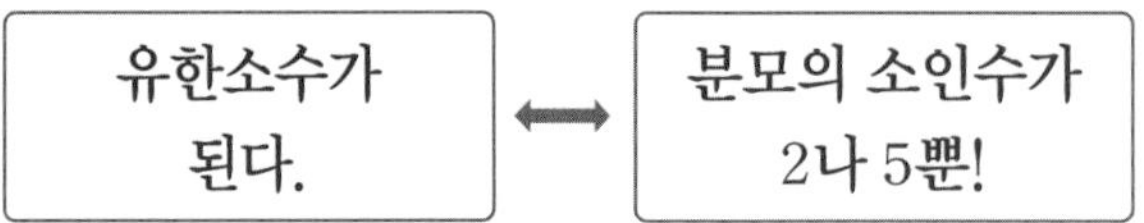

분모가 2, 4, 5, 10, 20, 50과 같이 소인수가 2나 5뿐인 분수들은 분모에 2나 5를 적당히 곱하면 분모가 10, 100, 1000, …인 분수가 되기 때문에 유한소수가 된다.

↳ 분모가 10의 거듭제곱인 분수는 모두 유한소수로 나타낼 수 있다.

$$\frac{1}{2}=\frac{1\times5}{2\times5}=\frac{5}{10}=0.5$$

$$\frac{1}{8}=\frac{1}{2^3}=\frac{1\times5^3}{2^3\times5^3}=\frac{125}{1000}=0.125$$

$$\frac{1}{50}=\frac{1}{2\times5^2}=\frac{1\times2}{2\times5^2\times2}=\frac{2}{100}=0.02$$

반면 분모가 3, 6, 7, 9, 11과 같이 어떤 자연수를 곱해도 10의 거듭제곱으로 고칠 수 없는 분수들은 유한소수가 될 수 없다. 즉, 분모에 2나 5 이외의 소인수가 있는 분수들은 모두 무한소수가 된다.

따라서 분수를 보면 다음과 같이 분모의 소인수를 살펴 유한소수인지 무한소수인지 파악하자.

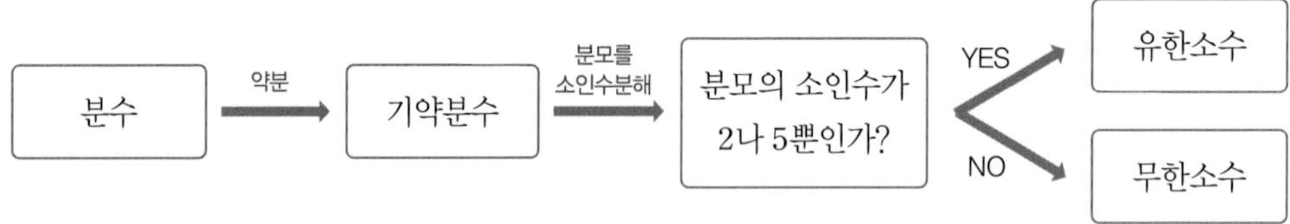

분모의 소인수를 살피기 전에 반드시 **기약분수로 먼저 고쳐야 한다는 점**을 잊지 않도록 하자!

$\frac{3}{12}$과 같은 분수에서 분모 12만 보고 '$12=2^2\times3$이니까 무한소수가 되겠구나.' 하고 생각하면 안 된다. $\frac{3}{12}=\frac{1}{4}$이므로 유한소수가 된다.

$$\frac{\cancel{3}}{2^2\times\cancel{3}}=\frac{1}{2^2}$$

예제 1 유한소수로 나타내어지는 수에 '유', 무한소수로 나타내어지는 수에 '무'를 써넣어라.

(1) $\frac{1}{2\times5}$ (　　)　(2) $\frac{21}{3\times5^2}$ (　　)　(3) $\frac{5}{2^2\times11}$ (　　)

(4) $\frac{5}{32}$ (　　)　(5) $\frac{2}{30}$ (　　)　(6) $\frac{9}{75}$ (　　)

풀이 (1) 유 (2) 유 (3) 무 (4) 유 (5) 무 (6) 유

(2) $\frac{21}{3\times5^2}=\frac{7}{5^2}$(유)　(5) $\frac{2}{30}=\frac{1}{15}=\frac{1}{3\times5}$(무)　(6) $\frac{9}{75}=\frac{3}{25}=\frac{3}{5^2}$(유)

Q 003 분수 $\frac{7}{2\times5^3\times a}$을 유한소수가 되게 만드는 20 이하의 자연수 a의 값은?

빠른 A a=(소인수가 2나 5뿐인 수) 또는 $a=7\times$(소인수가 2나 5뿐인 수)

친절한 A $\frac{7}{2\times5^3\times a}$이 유한소수가 되려면 분모의 소인수가 2나 5뿐이어야 한다는 사실과 더불어

a가 분자 7과 약분이 될 수 있는 경우

도 빠뜨리지 말고 따져봐야 한다.

① a의 소인수가 2나 5뿐이면 유한소수가 된다.
따라서 이를 만족하는 a의 값은 1을 포함하여 다음과 같다.

$$1,\ 2,\ 2^2,\ 2^3,\ 2^4,\ 5,\ 2\times5,\ 2^2\times5$$

② ①에서 구한 값에 분자 7을 곱한 값도 가능하다.
이때 20 이하의 자연수만 되므로 만족하는 a의 값은

$$1\times7,\ 2\times7$$

따라서 a의 값이 될 수 있는 자연수는 ①, ②에서 구한 10개의 수이다.

$$\mathbf{1,\ 2,\ 4,\ 5,\ 7,\ 8,\ 10,\ 14,\ 16,\ 20}$$

예제 2 다음을 만족하는 자연수 a의 값을 구하여라.

(1) 분수 $\frac{a}{2\times3\times5\times11}$를 유한소수로 만드는 가장 작은 자연수 a

(2) 분수 $\frac{6}{2^2\times5\times a}$을 유한소수로 만드는 10 이하의 자연수 a

풀이 (1) $3\times11=\mathbf{33}$

(2) $\underbrace{1,\ 2,\ 2^2,\ 2^3,\ 5,\ 2\times5}_{\text{소인수가 2나 5뿐인 경우}},\ \underbrace{3,\ 3\times2}_{\text{분자 6과 약분되는 경우}}$, 즉 **1, 2, 3, 4, 5, 6, 8, 10**

Math STORY

rational number ➡ 유리수가 아닌 유비수?

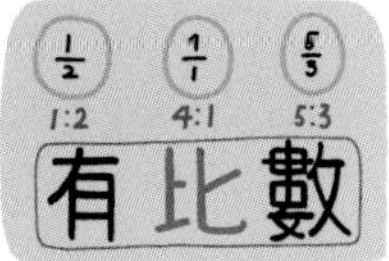

영어 fraction은 '잘려진'이라는 의미를 가진 라틴어 fration에서 유래한 것이다. 이 말은 우리나라에서 '분수'라는 말로 번역되었는데 '잘려진'의 의미가 그대로 담겨 있다. 예를 들어 $\frac{1}{2}$은 전체를 둘로 잘랐을 때 하나를 뜻한다. 이러한 분수가 중학교에 와서 유리수라는 이름으로 변신을 한다. 그런데 유리수(有理數)는 이성적인 수를 뜻하는 말로 분수와 전혀 다른 의미이다. 잘려진 수에서 이성적인 수로? 왜 이렇게 변신한 걸까?
유리수를 뜻하는 영어 rational number를 잘못 번역한 것이라는 주장이 있다. rational은 이성적이라는 말 이전에 비(ratio)를 뜻하는 형용사였기 때문이다.
그래서 유리수가 아닌 유비수(有比數)로 번역해야 올바른 의미 전달이 된다고 말한다.

개념 CHECK

해설 BOOK 002쪽

개념 확인

(1) 소수는 $\square$소수와 $\square$ 소수로 나누어진다.
(2) 기약분수 중 분모의 소인수가 $\square$나 $\square$뿐인 수는 $\square$ 소수가 된다.

01 다음 중 유리수가 아닌 것을 모두 고르면? (정답 2개)

① 8　② 6.49　③ π
④ -10　⑤ $0.010010001\cdots$

02 다음은 10의 거듭제곱을 이용하여 분수를 소수로 나타내는 과정이다. $\square$ 안에 알맞은 수를 써넣어라.

(1) $\dfrac{3}{5}=\dfrac{3\times\square}{5\times\square}=\dfrac{\square}{10}=\square$

(2) $\dfrac{7}{20}=\dfrac{7}{2^2\times5}=\dfrac{7\times\square}{2^2\times5\times\square}=\dfrac{\square}{100}=\square$

03 다음 분수 중 유한소수로 나타낼 수 없는 것은?

① $\dfrac{1}{2}$　② $\dfrac{2}{5}$　③ $\dfrac{3}{24}$
④ $\dfrac{4}{5^2}$　⑤ $\dfrac{1}{2\times5\times7}$

04 $\dfrac{11}{60}\times x$를 소수로 나타내면 유한소수가 된다. 이때 x의 값이 될 수 있는 가장 작은 자연수는?

① 2　② 3　③ 4
④ 5　⑤ 11

자기 진단

Q001 019쪽
소수를 2가지로 분류하면?

Q002 019쪽
유한소수인지 무한소수인지 분수의 분모만 봐도 알 수 있다?

순환소수

SUMMA NOTE

1. 순환소수

(1) 순환소수 : 소수점 아래의 어떤 자리에서부터 일정한 숫자의 배열이 한없이 되풀이되는 무한소수

(2) 순환마디 : 순환소수의 소수점 아래에서 숫자의 배열이 일정하게 되풀이되는 한 부분

(3) 순환소수의 표현 : 순환마디의 양 끝에 있는 숫자 위에 점을 찍어 나타낸다.

$0.222\cdots=0.\dot{2}$

$0.1212\cdots=0.\dot{1}\dot{2}$

$0.012012\cdots=0.\dot{0}1\dot{2}$

1. 순환소수

Q 004 순환소수란?

빠른 A $0.333\cdots$, $0.04545\cdots$와 같이 소수점 아래에서 일정한 숫자의 배열이 한없이 되풀이되는 소수

친절한 A 두 분수 $\frac{13}{9}$과 $\frac{2}{11}$는 분모를 10의 거듭제곱으로 고치는 방법으로는 소수로 나타낼 수 없다.

그래서 이 분수를 소수로 고치기 위해서는 다음과 같이 분자를 분모로 직접 나누는 방법을 사용해야 한다.

$\frac{13}{9}$

```
       1.444…
  9 ) 13
       9
       40 ─┐ 동일한 수가 다시
       36  │ 나타난다.
       40 ←┘ ➡ 몫이 반복
       36
        40
        36
        40
         ⋮
```

$\frac{2}{11}$

```
       0.1818…
 11 ) 20 ──┐ 동일한 수가 다시
      11   │ 나타난다.
       90  │ ➡ 몫이 반복
       88  │
       20 ←┘
       11
        90
        88
        20
         ⋮
```

그런데 나눗셈을 하다 보면 위와 같이 몫에서 매우 특별한 속성을 발견하게 된다. 바로

몫의 소수점 아래에서 어떤 수들이 규칙적으로 반복되어 나타난다는 것!

$$\frac{13}{9}=1.444\cdots,\ \frac{2}{11}=0.1818\cdots$$

이처럼 나누어떨어지지 않는 분수는 모두 반복되는 성질을 가진 무한소수가 되는데, 이렇게 소수점 아래의 어떤 자리에서부터 일정한 숫자의 배열이 한없이 되풀이되는 무한소수를 그 특성을 이름으로 붙여 **순환소수**라고 부른다. 이때 순환소수에서 되풀이되는 한 부분을 **순환마디**라고 한다.

(1) $\frac{1}{3}=0.333\cdots$ ➡ 순환마디 : 3

(2) $\frac{1}{6}=0.1666\cdots$ ➡ 순환마디 : 6

(3) $\frac{3}{11}=0.2727\cdots$ ➡ 순환마디 : 27 ← '순환마디 이칠' 이라고 읽는다.

0.2727272727은
순환소수가 아니야.
왜냐구?
무한소수가 아니니까~

| 주의 | 순환마디는 소수점 아래 처음으로 되풀이되는 부분이다. 따라서 0.2727…의 순환마디는 72가 아닌 27이다.

예제 3 다음 순환소수의 순환마디를 구하여라.

(1) 0.111… (2) 0.232323… (3) 0.1419419…

풀이 (1) 1 (2) 23 (3) 419

| 참고 | 기약분수에서 분모의 소인수로 2 또는 5 이외의 것이 있으면 모두 무한소수가 된다.
그리고 이 무한소수는 위에서 배운 내용을 보면 알 수 있듯이 모두 순환소수임을 알게 되었다.

THINK Math

순환마디의 숫자의 개수는 최대 (분모−1)개이다.

기약분수를 소수로 나타낼 때

나머지가 0이 아니면 ➡ 같은 나머지가 나올 때까지 계속 나눗셈을 한다.

이때 나머지는 당연히 분모보다 작은 자연수가 된다. 따라서 나눗셈을 하는데 분모보다 작은 자연수가 나머지로 모두 한 번씩 나왔다면 그 다음에는 결국 앞서 나온 나머지가 다시 나올 수밖에 없다. 결국 순환마디의 숫자의 개수는 나눗셈에서 서로 다른 나머지가 몇 개까지 나오느냐로 결정되며 아무리 많아도 (분모−1)개라는 사실~. (분모−1)개까지 나오는 분수는 흔치 않다.

예를 들어, $\frac{1}{7}=0.142857142857\cdots$의 순환마디는 142857로 6개이다.

Q 005 무한소수는 모두 순환소수일까?

빠른 A NO! 순환하지 않는 무한소수도 있어.

친절한 A 앞에서 나온 무한소수가 모두 순환소수였기에 무한소수는 모두 순환소수라고 생각할 수도 있다. 하지만 (무한소수)≠(순환소수)임을 잘 알고 있어야겠다.
우리가 앞에서 다룬 무한소수는 모두 분수를 나누었을 때 나오는 소수였다.
하지만 무한소수에는 분수에서 나온 순환소수만 있는 것이 아니라

$$0.1010010001000\cdots,\quad 0.1212212221222\cdots,\quad 1.414213562373095\cdots$$

와 같이 순환하지 않는 무한소수들도 많다.
따라서 무한소수에는 순환소수뿐만 아니라 순환하지 않는 무한소수도 있다는 것 기억하자.

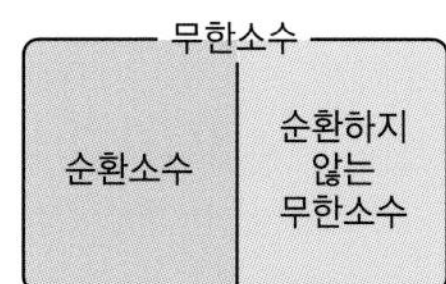

Math STORY

순환하지 않는 무한소수를 찾아라!

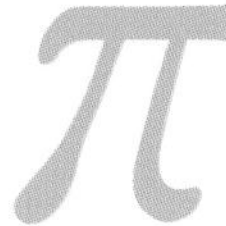

우리는 이미 한 개의 순환하지 않는 무한소수를 배웠다. 바로 원주율 π이다. π는 원의 지름에 대한 원의 둘레의 길이의 비로 원의 크기에 상관없이 일정한 값을 나타내는데 그 값이 3.1415926535…로 순환하지 않는 무한소수이다. 순환하지 않는 무한소수는 무수히 많이 존재한다. 이러한 무한소수는 분수로 나타낼 수 없기에 유리수가 될 수 없다. 그래서 이 수를 무리수라고 한다. 무리수에 대해서는 중 3 때 배울 것이다.

Q 006 순환소수를 간단히 표현하는 방법이 있을까?

빠른 A 순환마디의 양 끝에 있는 숫자 위에 점을 찍어 나타내는 방법

친절한 A 유리수를 순환소수로 나타낼 때, 같은 수를 반복적으로 적는 것은 매우 불편하므로 특별한 방법으로 간단하게 나타내기로 약속했다. 바로 순환마디를 이용하는 것이다.
순환마디에 줄을 긋거나 괄호를 치는 방법도 있지만 우리나라에서는 다음과 같이

순환마디의 양 끝에 있는 숫자 위에 점을 찍어 나타내는 방법

을 사용하고 있다.

$$0.815815\cdots \Rightarrow 0.\dot{8}1\dot{5}$$

점을 찍어 나타낼 때에는 다음을 모두 만족해야 함에 주의하자.

① 소수점 아래에서
② 처음으로 반복되는 순환마디를 찾아
③ 양 끝의 숫자 위에 점을 찍는다.

순환소수	순환마디 판별	순환소수의 표현
$1.2222\cdots$	순환마디 2 (○) 순환마디 22 (×)	$1.\dot{2}$ $1.\dot{2}\dot{2}$ (×)
$1.2323\cdots$	순환마디 23 (○) 순환마디 32 (×)	$1.\dot{2}\dot{3}$ $1.2\dot{3}\dot{2}$ (×)
$0.512512\cdots$	순환마디 512 (○) 순환마디 125 (×)	$0.\dot{5}1\dot{2}$ $0.\dot{5}\dot{1}\dot{2}$ (×)

예제 4 다음 순환소수의 순환마디를 찾고, 간단히 나타내어라.

(1) $0.333\cdots$
(2) $0.121212\cdots$
(3) $0.123123\cdots$
(4) $1.231313\cdots$

풀이 (1) 순환마디 : 3, $0.\dot{3}$
(2) 순환마디 : 12, $0.\dot{1}\dot{2}$
(3) 순환마디 : 123, $0.\dot{1}2\dot{3}$
(4) 순환마디 : 31, $1.2\dot{3}\dot{1}$

| 참고 | $0.2\dot{3}$과 $0.\dot{2}\dot{3}$ 중 어느 수가 더 클까? 이때는 점을 없애고 순환소수로 나타내어 비교하면 된다.

$0.2\dot{3}=0.2333\cdots$
$0.\dot{2}\dot{3}=0.2323\cdots$ ➡ $0.2\dot{3}>0.\dot{2}\dot{3}$

Q 007 분수 $\frac{4}{7}$를 소수로 고쳤을 때 소수점 아래 100번째 자리의 숫자는?

빠른 A $\frac{4}{7}=0.\dot{5}7142\dot{8}$임을 이용해.

친절한 A 분수 $\frac{4}{7}$가 순환소수가 됨을 분모를 보고 바로 확인한 학생이라면 100번째라는 말에 그다지 놀라지 않을 것이다. 규칙(순환마디)만 찾으면 100번째가 아니라 1000번째 자리의 숫자도 가뿐히 구할 수 있기 때문이다. 다음 순서에 따라 소수점 아래 100번째 자리의 숫자를 구해 보자.

❶ 순환소수로 나타내기	$\frac{4}{7}=0.\dot{5}7142\dot{8}$
❷ 순환마디	571428
❸ 반복되는 자리	소수점 아래 첫 번째 자리부터 반복
❹ 순환마디의 반복 횟수 구하기	$100\div6=16\cdots4$ 순환마디가 16번 반복한 다음 숫자 4개가 온다.
❺ 100번째 자리의 숫자 구하기	571428 중 4번째 숫자와 같으므로 **4**이다.

이와 같이 구하는 자리까지 순환마디가 몇 번 반복하고, 몇 개의 숫자가 오는지 나눗셈을 통해 쉽게 구할 수 있다. 이때

순환마디가 소수점 아래 몇 번째 자리부터 반복되는지

반드시 체크해야 한다.

예제 5 분수 $\frac{5}{28}$를 소수로 고쳤을 때 소수점 아래 100번째 자리의 숫자를 구하여라.

풀이

❶ 순환소수로 나타내기	$\frac{5}{28}=0.17\dot{8}5714\dot{2}$
❷ 순환마디	857142
❸ 반복되는 자리	소수점 아래 세 번째 자리부터 반복 ※ 소수점 아래 100번째 자리의 숫자는 첫 순환마디부터 98번째 자리의 숫자이다.
❹ 순환마디의 반복 횟수 구하기	$98\div6=16\cdots2$ 순환마디가 16번 반복한 다음 숫자 2개가 온다.
❺ 100번째 자리의 숫자 구하기	857142 중 2번째 숫자와 같으므로 **5**이다.

| 참고 | $\frac{1}{10}+\frac{2}{100}+\frac{1}{1000}+\frac{2}{10000}+\frac{1}{100000}+\cdots$을 소수로 간단히 나타내 보자.
웬 분수의 합인가? 하고 의아해할 수 있는데 이를 소수로 고치면
$0.1+0.02+0.001+0.0002+\cdots=0.1212\cdots$ 즉, 순환마디가 12인 순환소수가 된다.
따라서 소수로 간단히 나타내면 $0.\dot{1}\dot{2}$이다.

Math STORY

'142857'의 놀라운 비밀

프랑스 작가 베르나르 베르베르의 소설 「신」에서 소개되기도 했던 수 '142857'은 특이한 성질 때문에 신비한 수로 여겨진다.
142857은 1부터 6까지의 숫자를 각각 곱하면 숫자가 순환하는 특징을 가지고 있다.
즉, 1부터 6까지의 어떤 수를 곱해도 142857을 구성하는 숫자가 반복해서 나타난다.

$$142857\times1=142857,\quad 142857\times2=285714,\quad 142857\times3=428571,$$
$$142857\times4=571428,\quad 142857\times5=714285,\quad 142857\times6=857142$$

또한 분모가 7인 기약분수들을 순환소수로 나타내었을 때도 142857을 구성하는 숫자가 반복해서 나타난다.

$$\frac{1}{7}=0.\dot{1}4285\dot{7},\quad \frac{2}{7}=0.\dot{2}8571\dot{4},\quad \frac{3}{7}=0.\dot{4}2857\dot{1},\ \cdots$$

일반적으로 분수 $\frac{1}{n}$을 소수로 나타낼 때 순환마디의 숫자가 $(n-1)$개가 되는 경우, 순환마디가 바로 이런 성질을 갖게 되는데 곱했을 때 숫자가 순환하여 순환수(cyclic number)라고 부른다.

해설 BOOK 002쪽

개념 확인

(1) 소수점 아래의 어떤 자리에서부터 일정한 숫자의 배열이 한없이 되풀이되는 무한소수를 ☐라고 한다. 이때 되풀이되는 한 부분을 ☐라고 한다.

자기 진단

Q 004 023쪽
순환소수란?

Q 006 025쪽
순환소수를 간단히 표현하는 방법이 있을까?

01 다음 순환소수의 순환마디로 옳지 않은 것은?

① 1.272727… ➡ 순환마디 27
② 2.012012012… ➡ 순환마디 012
③ 0.42342342… ➡ 순환마디 342
④ 5.0010101… ➡ 순환마디 01
⑤ 0.1242424… ➡ 순환마디 24

02 다음 중 순환소수의 표현이 옳은 것은?

① $0.331331331\cdots=0.3\dot{3}\dot{1}$
② $3.828282\cdots=3.\dot{8}2\dot{8}$
③ $0.234234\cdots=0.\dot{2}\dot{3}\dot{4}$
④ $1.7366366366\cdots=1.\dot{7}36\dot{6}$
⑤ $0.00010101010\cdots=0.00\dot{0}\dot{1}$

03 다음 분수 중에서 소수로 나타내었을 때, 순환소수가 되는 것을 모두 골라라.

$$\frac{1}{2^3\times5},\ \frac{2}{3},\ \frac{3}{5^2\times11},\ \frac{5}{7},\ \frac{7}{140}$$

04 분수 $\frac{1}{37}$을 소수로 나타내었을 때, 틀리게 설명한 사람을 말하여라.

소희

예진

소수점 아래
20번째 자리의
숫자는 2이다.

원우

문제 이해도를 ☺, 😐, ☹으로 표시해 보세요.

해설 BOOK **002쪽** | 테스트 BOOK **002쪽**

유형 1 유한소수로 나타낼 수 있는 분수

다음 분수를 소수로 나타낼 때, 유한소수로 나타낼 수 있는 것은?

① $\frac{3}{2\times3^2}$ ② $\frac{1}{140}$ ③ $\frac{2}{24}$

④ $\frac{14}{2^2\times5\times7}$ ⑤ $\frac{15}{18}$

Summa **Point**

분수를 기약분수로 고쳤을 때 분모의 소인수가 2나 5뿐이면 유한소수로 나타낼 수 있다.

019쪽 **Q 002**

1-1

다음 분수 중 유한소수로 나타낼 수 없는 것은?

① $\frac{3}{8}$ ② $\frac{3}{10}$ ③ $\frac{4}{12}$

④ $\frac{11}{20}$ ⑤ $\frac{13}{32}$

1-2

다음 분수 중에서 유한소수로 나타낼 수 없는 것을 모두 골라라.

$$\frac{9}{5^4\times6},\ \frac{5}{75},\ \frac{21}{2^3\times5\times7},\ \frac{9}{36},\ \frac{52}{140}$$

1-3

$\frac{1}{3}$과 $\frac{4}{5}$ 사이의 분수 중에서 분모가 15이고, 유한소수로 나타낼 수 있는 분수를 모두 구하여라.

유형 2 유한소수가 되기 위한 미지수 구하기

$\frac{5}{24}\times a$를 소수로 나타내면 유한소수가 될 때, 가장 작은 자연수 a의 값을 구하여라.

Summa **Point**

기약분수의 분모의 소인수가 2나 5뿐이면 유한소수로 나타낼 수 있다.

021쪽 **Q 003**

2-1

분수 $\frac{21}{35\times a}$을 소수로 나타내면 유한소수가 될 때, 다음 중 a의 값이 될 수 없는 것은?

① 3 ② 4 ③ 5

④ 6 ⑤ 7

2-2

분수 $\frac{x}{2^2\times3\times11}$를 소수로 나타내면 유한소수가 될 때, x의 값이 될 수 있는 두 자리의 자연수를 모두 구하여라.

2-3

분수 $\frac{a}{28}$를 소수로 나타내면 유한소수이고, 이 분수를 기약분수로 고치면 $\frac{1}{b}$일 때, 자연수 a, b에 대하여 $a-2b$의 값을 구하여라. (단, $10\leq a<20$)

유형 3 순환소수와 순환마디

다음 중 순환소수의 표현이 옳지 않은 것은?

① $0.444\cdots=0.\dot{4}$　② $0.1212\cdots=0.\dot{1}\dot{2}$
③ $0.217217\cdots=0.\dot{2}1\dot{7}$　④ $1.1666\cdots=1.1\dot{6}$
⑤ $0.58383\cdots=0.\dot{5}8\dot{3}$

Summa Point
$a.bbb\cdots$ ➡ 순환마디 b ➡ $a.\dot{b}$
$a.bcdbcd\cdots$ ➡ 순환마디 bcd ➡ $a.\dot{b}c\dot{d}$

023쪽 Q004

3-1

다음 중 순환마디가 바르게 연결된 것은?

① $0.7272\cdots$ ➡ 27　② $1.351351\cdots$ ➡ 135
③ $0.12424\cdots$ ➡ 24　④ $21.321321\cdots$ ➡ 213
⑤ $0.213213\cdots$ ➡ 2132

3-2

다음 중 분수를 소수로 나타내었을 때, 순환마디를 이루는 숫자의 개수가 가장 많은 것은?

① $\frac{1}{3}$　② $\frac{1}{7}$　③ $\frac{5}{9}$
④ $\frac{19}{12}$　⑤ $\frac{3}{11}$

3-3

보기에서 분수를 순환소수로 바르게 나타낸 것을 모두 골라라.

보기
ㄱ. $\frac{4}{15}=0.2\dot{6}$　ㄴ. $\frac{10}{33}=0.\dot{3}$　ㄷ. $\frac{35}{111}=0.\dot{3}1\dot{5}$

유형 4 소수점 아래 n번째 자리의 숫자

분수 $\frac{1}{7}$을 소수로 나타낼 때, 소수점 아래 50번째 자리의 숫자를 구하여라.

Summa Point
순환소수에서 순환마디, 즉 숫자의 배열이 반복되는 부분을 구한 뒤 생각한다.

026쪽 Q007

4-1

순환소수 $1.\dot{7}0\dot{9}$에서 소수점 아래 100번째 자리의 숫자를 구하여라.

4-2

분수 $\frac{3}{11}$을 소수로 나타낼 때, 소수점 아래 50번째 자리의 숫자를 a, 소수점 아래 75번째 자리의 숫자를 b라고 하자. 이때 $a+b$의 값을 구하여라.

4-3

분수 $\frac{27}{110}$을 소수로 나타낼 때, 소수점 아래 첫 번째 자리의 숫자부터 소수점 아래 23번째 자리의 숫자까지의 합을 구하여라.

순환소수의 분수 표현

SUMMA NOTE

1. 순환소수의 분수 표현

❶ 주어진 순환소수를 x로 놓는다.

❷ 양변에 10, 100, 1000, …을 곱하여 소수점 아래 첫째 자리부터 순환마디가 똑같이 시작되도록 두 식을 만든다.

❸ 두 식을 변끼리 빼어 순환하는 부분을 없앤 후 x를 구한다.

• 순환소수를 분수로 나타내는 요령 : $0.\dot{a}\dot{b}=\frac{ab}{99}$, $a.b\dot{c}\dot{d}=\frac{abcd-ab}{990}$

2. 소수와 유리수

$$\text{소수}\begin{cases}\text{유한소수} \cdots\cdots \text{유리수}\\ \text{무한소수}\begin{cases}\text{순환소수} \cdots\cdots \text{유리수}\\ \text{순환하지 않는 무한소수}\end{cases}\end{cases}$$

1. 순환소수의 분수 표현

유한소수를 분수로 나타내는 방법은 소수 몇 자리 수냐에 따라 분모를 10, 100, …으로 정한 다음 분자를 써주면 된다.

$$0.2=\frac{2}{10},\quad 0.13=\frac{13}{100}$$

하지만 순환소수는 소수 몇 자리 수인지 정할 수 없기에 이 방법을 쓸 수가 없다. 어떻게 해야 분수로 고칠 수 있을까?

방법을 논하기 앞서 다음 두 뺄셈식을 보도록 하자.

$$\begin{array}{r} 5.55555\cdots \\ -\big)\ 0.55555\cdots \\ \hline 5 \end{array}\qquad\qquad \begin{array}{r} 35.353535\cdots \\ -\big)\ 0.353535\cdots \\ \hline 35 \end{array}$$

위 뺄셈식에서 소수점 아래 부분이 같은 두 소수의 차는 정수가 됨을 알 수 있다.

이 점은 바로 순환소수를 분수로 고칠 수 있는 중요한 아이디어가 된다.

순환소수는 순환마디가 계속 되풀이되므로 10의 거듭제곱을 적당히 곱하면

소수점 아래 부분이 똑같은 2개의 소수로 만들 수 있기 때문이다.

본격적으로 순환소수를 분수로 고쳐 보자.

Q 008 순환소수 $0.\dot{2}\dot{4}$를 분수로 어떻게 나타낼까?

빠른 A $0.\dot{2}\dot{4}=x$로 놓고 $100x-x$를 구해!

친절한 A $0.\dot{2}\dot{4}$처럼 소수점 아래 첫번째 자리부터 순환하는 순환소수는

순환마디만큼 소수점의 자리를 옮기면

소수점 아래의 숫자 배열이 같게 된다.

다음 표를 통해 방법을 익혀 보자.

$0.\dot{2}\dot{4}$
$0.\dot{2}\dot{4}$

순환소수 $0.\dot{2}\dot{4}$를 분수로 나타내기

❶ 순환소수를 x로 놓는다.	$x=0.242424\cdots$
❷ 순환마디가 24이므로 x와 $100x$의 소수점 아래 부분이 같다.	$100x=24.242424\cdots$ ← 순환마디 뒤에 소수점이 오도록
❸ 두 식을 변끼리 빼면 소수점 아래 부분이 제거된다.	$100x=24.242424\cdots$ $-)\quad x=\ \ 0.242424\cdots$ (소수점 아래 부분이 같다.) $99x=24$
❹ 방정식을 풀어 x의 값을 구한다.	$x=\frac{24}{99}=\frac{8}{33}$ ← 기약분수로 나타낸다.

두 순환소수의 소수점 아래 부분이 같으면 그 차는 정수가 돼!

예제 6 다음 순환소수를 분수로 나타내어라.

(1) $0.\dot{3}$ (2) $0.\dot{2}3\dot{4}$

풀이 (1) $x=0.333\cdots$으로 놓으면

$$\begin{array}{r} 10x=3.333\cdots \\ -)\quad x=0.333\cdots \\ \hline 9x=3 \end{array}$$

$\therefore\ x=\frac{3}{9}=\mathbf{\frac{1}{3}}$

(2) $x=0.234234\cdots$로 놓으면

$$\begin{array}{r} 1000x=234.234234\cdots \\ -)\quad x=\ \ \ 0.234234\cdots \\ \hline 999x=234 \end{array}$$

$\therefore\ x=\frac{234}{999}=\mathbf{\frac{26}{111}}$

$x=0.\dot{3}$을 분수로 나타낼 때 가장 편리한 식은 $10x-x$군.

$x=0.\dot{2}3\dot{4}$를 분수로 나타낼 때 가장 편리한 식은 $1000x-x$야.

Q 009 순환소수 $0.2\dot{4}$를 분수로 어떻게 나타낼까?

빠른 A $0.2\dot{4}=x$로 놓고 $100x-10x$를 구해!

친절한 A $0.2\dot{4}$처럼 소수점 아래 둘째 자리부터 순환하는 순환소수의 경우

첫 번째 순환마디 앞까지 소수점의 자리를 옮긴 소수와
첫 번째 순환마디 뒤까지 소수점의 자리를 옮긴 소수

$0.2\dot{4}$
$0.2\dot{4}$

의 소수점 아래의 숫자 배열이 같다.
다음 표를 통해 방법을 익혀 보자.

순환소수 $0.2\dot{4}$를 분수로 나타내기	
❶ 순환소수를 x로 놓는다.	$x=0.24444\cdots$
❷ 순환마디가 4이므로 $10x$와 $100x$의 소수점 아래 부분이 같다.	$10x=2.444\cdots$ (←순환마디 앞에 소수점이 오도록) $100x=24.444\cdots$ (←순환마디 뒤에 소수점이 오도록)
❸ 두 식을 변끼리 빼면 소수점 아래 부분이 제거된다.	$100x=24.444\cdots$ $-)\ 10x=2.444\cdots$ (소수점 아래 부분이 같다.) $90x=22$
❹ 방정식을 풀어 x의 값을 구한다.	$x=\frac{22}{90}=\frac{11}{45}$ ← 기약분수로 나타낸다.

$x=0.2444\cdots$에서
$1000x-10x$,
$1000x-100x$를
구해도 정수가 되는데…

만들 수 있는 식은
여러 가지이지만
계산하는 데 가장 편리한
식을 생각하자.

예제 7 다음 순환소수를 분수로 나타내어라.

(1) $0.0\dot{3}$ (2) $0.2\dot{3}\dot{4}$

풀이 (1) $x=0.0333\cdots$으로 놓으면

$$\begin{array}{r} 100x=3.333\cdots \\ -)\ \ 10x=0.333\cdots \\ \hline 90x=3 \end{array}$$

$\therefore x=\frac{3}{90}=\mathbf{\frac{1}{30}}$

(2) $x=0.23434\cdots$로 놓으면

$$\begin{array}{r} 1000x=234.3434\cdots \\ -)\ \ 10x=\ \ 2.3434\cdots \\ \hline 990x=232 \end{array}$$

$\therefore x=\frac{232}{990}=\mathbf{\frac{116}{495}}$

식은 $100x-10x$군.

식은 $1000x-10x$야.

Q008~Q009에서의 방법을 이용하여 순환소수를 분수로 나타내면 약분하기 전 분모에 9나 0만 나타나는 것을 발견하게 된다. 분모에 9나 0만 나오는 이유는 순환소수를 x로 놓고 분수로 나타내기 위해 계산한 식이 $10x-x$, $100x-10x$, $\cdots$꼴, 즉 $9x=\triangle$, $90x=\square$, $\cdots$꼴의 방정식이 나오는데 이때 9가 나오는 규칙을 살펴보면

순환마디의 숫자의 개수만큼 분모에 9가 나타난다.

따라서 규칙을 터득하게 되면 x를 사용한 식으로 나타낼 필요없이 곧바로 분수로 나타낼 수 있다. 다음과 같이 말이다.

순환소수를 분수로 나타내는 요령!

① 분자 ➡ 소수점을 생각하지 않은 상태로 볼 때,
전체의 수에서 순환하지 않는 부분의 수를 뺀다.

② 분모 ➡ 소수점 아래 부분에서 순환마디 숫자의 개수만큼 9를 쓴 다음,
뒤에 순환하지 않는 숫자의 개수만큼 0을 붙인다.

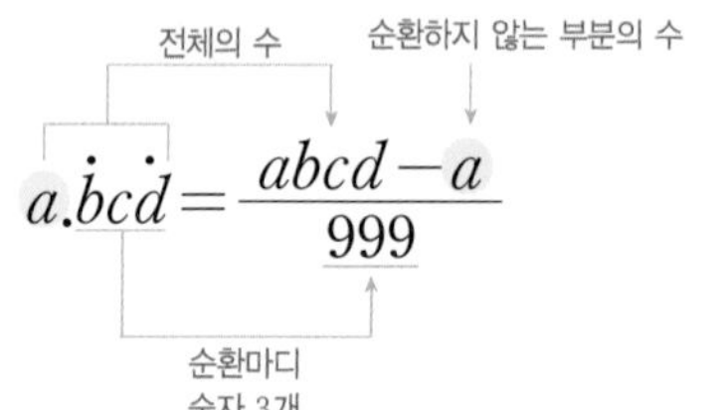

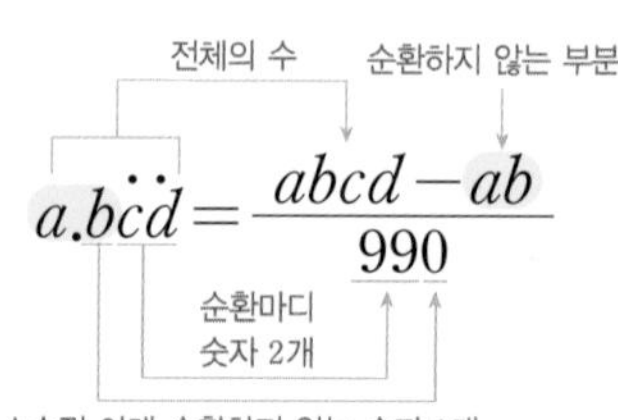

분모, 분자 계산 방법을 각각 기억해두자.

예제 8 다음 순환소수를 분수로 나타내어라.

(1) $2.\dot{8}$　　(2) $1.\dot{2}\dot{4}$　　(3) $1.8\dot{3}$　　(4) $2.0\dot{2}\dot{5}$

풀이

(1) $2.\dot{8}=\dfrac{28-2}{9}=\mathbf{\dfrac{26}{9}}$

(2) $1.\dot{2}\dot{4}=\dfrac{124-1}{99}=\dfrac{123}{99}=\mathbf{\dfrac{41}{33}}$

(3) $1.8\dot{3}=\dfrac{183-18}{90}=\dfrac{165}{90}=\mathbf{\dfrac{11}{6}}$

(4) $2.0\dot{2}\dot{5}=\dfrac{2025-20}{990}=\dfrac{2005}{990}=\mathbf{\dfrac{401}{198}}$

| 참고 | $0.\dot{1}=\dfrac{1}{9}$, $0.\dot{0}\dot{1}=\dfrac{1}{99}$, $0.\dot{0}0\dot{1}=\dfrac{1}{999}$, $\cdots$임을 이용하여 순환소수를 다음과 같이 분수로 나타낼 수도 있다.

(1) $0.\dot{2}\dot{5}=0.\dot{0}\dot{1}\times 25=\dfrac{1}{99}\times 25=\dfrac{25}{99}$

(2) $0.\dot{2}1\dot{3}=0.\dot{0}0\dot{1}\times 213=\dfrac{1}{999}\times 213=\dfrac{213}{999}$

(3) $0.0\dot{2}\dot{5}=0.\dot{2}\dot{5}\div 10=\dfrac{25}{99}\times\dfrac{1}{10}=\dfrac{25}{990}$

2. 소수와 유리수

Q 010 소수는 모두 유리수일까?

빠른 A

유한소수와 순환소수만 유리수야.

친절한 A

소수는 형태에 따라 무한소수와 유한소수로 나누어지고, 무한소수는 다시 순환소수와 순환하지 않는 무한소수로 나누어진다.

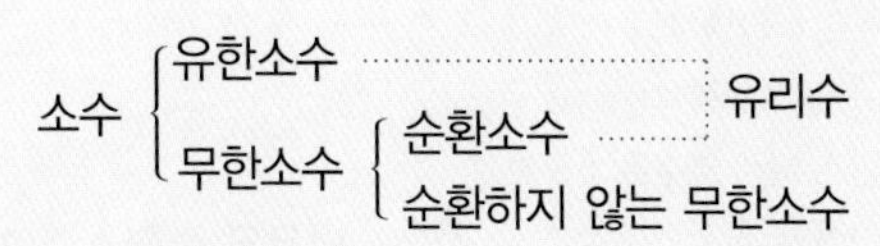

이 중 유한소수와 순환소수는 분수로 나타낼 수 있으므로 유리수이지만 순환하지 않는 무한소수는 분수로 나타낼 수 없으므로 유리수가 아니다.

예제 9 다음 중 옳은 것에 ○표, 틀린 것에 ×표를 하여라.

(1) 모든 소수는 유리수이다. (   )

(2) 모든 무한소수는 유리수이다. (   )

(3) 유리수는 모두 유한소수로 나타낼 수 있다. (   )

(4) 모든 순환소수는 분수로 나타낼 수 있다. (   )

(5) 모든 순환소수는 유리수이다. (   )

(6) 순환하지 않는 무한소수는 유리수이다. (   )

풀이 (1) × (2) × (3) × (4) ○ (5) ○ (6) ×

(1) 소수 중 순환하지 않는 무한소수는 유리수가 아니다.

(2) 순환하지 않는 무한소수는 유리수가 아니다.

(3) 순환소수로 나타낼 수도 있다.

(6) 순환하지 않는 무한소수는 유리수가 아니다.

THINK Math

3과 $2.\dot{9}$ 중 어떤 것이 더 클까?

$2.\dot{5}=2.555\cdots$이므로 $2.\dot{5}$가 2.5보다 큼은 당연하다. 그렇다면 3은 $2.\dot{9}$보다 클까?

$2.\dot{9}=2.999\cdots$이므로 정수 부분만 봐도 당연히 3이 크다고 대답하는 학생이 많을 것이다. 하지만 $2.\dot{9}$를 분수로 나타내 보면 $2.\dot{9}=\frac{29-2}{9}=\frac{27}{9}=3$이므로 결국 $3=2.\dot{9}$임을 확인할 수 있다.

즉, 형태만 다를 뿐 같은 수이다.

정수 부분이 다른 두 수가 같다고 하니 아리송한 느낌이 들 것이다.

이는 여러분이 고등학교에서 무한의 개념을 배우게 되면 이해할 수 있을 것이다.

(고등과정에 가서야 뜻을 이해할 수 있어 중등과정에서는 위 내용을 다루지 않는다.)

해설 BOOK **004쪽**

개념 확인

(1) $x=0.\dot{2}$를 분수로 나타낼 때, 식 $\square x-x$를 이용한다.

(2) $x=0.2\dot{3}$을 분수로 나타낼 때, 식 $\square x-10x$를 이용한다.

(3) 유한소수와 순환소수는 분수로 나타낼 수 있는 수이므로 $\square$라고 할 수 있다.

01 다음 순환소수를 분수로 나타내어라.

(1) $0.\dot{5}$　　　(2) $0.\dot{1}\dot{3}$

02 다음은 순환소수 $0.7\dot{5}$를 분수로 나타내는 과정이다. (가)~(마)에 알맞은 수를 구하여라.

> $0.7\dot{5}$를 x라고 하면 $x=0.75555\cdots$ ······ ㉠
> ㉠의 양변에 (가)을 곱하면
> (가) $x=75.5555\cdots$ ······ ㉡
> 또, ㉠의 양변에 (나)을 곱하면
> (나) $x=7.5555\cdots$ ······ ㉢
> ㉡－㉢을 하면
> 　(가) $x=75.5555\cdots$
> －) (나) $x=\ \ 7.5555\cdots$
> 　(다) $x=$ (라)
> $\therefore x=$ (마)

03 다음 순환소수를 분수로 나타내어라.

(1) $0.2\dot{6}$　　　(2) $0.3\dot{1}\dot{4}$

자기 진단

Q 008 032쪽
순환소수 $0.\dot{2}\dot{4}$를 분수로 어떻게 나타낼까?

Q 009 033쪽
순환소수 $0.2\dot{4}$를 분수로 어떻게 나타낼까?

Q 010 035쪽
소수는 모두 유리수일까?

04 다음 중 옳은 것은?

① 순환소수는 유리수이다.
② 무한소수는 유리수가 아니다.
③ 모든 분수는 유한소수로 나타낼 수 있다.
④ 유한소수 중에는 유리수가 아닌 것도 있다.
⑤ 분모의 소인수가 2나 5뿐인 기약분수는 유한소수로 나타낼 수 없다.

문제 이해도를 ☺, 😐, ☹으로 표시해 보세요.

해설 BOOK **004쪽** | 테스트 BOOK **005쪽**

유형 1 순환소수를 분수로 나타내기 (1)

순환소수 $2.\dot{8}$을 분수로 나타내려고 한다. $x=2.\dot{8}$이라고 할 때, 다음 중 가장 편리한 식은?

① $10x-x$ ② $100x-x$
③ $1000x-x$ ④ $100x-10x$
⑤ $1000x-10x$

Summa Point
$x=2.\dot{8}=2.888\cdots$에 10의 거듭제곱을 곱하여 소수점 아래 부분이 같은 식을 만들어 본다.

032쪽 **Q 008**

1-1 ☺😐☹

다음은 순환소수 $0.\dot{1}2\dot{3}$을 기약분수로 나타내는 과정이다. (가)~(라)에 알맞은 수를 구하여라.

$x=0.\dot{1}2\dot{3}$이라고 하면
$x=0.123123\cdots$ …… ㉠
(가) $x=123.123123\cdots$ …… ㉡
㉡$-$㉠을 하면
(나) $x=$ (다) $\therefore x=$ (라)

1-2 ☺😐☹

$x=0.1\dot{7}\dot{2}$에 대하여 다음 중 결과가 정수인 것은?

① $1000x-100x$ ② $1000x-10x$
③ $1000x-x$ ④ $100x-10x$
⑤ $100x-x$

유형 2 순환소수를 분수로 나타내기 (2)

순환소수 $0.4\dot{8}$을 기약분수로 나타내면 $\frac{b}{a}$일 때, 자연수 a, b에 대하여 $a-b$의 값을 구하여라.

Summa Point
$0.a\dot{b}=\frac{ab-a}{90}$, $0.a\dot{b}\dot{c}=\frac{abc-a}{990}$

032쪽 **Q 008**

2-1 ☺😐☹

다음 중 옳은 것을 모두 고르면? (정답 2개)

① $1.1474747\cdots=\frac{1147-11}{999}$
② $0.2\dot{3}\dot{4}=\frac{234-2}{990}$
③ $0.\dot{3}5\dot{4}=\frac{354-5}{999}$
④ $-0.212121\cdots=-\frac{7}{33}$
⑤ $0.333=\frac{1}{3}$

2-2 ☺😐☹

기약분수 $\frac{b}{a}$를 소수로 나타내면 $0.\dot{6}\dot{3}$이다. 이때 $a+b$의 값을 구하여라.

2-3 ☺😐☹

기약분수 $\frac{a}{225}$를 소수로 나타내면 $0.25\dot{7}$일 때, 자연수 a의 값을 구하여라.

유형 3 순환소수의 응용

$1+\frac{5}{10}+\frac{5}{10^2}+\frac{5}{10^3}+\cdots$를 기약분수로 나타내어라.

Summa Point

분수의 합을 소수로 바꾸어 보면 순환소수가 됨을 알 수 있다.

032쪽 Q 008

3-1

$\frac{2}{10}+\frac{2}{100}+\frac{2}{1000}+\frac{2}{10000}+\cdots$를 기약분수로 나타내어라.

3-2

$\frac{3}{10}+\frac{3}{10^2}+\frac{3}{10^3}+\frac{3}{10^4}+\cdots$을 기약분수로 나타내어라.

3-3

$\frac{x_1}{10}+\frac{x_2}{10^2}+\frac{x_3}{10^3}+\cdots+\frac{x_n}{10^n}+\cdots$을 기약분수로 나타내면 $\frac{4}{11}$라고 할 때, x_{100}의 값을 구하여라.

(단, $x_1, x_2, x_3, \cdots, x_n, \cdots$은 한 자리의 자연수)

유형 4 잘못 보고 계산한 경우

어떤 자연수에 $0.\dot{4}$를 곱해야 할 것을 잘못하여 0.4를 곱하였더니 그 계산 결과가 정답보다 4만큼 작아졌다. 이때 어떤 자연수를 구하여라.

Summa Point

$0.\dot{4}$와 0.4를 분수로 고쳐서 계산한다.

032쪽 Q 008

4-1

어떤 자연수에 $0.\dot{5}$를 곱하는데 순환마디를 나타내는 점이 없는 것으로 착각하여 계산하였더니 $0.\dot{2}$만큼 작아졌다. 이때 어떤 자연수를 구하여라.

4-2

어떤 기약분수를 소수로 나타내는데 영미는 분모를 잘못 보아서 $1.1\dot{3}$으로 나타내었고, 우성이는 분자를 잘못 보아서 $0.\dot{1}\dot{2}$로 나타내었다. 처음 기약분수를 순환소수로 바르게 나타낸 것은?

① $0.05\dot{2}$ ② $0.\dot{5}\dot{1}$ ③ $0.5\dot{6}$
④ $0.\dot{6}$ ⑤ $0.\dot{6}\dot{5}$

4-3

어떤 기약분수를 소수로 나타내는데 민정이는 분모를 잘못 보아서 $0.3\dot{8}$로 나타내었고, 예진이는 분자를 잘못 보아서 $0.\dot{2}\dot{7}$로 나타내었다. 처음 기약분수를 순환소수로 나타내어라.

유형 5 순환소수를 포함한 식의 계산

$0.\dot{7}=7\times a$, $0.2\dot{3}=21\times b$를 만족시키는 a, b에 대하여 $a+b$의 값을 순환소수로 나타내어라.

Summa **Point**
순환소수를 분수로 고친 다음 식을 계산한다.

032쪽 Q 008

5-1

순환소수 $0.\dot{5}$의 역수를 a, 순환소수 $0.5\dot{6}$의 역수를 b라고 할 때, ab의 값을 구하여라.

5-2

x가 한 자리의 자연수일 때, $\frac{1}{4}<0.\dot{x}<\frac{5}{6}$를 만족하는 x의 값을 모두 구하여라.

5-3

$\frac{11}{30}=x+0.0\dot{1}$일 때, x를 순환소수로 나타내어라.

5-4

순환소수 $0.2\dot{7}$을 기약분수로 나타낸 후 자연수 n을 곱한 결과를 소수로 나타내었더니 유한소수가 되었다. 이때 가장 작은 자연수 n의 값을 구하여라.

유형 6 소수의 이해

다음 중 옳은 것을 모두 고르면? (정답 2개)

① 순환소수는 유리수이다.
② 무한소수는 순환소수이다.
③ 유한소수는 유리수이다.
④ 모든 유리수는 유한소수로 나타낼 수 있다.
⑤ 모든 무한소수는 분수로 나타낼 수 있다.

Summa **Point**
유리수는 분수로 나타낼 수 있는 수로 정수, 유한소수, 순환소수를 모두 포함한다.

035쪽 Q 010

6-1

다음 중 옳은 것은?

① 정수는 유리수가 아니다.
② 순환소수 중에는 유리수가 아닌 것도 있다.
③ 모든 무한소수는 유리수가 아니다.
④ 정수가 아닌 유리수는 유한소수 또는 순환소수로 나타낼 수 있다.
⑤ 분모의 소인수 중 2나 5가 있는 분수는 유한소수로 나타낼 수 있다.

6-2

다음 중 옳지 않은 것을 모두 고르면? (정답 2개)

① 0은 분수로 나타낼 수 없다.
② 모든 순환소수는 무한소수이다.
③ 순환하지 않는 무한소수는 유리수가 아니다.
④ 정수가 아닌 유리수는 모두 순환소수로 나타낼 수 있다.
⑤ 유한소수로 나타낼 수 없는 분수는 모두 순환소수로 나타낼 수 없다.

해설 BOOK 006쪽 | 테스트 BOOK 008쪽

Step 1 | 내·신·기·본

●○○
01 분수 $\frac{7}{250}$을 $\frac{a}{10^n}$ 꼴로 고칠 때, $a+n$의 최솟값은?

(단, a, n은 자연수)

① 16 ② 18 ③ 25
④ 31 ⑤ 36

●○○
02 다음 분수를 소수로 나타낼 때, 유한소수로 나타낼 수 없는 것은?

① $\frac{21}{2^2\times7}$ ② $\frac{3}{60}$ ③ $\frac{8}{2\times11}$
④ $\frac{21}{140}$ ⑤ $\frac{81}{2^2\times3^2\times5^2}$

●●○
03 분수 $\frac{18}{2^2\times3\times5^2\times x}$을 소수로 나타내면 유한소수가 된다. 다음 중 x의 값이 될 수 없는 것은?

① 3 ② 4 ③ 5
④ 6 ⑤ 7

●●○
04 분수 $\frac{2}{7}$를 소수로 나타낼 때, 다음 물음에 답하여라.

(1) 순환소수로 나타내어라.
(2) 소수점 아래 1000번째 자리의 숫자를 구하여라.

●●○ 창의융합
05 다음은 음계의 각 음에 수를 대응시켜 나타낸 것이다.

어떤 기계에 분수를 입력하면 그 분수를 소수로 나타내어 위의 그림과 같이 소수점 아래의 숫자에 대응하는 음을 연주한다고 한다. 예를 들어 $\frac{3}{11}=0.\dot{2}\dot{7}$은 '미도'의 음을 반복하여 연주한다. 이 기계에 분수 $\frac{15}{111}$를 입력하였을 때, 반복하여 연주하는 음을 구하여라.

●●○
06 순환소수 $2.34\dot{5}\dot{6}$을 분수로 나타내려고 한다. $x=2.34\dot{5}\dot{6}$이라고 할 때, 다음 중 가장 편리한 식은?

① $100x-x$ ② $100x-10x$
③ $1000x-100x$ ④ $10000x-100x$
⑤ $10000x-1000x$

07 다음은 숨마중학교 학생들이 순환소수를 분수로 나타낸 것이다. 잘못 나타낸 학생을 모두 찾아라.

> 영웅 : $0.53\dot{6}=\dfrac{536-53}{900}=\dfrac{483}{900}=\dfrac{161}{300}$
>
> 종영 : $1.\dot{3}2\dot{0}=\dfrac{1320-1}{909}=\dfrac{1319}{909}$
>
> 승연 : $0.1\dot{4}\dot{2}=\dfrac{142-1}{990}=\dfrac{141}{990}=\dfrac{47}{330}$
>
> 준수 : $3.\dot{5}=\dfrac{35}{9}$
>
> 경호 : $2.4\dot{9}=\dfrac{249-4}{90}=\dfrac{245}{90}=\dfrac{49}{18}$

08 $0.2\dot{7}$의 역수를 a, $1.3\dot{8}$의 역수를 b라고 할 때, $\dfrac{a}{b}$의 값을 구하여라.

09 $\dfrac{1}{20}\times\left(\dfrac{1}{10}+\dfrac{1}{100}+\dfrac{1}{1000}+\cdots\right)$을 기약분수로 나타내면 $\dfrac{1}{a}$이 될 때, a의 값을 구하여라.

Step 2 | 내 · 신 · 발 · 전

10 분수 $\dfrac{1}{2}$, $\dfrac{1}{3}$, $\dfrac{1}{4}$, $\cdots$, $\dfrac{1}{130}$ 중에서 유한소수로 나타낼 수 있는 것은 모두 몇 개인가?

① 12개　② 13개　③ 14개
④ 15개　⑤ 16개

11 분수 $\dfrac{x}{120}$를 소수로 나타내면 유한소수가 되고, 기약분수로 나타내면 $\dfrac{1}{y}$이 된다. x가 $20<x<25$인 자연수일 때, $x+y$의 값은?

① 27　② 28　③ 29
④ 31　⑤ 34

12 순환소수 $8.\dot{2}357\dot{9}$에서 소수점 아래 첫 번째 자리의 숫자부터 소수점 아래 50번째 자리의 숫자까지의 합을 구하여라.

창의융합

13 현수는 한 개의 길이가 3 m인 철사 5개로 정육각형, 정칠각형, 정구각형, 정십이각형, 정십오각형을 한 개씩 만들었다. 이때 현수가 만든 정다각형 중에서 한 변의 길이를 순환소수로 나타낼 수 있는 것을 모두 구하여라.

14 어떤 자연수에 $5.\dot{8}$을 곱해야 하는데, 순환마디를 나타내는 점이 없는 것으로 착각하여 계산하였더니 그 계산 결과가 $0.\dot{4}$만큼 차이가 생겼다. 이때 어떤 자연수를 구하여라.

15 $0.\dot{1}\dot{7}=17\times\frac{1}{a}$, $0.\dot{1}0\dot{7}=107\times\frac{1}{b}$일 때, $\frac{a}{b}$를 순환소수로 나타내어라.

16 순환소수 $0.\dot{3}$에 어떤 자연수 x를 곱하면 그 결과가 자연수가 된다고 할 때, x의 값 중 한 자리의 자연수는 모두 몇 개인지 구하여라.

17 $\frac{9}{14}=\frac{x_1}{10}+\frac{x_2}{10^2}+\cdots+\frac{x_n}{10^n}+\cdots$일 때, $x_1+x_2+\cdots+x_{60}$의 값은?

(단, x_1, x_2, $\cdots$, x_n, $\cdots$은 한 자리의 자연수)

① 254 ② 275 ③ 276
④ 277 ⑤ 278

18 다음 보기 중 옳은 것은 모두 몇 개인가?

보 기

ㄱ. 무한소수는 모두 순환소수이다.
ㄴ. 모든 소수는 분수로 나타낼 수 있다.
ㄷ. 무한소수 중에는 유리수가 아닌 것도 있다.
ㄹ. 분수를 소수로 나타낼 때, 순환하지 않는 무한소수가 되는 경우도 있다.
ㅁ. 유한소수로 나타낼 수 없는 기약분수는 순환소수로 나타낼 수 있다.
ㅂ. 순환소수 중에는 분수로 나타낼 수 없는 것도 있다.

① 1개 ② 2개 ③ 3개
④ 4개 ⑤ 5개

1. 유리수와 순환소수

01. 유리수와 소수

001 소수를 2가지로 분류하면?

소수점 아래에 0이 아닌 숫자의 개수를 셀 수 있느냐 없느냐에 따라

유한소수와 무한소수

로 나눌 수 있어.

002 유한소수인지 무한소수인지 분수의 분모만 봐도 알 수 있다?

분모의 소인수가 2나 5뿐인 기약분수는 유한소수가 돼~

$\frac{1}{2\times5}$ ➡ 유한소수 ○

$\frac{1}{2\times3\times5}$ ➡ 유한소수 ×

003 분수 $\frac{7}{2\times5^3\times a}$을 유한소수가 되게 만드는 20 이하의 자연수 a의 값은?

① 소인수가 2나 5뿐인 20 이하의 자연수

② ①에서 구한 값에 분자인 7을 곱한 값 중 20 이하인 수

➡ 1, 2, 4, 5, 7, 8, 10, 14, 16, 20

02. 순환소수

004 순환소수란?

순환소수 : 소수점 아래의 어떤 자리에서부터 일정한 숫자의 배열이 한없이 되풀이되는 무한소수

순환마디 : 순환소수에서 되풀이되는 부분

$\frac{2}{11}=0.181818\cdots$ ➡ 순환마디 18

005 무한소수는 모두 순환소수일까?

순환소수에 순환하지 않는 무한소수까지 합쳐야 무한소수가 된다.

무한소수	
순환소수	순환하지 않는 무한소수

006 순환소수를 간단히 표현하는 방법이 있을까?

소수점 아래에서 처음으로 반복되는 순환마디를 찾아 양 끝의 숫자 위에 점을 찍는다.

$1.234234\cdots=1.\dot{2}3\dot{4}$

007 분수 $\frac{4}{7}$를 소수로 고쳤을 때 소수점 아래 100번째 자리의 숫자는?

$\frac{4}{7}=0.\dot{5}7142\dot{8}$이고

$100\div6=16\cdots4$이므로

소수점 아래 100번째 자리의 숫자는 순환마디의 4번째 숫자인 4이다.

03. 순환소수의 분수 표현

008, 009 순환소수를 분수로 어떻게 나타낼까?

주어진 순환소수를 x로 놓고 소수점 아래 부분이 똑같은 2개의 식을 만들어 두 식을 변끼리 뺀다.

$0.\dot{a}=\frac{a}{9}$, $0.\dot{a}\dot{b}=\frac{ab}{99}$, $0.\dot{a}b\dot{c}=\frac{abc}{999}$,

$a.b\dot{c}\dot{d}=\frac{abcd-ab}{990}$

$x=0.23535\cdots$일 때

$$\begin{array}{rl} 1000x= & 235.3535\cdots \\ -)\quad 10x= & 2.3535\cdots \\ \hline 990x= & 233 \end{array}$$

$\therefore x=\frac{233}{990}$

010 소수는 모두 유리수일까?

유한소수와 순환소수는 유리수이지만 순환하지 않는 무한소수는 유리수가 아니다.

소수
- 유한소수 — 유리수
- 무한소수
  - 순환소수 — 유리수
  - 순환하지 않는 무한소수

I 대단원 EXERCISES

해설 BOOK 007쪽 | 테스트 BOOK 012쪽

●○○
01 다음 중 유리수가 아닌 것은?

① 3.14 ② $0.\dot{2}\dot{3}$ ③ π
④ $\frac{21}{5^2\times7}$ ⑤ $\frac{17}{8}$

●○○
02 다음 분수를 소수로 나타낼 때, 유한소수로 나타낼 수 없는 것은?

① $\frac{3}{4}$ ② $\frac{6}{15}$
③ $\frac{14}{2^3\times7}$ ④ $\frac{45}{2^2\times3^3\times5}$
⑤ $\frac{33}{2\times5^2\times11}$

●●○
03 두 분수 $\frac{2}{7}$와 $\frac{4}{5}$ 사이에 있는 분모가 35인 분수 중 유한소수로 나타낼 수 있는 분수는 모두 몇 개인지 구하여라.

●●○
04 두 분수 $\frac{49}{105}$, $\frac{15}{66}$에 자연수 a를 곱하여 두 분수 모두 유한소수가 되도록 할 때, 이를 만족하는 가장 작은 자연수 a의 값은?

① 3 ② 11 ③ 22
④ 33 ⑤ 35

●●○
05 분수 $\frac{18}{75\times x}$을 소수로 나타내면 유한소수가 된다고 한다. x가 20 미만의 자연수일 때, 이를 만족하는 x의 개수는?

① 8 ② 9 ③ 11
④ 12 ⑤ 14

●●●
06 분수 $\frac{a}{70}$를 소수로 나타내면 유한소수가 되고, 기약분수로 나타내면 $\frac{1}{b}$이 된다. 자연수 a, b의 값을 순서쌍으로 모두 나타내어라. (단, $a<60$)

●○○
07 두 분수 $\frac{7}{11}$과 $\frac{14}{9}$를 소수로 나타내었을 때, 순환마디의 개수를 각각 a, b라고 하자. 이때 $a+b$의 값을 구하여라.

●○○
08 다음 중 순환소수의 표현으로 옳은 것은?

① $0.333\cdots=0.3\dot{3}$
② $3.1424242\cdots=3.\dot{1}42\dot{4}$
③ $0.00454545\cdots=0.004\dot{5}\dot{4}$
④ $2.3067067\cdots=2.3\dot{0}\dot{6}\dot{7}$
⑤ $1.007000700070\cdots=1.\dot{0}07\dot{0}$

●●○
09 분수 $\frac{2}{15}$를 소수로 나타낼 때, 소수점 아래 n번째 자리의 숫자를 x_n이라고 하자. 이때 $x_1+x_2+\cdots+x_{100}$의 값은?

① 100 ② 198 ③ 200
④ 298 ⑤ 300

●●○
10 순환소수 $x=1.2787878\cdots$에 대하여 다음 중 옳은 것은?

① x는 유한소수이다.
② 순환마디는 1278이다.
③ $x=1.\dot{2}7\dot{8}$로 표현할 수 있다.
④ $1000x-10x$를 이용하여 분수로 나타낼 수 있다.
⑤ $x=\frac{422}{33}$

●●○
11 순환소수 $1.6\dot{8}\dot{9}$를 분수로 나타내려고 한다. $x=1.6\dot{8}\dot{9}$라고 할 때, 다음 중 가장 편리한 식은?

① $10x-x$ ② $100x-10x$
③ $1000x-x$ ④ $1000x-10x$
⑤ $10000x-10x$

●●○
12 다음 순환소수를 분수로 나타낸 것 중 옳은 것은?

① $0.\dot{2}\dot{3}=\frac{23}{90}$ ② $1.\dot{2}3\dot{4}=\frac{1234}{999}$
③ $1.\dot{6}=\frac{16}{9}$ ④ $4.2\dot{3}\dot{5}=\frac{4193}{990}$
⑤ $0.\dot{9}=\frac{9}{10}$

●●○
13 기약분수 $\frac{x}{15}$를 소수로 나타내면 $2.0666\cdots$일 때, 자연수 x의 값을 구하여라.

14 다음 조건을 모두 만족하는 순환소수를 기약분수로 나타낼 때, 분모가 될 수 있는 네 자리의 자연수의 개수는?

> (가) 순환마디는 소수점 아래 첫째 자리부터 시작된다.
> (나) 순환마디의 숫자의 개수는 4이다.

① 2　② 3　③ 4　④ 5　⑤ 6

15 이룸이가 어떤 기약분수를 순환소수로 나타내는데 처음에는 분모를 잘못 보아서 $0.5\dot{3}$이 되었고, 다음에는 분자를 잘못 보아서 $0.\dot{3}\dot{6}$이 되었다. 이 기약분수를 순환소수로 바르게 고치면?

① $0.2\dot{1}$　② $0.2\dot{4}$　③ $0.\dot{4}\dot{2}$　④ $0.\dot{7}\dot{2}$　⑤ $0.\dot{7}\dot{4}$

16 순환소수 $2.1\dot{6}$에 자연수를 곱하여 어떤 자연수의 제곱이 되게 하려고 한다. 곱해야 할 가장 작은 자연수를 구하여라.

17 일차방정식 $0.\dot{3}x+3=4.\dot{7}$의 해를 순환소수로 나타내어라.

18 다음 식을 만족하는 a의 값은?

$$\frac{1}{20}\times\left(\frac{3}{10}+\frac{3}{10^2}+\frac{3}{10^3}+\cdots\right)=\frac{1}{a}$$

① 50　② 60　③ 70　④ 80　⑤ 90

19 $1.\dot{5}$보다 $0.\dot{7}$만큼 작은 수를 순환소수로 나타내어라.

20 $\frac{1}{6}<0.\dot{a}-0.0\dot{a}<\frac{1}{4}$을 만족하는 한 자리의 자연수 a의 값은?

① 1 ② 2 ③ 3
④ 4 ⑤ 5

21 $x=a.\dot{b}$일 때, $1-\frac{1}{x}=0.\dot{7}\dot{2}$이다. 이때 $a+b$의 값을 구하여라. (단, a, b는 한 자리의 자연수)

22 다음 중 옳은 것을 모두 고르면? (정답 2개)

① 모든 유리수는 $\frac{(\text{정수})}{(0\text{이 아닌 정수})}$ 꼴의 분수로 나타낼 수 있다.
② 모든 유리수는 유한소수로 나타낼 수 있다.
③ 순환소수로 나타낼 수 있는 수는 모두 유리수이다.
④ 무한소수는 순환소수이다.
⑤ 모든 소수는 유한소수 또는 순환소수이다.

서술형

23 분수 $\frac{6}{37}$을 소수로 나타낼 때, 소수점 아래 m번째 자리의 숫자를 A_m이라고 하자. 다음 물음에 답하여라.

$$S=A_1+A_2+\cdots+A_{50}-A_{100}$$

(1) $\frac{6}{37}$을 순환소수로 나타내어라.
(2) $A_1+A_2+\cdots+A_{50}$의 값을 구하여라.
(3) A_{100}의 값을 구하여라.
(4) S의 값을 구하여라.

답

24 분수 $\frac{3\times x}{132}$가 유한소수가 되도록 하는 가장 작은 자연수 x의 값을 a라 하고, 분수 $\frac{21}{20\times y}$이 순환소수가 되도록 하는 한 자리의 자연수 y의 값을 b라고 할 때, $\frac{a}{b}$를 순환소수로 나타내어라.

답

심화 학습

I Advanced Lecture

TOPIC 1 일정한 수가 무한히 곱해진 수들의 합

본문에서 순환소수를 분수로 나타내는 방법을 배웠다. 여기서는 순환소수를 분수들의 합으로 고쳐서 하나의 분수로 나타내는 방법을 알아보자.

순환소수 $0.\dot{2}$를 분수들의 합으로 나타내 보면

$$\frac{2}{10}+\frac{2}{100}+\frac{2}{1000}+\frac{2}{10000}+\cdots$$

이다. 여기서 각 분수들 사이에는 앞 수에 $\frac{1}{10}$씩 곱해진 규칙이 있다.

분수들의 합을 x로 두고 위의 규칙을 이용하여 다음과 같이 x에 $\frac{1}{10}$을 곱한 다음 뺄셈만 하면 순환소수 $0.\dot{2}$를 간단히 하나의 분수로 나타낼 수 있다.

$$\begin{array}{rl} x= & \frac{2}{10}+\frac{2}{100}+\frac{2}{1000}+\frac{2}{10000}+\cdots \\ -)\ \frac{1}{10}x= & \qquad\ \ \frac{2}{100}+\frac{2}{1000}+\frac{2}{10000}+\cdots \\ \hline x-\frac{1}{10}x= & \frac{2}{10} \Rightarrow \frac{9}{10}x=\frac{2}{10} \qquad \therefore x=\frac{2}{9} \end{array}$$

> 본문에서 배웠던 방법으로 $0.\dot{2}$를 분수로 나타낸다면 $\frac{1}{10}$이 아닌 10을 곱할 것이다. 이는 형태만 다를 뿐 결국 같은 방법이다.

위의 방법을 이용하면 일정한 수가 곱해진 수들의 합도 구할 수 있다.

$x=\frac{1}{2}+\frac{1}{4}+\frac{1}{8}+\frac{1}{16}+\frac{1}{32}+\cdots$의 값을 구해 보자.

각 분수들을 살펴보면 앞 수에 $\frac{1}{2}$씩 곱해지는 규칙이 있음을 알 수 있다.

다음과 같이 x에 $\frac{1}{2}$을 곱한 다음 뺄셈을 하면

$$\begin{array}{rl} x= & \frac{1}{2}+\frac{1}{4}+\frac{1}{8}+\frac{1}{16}+\frac{1}{32}+\cdots \\ -)\ \frac{1}{2}x= & \qquad\ \frac{1}{4}+\frac{1}{8}+\frac{1}{16}+\frac{1}{32}+\cdots \\ \hline x-\frac{1}{2}x= & \frac{1}{2} \Rightarrow \frac{1}{2}x=\frac{1}{2} \qquad \therefore x=1 \end{array}$$

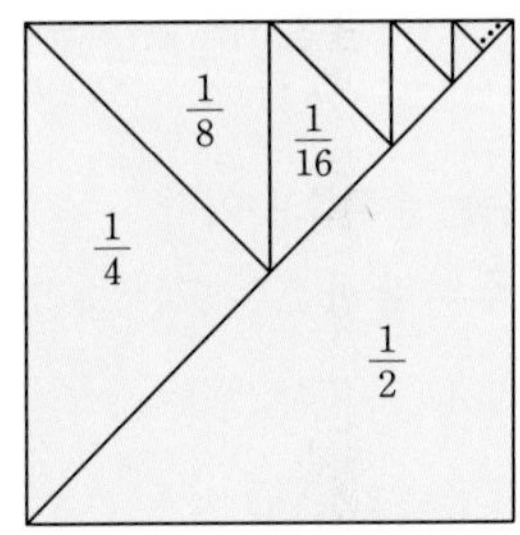

무한히 더한 식의 값이 1이라니 약간 놀랍기도 하고 신기하기도 할 것이다. 더해지는 값을 각각 넓이가 1인 정사각형에 나타내 보면 합이 1이 됨을 눈으로 확인해 볼 수도 있다.

위와 비슷한 식으로 앞 수에 $\frac{1}{3}$이나 $\frac{1}{4}$을 곱한 식들의 합도 구할 수 있는데 이들 역시 넓이가 1인 도형과 함께 살펴보면 흥미롭다.

$$x=\frac{1}{3}+\frac{1}{9}+\frac{1}{27}+\frac{1}{81}+\frac{1}{243}+\cdots$$
$$-)\quad \frac{1}{3}x=\quad \frac{1}{9}+\frac{1}{27}+\frac{1}{81}+\frac{1}{243}+\cdots$$
$$x-\frac{1}{3}x=\frac{1}{3} \Rightarrow \frac{2}{3}x=\frac{1}{3} \quad \therefore x=\frac{1}{2}$$

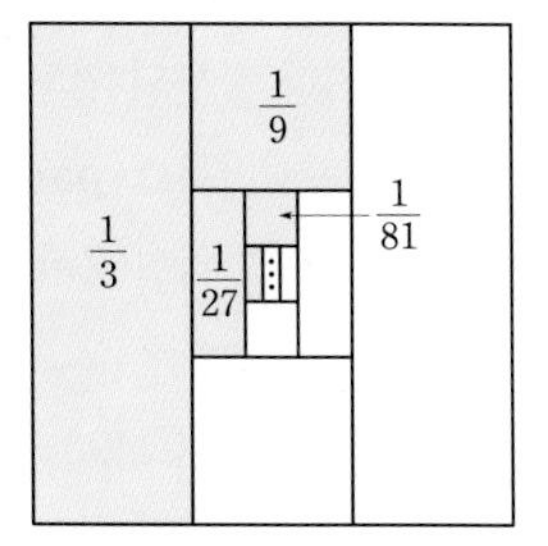

$$x=\frac{1}{4}+\frac{1}{16}+\frac{1}{64}+\frac{1}{256}+\frac{1}{1024}+\cdots$$
$$-)\quad \frac{1}{4}x=\quad \frac{1}{16}+\frac{1}{64}+\frac{1}{256}+\frac{1}{1024}+\cdots$$
$$x-\frac{1}{4}x=\frac{1}{4} \Rightarrow \frac{3}{4}x=\frac{1}{4} \quad \therefore x=\frac{1}{3}$$

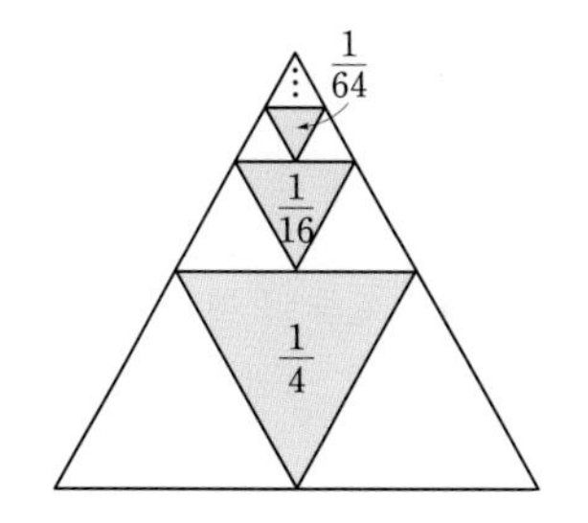

유제 *01* 다음 수들의 합을 구하여라.

(1) $\frac{1}{5}+\frac{1}{5^2}+\frac{1}{5^3}+\frac{1}{5^4}+\frac{1}{5^5}+\cdots$

(2) $\frac{3}{7}+\frac{3}{7^2}+\frac{3}{7^3}+\frac{3}{7^4}+\frac{3}{7^5}+\cdots$

참고로, 고등학교에서 배우는 수학 용어를 잠시 소개하자면, 위와 같이 한없이 일정한 수를 곱하여 나타낸 수들의 합을 등비급수라고 한다. 등비급수의 경우 곱해진 수의 절댓값이 1보다 작으면 첫 번째 수 a, 곱해진 수 r에 대해 합이 $\frac{a}{1-r}$로 나온다.

위의 각 계산 결과를 살펴보면 공식을 확인할 수 있을 것이다.

01 수학으로 역설을 깨다!

역설이란 언뜻 보면 일리가 있는 것처럼 생각됨에도 불구하고, 분명하게 모순되어 있거나 잘못된 결론을 이끌거나 하는 논증이나 사고 실험 등을 일컫는 말이다. 영어로는 패러독스(paradox)라고 한다. 세상에 많이 알려진 역설 중 가장 유명한 역설은 제논의 역설(Zenon's paradox)이다.

제논(?B.C.490~?B.C.425)은 이탈리아에서 태어난 고대 그리스의 철학자이다. 그는 '유일한 것으로 변화되지 않는 것을 추구'하는 철학자들의 모임인 엘리아학파의 일원이었는데 그는 자신의 철학을 주장하기 위해 반박하기 어려운 역설들을 내놓아 사람들을 당황하게 만들었다. 그로 인해 왕의 미움을 받아 죽음에 이르게 되었다는 설도 있다.

제논의 역설 중 가장 유명한 것은 '아킬레스와 거북이'이다. 제논은 달리기가 가장 빠른 상징적인 인물인 아킬레스와 느리기로 대표적인 동물인 거북이를 주인공으로 내세워 가장 빠른 아킬레스라 해도 자신의 100 m 앞에 있는 느림보 거북이를 영원히 따라잡을 수 없다는 내용의 다음과 같은 이야기를 하였다.

아킬레스와 거북이

아킬레스와 거북이가 달리기 경주를 시작한다.
이때 아킬레스는 거북이보다 10배 빠르다고 한다.
그래서 거북이를 100 m 앞세우고 경주를 시작한다.

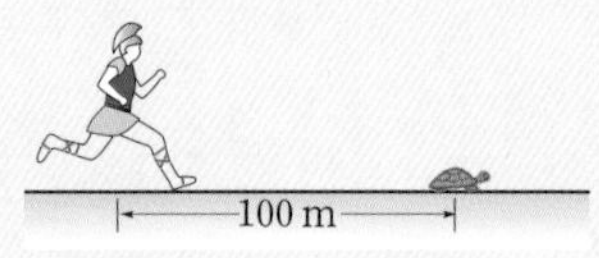

아킬레스가 거북이를 따라잡기 위해 거북이가 있었던 자리까지 100 m를 뛰어가면 그동안 거북이는 10 m 앞서 있다.
아킬레스가 다시 10 m를 뛰어가면 그동안 거북이는 1 m를 앞서 간다.
다시 아킬레스가 1 m를 가면 그동안 거북이는 0.1 m를 앞서 간다.
다시 아킬레스가 0.1 m를 가면 그동안 거북이는 0.01 m를 앞서 간다.
이와 같이 아킬레스보다 거북이가 항상 앞서게 되므로 아킬레스는 영원히 거북이를 따라잡을 수 없다.

그의 주장은 너무나도 타당해 보여 뭔가 잘못되었다는 것을 느끼면서도 논리적으로는 반박하기가 힘들었다. 많은 사람들은 주장 속에 숨은 모순을 찾고자 애썼지만 방법이 없었다. 이 모순은 그가 역설을 발표한 지 2000년이 지난 후에야 수학을 이용하여 밝혀진다.

수학적 반박 ❶

거북이가 아킬레스보다 앞서 간 거리를 계산해 보자.

$$100+10+1+0.1+0.01+0.001+\cdots=111.1111\cdots=111.\dot{1}=\frac{1000}{9}\,(\mathrm{m})$$

따라서 거북이가 앞서 간 거리가 총 $\frac{1000}{9}$ m이므로 아킬레스는 $\frac{1000}{9}$ m만 가면 거북이를 따라잡게 된다.

수학적 반박 ❷

아킬레스의 속력을 매초 10 m라고 하자.

그럼 아킬레스가 처음 거북이가 있던 곳에 도착하는 데 걸리는 시간은 10초, 그 사이 거북이는 10 m를 전진한다. 다시 아킬레스가 1초 만에 거북이가 있던 곳에 도착하고 그동안 거북이는 1 m를 전진한다. 다시 아킬레스가 0.1초 만에 거북이가 있던 곳에 도착하고 그동안 거북이는 0.1 m를 전진한다. 이와 같은 방식으로 계속 아킬레스가 거북이를 따라가는 데 걸리는 총 시간을 계산해 보자.

$$10+1+0.1+0.01+0.001+\cdots=11.1111\cdots=11.\dot{1}=\frac{100}{9}\,(\text{초})$$

즉, 아킬레스는 출발한 지 $\frac{100}{9}$ 초 만에 거북이를 따라잡게 된다.

수학적 반박 ❸

아킬레스와 거북이는 일정한 속력으로 달리므로 달린 시간과 거리의 관계를 그래프로 나타내면 직선으로 나타난다. 오른쪽 그림과 같이 아킬레스와 거북이는 한 번 만나고 아킬레스가 앞서 가게 됨을 알 수 있다. (오른쪽 그림과 같은 그래프는 4단원에서 중점적으로 다룰 것이다.)

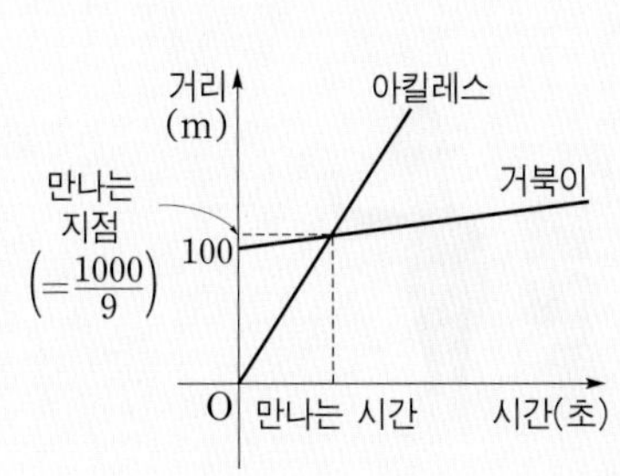

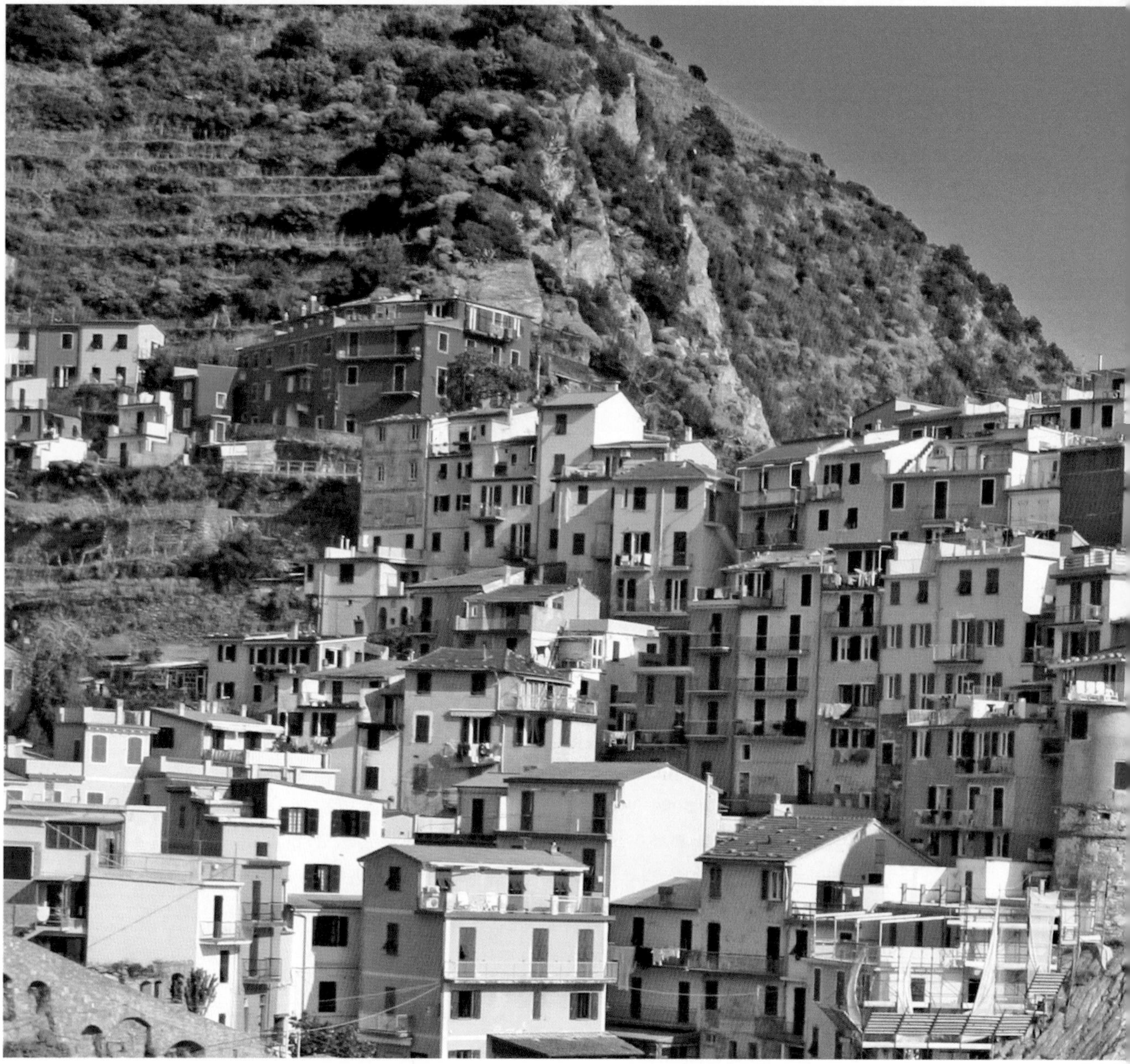

이탈리아의 마나롤라

이탈리아의 서북부 해안에 있는 마을인 마나롤라는
세계문화유산으로 지정되어 있는 친퀘테레 국립공원의 일부이다.
절벽 위 파스텔 톤의 집들의 전경은 친퀘테레 중에서도 아름다운 풍경으로 유명하다.

Ⅱ 식의 계산

INTRO to Chapter Ⅱ

식의 계산

SUMMA CUM LAUDE - MIDDLE SCHOOL MATHEMATICS

거듭제곱의 위력은 정말 놀라워!...

대수롭지 않은 양을 보이는 수이더라도 그 수를 거듭하여 곱하면 상상 이상의 폭발적인 증가를 보여준다. 거듭제곱의 위력을 보여 주는 예로 체스판과 밀알에 대한 이야기가 전해져 내려온다.

체스를 무척이나 좋아했던 왕이 체스를 발명한 수학자에게 상을 주겠노라며 원하는 것이 무엇인지 물었다. 그는 밀 두 알을 체스판의 첫 번째 칸에 놓고, 두 번째 칸에는 네 알을, 세 번째 칸에는 여덟 알을 놓더니, 이런 식으로 2배씩 하여 체스판의 64칸을 모두 채울 수 있는 양의 밀알만 달라고 하였다. 왕은 하찮은 밀 몇 알을 원하는 수학자의 소원에 그 자리에서 흔쾌히 들어주겠노라고 약속하였다. 하지만 그 수학자에게 주어야 할 밀알의 양은 어마어마했다. 실제로 지금까지 이 지구상에 태어났던 사람의 수보다도 많은 수이니 말이다. 거듭제곱의 위력을 알아챈 왕의 표정이 사뭇 궁금하다.

순식간은 찰나의 몇 배일까?...

할: $\frac{1}{10}$

푼: $\left(\frac{1}{10}\right)^2$

리: $\left(\frac{1}{10}\right)^3$

⋮

순식: $\left(\frac{1}{10}\right)^{16}$

탄지: $\left(\frac{1}{10}\right)^{17}$

찰나: $\left(\frac{1}{10}\right)^{18}$

⋮

중국 명나라 때인 1590년경에 수학자 정대위(1533~1592)는 상업에 필요한 계산을 쉽게 할 수 있도록 도와주는 수학책인 '산법통종'을 만들었는데 그 책에는 소수점 아래 자릿수의 명칭이 소개되어 있다.

소수의 명칭 중에서 흥미로운 것은 우리가 흔히 지극히 짧은 시각의 의미로 쓰는 '순식', '찰나' 등의 용어도 소수점 아래 자릿수의 한 명칭이라는 점이다.

보통 순식간은 눈을 한 번 깜짝하거나 숨을 한 번 쉴만한 짧은 시각의 뜻이고 찰나는 생각이 스치는 한 순간처럼 짧다는 뜻인데 이런 뜻을 나타내듯이 산법통종에 순식은 $\left(\frac{1}{10}\right)^{16}$의 자리, 찰나는 $\left(\frac{1}{10}\right)^{18}$의 자리로 명칭을 정해 놓은 것이다. 산법통종에 적힌대로라면 찰나는 순식의 $\frac{1}{100}$배에 해당한다.

이 단원에서 공부할 내용들...

중 1에서는 수와 수, 수와 문자의 연산에 대해 배웠다. 여기서는 문자와 문자의 연산에 대해 배운다. 이에 따라 문자끼리도 거듭제곱을 사용하고, 문자와 다항식 사이에 분배법칙도 적용하게 된다. 이 과정에서 지수법칙이나 식의 전개를 접하게 되는데 '지수', '전개'라는 말에서 충분히 짐작할 수 있듯이 지수법칙은 거듭제곱으로 표현된 식들의 곱셈과 나눗셈에 쓰이는 법칙이고 전개는 곱셈으로 표현된 식을 펼쳐 덧셈으로 연결하는 것이다.

지수법칙과 식의 전개는 중 3을 비롯하여 고등수학에서도 줄기차게 등장하는 내용이므로 기초를 탄탄히 다져 놓도록 하자!

지수법칙

SUMMA NOTE

1. 지수법칙

$a\neq 0$이고, m, n이 자연수일 때,

(1) $a^m\times a^n=a^{m+n}$

(2) $(a^m)^n=a^{mn}$

(3) $a^m\div a^n=\begin{cases} a^{m-n} & (m>n) \\ 1 & (m=n) \\ \dfrac{1}{a^{n-m}} & (m<n) \end{cases}$

(4) $(ab)^n=a^nb^n$, $\left(\dfrac{a}{b}\right)^n=\dfrac{a^n}{b^n}\ (b\neq 0)$

1. 지수법칙

우리는 중 1 때 같은 수 또는 문자의 곱을 간단히 표현하는 방법을 배웠다.
바로 다음과 같이 거듭제곱으로 곱하기 기호를 생략하고 표기하는 방법이다.

$$\underbrace{a\times a\times a\times\cdots\times a}_{n\text{개}}=a^n$$

(n: 지수, a: 밑)

이제부터는 거듭제곱의 뜻을 바탕으로 하여 밑이 같은 거듭제곱의 곱셈과 나눗셈에서 나타나는 몇 가지 성질을 살펴볼 것이다. 그 성질을 미리 말하자면

밑이 같은 거듭제곱끼리의 곱셈, 나눗셈은 지수끼리의 계산만으로 간단히 구할 수 있다.

이를 **지수법칙**이라고 하는데 지수법칙은 앞으로 배울 식의 계산이나 방정식, 부등식 등에 계속 이용되므로 잘 기억하도록 하자.

Q 011 $a^m\times a^n$은 어떻게 간단히 나타낼까?

$a^m\times a^n=a^{m+n}$

a^2과 a^3의 곱셈은 다음과 같이 계산할 수 있다.

$$a^2\times a^3=\underbrace{(a\times a)}_{2\text{개}}\times\underbrace{(a\times a\times a)}_{3\text{개}}=\underbrace{a\times a\times a\times a\times a}_{2+3(\text{개})}=a^{2+3}=a^5$$

(지수의 합)

이때 a^5의 지수 5는 $a^2\times a^3$의 두 지수 2와 3의 합과 같음을 알 수 있다.

일반적으로 m, n이 자연수일 때 밑이 같은 거듭제곱의 곱셈은 다음과 같이 계산한다.

지수법칙(1)

$$a^m \times a^n = a^{m+n}$$

← $a^m \times a^n = a^n \times a^m$이므로 $a^{m+n} = a^{n+m}$

거듭제곱의 곱셈 ➡ 지수의 합

위 성질을 이용하면 밑이 같은 거듭제곱을 여러 개 곱하더라도 지수의 덧셈으로 간단히 계산할 수 있다.

$$a^l \times a^m \times a^n = a^{l+m+n}$$

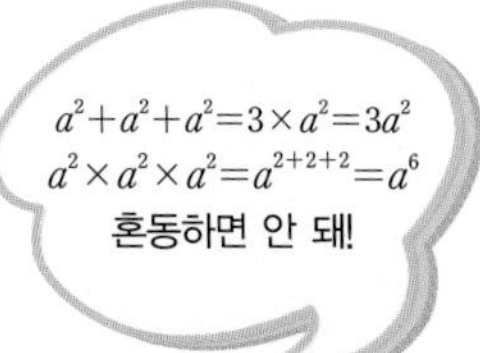
$a^2+a^2+a^2=3\times a^2=3a^2$
$a^2\times a^2\times a^2=a^{2+2+2}=a^6$
혼동하면 안 돼!

예제 1 다음 식을 간단히 하여라.

(1) $a^4 \times a^2$

(2) $x^3 \times x^5 \times x^2$

(3) $5^2 \times 5 \times 5^3$

(4) $x^2 \times y^3 \times x \times y^2$

풀이

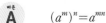

(1) $a^4 \times a^2 = a^{4+2} = \boldsymbol{a^6}$

(2) $x^3 \times x^5 \times x^2 = x^{3+5+2} = \boldsymbol{x^{10}}$

(3) $5^2 \times 5 \times 5^3 = 5^{2+1+3} = \boldsymbol{5^6}$

(4) $x^2 \times y^3 \times x \times y^2 = x^{2+1} \times y^{3+2} = \boldsymbol{x^3y^5}$

밑이 다르므로 간단히 할 수 없다.

Q 012 $(a^m)^n$은 어떻게 간단히 나타낼까?

빠른 A $(a^m)^n = a^{mn}$

친절한 A $(a^3)^4$은 a^3의 네제곱, 즉 a^3을 4번 곱한 것이므로 다음과 같이 거듭제곱의 곱으로 표현하여 계산할 수 있다.

$$(a^3)^4 = \underbrace{a^3 \times a^3 \times a^3 \times a^3}_{4\text{개}} = a^{\overbrace{3+3+3+3}^{3\text{을 4번 더함}}} = a^{3\times 4} = a^{12}$$

(지수의 곱)

이때 a^{12}의 지수 12는 $(a^3)^4$의 두 지수 3과 4의 곱과 같음을 알 수 있다.
일반적으로 m, n이 자연수일 때 거듭제곱의 거듭제곱은 다음과 같이 계산한다.

지수법칙(2)

$$(a^m)^n = a^{m\times n}$$

← $a^{m\times n} = a^{n\times m}$이므로 $(a^m)^n = (a^n)^m$

거듭제곱의 거듭제곱 ➡ 지수의 곱

거듭제곱의 거듭제곱을 여러 번 할 때도 **지수법칙**(2)를 사용하면 간단하다. 순차적으로 계산해도 되지만 **지수법칙**(2)로 한 방에 끝!

$$\{(a^2)^3\}^4 = (a^6)^4 = a^{24} \Rightarrow \{(a^2)^3\}^4 = a^{2\times3\times4} = a^{24}$$

예제 2 다음 식을 간단히 하여라.

(1) $(5^3)^4$ (2) $(a^2)^3$

(3) $(y^3)^2\times(y^2)^4$ (4) $(x^2)^2\times(y^3)^3\times(x^2)^3$

풀이 (1) $(5^3)^4=5^{3\times4}=\mathbf{5^{12}}$

(2) $(a^2)^3=a^{2\times3}=\boldsymbol{a^6}$

(3) $(y^3)^2\times(y^2)^4=y^{3\times2}\times y^{2\times4}=y^6\times y^8=\boldsymbol{y^{14}}$

(4) $(x^2)^2\times(y^3)^3\times(x^2)^3=x^4\times y^9\times x^6=x^{4+6}\times y^9=\boldsymbol{x^{10}y^9}$

$a^m\times a^n\neq a^{mn}$
$(a^m)^n\neq a^{m+n}$
지수법칙 (1), (2)를 혼동하면 안 돼~.

Math STORY

지수의 유래

인간이 수의 크기를 한눈에 알아볼 수 있는 능력에는 한계가 있기 때문에 아주 큰 수나 아주 작은 수의 상대적 크기를 한눈에 알아볼 수 있는 방법으로 지수를 사용하게 되었다. 같은 수를 몇 번씩 곱할 때의 표현 방법을 최초로 사용한 사람은 아라비아 수학자 알콰리즈미(780~850)였고, 1586년 스테빈(1548~1620)에 의해 1제곱은 ①로, 2제곱은 ②로 표시하여 2^2+3^1을 2②+3①로 나타내었다. 현재 우리가 사용하는 것처럼 지수를 작게 써서 나타내는 방법은 데카르트(1596~1650)에 의해 도입되었다.

Q 013 $(5^2)^a\times(5^3)^4=5^{18}$일 때, a의 값은?

지수끼리 비교하여 구해.

$5^2=25$, $5^3=125$임을 떠올려 $25^a\times125^4=5^{18}$으로 바꾼다면 문제의 답에서 점점 멀어지게 된다. 주어진 식은 밑을 5로 한 거듭제곱의 계산이므로 지수법칙을 이용하여 다음과 같이 정리할 수 있다.

$(5^2)^a\times(5^3)^4=5^{18}$ ➡ (지수법칙(2)) $5^{2a}\times5^{12}=5^{18}$ ➡ (지수법칙(1)) $5^{2a+12}=5^{18}$

밑이 같으므로 지수도 같아야 한다. 즉,

$2a+12=18,\ 2a=6 \qquad \therefore a=3$

이와 같이 문자가 아닌 수의 거듭제곱의 계산에서도 지수법칙을 적용할 수 있어야 한다.

예제 3 $2^x\times64=8^x$일 때, x의 값을 구하여라.

풀이 $64=2^6$, $8=2^3$이므로 밑을 2로 통일하면

$2^x\times64=8^x$ ➡ $2^x\times2^6=(2^3)^x$ ➡ $2^{x+6}=2^{3x}$

지수가 같아야 하므로 $x+6=3x,\ 2x=6 \qquad \therefore x=\mathbf{3}$

Q 014 $a^m \div a^n$은 어떻게 간단히 나타낼까?

빠른 A m, n의 크기에 따라 a^{m-n}, 1, $\dfrac{1}{a^{n-m}}$이 돼.

친절한 A 거듭제곱의 나눗셈은 두 지수의 대소 관계에 따라 3가지로 나누어 계산해야 한다.

예를 들어 $a^7 \div a^4$, $a^4 \div a^4$, $a^4 \div a^7$을 각각 분수 꼴로 고쳐서 순서대로 계산하면 다음과 같다.

$$a^7 \div a^4 = \frac{a^7}{a^4} = \frac{a\times a\times a\times a\times a\times a\times a}{a\times a\times a\times a} = a\times a\times a = a^3$$

$$a^4 \div a^4 = \frac{a^4}{a^4} = \frac{a\times a\times a\times a}{a\times a\times a\times a} = 1$$

$$a^4 \div a^7 = \frac{a^4}{a^7} = \frac{a\times a\times a\times a}{a\times a\times a\times a\times a\times a\times a} = \frac{1}{a\times a\times a} = \frac{1}{a^3}$$

$a^7 \div a^4$, $a^4 \div a^7$처럼 나누어지는 수의 지수가 큰 경우와 작은 경우는 지수의 차를 이용하여 바로 구할 수 있다.
(지수)=(큰 수)−(작은 수)

지수의 차
$a^7 \div a^4 = a^{7-4}$

지수의 차
$a^4 \div a^7 = \dfrac{1}{a^{7-4}}$

일반적으로 $a \neq 0$이고, m, n이 자연수일 때 거듭제곱의 나눗셈은 두 지수 m, n의 크기를 비교하여 다음과 같이 계산한다.

지수법칙(3)

$$a^m \div a^n = \begin{cases} a^{m-n} & (m>n) \\ 1 & (m=n) \\ \dfrac{1}{a^{n-m}} & (m<n) \end{cases}$$

거듭제곱의 나눗셈 ➡ 지수의 차

예제 4 다음 식을 간단히 하여라.

(1) $5^5 \div 5^2$ (2) $a^6 \div a^2$

(3) $a^3 \div a^5$ (4) $x^7 \div x^3 \div x^2$

풀이

(1) $5^5 \div 5^2 = 5^{5-2} = \mathbf{5^3}$

(2) $a^6 \div a^2 = a^{6-2} = \boldsymbol{a^4}$

(3) $a^3 \div a^5 = \dfrac{1}{a^{5-3}} = \boldsymbol{\dfrac{1}{a^2}}$

(4) $x^7 \div x^3 \div x^2 = x^{7-3-2} = \boldsymbol{x^2}$

거듭제곱의 나눗셈은 교환법칙이 성립하지 않으므로 앞에서부터 순서대로 계산해!

Q 015 $(ab)^n$, $\left(\frac{a}{b}\right)^n (b \neq 0)$은 어떻게 간단히 나타낼까?

빠른 A $(ab)^n = a^n b^n$, $\left(\frac{a}{b}\right)^n = \frac{a^n}{b^n}$

친절한 A $(ab)^3$과 $\left(\frac{a}{b}\right)^3$은 다음과 같이 간단히 할 수 있다.

$$(ab)^3 = \underbrace{(a \times b) \times (a \times b) \times (a \times b)}_{3\text{개}} = \underbrace{a \times a \times a}_{3\text{개}} \times \underbrace{b \times b \times b}_{3\text{개}} = a^3 b^3 \quad \text{지수의 분배}$$

$$\left(\frac{a}{b}\right)^3 = \underbrace{\frac{a}{b} \times \frac{a}{b} \times \frac{a}{b}}_{3\text{개}} = \frac{\overbrace{a \times a \times a}^{3\text{개}}}{\underbrace{b \times b \times b}_{3\text{개}}} = \frac{a^3}{b^3} \quad \text{지수의 분배}$$

일반적으로 n이 자연수일 때 밑이 곱 또는 분수 꼴인 거듭제곱은 다음과 같이 계산한다.

지수법칙(4)

$(ab)^n = a^n b^n$	$\left(\frac{a}{b}\right)^n = \frac{a^n}{b^n} (b \neq 0)$
곱의 거듭제곱 ➡ 각각의 거듭제곱	분수의 거듭제곱 ➡ 각각의 거듭제곱

예제 5 다음 식을 간단히 하여라.

(1) $(ab)^5$ (2) $\left(-\frac{a}{b}\right)^4$ (3) $(a^2b^3)^3$

(4) $\left(\frac{a^3}{b^4}\right)^4$ (5) $(-5xy^3)^2$ (6) $\left(\frac{2x^2}{y}\right)^3$

풀이

(1) $(ab)^5 = \boldsymbol{a^5 b^5}$

(2) $\left(-\frac{a}{b}\right)^4 = (-1)^4 \times \frac{a^4}{b^4} = \boldsymbol{\frac{a^4}{b^4}}$

(3) $(a^2b^3)^3 = (a^2)^3(b^3)^3 = \boldsymbol{a^6 b^9}$

(4) $\left(\frac{a^3}{b^4}\right)^4 = \frac{(a^3)^4}{(b^4)^4} = \boldsymbol{\frac{a^{12}}{b^{16}}}$

(5) $(-5xy^3)^2 = (-5)^2 \times x^2 \times (y^3)^2 = \boldsymbol{25x^2y^6}$

(6) $\left(\frac{2x^2}{y}\right)^3 = \frac{2^3 \times (x^2)^3}{y^3} = \boldsymbol{\frac{8x^6}{y^3}}$

지수법칙(4)의 경우 지수의 분배법칙을 적용하는 과정에서 실수할 우려가 많다. 다음 사항을 항상 점검하여 실수를 하지 않도록 하자.

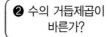

❶ 부호가 맞는가?

$(-xy)^2 \neq -x^2y^2$

$(-1)^2 = 1$이므로 x^2y^2

❷ 수의 거듭제곱이 바른가?

$(2xy)^3 \neq 6x^3y^3$

$2^3 = 8$이므로 $8x^3y^3$

❸ 분배를 모두 하였는가?

$\left(\frac{2x^2}{y}\right)^2 \neq \frac{4x^4}{y}$

$\left(\frac{x^2}{y}\right)^2 = \frac{x^4}{y^2}$ 이므로 $\frac{4x^4}{y^2}$

지수법칙(1)~(4)를 정리하면 다음과 같다. 지수법칙은 모든 식들의 계산에서 필수적으로 쓰이므로 잘 기억해 두어야 한다. 거듭제곱의 기본 뜻을 바탕으로 잘 기억해 두자!

지수법칙

$a \neq 0$이고, m, n이 자연수일 때,

(1) $a^m \times a^n = a^{m+n}$　　　(2) $(a^m)^n = a^{mn}$

(3) $a^m \div a^n = \begin{cases} a^{m-n} & (m>n) \\ 1 & (m=n) \\ \dfrac{1}{a^{n-m}} & (m<n) \end{cases}$　　　(4) $(ab)^n = a^n b^n$, $\left(\dfrac{a}{b}\right)^n = \dfrac{a^n}{b^n}$ $(b \neq 0)$

Q016, Q017은 지수법칙을 이용하여 해결할 수 있는 문제이다. 지수법칙이 어떻게 쓰이는지 살펴보자.

Q 016 $4^3 \times (5^2)^4$은 몇 자리의 수일까?

빠른 A $a \times 10^k$ 꼴로 나타내 봐!

친절한 A 자연수의 자릿수는 10의 거듭제곱의 지수와 관계가 있다.

$10^2 = 100 \Rightarrow (1+2)$자리

$10^3 = 1000 \Rightarrow (1+3)$자리

⋮

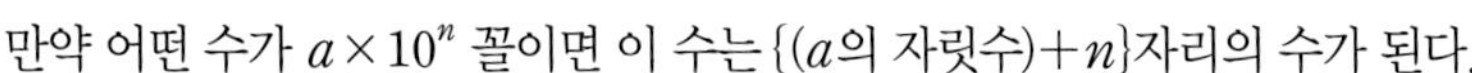

$10^n = \underbrace{10000\cdots0000}_{n\text{개}} \Rightarrow (1+n)$자리

> 10^n에서 n은 0의 개수!

만약 어떤 수가 $a \times 10^n$ 꼴이면 이 수는 $\{(a\text{의 자릿수})+n\}$자리의 수가 된다.

$4^3 \times (5^2)^4$은 2와 5의 거듭제곱의 곱으로 이루어진 수로 2와 5를 묶어 10의 거듭제곱으로 바꿀 수 있으므로 몇 자리의 수인지 알 수 있다.

$4^3 \times (5^2)^4 = (2^2)^3 \times (5^2)^4$
$= 2^6 \times 5^8$ ← 지수법칙
$= 2^6 \times 5^6 \times 5^2$ ← 2의 지수와 같도록 5의 지수 분리
$= (2 \times 5)^6 \times 5^2$ ← 시수법칙
$= \underbrace{25}_{2\text{자리}} \times 10^6$ ← 10의 거듭제곱

> $2^n \times 5^n = 10^n$

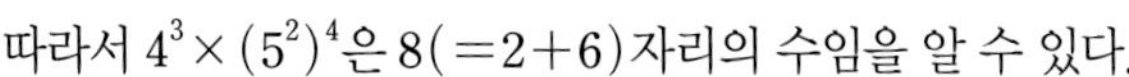

따라서 $4^3 \times (5^2)^4$은 $8(=2+6)$자리의 수임을 알 수 있다.

예제 6 $2^8 \times 5^5$이 n자리의 자연수일 때, n의 값을 구하여라.

풀이 $2^8 \times 5^5 = 2^3 \times 2^5 \times 5^5 = 2^3 \times (2 \times 5)^5 = 8 \times 10^5$

따라서 $2^8 \times 5^5$은 6자리의 자연수이므로 $n=6$

Q 017 3^{50}, 4^{40}, 5^{30} 중에서 가장 큰 수는?

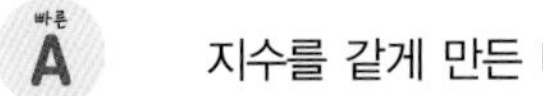

빠른 A 지수를 같게 만든 다음 밑을 비교해.

친절한 A 밑이 같은 세 수 a^x, a^y, $a^z$$(a>1)$의 크기 비교는 지수 x, y, z의 크기 비교와 같다. 이때 지수가 큰 쪽이 큰 수가 된다. 예를 들어 세 수가 2^5, 2^6, 2^7이면 지수가 $5<6<7$이므로 $2^5<2^6<2^7$이다.
거꾸로 지수가 같은 세 수 a^x, b^x, $c^x$$(a>1, b>1, c>1)$의 크기는 밑 a, b, c의 크기에 따라 정해지는데 이때도 밑이 클수록 큰 수가 된다.

> 밑이 같으면 지수가 큰 쪽이, 지수가 같으면 밑이 큰 쪽이 크다. (단, (밑)>1)

3^{50}, 4^{40}, 5^{30}의 경우, 밑과 지수가 모두 다르지만 지수법칙 $(a^m)^n=a^{mn}$을 이용하여 지수를 같게 하면 밑끼리 크기를 비교할 수 있다.

$$3^{50}=3^{5\times10}=(3^5)^{10}=243^{10}$$

$$4^{40}=4^{4\times10}=(4^4)^{10}=256^{10}$$

$$5^{30}=5^{3\times10}=(5^3)^{10}=125^{10}$$

밑을 비교하면 $125<243<256$이므로

$$125^{10}<243^{10}<256^{10} \qquad \therefore 5^{30}<3^{50}<4^{40}$$

따라서 가장 큰 수는 4^{40}이다.

예제 7 세 수 6^{300}, 25^{150}, 32^{140} 중 가장 큰 수를 구하여라.

풀이 $6^{300}=(6^3)^{100}=216^{100}$

$25^{150}=(5^2)^{150}=5^{300}=(5^3)^{100}=125^{100}$

$32^{140}=(2^5)^{140}=2^{700}=(2^7)^{100}=128^{100}$

밑을 비교하면 $125<128<216$이므로 가장 큰 수는 $\mathbf{6^{300}}$이다.

THINK Math

숫자 2로 만들 수 있는 가장 큰 수

숫자 2를 세 번 써서 나타낼 수 있는 수 중에서 가장 큰 수를 구해 보자.
222, 22^2, 2^{22}, 2^{2^2}의 네 가지 수가 머리에 떠오를 것이다.
이 중에서 가장 작은 수는 $2^{2^2}=2^4=16$이고, 다음은 222, 그 다음에는 $22^2=484$이다.
그리고 가장 큰 수는 $2^{22}=4194304$로 약 4×10^6이다.
그렇다면 숫자 2를 네 번 써서 나타낼 수 있는 가장 큰 수는 무엇일까?
작은 수부터 차례대로 적어나가면 2222, 222^2, $2^{2^{2^2}}$, 22^{22}, 2^{222}, 2^{22^2}, $2^{2^{22}}$
이 수들에 가까운 10의 거듭제곱 꼴을 각각 생각하면 각각 다음과 같다.

$$10^3,\ 10^4,\ 10^5,\ 10^{29},\ 10^{67},\ 10^{145},\ 10^{1260000}$$

위의 마지막 수 $10^{1260000}$은 100억을 126000번이나 곱해서 얻어지는 수이다. 2를 네 번 사용하는 것만으로도 이렇게 큰 수가 만들어진다니 놀랍지 않은가?

개념 CHECK

해설 BOOK 010쪽

개념 확인

(1) $a^m \times a^n = a^{\square}$

(2) $(a^m)^n = a^{\square}$

(3) $a^m \div a^n = a^{\square}$ (단, $m>n$)

(4) $(ab)^n = a^{\square}b^{\square}$

(5) $\left(\dfrac{a}{b}\right)^n = \dfrac{a^{\square}}{b^{\square}}$

자기 진단

Q 011 056쪽
$a^m \times a^n$은 어떻게 간단히 나타낼까?

Q 012 057쪽
$(a^m)^n$은 어떻게 간단히 나타낼까?

Q 014 059쪽
$a^m \div a^n$은 어떻게 간단히 나타낼까?

Q 015 060쪽
$(ab)^n$, $\left(\dfrac{a}{b}\right)^n (b \neq 0)$은 어떻게 간단히 나타낼까?

Q 016 061쪽
$4^3 \times (5^2)^4$은 몇 자리의 수일까?

01 다음 식을 간단히 하여라.

(1) $a^4 \times a^5$

(2) $x^4 \times x \times x^2$

(3) $(a^4)^5$

(4) $(x^2)^3 \times (x^3)^4 \times x^2$

(5) $(x^5)^2 \times y^3 \times x \times (y^2)^2$

02 다음 식을 간단히 하여라.

(1) $a^4 \div a^4$

(2) $x^8 \div x^2 \div x^3$

(3) $(x^2)^4 \div (x^4)^3$

(4) $(a^2)^5 \div a^4 \times a$

03 다음 식을 간단히 하여라.

(1) $\left(\dfrac{a^3}{b^2}\right)^3$

(2) $\left(\dfrac{y^4}{2}\right)^3$

(3) $(-3x^4)^3$

(4) $xy^2 \times (x^2y)^3$

04 다음 □ 안에 알맞은 수를 써넣어라.

(1) $(x^{\square})^2 \times x^4 = x^{14}$

(2) $x^{\square} \div x^4 = x^6$

(3) $(-2x^3y^{\square})^2 = \square x^6y^{10}$

(4) $\left(\dfrac{y}{x^{\square}}\right)^4 = \dfrac{y^{\square}}{x^8}$

05 $A=2^7 \times 25^5$일 때, A는 몇 자리의 자연수인지 구하여라.

문제 이해도를 😊, 😐, ☹으로 표시해 보세요.

해설 BOOK **011쪽** | 테스트 BOOK **016쪽**

유형 1 지수의 합

$a^6\times b\times a^2\times b^8$을 간단히 하면?

① a^7b^7 ② a^7b^8 ③ a^8b^8
④ a^8b^9 ⑤ $a^{11}b^9$

Summa **Point**
m, n이 자연수일 때 $a^m\times a^n=a^{m+n}$

056쪽 Q 011

1-1 😊😐☹
다음 □ 안에 알맞은 수를 써넣어라.

(1) $a^{\square}\times a^3\times b\times b^4=a^5b^{\square}$
(2) $x^3\times y^2\times x^{\square}\times y^3=x^7y^{\square}$

1-2 😊😐☹
$2^{x+4}=\square\times 2^x$일 때, □ 안에 알맞은 수는?

① 4 ② 6 ③ 8
④ 16 ⑤ 32

1-3 😊😐☹
$2^2\times 2^a\times 2^4=512$일 때, 상수 a의 값은?

① 1 ② 2 ③ 3
④ 4 ⑤ 5

유형 2 지수의 곱

$(a^2)^3\times a^3=(a^k)^3$일 때, 상수 k의 값은?

① 2 ② 3 ③ 4
④ 5 ⑤ 6

Summa **Point**
m, n이 자연수일 때 $(a^m)^n=a^{mn}$

057쪽 Q 012

2-1 😊😐☹
$(a^2)^4\times b\times a^4\times(b^3)^4$을 간단히 하면?

① $a^{10}b^{10}$ ② $a^{12}b^{12}$ ③ $a^{12}b^{13}$
④ $a^{24}b^{10}$ ⑤ $a^{30}b^{15}$

2-2 😊😐☹
$(x^a)^3\times(y^3)^b=x^{12}y^{18}$일 때, 상수 a, b에 대하여 $a+b$의 값을 구하여라.

2-3 😊😐☹
다음 중 옳은 것을 모두 고르면? (정답 2개)

① $(-x)^2=x^2$ ② $(-x)^3=-x^3$
③ $(-x^2)^3=x^6$ ④ $(-x^3)^4=x^7$
⑤ $(-x^3)^3=-x^6$

유형 3 지수의 차

다음 식을 간단히 하여라.

(1) $x^4 \div (x^3)^3$

(2) $a^{10} \div a^3 \div a^2$

Summa Point

$a \neq 0$이고, m, n이 자연수일 때

$$a^m \div a^n = \begin{cases} a^{m-n} & (m>n) \\ 1 & (m=n) \\ \dfrac{1}{a^{n-m}} & (m<n) \end{cases}$$

059쪽 Q 014

3-1

$3^{\square} \div 3^6 = \dfrac{1}{9^2}$ 일 때, □ 안에 알맞은 수는?

① 1 ② 2 ③ 3 ④ 4 ⑤ 5

3-2

$3 \times 3^5 \div (3^2)^{\square} = 1$일 때, □ 안에 알맞은 수는?

① 2 ② 3 ③ 4 ④ 5 ⑤ 6

3-3

다음 중 계산 결과가 다른 하나는?

① $a^5 \div a^3$ ② $a^{10} \div a^6 \div a^2$ ③ $a^6 \div a^2 \times a^4$ ④ $(-a)^4 \div (-a)^2$ ⑤ $a \times a^3 \div a^2$

유형 4 지수의 분배

다음 중 옳지 않은 것은?

① $(2a^3b)^3 = 8a^9b^3$ ② $(-3xy^2)^2 = 9x^2y^4$ ③ $\left(\dfrac{1}{6}xy^2\right)^3 = \dfrac{1}{216}x^3y^6$ ④ $\left(-\dfrac{b^3}{a^2}\right)^2 = \dfrac{b^6}{a^4}$ ⑤ $\left(\dfrac{b^2}{3a}\right)^3 = \dfrac{b^6}{9a^3}$

Summa Point

n이 자연수일 때 $(ab)^n = a^nb^n$, $\left(\dfrac{a}{b}\right)^n = \dfrac{a^n}{b^n}$ $(b \neq 0)$

060쪽 Q 015

4-1

다음 □ 안에 알맞은 수를 써넣어라.

(1) $(a^{\square}b^3)^5 = a^{10}b^{\square}$

(2) $\left(\dfrac{y^{\square}}{x}\right)^4 = \dfrac{y^{16}}{x^{\square}}$

4-2

$(ax^3y^bz^2)^5 = -32x^cy^{10}z^d$일 때, 상수 a, b, c, d에 대하여 $a+b+c+d$의 값은?

① 1 ② 5 ③ 10 ④ 25 ⑤ 30

4-3

$\left(\dfrac{2x^a}{y^4}\right)^b = \dfrac{cx^{15}}{y^{12}}$ 일 때, 상수 a, b, c에 대하여 $a+b+c$의 값은?

① 13 ② 14 ③ 15 ④ 16 ⑤ 17

단항식의 곱셈과 나눗셈

SUMMA NOTE

1. 단항식의 곱셈

(1) 계수는 계수끼리, 문자는 문자끼리 곱한다.

(2) 같은 문자끼리의 곱셈은 지수법칙을 이용하여 간단히 한다.

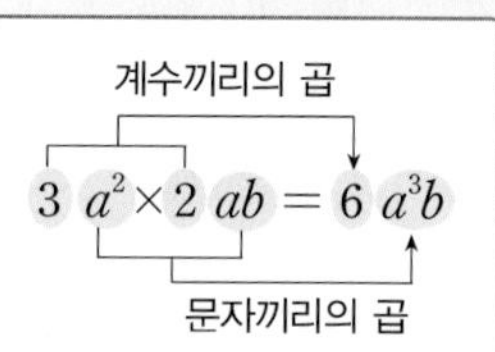

2. 단항식의 나눗셈

[방법 1] 분수 꼴로 바꾸어 계산한다. ➡ $A \div B = \frac{A}{B}$

[방법 2] 나누는 식의 역수를 곱하여 계산한다. ➡ $A \div B = A \times \frac{1}{B}$

1. 단항식의 곱셈

중 1에서 단항식과 수의 곱셈과 나눗셈을 배웠다.

$$2a^2 \times 3 = 6a^2 \qquad 12x^2y^2 \div 3 = 4x^2y^2$$

중 2에서는 단항식과 단항식의 곱셈과 나눗셈을 배운다.

수를 문자보다 앞에 쓰고, 문자는 보통 알파벳 순서로 쓴다. 이때 곱셈 기호(×)는 생략한다.

Q 018 (단항식)×(단항식)은 어떻게 계산할까?

빠른 A 계수는 계수끼리, 문자는 문자끼리 곱해!

친절한 A (단항식)×(수)는 곱셈의 교환법칙과 결합법칙을 이용하여 수끼리 먼저 곱한 후 문자를 곱했다. (단항식)×(단항식)의 계산도 다르지 않다. 곱셈의 교환법칙과 결합법칙을 이용하여

계수는 계수끼리, 문자는 문자끼리 곱하고
같은 문자끼리의 곱셈은 지수법칙을 이용하여 간단히 한다.

$$\begin{aligned} 4a^2 \times (-3ab) &= 4 \times a^2 \times (-3) \times a \times b \\ &= 4 \times (-3) \times a^2 \times a \times b \\ &= \{4 \times (-3)\} \times (a^2 \times a \times b) \\ &= -12a^3b \end{aligned}$$

곱셈의 교환법칙
곱셈의 결합법칙
계수는 계수끼리, 문자는 문자끼리

거듭제곱이 포함된 단항식의 곱셈에서는 지수법칙을 이용하여 거듭제곱을 먼저 계산하고, 단항식의 곱셈을 한다.

예제 8 다음 식을 계산하여라.

(1) $3a \times 4b^2$

(2) $3x^2 \times (-7x^3)$

(3) $(-8x^2) \times \frac{1}{2}xy$

(4) $(-a)^4 \times \left(\frac{3b}{a}\right)^2$

풀이 (1) $\boldsymbol{12ab^2}$ (2) $\boldsymbol{-21x^5}$ (3) $\boldsymbol{-4x^3y}$

(4) $(-a)^4 \times \left(\frac{3b}{a}\right)^2 = a^4 \times \frac{9b^2}{a^2} = \boldsymbol{9a^2b^2}$

여러 단항식의 곱셈을 계산할 때에는 먼저 각 항의 부호를 살핀 다음 음의 부호의 개수를 따져서 전체 부호를 결정하면 된다.

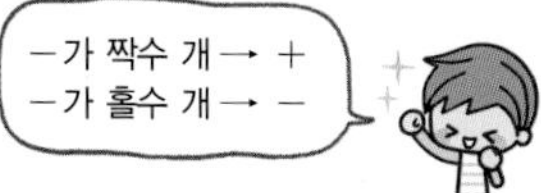

$$(-x^2y)^2 \times (-2xy^2)^3 \times (-3x^2y^2)^2 = x^4y^2 \times (-8x^3y^6) \times 9x^4y^4$$
$$= -72x^{11}y^{12}$$

2. 단항식의 나눗셈

Q 019 (단항식)÷(단항식)은 어떻게 계산할까?

바른 A 분수 꼴로 바꾸거나 역수를 이용하여 나눗셈을 곱셈으로 바꾸어 계산해.

친절한 A (단항식)÷(수)에서와 마찬가지로 (단항식)÷(단항식)도 분수 꼴로 바꿔서 계산하거나 나누는 단항식을 역수로 바꾸면서 곱셈으로 바꾸어 계산한다.

[방법 1]

$$A \div B = \frac{A}{B}$$

$$8x^2y \div 2x = \frac{8x^2y}{2x} = \frac{8}{2} \times \frac{x^2y}{x} = 4xy$$

(분자, 분모 / 계수끼리, 문자끼리)

[방법 2]

$$A \div B = A \times \frac{1}{B}$$

$$8x^2y \div 2x = 8x^2y \times \frac{1}{2x} = 8 \times \frac{1}{2} \times x^2y \times \frac{1}{x} = 4xy$$

(곱셈으로 바꾸기, 역수로 바꾸기 / 계수끼리, 문자끼리)

예제 9 다음 식을 간단히 하여라.

(1) $8a^4 \div 2a$　　(2) $(-3x^3y^2) \div 2xy$

(3) $\frac{3}{4}xy^2 \div \left(-\frac{xy}{2}\right)$　　(4) $\left(\frac{ab}{3}\right)^2 \div \frac{a^2b^3}{6}$

풀이 (1) $8a^4 \div 2a = \frac{8a^4}{2a} = \boldsymbol{4a^3}$

(2) $(-3x^3y^2) \div 2xy = \frac{-3x^3y^2}{2xy} = \boldsymbol{-\frac{3}{2}x^2y}$

(3) $\frac{3}{4}xy^2 \div \left(-\frac{xy}{2}\right) = \frac{3xy^2}{4} \times \left(-\frac{2}{xy}\right) = \boldsymbol{-\frac{3}{2}y}$

(4) $\left(\frac{ab}{3}\right)^2 \div \frac{a^2b^3}{6} = \frac{a^2b^2}{9} \times \frac{6}{a^2b^3} = \boldsymbol{\frac{2}{3b}}$

나누는 수가 분수일 때는 역수의 곱셈으로 바꾸어 계산하는 것이 더 편리해!

Q 020 단항식의 곱셈과 나눗셈의 혼합 계산은 어떻게 할까?

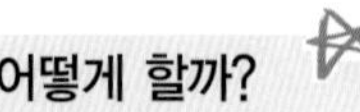

빠른 A 괄호 풀기 ➡ 나눗셈을 곱셈으로 바꾸기 ➡ 계수는 계수끼리, 문자는 문자끼리 계산하기

친절한 A 단항식의 곱셈과 나눗셈의 혼합 계산은 수의 혼합 계산과 같이 나눗셈을 역수의 곱셈으로 바꾸고, 앞에서부터 차례로 계산한다.

예제 10 다음 식을 간단히 하여라.

(1) $3a \times 4b \div (-a)$　　(2) $2x^6 \div 4x^3 \times 3x$

(3) $4a \div 8b^2 \times (-4a^3b^3)$　　(4) $12x^3y \times (-x) \div (-2xy)$

풀이 (1) $3a \times 4b \div (-a) = 3a \times 4b \times \left(-\frac{1}{a}\right) = \boldsymbol{-12b}$

(2) $2x^6 \div 4x^3 \times 3x = 2x^6 \times \frac{1}{4x^3} \times 3x = \boldsymbol{\frac{3}{2}x^4}$

(3) $4a \div 8b^2 \times (-4a^3b^3) = 4a \times \frac{1}{8b^2} \times (-4a^3b^3) = \boldsymbol{-2a^4b}$

(4) $12x^3y \times (-x) \div (-2xy) = 12x^3y \times (-x) \times \left(-\frac{1}{2xy}\right) = \boldsymbol{6x^3}$

한편 거듭제곱이 있는 식은 지수법칙을 이용하여 거듭제곱을 먼저 계산해야 한다.
따라서 다음 순서로 기억하자.

단항식의 곱셈과 나눗셈의 혼합 계산

❶ 괄호가 있는 거듭제곱이 있으면 지수법칙을 이용하여 괄호를 먼저 푼다.
❷ 나눗셈은 분수 꼴 또는 역수의 곱셈으로 바꾼다.
❸ 계수는 계수끼리, 문자는 문자끼리 계산한다.

| 참고 | (1) 괄호가 있으면 괄호 안을 먼저 계산하다.

$$a \div b \times c = a \times \frac{1}{b} \times c = \frac{ac}{b}$$

$$a \div (b \times c) = a \div bc = \frac{a}{bc}$$

결과가 다르다!

(2) 계산 결과의 부호는 단항식 중 마이너스 부호 (−)의 개수를 보고 결정한다.

(−)가 짝수 개 ➡ (+)

(−)가 홀수 개 ➡ (−)

예제 11 다음 식을 간단히 하여라.

(1) $(x^2y)^3 \times 2x^2 \div xy$

(2) $(-2x^2y)^3 \div \left(-\frac{1}{2}x^4y^3\right) \times \frac{3}{4}y$

풀이

(1) $(x^2y)^3 \times 2x^2 \div xy$

$= x^6y^3 \times 2x^2 \div xy$

$= x^6y^3 \times 2x^2 \times \frac{1}{xy}$

$= \mathbf{2x^7y^2}$

(2) $(-2x^2y)^3 \div \left(-\frac{1}{2}x^4y^3\right) \times \frac{3}{4}y$

$= (-8x^6y^3) \times \left(-\frac{2}{x^4y^3}\right) \times \frac{3y}{4}$

$= (-8) \times (-2) \times \frac{3}{4} \times \frac{x^6y^3 \times y}{x^4y^3}$

$= \mathbf{12x^2y}$

Q 021 $6x^2y \div \square \times 4xy^2 = 2x^3y^2$에서 □ 안에 알맞은 식은?

빠른 A $A \div \square \times B = C$ ➡ $\square = A \times B \times \frac{1}{C}$

친절한 A 복잡해 보이는 혼합 계산식에 □까지 있으니 어려워 보일 수 있다.
하지만 □도 하나의 문자로 생각하여 식을 간단히 하면서 □ 안의 식을 구하면 된다.
또한 등식의 성질을 이용하여 □=(식)의 꼴로 먼저 나타낸 다음 정리하는 방법도 있다.

$6x^2y \div \square \times 4xy^2 = 2x^3y^2$

➡ $6x^2y \times \frac{1}{\square} \times 4xy^2 = 2x^3y^2$ (역수)

➡ $\frac{1}{\square} = \frac{2x^3y^2}{6x^2y \times 4xy^2} = \frac{1}{12y}$

➡ $\square = 12y$

$6x^2y \div \square \times 4xy^2 = 2x^3y^2$

➡ $6x^2y \times 4xy^2 = 2x^3y^2 \times \square$ (□를 우변으로)

➡ $\square = 6x^2y \times 4xy^2 \div 2x^3y^2$ ($2x^3y^2$으로 나누기)

$= \frac{6x^2y \times 4xy^2}{2x^3y^2} = 12y$

예제 12 $(-2a^2b^3)^3 \div \square \times \frac{15}{4}ab^2 = 5a^3b^4$일 때, □ 안에 알맞은 식을 구하여라.

풀이 $(-2a^2b^3)^3 \div \square \times \frac{15}{4}ab^2 = 5a^3b^4$에서 $(-8a^6b^9) \times \frac{1}{\square} \times \frac{15ab^2}{4} = 5a^3b^4$

$\frac{1}{\square} = 5a^3b^4 \times \left(-\frac{1}{8a^6b^9}\right) \times \frac{4}{15ab^2} = \frac{1}{-6a^4b^7}$ $\quad \therefore \square = \mathbf{-6a^4b^7}$

개념 CHECK

해설 BOOK 012쪽

개념 확인

(1) (단항식)×(단항식)의 계산은 계수는 ☐끼리, 문자는 ☐끼리 계산한다.

(2) (단항식)÷(단항식)의 계산은 ☐를 이용하여 나눗셈을 ☐으로 바꾸거나 분수 꼴로 바꾸어 계산한다.

01 다음 식을 간단히 하여라.

(1) $2a^2b\times5ab^3$

(2) $(-xy^2)^4\times x^2y^3$

(3) $(-6a^2b)\div2ab^2$

(4) $(-9a^2b^2)\div\left(-\frac{3}{5}ab\right)$

02 다음 식을 간단히 하여라.

(1) $(-12x^2y)\times3y\div6xy$

(2) $4a\div8b^2\times(-4a^3b^3)$

03 다음 계산 과정에서 (가)에 x^2y^2을 넣었을 때, (다)에 알맞은 식을 구하여라.

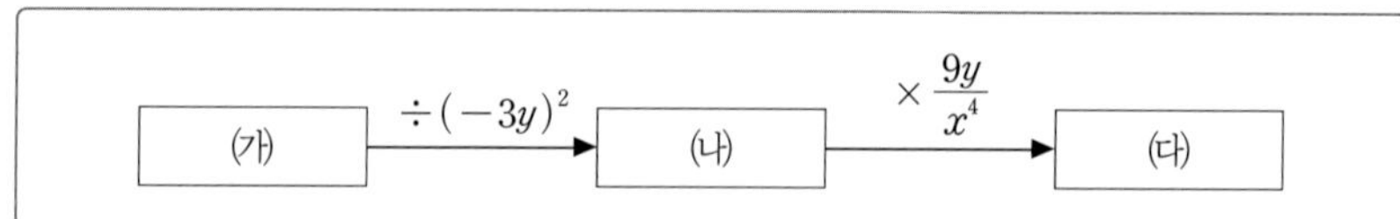

04 $(-3x^3y)^3\div\square=(6x^3y)^2$에서 ☐ 안에 알맞은 식을 구하여라.

05 $\frac{1}{16}x^3y^2\times6y^2\div\frac{3}{4}x^5y=\frac{y^a}{bx^c}$일 때, 상수 a, b, c에 대하여 $a+b+c$의 값을 구하여라.

자기 진단

Q 018 ➲ 066쪽
(단항식)×(단항식)은 어떻게 계산할까?

Q 019 ➲ 067쪽
(단항식)÷(단항식)은 어떻게 계산할까?

Q 020 ➲ 068쪽
단항식의 곱셈과 나눗셈의 혼합 계산은 어떻게 할까?

문제 이해도를 ☺, ☺, ☹으로 표시해 보세요.

해설 BOOK 012쪽 | 테스트 BOOK 019쪽

유형 1 단항식의 곱셈

다음 식을 간단히 하여라.

(1) $(2a^3b)^2\times(-ab^2)^4$

(2) $(-ab)^2\times\left(-\frac{a}{b^2}\right)^2\times\left(-\frac{b^3}{a}\right)^4$

Summa Point

먼저 거듭제곱을 간단히 한 후 계수는 계수끼리, 문자는 문자끼리 계산한다.

066쪽 Q 018

1-1

다음 식을 간단히 하여라.

(1) $3ab\times(-2a)\times3b^2$

(2) $(3xy)^4\times\left(\frac{x}{2y}\right)^3\times\left(\frac{2y^2}{3x}\right)^2$

1-2

$3xy\times(-x^2y)^3\times4x^2=ax^by^c$일 때, 상수 a, b, c에 대하여 $a+b+c$의 값은?

① 0 ② 1 ③ 2
④ 24 ⑤ 25

1-3

$ax^2y\times(-xy)^b=-3x^cy^5$일 때, 상수 a, b, c에 대하여 $c-a+b$의 값은?

① 7 ② 13 ③ 14
④ 18 ⑤ 21

유형 2 단항식의 나눗셈

$4xy^3\div\frac{1}{2}x^2y^4\div\left(-\frac{4}{3}xy\right)^2$을 간단히 하여라.

Summa Point

나눗셈을 분수 꼴 또는 역수의 곱셈으로 바꾸어 계산한다.

067쪽 Q 019

2-1

다음 식을 간단히 하여라.

(1) $(-3xy)^2\div\left(-\frac{3}{2}x\right)$

(2) $(-2a^2b)^2\div(ab)^3\div\frac{b}{2a}$

2-2

$ax^2y\div(-2x^6y^4)\div\frac{1}{3}x^3y^2=-\frac{9}{x^by^c}$일 때, 상수 a, b, c에 대하여 $a+b-c$의 값을 구하여라.

2-3

$(-2xy)^3\div\frac{x^2}{3y}\div\left(\frac{y^3}{x}\right)^a=-\frac{24x^3}{y^2}$일 때, 상수 a의 값을 구하면?

① 1 ② 2 ③ 3
④ 4 ⑤ 5

유형 3 다항식의 곱셈과 나눗셈의 혼합 계산

$4xy^3 \div \frac{1}{2}x^2y \times \left(-\frac{3}{4}xy\right)^2$을 간단히 하면?

① $\frac{9}{2}xy^4$　　② $\frac{9}{2}x^4y$　　③ $9xy^4$

④ x^4y　　⑤ $18xy^4$

Summa Point

역수를 이용하여 나눗셈을 곱셈으로 바꾼다.

068쪽 Q 020

유형 4 □ 안에 알맞은 식 구하기

$(-3a^3b)^2 \div \frac{1}{2}ab^2 \times \square = 18a^8b^6$일 때, □ 안에 알맞은 식은?

① $-ab^2$　　② $-a^3b^6$　　③ ab^2

④ a^3b^6　　⑤ $2ab^2$

Summa Point

$A \div B \times \square = C$ ➡ $\square = \frac{B \times C}{A}$

069쪽 Q 021

3-1

다음 식을 간단히 하여라.

(1) $12x^2y^2 \times (-2y)^2 \div 4x^3y^2$

(2) $(-ab^2) \div 3a^4b \times (6a^2b^3)^2$

(3) $-\frac{4}{9}xy^2 \div \left(\frac{1}{2}x^2y\right)^2 \times \left(-\frac{3}{2}y\right)^3$

3-2

$(-ab^2)^3 \times \left(-\frac{a}{b^2}\right)^2 \div (-a^2b) = a^xb^y$일 때, 상수 x, y에 대하여 $x+y$의 값은?

① 1　　② 3　　③ 4

④ 6　　⑤ 9

3-3

$(2x^3y)^a \div 4x^by^3 \times 2xy^2 = cx^2y^3$일 때, 자연수 a, b, c에 대하여 $a-b+c$의 값을 구하여라.

4-1

$24x^2y \div \square \times (-y)^3 = \frac{4y^2}{x}$일 때, □ 안에 알맞은 식을 구하여라.

4-2

$x^2y \times \square \div (-3xy)^2 = -\frac{2}{3}x^3$일 때, □ 안에 알맞은 식을 구하여라.

4-3

오른쪽 그림과 같이 가로의 길이가 $2xy^5$인 직사각형의 넓이가 $10x^3y^7$일 때, 세로의 길이는?

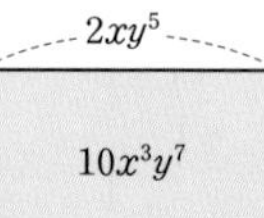

① $5x^2y^2$　　② $5x^3y^3$　　③ $10x^5y^4$

④ $20x^5y^2$　　⑤ $20x^2y^4$

해설 BOOK 014쪽 | 테스트 BOOK 022쪽

Step 1 | 내·신·기·본

01 다음 중 옳지 않은 것은?

① $x^6 \times x^3 = x^9$　② $(x^2)^3 = x^6$
③ $x^5 \div x^5 = 0$　④ $x^5 \div x^4 = x$
⑤ $x \div x^3 = \dfrac{1}{x^2}$

02 $(-x^2)^3 \times \{-(-x^2)^3\}^2$을 간단히 하면?

① $-x^{24}$　② $-x^{18}$　③ $-x^{12}$
④ x^{18}　⑤ x^{24}

03 다음 중 옳은 것을 모두 고르면? (정답 2개)

① $(a^3)^3 = a^6$　② $(-a^2)^3 = a^5$
③ $a^3 \times a^4 = a^7$　④ $a^8 \div a^4 = a^2$
⑤ $(-a^2b^3)^2 = a^4b^6$

04 $a^3 \div (-a^2)^{\square} = \dfrac{1}{a}$일 때, □ 안에 알맞은 수는?

① 2　② 4　③ 6
④ 8　⑤ 10

05 $\left\{\left(-\dfrac{2y^2}{x}\right)^3\right\}^2$을 간단히 하면?

① $-\dfrac{12y^{10}}{x^5}$　② $\dfrac{12y^{10}}{x^5}$　③ $\dfrac{16y^{12}}{x^6}$
④ $-\dfrac{64y^{12}}{x^6}$　⑤ $\dfrac{64y^{12}}{x^6}$

06 다음 (가), (나), (다)의 □ 안에 들어갈 세 수의 합은?

> (가) $x^2 \times (x^3)^4 = x^{\square}$
>
> (나) $(x^2)^3 \div x^{\square} = \dfrac{1}{x^2}$
>
> (다) $\left(\dfrac{x}{y^{\square}}\right)^2 = \dfrac{x^2}{y^6}$

① 23　② 24　③ 25
④ 26　⑤ 27

07 $4^5 + 4^5 + 4^5 + 4^5$을 4의 거듭제곱으로 나타내면?

① 4^4　② 4^6　③ 4^{10}
④ 4^{15}　⑤ 4^{20}

08 $2\times3\times\cdots\times10=2^x\times3^y\times5^z\times7^w$일 때, $x+y+z+w$의 값은?

① 10　② 15　③ 20
④ 25　⑤ 30

09 $2^3=A$일 때, $8^4\div4^9$을 A를 사용하여 나타내면?

① A^3　② A^2　③ A
④ $\frac{1}{A}$　⑤ $\frac{1}{A^2}$

10 다음 중 옳지 않은 것은?

① $2x^3\times(-3x^2)=-6x^5$
② $(-2x^2y)^3\times(2xy)^2=-32x^7y^5$
③ $-4(x^2)^2\div2x^4=-2$
④ $16x^2y\div2xy\times4x=32x^2$
⑤ $(-x^2y^3)^2\div\left(\frac{1}{3}xy\right)^2=9x^2y^4$

11 $A=5ab^4\div4a^2b$, $B=12a^3b^2\div(-3ab^2)^2$일 때, AB를 간단히 하면?

① $\frac{5}{2}ab^2$　② $\frac{5}{2}ab$　③ $\frac{5}{2}b$
④ $\frac{5}{3}b$　⑤ $\frac{5}{3}ab^3$

12 어떤 식을 $-3p^2q^3$으로 나누었더니 몫이 $5pq^2$이고 나머지가 0이었다. 어떤 식을 구하여라.

13 $4x^3y\times\square\div(-x^2y)^2=12xy$일 때, $\square$ 안에 알맞은 식은?

① $3y$　② $3xy$　③ $3xy^2$
④ $\frac{1}{3}x^2y^2$　⑤ $3x^2y^2$

14 오른쪽 그림은 부피가 $30\pi a^3b$인 원뿔이다. 밑면의 지름의 길이가 $6a$일 때, 이 원뿔의 높이를 구하여라.

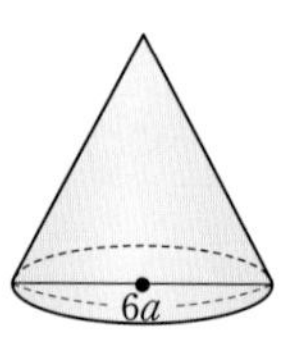

Step 2 | 내·신·발·전

15 $2^{x+3}+2^{x+2}+2^{x}=208$일 때, x의 값은?

① 2　② 3　③ 4　④ 5　⑤ 6

16 $a=5^{x+2}$, $b=2^{x-1}$일 때, 10^{x}을 a, b를 이용하여 나타내면?

① $\frac{2ab}{25}$　② $\frac{4ab}{25}$　③ $\frac{ab}{5}$　④ $\frac{2ab}{5}$　⑤ $\frac{4ab}{5}$

17 창의융합

지구에서 태양까지의 거리는 1.5×10^{8} km이다. 빛이 1초에 3×10^{8} m의 속력으로 나아갈 때, 태양의 빛이 지구에 도날하는데 몇 초가 걸리는지 구하여라.

18 $\frac{2^{8}\times15^{14}}{45^{5}}$은 몇 자리의 자연수인지 구하여라.

19 $(-2xy^{2})^{a}\div4x^{b}y\times2x^{7}y^{2}=cx^{4}y^{5}$이 성립할 때, 상수 a, b, c에 대하여 $a+b+c$의 값은?

① 1　② 3　③ 5　④ 7　⑤ 9

20 다음 그림의 직사각형과 삼각형의 넓이가 서로 같을 때, 삼각형의 높이를 구하여라.

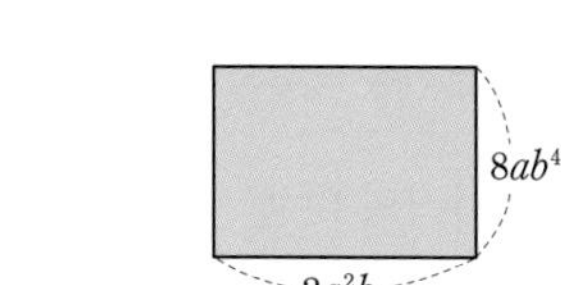

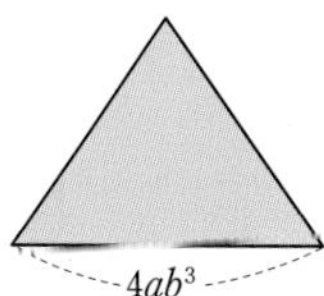

다항식의 덧셈과 뺄셈

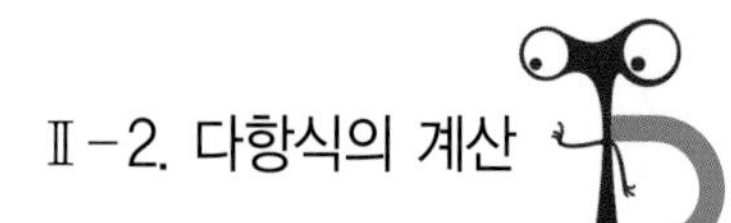

SUMMA NOTE

1. 다항식의 덧셈과 뺄셈

(1) 다항식의 덧셈 : 괄호를 풀고, 동류항끼리 모아서 간단히 한다.

(2) 다항식의 뺄셈 : 빼는 식의 각 항의 부호를 바꾸어 더한다.

2. 이차식의 덧셈과 뺄셈

(1) 이차식 : 차수가 가장 높은 항의 차수가 2인 다항식 예) x^2-3x+1, y^2+2

(2) 이차식의 덧셈과 뺄셈 : 괄호를 풀고 동류항끼리 모아서 간단히 한다.

중 1에서는 문자가 1개인 일차식의 덧셈과 뺄셈에 대해 배웠다. 여기서는 문자가 2개인 일차식의 덧셈과 뺄셈, 차수가 2인 다항식의 덧셈과 뺄셈에 대해 살펴볼 것이다.
문자가 많아졌다고, 차수가 커졌다고 부담 가질 필요는 없다. 중 1때 배운 항, 다항식, 항의 차수, 다항식의 차수, 동류항과 같은 용어의 뜻을 기억하고 있으면 충분하다.

1. 다항식의 덧셈과 뺄셈

Q 022 문자가 2개인 일차식의 덧셈과 뺄셈은 어떻게 계산할까? 

빠른 A 괄호를 풀고, 동류항끼리 모아서 간단히 하면 돼.

친절한 A 문자가 2개인 일차식의 덧셈, 뺄셈도 문자가 1개인 일차식의 덧셈, 뺄셈과 같이

괄호가 있으면 분배법칙을 이용하여 괄호를 먼저 푼 후,
동류항끼리 모아서 간단히 하면 된다.

동류항끼리 계산할 때는 덧셈의 교환법칙과 분배법칙을 적절히 이용하자.
특히 분배법칙을 이용하여 괄호를 풀 때 괄호 앞에 음의 부호$(-)$가 있으면 괄호 안의 모든 항의 부호가 바뀐다는 점에 주의하자.

$$-(A-B)=-A+B$$

(1) 두 다항식의 덧셈

$$(a+3b)+(3a-5b)$$
괄호를 푼다.
$$=a+3b+3a-5b$$
동류항끼리 모은다.
$$=\underline{a+3a}+\underline{3b-5b}$$
간단히 한다.
$$=4a-2b$$

$$\begin{array}{r} a+3b \\ +\underline{)\,3a-5b} \\ 4a-2b \end{array}$$

세로로 놓고 동류항끼리 계산한다.

(2) 두 다항식의 뺄셈

$$(4x+y)-(3x-2y)$$
괄호를 푼다.
$$=4x+y-3x+2y$$
동류항끼리 모은다.
$$=\underline{4x-3x}+\underline{y+2y}$$
간단히 한다.
$$=x+3y$$

$$\begin{array}{r} 4x+y \\ -\underline{)\,3x-2y} \end{array} \Rightarrow \begin{array}{r} 4x+y \\ +\underline{)\,-3x+2y} \\ x+3y \end{array}$$

계수가 분수 꼴인 다항식의 덧셈과 뺄셈은 다음과 같이 각각의 항으로 분리한 다음 동류항끼리 간단히 하거나 분모의 최소공배수로 통분한 후 분자를 동류항끼리 모아서 간단히 하면 된다. 이때 각 항의 부호에 유의하도록 하자.

$$\frac{x-3y}{2}-\frac{x-2y}{3}$$
부호에 주의!
$$=\frac{x}{2}-\frac{3y}{2}-\frac{x}{3}+\frac{2y}{3}$$
$$=\left(\frac{3}{6}x-\frac{2}{6}x\right)+\left(-\frac{9}{6}y+\frac{4}{6}y\right)$$
$$=\frac{1}{6}x-\frac{5}{6}y$$

$$\frac{x-3y}{2}-\frac{x-2y}{3}$$
분모의 최소공배수 6으로 통분한다.
$$=\frac{3(x-3y)-2(x-2y)}{6}$$
부호에 주의!

분자의 괄호를 푼다.
$$=\frac{3x-9y-2x+4y}{6}$$
간단히 한다.
$$=\frac{x-5y}{6}$$

예제 13 다음 식을 간단히 하여라.

(1) $(a-3b)+(-5a+4b)$

(2) $\dfrac{x-3y}{2}+\dfrac{x+y}{4}$

(3) $(2a-3b)-(3a-b)$

(4) $\dfrac{4x-y}{3}-\dfrac{2x-y}{2}$

풀이 (1) $(a-3b)+(-5a+4b)=a-5a-3b+4b=\mathbf{-4a+b}$

(2) $\dfrac{x-3y}{2}+\dfrac{x+y}{4}=\dfrac{2x-6y+(x+y)}{4}=\mathbf{\dfrac{3x-5y}{4}}$

(3) $(2a-3b)-(3a-b)=2a-3b-3a+b=\mathbf{-a-2b}$

(4) $\dfrac{4x-y}{3}-\dfrac{2x-y}{2}=\dfrac{(8x-2y)-(6x-3y)}{6}=\mathbf{\dfrac{2x+y}{6}}$

2. 이차식의 덧셈과 뺄셈

Q 023 이차식의 덧셈과 뺄셈은 어떻게 계산할까?

빠른 A 괄호를 풀고, 동류항끼리 모아서 계산해.

친절한 A 문자 x에 대한 다항식 $2x^2+3x-5$에서 차수가 가장 큰 항인 $2x^2$의 차수가 2이므로 이 다항식은 x에 대한 이차식이다.
이와 같이 한 문자에 대한 차수가 2인 다항식을 그 문자에 대한 이차식이라고 한다. 이차식의 덧셈, 뺄셈도 다음과 같이 괄호를 풀고, 동류항끼리 모아서 계산하면 된다.

$2x^2 + 3x - 5$
차수2 차수1 차수0
다항식의 차수 ➡ 2

(1) 이차식의 덧셈

$(2x^2-5x+1)+(x^2+3x-4)$) 괄호를 푼다.
$=2x^2-5x+1+x^2+3x-4$) 동류항끼리 모은다.
$=2x^2+x^2-5x+3x+1-4$ (이차항, 일차항, 상수항)) 간단히 한다.
$=3x^2-2x-3$

$$\begin{array}{r} 2x^2-5x+1 \\ +)\ x^2+3x-4 \\ \hline 3x^2-2x-3 \end{array}$$

(2) 이차식의 뺄셈

$(2x^2+3x-1)-(x^2-2x-5)$) 괄호를 푼다.
$=2x^2+3x-1-x^2+2x+5$) 동류항끼리 모은다.
$=2x^2-x^2+3x+2x-1+5$ (이차항, 일차항, 상수항)) 간단히 한다.
$=x^2+5x+4$

$$\begin{array}{r} 2x^2+3x-1 \\ -)\ x^2-2x-5 \\ \hline \end{array} \Rightarrow \begin{array}{r} 2x^2+3x-1 \\ +)\ -x^2+2x+5 \\ \hline x^2+5x+4 \end{array}$$

예제 14 다음 표에서 가로 방향으로는 덧셈을, 세로 방향으로는 뺄셈을 할 때, ㉠~㉣에 알맞은 식을 구하여라.

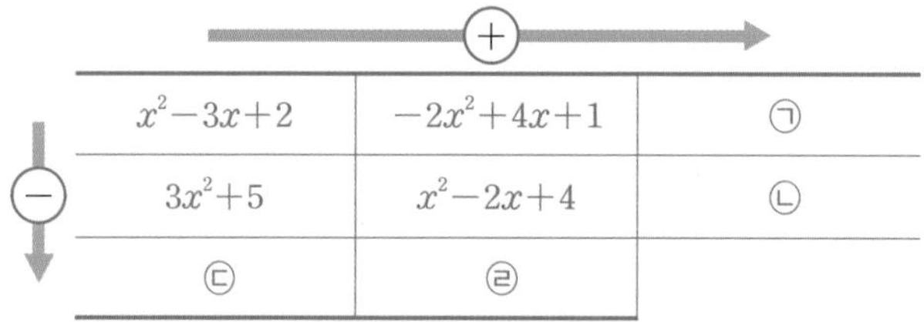

x^2-3x+2	$-2x^2+4x+1$	㉠
$3x^2+5$	x^2-2x+4	㉡
㉢	㉣	

풀이
㉠ $(x^2-3x+2)+(-2x^2+4x+1)=\mathbf{-x^2+x+3}$
㉡ $(3x^2+5)+(x^2-2x+4)=\mathbf{4x^2-2x+9}$
㉢ $(x^2-3x+2)-(3x^2+5)=\mathbf{-2x^2-3x-3}$
㉣ $(-2x^2+4x+1)-(x^2-2x+4)=\mathbf{-3x^2+6x-3}$

이차식을 쓸 때 각 항의 차수가 큰 것부터 작은 것의 순서로 정리하는 것이 일반적이야.

 024 여러 가지 괄호가 있는 식은 어떻게 계산할까?

빠른 A (소괄호) ➡ {중괄호} ➡ [대괄호]의 순서로 괄호를 풀어 계산해.

친절한 A 여러 가지 괄호가 있을 때에는 (소괄호) ➡ {중괄호} ➡ [대괄호]의 순서로 괄호를 풀어 계산한다. 괄호를 풀 때는 항상 괄호 앞의 부호에 주의하고, 괄호 안을 최대한 간단히 정리한 다음, 괄호를 푼다.

$$\begin{aligned}&2b+\overset{③}{[}a-\overset{②}{\{}3b-3\overset{①}{(}a-2b)\}]\\&=2b+\{a-(3b\underline{-3a+6b})\}\\&=2b+\{a-(-3a+9b)\}\\&=2b+(a\underline{+3a-9b})\\&=2b+(4a-9b)\\&=2b\underline{+4a-9b}\\&=4a-7b\end{aligned}$$

$$\begin{aligned}&8x^2-\overset{③}{[}5x-3\overset{②}{\{}2x-\overset{①}{(}4x^2-x)\}]\\&=8x^2-\{5x-3(2x\underline{-4x^2+x})\}\\&=8x^2-\{5x-3(-4x^2+3x)\}\\&=8x^2-(5x\underline{+12x^2-9x})\\&=8x^2-(12x^2-4x)\\&=8x^2\underline{-12x^2+4x}\\&=-4x^2+4x\end{aligned}$$

예제 15 다음 식을 간단히 하여라.

(1) $2b-[a+\{3a-(2a-4b)\}]$

(2) $5x-[x^2+1-\{3x^2-(8x+9)\}]$

풀이

(1) $2b-[a+\{3a-(2a-4b)\}]$
$=2b-\{a+(3a-2a+4b)\}$
$=2b-\{a+(a+4b)\}$
$=2b-(a+a+4b)$
$=2b-2a-4b$
$=\mathbf{-2a-2b}$

(2) $5x-[x^2+1-\{3x^2-(8x+9)\}]$
$=5x-\{x^2+1-(3x^2-8x-9)\}$
$=5x-(x^2+1-3x^2+8x+9)$
$=5x-(-2x^2+8x+10)$
$=5x+2x^2-8x-10$
$=\mathbf{2x^2-3x-10}$

괄호 앞의 − 부호에 주의해!

THINK Math

내림차순과 오름차순

(1) 내림차순 (descending order)
다항식에서 각 항을 차수가 높은 것부터 낮은 것의 순서로 배열하는 것
예 $2x^2+3x-5$

(2) 오름차순 (ascending order)
다항식에서 각 항을 차수가 낮은 것부터 높은 것의 순서로 배열하는 것
예 $-5+3x+2x^2$

다항식을 정리할 때는 보통 내림차순을 자주 이용한다.

개념 CHECK

해설 BOOK 015쪽

개념 확인

(1) 다항식의 덧셈과 뺄셈은 [ ]끼리 모아서 간단히 한다.

(2) 차수가 가장 높은 항의 차수가 2인 다항식을 [ ]이라 한다.

자기 진단

Q 022 ▶ 076쪽
문자가 2개인 일차식의 덧셈과 뺄셈은 어떻게 계산할까?

Q 023 ▶ 078쪽
이차식의 덧셈과 뺄셈은 어떻게 계산할까?

Q 024 ▶ 079쪽
여러 가지 괄호가 있는 식은 어떻게 계산할까?

01 다음 식을 간단히 하여라.

(1) $(-3a+4b-5)+(3a-2b+1)$

(2) $(7x+2y-1)-(3x-y-7)$

(3) $\left(\frac{1}{2}a+\frac{2}{3}b\right)+\left(\frac{3}{2}a-\frac{1}{3}b\right)$

(4) $\left(\frac{1}{2}x+\frac{1}{3}y\right)-\left(-\frac{1}{4}x+\frac{1}{2}y\right)$

02 다음 식을 간단히 하여라.

(1) $(2x^2+x-5)+(-4x^2+3x-2)$

(2) $(5x^2-x+1)+(2x^2-5x-7)$

(3) $(3x^2-6x+1)-(3x^2-4x+3)$

(4) $(3a^2-a+4)-(-3a^2+2a-1)$

03 $4x^2-[x-2x^2-\{2x-3x^2+(-4x+2x^2)\}]$을 간단히 하여라.

04 $x-y$의 2배에서 어떤 식을 빼면 $3x-4y+2$가 된다고 한다. 이때 어떤 식을 구하여라.

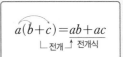

다항식의 곱셈과 나눗셈

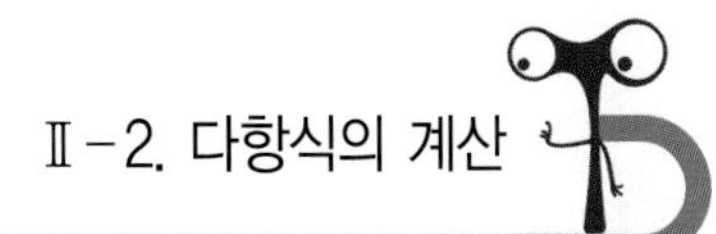

SUMMA NOTE

1. 단항식과 다항식의 곱셈

분배법칙을 이용하여 단항식을 다항식의 각 항에 곱하여 간단히 한다.

(1) 전개 : 단항식과 다항식의 곱을 괄호를 풀어 하나의 다항식으로 나타내는 것

(2) 전개식 : 전개하여 얻은 다항식

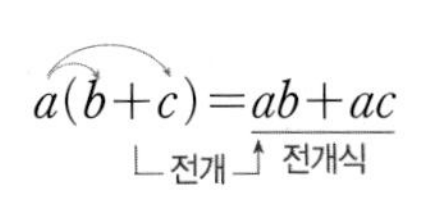

2. 다항식과 단항식의 나눗셈

(1) 분수 꼴로 바꾼 후 분자의 각 항을 분모로 나눈다.

➡ $(A+B)\div C=\frac{A+B}{C}=\frac{A}{C}+\frac{B}{C}$

(2) 단항식의 역수를 다항식의 각 항에 곱한다.

➡ $(A+B)\div C=(A+B)\times\frac{1}{C}=A\times\frac{1}{C}+B\times\frac{1}{C}$

3. 사칙계산이 혼합된 식의 계산

❶ 지수법칙을 이용하여 거듭제곱을 계산한다.

❷ 분배법칙을 이용하여 괄호를 풀고 곱셈과 나눗셈을 한다.

❸ 동류항끼리 덧셈과 뺄셈을 하여 식을 간단히 한다.

1. 단항식과 다항식의 곱셈

Q 025 (단항식)×(다항식)은 어떻게 계산할까?

빠른 A 분배법칙을 이용해. ➡ $A(B+C)=AB+AC$

친절한 A (단항식)×(다항식)은 (수)×(다항식)의 계산과 같이

분배법칙을 이용하여 단항식을 다항식의 각 항에 곱한다.

$$A(B+C)=AB+AC,\ (B+C)A=AB+AC$$

이때 괄호를 풀면 단항식끼리의 곱셈이 되므로 계수는 계수끼리, 문자는 문자끼리 곱하면 된다.

$$2x(x-y)=\underbrace{2x\times x}_{①}+\underbrace{2x\times(-y)}_{②}=2x^2-2xy$$

단항식과 다항식의 곱셈에서
괄호를 풀어 하나의 다항식으로 나타내는 것을 **전개**한다고 하고,
전개하여 얻은 다항식을 **전개식**이라고 한다.
전개식에서 동류항이 있으면 동류항끼리 간단히 정리한다.

$2x(x-y)$
$=2x^2-2xy$ (전개)
전개식

예제 16 다음 식을 간단히 하여라.

(1) $(x^2-3x)\times(-5x)$　　(2) $x(-x+1)+3x(x-4)$

풀이
(1) $(x^2-3x)\times(-5x)=x^2\times(-5x)+(-3x)\times(-5x)=\mathbf{-5x^3+15x^2}$

(2) $x(-x+1)+3x(x-4)=x\times(-x)+x\times1+3x\times x+3x\times(-4)$
$=-x^2+x+3x^2-12x=\mathbf{2x^2-11x}$
동류항끼리 간단히 정리

2. 다항식과 단항식의 나눗셈

Q 026 (다항식)÷(단항식)은 어떻게 계산할까?

빠른 A 역수를 이용하여 나눗셈을 곱셈으로 바꿔.

친절한 A 단항식의 나눗셈과 마찬가지로 분수 꼴로 나타내거나 역수의 곱셈으로 바꾸는 두 가지 방법으로 계산하면 된다.

$$(A+B)\div C=\frac{A+B}{C},\quad (A+B)\div C=A\times\frac{1}{C}+B\times\frac{1}{C}$$

[방법 1] 분수 꼴로 바꾸기

$(4x^2-2xy)\div2x$
$=\dfrac{4x^2-2xy}{2x}$ ← 분자의 각 항을 분모로 빠짐없이 나누어야 한다.
$=\dfrac{4x^2}{2x}-\dfrac{2xy}{2x}$
$=2x-y$

[방법 2] 역수의 곱셈으로 바꾸기

$(4x^2-2xy)\div2x$
$=(4x^2-2xy)\times\dfrac{1}{2x}$
$=4x^2\times\dfrac{1}{2x}-2xy\times\dfrac{1}{2x}$
$=2x-y$

두 가지 방법의 계산 결과는 같으므로 어느 방법으로 계산하든 상관없지만 나누는 식의 계수가 정수인 경우에는 분수 꼴로, 계수가 분수인 경우에는 역수의 곱셈으로 바꾸어 푸는 것이 편리하다.

예제 17 다음 식을 간단히 하여라.

(1) $(6x^2y+3xy)\div 3xy$

(2) $(3ab^2+2a^2b)\div\left(-\frac{1}{2}ab\right)$

풀이 (1) $(6x^2y+3xy)\div 3xy$

$=\frac{6x^2y+3xy}{3xy}$

$=\frac{6x^2y}{3xy}+\frac{3xy}{3xy}$

$=\mathbf{2x+1}$

(2) $(3ab^2+2a^2b)\div\left(-\frac{1}{2}ab\right)$

$=(3ab^2+2a^2b)\times\left(-\frac{2}{ab}\right)$

$=3ab^2\times\left(-\frac{2}{ab}\right)+2a^2b\times\left(-\frac{2}{ab}\right)$

$=\mathbf{-6b-4a}$

3. 사칙계산이 혼합된 식의 계산

Q 027 사칙계산이 혼합된 식의 계산 순서는?

빠른 A 수의 계산과 같이 ×, ÷를 먼저 계산하고, +, −를 나중에 계산해!

친절한 A 수의 계산에서와 마찬가지로 +, −, ×, ÷가 섞여 있는 식의 계산은

×, ÷를 먼저 계산한 다음 +, −를 계산한다.

이때 거듭제곱이 있으면 거듭제곱을 가장 먼저 계산하고, 괄호가 있으면 괄호를 먼저 풀어야 한다.

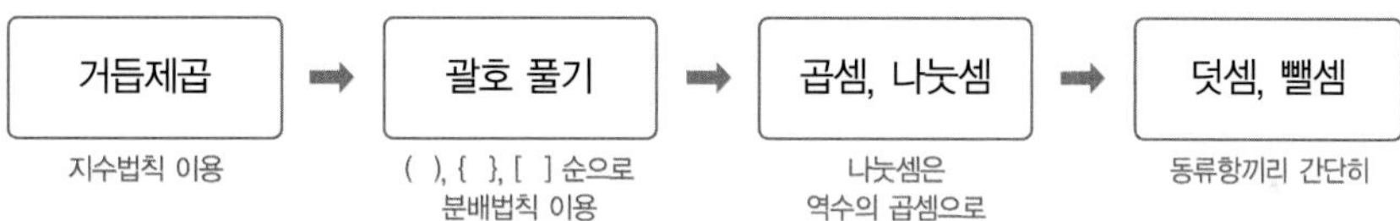

유형별로 계산 순서를 살펴보자.

유형 ❶ 곱셈, 나눗셈 ➡ 덧셈, 뺄셈

$(12a^3b-4a^2b^2)\div\frac{4}{3}ab+\frac{3}{2}a(10a-4b)$

$=(12a^3b-4a^2b^2)\times\frac{3}{4ab}+\frac{3}{2}a(10a-4b)$

$=9a^2-3ab+15a^2-6ab$

$=24a^2-9ab$

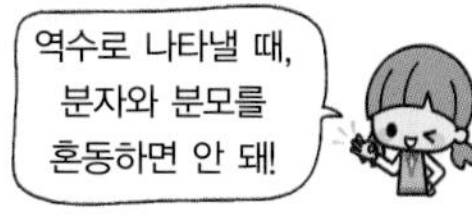

역수로 나타낼 때,
분자와 분모를
혼동하면 안 돼!

예제 18 다음 식을 간단히 하여라.

(1) $(14x^2y+7xy)\div 7x+y(2x-3)$

(2) $-5a(2a-b)+(12ab^2-9a^2b)\div\left(-\frac{3b}{2}\right)$

풀이 (1) $(14x^2y+7xy)\div 7x+y(2x-3)$

$=\frac{14x^2y+7xy}{7x}+y(2x-3)$

$=2xy+y+2xy-3y$

$=\mathbf{4xy-2y}$

(2) $-5a(2a-b)+(12ab^2-9a^2b)\div\left(-\frac{3b}{2}\right)$

$=-10a^2+5ab+(12ab^2-9a^2b)\times\left(-\frac{2}{3b}\right)$

$=-10a^2+5ab-8ab+6a^2$

$=\mathbf{-4a^2-3ab}$

유형 ❷ 괄호 ➡ 곱셈, 나눗셈 ➡ 덧셈, 뺄셈

$2x(3x-4)-\{(x^3y-3x^2y)\div(-xy)-7x\}$

$=2x(3x-4)-\left\{(x^3y-3x^2y)\times\left(-\frac{1}{xy}\right)-7x\right\}$

$=2x(3x-4)-(-x^2+3x-7x)$

$=2x(3x-4)-(-x^2-4x)$

$=6x^2-8x+x^2+4x$

$=7x^2-4x$

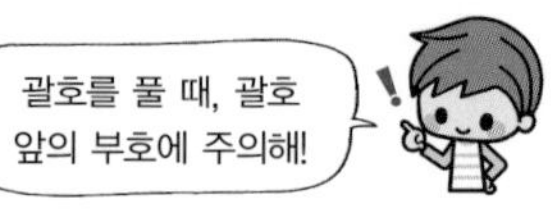
괄호를 풀 때, 괄호
앞의 부호에 주의해!

예제 19 다음 식을 간단히 하여라.

$3x(4x+3)-\{2x(x^2y+2xy)-x^3y\}\div xy$

풀이 $3x(4x+3)-\{2x(x^2y+2xy)-x^3y\}\div xy$

$=3x(4x+3)-(2x^3y+4x^2y-x^3y)\div xy$

$=3x(4x+3)-(x^3y+4x^2y)\div xy$

$=12x^2+9x-x^2-4x$

$=\mathbf{11x^2+5x}$

유형 ❸ 거듭제곱 ➡ 괄호 ➡ 곱셈, 나눗셈 ➡ 덧셈, 뺄셈

$(3x^3-6x^2+3x)\div(-3x)-\{(-3xy^3)^2-(-xy^2)^3\}\div 3x^2y^6$

$=(3x^3-6x^2+3x)\div(-3x)-\{9x^2y^6-(-x^3y^6)\}\div 3x^2y^6$

$=(3x^3-6x^2+3x)\times\left(-\frac{1}{3x}\right)-(9x^2y^6+x^3y^6)\times\frac{1}{3x^2y^6}$

$=-x^2+2x-1-\left(3+\frac{1}{3}x\right)$

$=-x^2+2x-1-3-\frac{1}{3}x$

$=-x^2+\frac{5}{3}x-4$

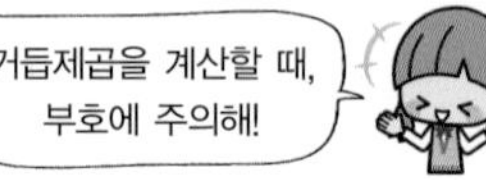
거듭제곱을 계산할 때,
부호에 주의해!

예제 20 다음 식을 간단히 하여라.

$(2x^2-4x)\div\frac{2}{y}-\{(3xy)^3+(-6x^2y)^2\}\div(3xy)^2$

풀이 $(2x^2-4x)\div\frac{2}{y}-\{(3xy)^3+(-6x^2y)^2\}\div(3xy)^2$

$=(2x^2-4x)\times\frac{y}{2}-(27x^3y^3+36x^4y^2)\div 9x^2y^2$

$=(2x^2-4x)\times\frac{y}{2}-(27x^3y^3+36x^4y^2)\times\frac{1}{9x^2y^2}$

$=x^2y-2xy-3xy-4x^2$

$=\mathbf{x^2y-5xy-4x^2}$

개념 CHECK

해설 BOOK 015쪽

개념 확인

(1) 단항식과 다항식의 곱셈에서 괄호를 풀어 하나의 다항식으로 나타내는 것을 ☐한다고 한다.

(2) ☐법칙
➡ $A(B+C)=AB+AC$

01 다음 식을 간단히 하여라.

(1) $-4x(3x-2y)$

(2) $4a(a-3b+2)$

(3) $3a(2a+3)-2a(2a-1)$

(4) $2xy(x+y)-2x(xy-y)$

02 다음 식을 간단히 하여라.

(1) $(2a^3-4a^2b)\div 2a^2$

(2) $(2xy+y^2)\div\left(-\frac{1}{2}y\right)$

(3) $(15a^2b-9ab)\div(-3ab)$

(4) $(3x^2-5xy^2)\div\frac{x}{2}$

03 다음 식을 간단히 하여라.

(1) $(8a^2b-4ab)\div(-2b)+(a^2b-ab)\div\frac{1}{2}b$

(2) $5x(3x-2y)-(x^3y-3x^2y^2-4xy^3)\div xy$

04 $x=-5$일 때, $2x(3x-2)+(8x^3-16x^2)\div(-4x)$의 값을 구하여라.

자기 진단

Q 025 081쪽
(단항식)×(다항식)은 어떻게 계산할까?

Q 026 082쪽
(다항식)÷(단항식)은 어떻게 계산할까?

Q 027 083쪽
사칙계산이 혼합된 식의 계산 순서는?

유형 EXERCISES

01. 다항식의 덧셈과 뺄셈
02. 다항식의 곱셈과 나눗셈

문제 이해도를 ☺, 😐, ☹으로 표시해 보세요.

해설 BOOK 015쪽 | 테스트 BOOK 025쪽

유형 1 다항식의 덧셈과 뺄셈

다음 식을 간단히 하여라.

(1) $(2a+b)+(5a-3b)$

(2) $(-x+4y-3)-(3x-2y)$

Summa Point
괄호를 풀고 동류항끼리 모아서 간단히 한다.

076쪽 Q 022

1-1

$\frac{x+3y}{2}-\frac{2x-5y}{3}=Ax+By$일 때, 상수 A, B에 대하여 $A+B$의 값은?

① $-\frac{5}{6}$　② $-\frac{1}{3}$　③ 3
④ 5　⑤ 18

1-2

$7x-[2x-y-\{x+2y-(5x-4y)\}]$를 간단히 하여라.

1-3

어떤 식에서 $x+2y-4$를 빼야 할 것을 잘못하여 더하였더니 $3x-3y+4$가 되었다. 이때, 바르게 계산한 식을 구하여라.

유형 2 이차식의 덧셈과 뺄셈

다음 식을 간단히 하여라.

(1) $(x^2-3x+4)+(2x^2+x-5)$

(2) $(x^2-7)-(4x^2-3x-3)$

Summa Point
괄호를 풀고 동류항끼리 모아서 간단히 한다.

078쪽 Q 023

2-1

$(6x^2-x+4)-3(-x^2+x-1)$을 간단히 했을 때, x^2의 계수와 상수항의 합은?

① 5　② 9　③ 12
④ 13　⑤ 16

2-2

$5x^2-[x-x^2-\{2x+(-4x+2x^2)\}]$을 간단히 하여라.

2-3

어떤 식에 $3x^2-5x+1$을 더해야 할 것을 잘못하여 빼었더니 $-2x^2+x-3$이 되었다. 이때 바르게 계산한 식을 구하여라.

유형 3 단항식과 다항식의 곱셈과 나눗셈

다음 식을 간단히 하여라.

(1) $x(2x-y+3)-2x(y-2x)$

(2) $-2x(x+y)+\frac{1}{2}x(8y-6x)$

Summa Point
분배법칙을 이용하여 전개한다.

081쪽 Q 025

3-1

$(x^2+2xy)\div\left(-\frac{x}{6}\right)$를 간단히 했을 때, 각 항의 계수의 곱을 구하여라.

3-2

$\square\times(-3ab)=9ab-6a^2b-3ab^2$일 때, $\square$ 안에 알맞은 식을 구하여라.

3-3

오른쪽 그림과 같이 밑면의 반지름의 길이가 $3a$인 원기둥의 부피가 $18\pi a^3b^3-27\pi a^2b$일 때, 이 원기둥의 높이를 구하여라.

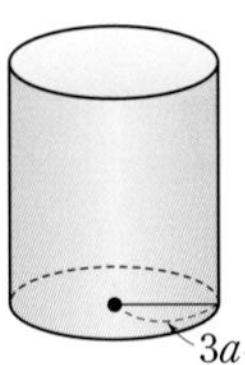

유형 4 사칙계산이 혼합된 식의 계산

$(11x^3-33x^2)\div(-11x)-x(7x+1)$을 간단히 하여라.

Summa Point
괄호 풀기 ➡ 곱셈, 나눗셈 ➡ 덧셈, 뺄셈 순으로 계산한다.

083쪽 Q 027

4-1

$\frac{3xy-9y^2}{3y}-\frac{8x^2+16xy}{4x}$를 간단히 하여라.

4-2

$(10a^2b-8ab)\div(-2a)-(ab^2-b^2)\div\frac{1}{3}b$를 간단히 했을 때, b의 계수를 A, ab의 계수를 B라고 하자. 이때, $A+B$의 값을 구하여라.

4-3

$a=3$, $b=-2$일 때,
$(ab-a^2)\div\left(-\frac{a}{2}\right)-(14b^2-21ab)\div7b$의 값을 구하여라.

중단원 EXERCISES

해설 BOOK 016쪽 | 테스트 BOOK 028쪽

Step 1 | 내·신·기·본

●○○
01 $\frac{2x+y}{2}-\frac{2x+3y}{3}+\frac{3x-2y}{4}=ax+by$일 때, 상수 a, b의 합 $a+b$의 값은?

① $-\frac{1}{6}$　② $-\frac{1}{12}$　③ 0
④ $\frac{1}{12}$　⑤ $\frac{1}{6}$

●○○
02 다음 중 x에 대한 이차식인 것은?

① x^2+3x-x^2+2
② $-(x^2-2x+1)$
③ $4x^2-1-(4x^2+x)$
④ $2x-y+5$
⑤ $-x^3+x$

●○○
03 $(6x^2-x+8)-2(-x^2-x+1)$을 간단히 했을 때, x^2의 계수와 상수항의 합은?

① 5　② 9　③ 12
④ 14　⑤ 16

●●○
04 다음 등식을 만족시키는 상수 a, b, c에 대하여 $3(a+b+c)$의 값을 구하여라.

$$\frac{x^2-3x+2}{2}-\frac{x^2-4x-2}{3}=ax^2+bx+c$$

●●○
05 $(4a+5b-1)-3(\square)=10a-13b-7$일 때, $\square$ 안에 알맞은 식은?

① $-2a+6b+2$　② $-2a+8b+2$
③ $2a-8b-2$　④ $2a+6b+6$
⑤ $2a+8b-6$

●●○
06 $3x-2y+1$에서 다항식 A를 빼었더니 $-x+5y-2$가 되었다. 이때 다항식 A는?

① $-4x+7y-3$　② $2x+3y-3$
③ $2x+3y+3$　④ $4x-5y+1$
⑤ $4x-7y+3$

●●○
07 $x^2+[3x-\{5x+2(x^2-3)\}-1]$을 간단히 하면?

① $-x^2-2x-7$　② $-x^2-2x+5$
③ $-x^2+2x-7$　④ $-x^2+2x+5$
⑤ $-x^2+2x+7$

08 어떤 식에서 $-x^2+6x-2$를 빼야 할 것을 잘못하여 더했더니 $3x^2-x+6$이 되었다. 바르게 계산한 식은?

① $4x^2-7x+8$　② $4x^2+5x+4$
③ $5x^2-13x+10$　④ $5x^2-x+6$
⑤ $5x^2+x+2$

09 $(4x^3-12x^2y)\div(-2xy)^2\times3xy^2$을 간단히 하면?

① $\dfrac{x-3}{3xy^4}$　② $\dfrac{2x-6}{3xy^4}$
③ $3x-9y$　④ $3x^2-9xy$
⑤ $6x^2-18xy$

10 어떤 다항식을 $-5x$로 나누었더니 몫이 $10y-4$이고 나누어떨어졌다고 한다. 이때 어떤 다항식은?

① $50y-20x$　② $50x-20y$
③ $50x+20xy$　④ $-50xy-20y$
⑤ $-50xy+20x$

11 $\square\times\left(-\dfrac{y}{2x}\right)=x^2y-4xy^2+2y^3$일 때, $\square$ 안에 알맞은 식을 구하여라.

12 $2a(2a-b+5)-a(-3a+b+1)$을 간단히 하면?

① $a^2+10ab-11a$　② $3a^2+ab-10a$
③ $4a^2-ab+9a$　④ $5a^2-3ab-11a$
⑤ $7a^2-3ab+9a$

13 어느 삼각기둥의 부피가 $24a^2b^3-36ab^2$이고 밑면의 넓이가 $6ab^2$일 때, 높이를 구하여라.

14 어떤 식을 $2xy$로 나누어야 할 것을 잘못하여 곱했더니 $8x^3y^3-16x^3y^2+20x^2y^2$이 되었다. 이때 바르게 계산한 식을 구하여라.

15 다음 식을 간단히 하여라.

$$\frac{4x^2-6xy}{2x}-(10y^2-12xy)\div2y$$

Step 2 | 내·신·발·전

16 다음 두 식 A, B에 대하여 $A+B=ma+nb$일 때, 상수 m, n의 합 $m+n$의 값은?

$A=2a-\{4b-(2a-2b)\}-b$

$B=(9a^2b-6ab^2)\div\dfrac{ab}{3}$

① 2 ② 4 ③ 6
④ 8 ⑤ 10

17 다음 그림에서 색칠한 부분의 넓이를 구하여라.

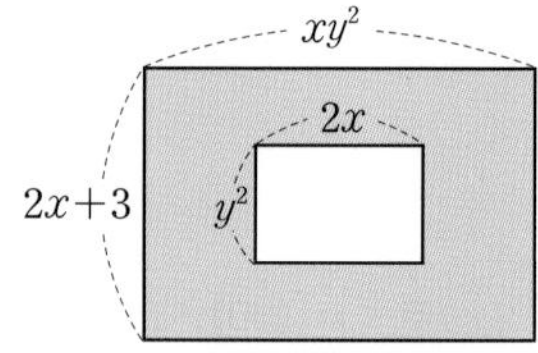

18 다음 그림과 같은 직사각형 ABCD의 변 위에 점 E, F가 있다. 삼각형 AEF의 넓이를 a, b를 이용하여 나타내면?

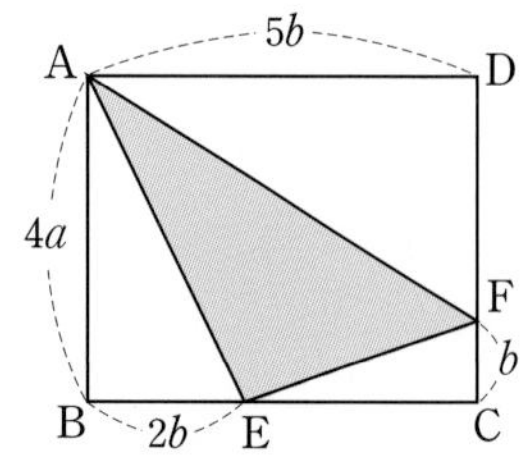

① $6ab-b^2$ ② $6ab+b^2$ ③ $4ab-b^2$
④ $4ab+b^2$ ⑤ $8ab+b^2$

19 $36^2=2^{2x}\times3^y$을 만족시키는 자연수 x, y에 대하여 $\left(3x^3y^4-\frac{1}{8}x^4y^3\right)\div\left(-\frac{1}{2}xy\right)^3$의 값을 구하여라.

20 오른쪽 그림과 같이 밑면의 반지름의 길이가 $2ab$이고 높이가 $3b^2-5ab$인 원기둥이 있다. 이 원기둥의 겉넓이를 구하여라.

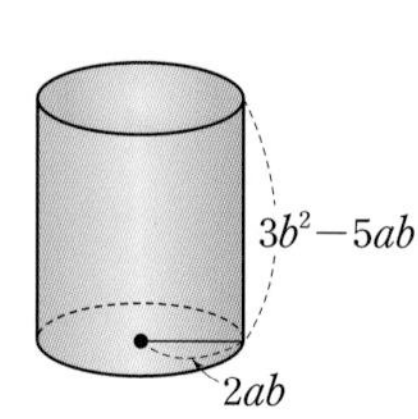

21 가로의 길이가 $2a+b$, 세로의 길이가 3, 높이가 $2a$인 직육면체 모양의 그릇에 물이 가득 담겨 있다. 이 그릇에 가로의 길이가 $2a$, 세로의 길이가 2, 높이가 b인 직육면체 모양의 상자를 물 속에 완전히 잠기도록 넣었다 꺼냈을 때, 그릇에 남아 있는 물의 양을 구하여라.

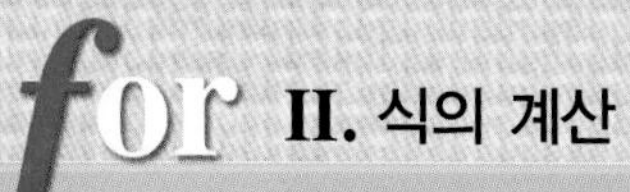

대단원 REVIEW for II. 식의 계산

※ 묻고 답하면서 대단원 정리하자!

1. 단항식의 계산

01. 지수법칙

011 ~ 012 $a^m \times a^n$, $(a^m)^n$은 어떻게 간단히 나타낼까?

m, n이 자연수일 때

$a^m \times a^n = a^{m+n}$, $(a^m)^n = a^{mn}$

014 ~ 015 $a^m \div a^n$, $(ab)^n$, $\left(\frac{a}{b}\right)^n$은 어떻게 간단히 나타낼까?

$a \neq 0$이고, m, n이 자연수일 때

$$a^m \div a^n = \begin{cases} a^{m-n} & (m>n) \\ 1 & (m=n) \\ \frac{1}{a^{n-m}} & (m<n) \end{cases}$$

$(ab)^n = a^n b^n$

$\left(\frac{a}{b}\right)^n = \frac{a^n}{b^n}$ $(b \neq 0)$

02. 단항식의 곱셈과 나눗셈

018 (단항식)×(단항식)은 어떻게 계산할까?

계수는 계수끼리, 문자는 문자끼리 곱한다.
같은 문자끼리의 곱은 지수법칙을 이용하여 간단히 한다.

019 (단항식)÷(단항식)은 어떻게 계산할까?

분수 꼴로 바꿔서 계산하거나 나누는 단항식의 역수를 곱한다.

020 단항식의 곱셈과 나눗셈의 혼합 계산은 어떻게 할까?

거듭제곱을 먼저 계산한 후 나눗셈은 분수 꼴 또는 역수의 곱셈으로 고쳐서 계산한다.

2. 다항식의 계산

01. 다항식의 덧셈과 뺄셈

022 문자가 2개인 일차식의 덧셈과 뺄셈은 어떻게 계산할까?

괄호를 풀고 동류항끼리 모아서 간단히 한다.

023 이차식의 덧셈과 뺄셈은 어떻게 계산할까?

한 문자에 대한 차수가 2인 다항식을 그 문자에 대한 이차식이라고 한다.
이차식의 덧셈, 뺄셈도 괄호를 풀고 동류항끼리 모아서 계산한다.

024 여러 가지 괄호가 있는 식은 어떻게 계산할까?

(소괄호) ➡ {중괄호} ➡ [대괄호]의 순서로 괄호를 풀어 계산해.

02. 다항식의 곱셈과 나눗셈

025 (단항식)×(다항식)은 어떻게 계산할까?

분배법칙을 이용해.
➡ $A(B+C)=AB+AC$

026 (다항식)÷(단항식)은 어떻게 계산할까?

분수 꼴로 고쳐 분자의 각 항을 분모로 나누거나 단항식의 역수를 다항식의 각 항에 곱한다.

027 사칙계산이 혼합된 식의 계산 순서는?

×, ÷를 먼저 계산하고
+, −를 나중에 계산한다.

대단원 EXERCISES

해설 BOOK 018쪽 | 테스트 BOOK 030쪽

●○○
01 다음 중 옳지 않은 것은?

① $x\times(-2x^2)=-2x^3$
② $a^5\times a^3\div a^4=a^2$
③ $(x^2)^2\times(x^3)^2=x^{10}$
④ $(3x)^2\times(2x)^2=36x^4$
⑤ $\left(\frac{a}{b^2}\right)^3=\frac{a^3}{b^6}$

●●○
02 $x-y=3$이고, $7^{2x}=a$, $7^{2y}=b$일 때, $\frac{a}{b}$의 값은?

① 7^2 ② 7^4 ③ 7^6
④ 7^8 ⑤ 7^{10}

●●○
03 다음 □ 안에 알맞은 수는?

$$(2^2)^{\square}\div2^2\times4^3=2^{12}$$

① 1 ② 2 ③ 3
④ 4 ⑤ 5

●●○
04 $2^{x+1}(3^x+3^x+3^x)$을 간단히 하면?

① 6^{x^2+x} ② 6^{3x^2+x} ③ $2^{x+1}3^{3x}$
④ 6^x ⑤ 6^{x+1}

●●○
05 $A=\frac{1}{3^{10}}$일 때 81^{10}을 A를 사용하여 나타내면?

① $\frac{1}{A}$ ② $\frac{1}{A^4}$ ③ $\frac{1}{A^{10}}$
④ A^4 ⑤ A^{10}

●●●
06 $4^{m+2}=4^m\times2^{n+1}=256$일 때, $m+n$의 값을 구하여라.

07 다음 중 옳지 않은 것은?

① $2x^2\times4x^2y=8x^2y$

② $-ab\times(3ab)^2=-9a^3b^3$

③ $6a^5\div\frac{3}{4}a^2=8a^3$

④ $(-2xy)^3\div2y=-4x^3y^2$

⑤ $16x^2y\div(-2xy)\div4x^2=-\frac{2}{x}$

08 $(-2x^2y^a)^3\times(-xy^3)^b=cx^{10}y^{21}$일 때, 상수 a, b, c에 대하여 $a+b+c$의 값을 구하여라.

09 $(xy^2)^2\div\{-(xy^3)^2\}\times(-x^2y)^3$을 간단히 하면?

① $\frac{y^4}{x^2}$　② $-\frac{y^4}{x}$　③ xy^4

④ $-x^2y$　⑤ x^6y

10 $(-2x^3y)^2\div4x^9y\times2x^5y^2$을 간단히 하여 ax^by^c으로 나타낼 때, 상수 a, b, c에 대하여 $a+b+c$의 값은?

① 5　② 7　③ 10

④ 11　⑤ 13

11 $\square\times(-xy^3)^2=9x^6y^{12}$일 때, $\square$ 안에 알맞은 식은?

① $9x^3y^3$　② $9x^4y^6$

③ $\frac{9x^3}{y^3}$　④ $\frac{9x^4}{y^4}$

⑤ $-\frac{9x^4}{y^3}$

12 $\frac{5x-3y}{3}-\frac{x-2y}{2}+y$를 간단히 하여라.

13 다음 식을 간단히 하여라.

$$x-[6x+3y-\{2x+3y-(-4x+4y)\}]$$

14 x^2-2x+5에 어떤 다항식 A를 더해야 할 것을 잘못 하여 빼었더니 $4x^2-x+6$이 되었다. 바르게 계산한 식은?

① $-2x^2-3x+4$ ② $-3x^2-x-1$
③ $-4x^2+3x+11$ ④ $5x^2-3x+11$
⑤ $6x^2+3x+16$

15 다음 그림과 같이 가로의 길이가 $5a$, 세로의 길이가 $4b$인 직사각형 모양의 화단에 폭이 a인 길이 있다. 길을 제외한 화단의 넓이를 a, b를 사용하여 나타내면?

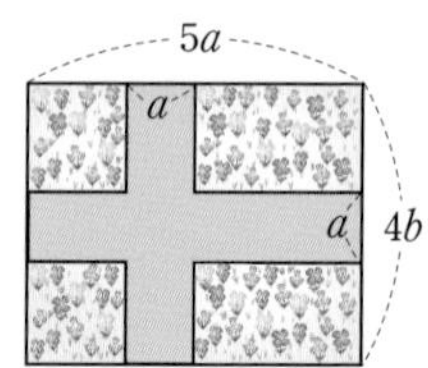

① $4a^2+4ab$ ② $5a^2+4ab$
③ $16ab-4a^2$ ④ $20ab-a^2$
⑤ $3a^2+5ab$

16 $-3x(2x+4)-(x+3y)\times(-5x)$를 간단히 했을 때, x^2의 계수를 a, xy의 계수를 b라고 하자. 이때 $b-a$의 값을 구하여라.

17 다음 중 옳지 않은 것은?

① $2x(-x+4y+6)=-2x^2+8xy+12x$
② $(9x^2-21xy)\div(-3x)=-3x+7y$
③ $\dfrac{x^2-8xy}{x}+\dfrac{9y^2-3xy}{3y}=-5y$
④ $(2xy+3y)\div\dfrac{y}{2}=x+\dfrac{3}{2}$
⑤ $4x(3x-2)-(10x^2y+5xy)\div 5y=10x^2-9x$

18 $\dfrac{8x^2+6xy+A}{2x}=7x+3y-9$일 때, 다항식 A를 구하면?

① $-8x^2+9x+3y$ ② $-6x^2+18x-9$
③ $6x^2-18x$ ④ $6x^2+18x-9$
⑤ $8x^2+7x-9$

19 다음 두 식 A, B에 대하여 $A-B$를 간단히 하면?

$A=(12x^2-8xy)\div 4x$

$B=(20xy^2-15x^2y)\div\dfrac{5}{4}xy$

① $-9x+14y$ ② $-9x+16y$
③ $15x-18y$ ④ $15x-14y$
⑤ $15x+16y$

20 $\left(\frac{x^2y}{5}-xy\times A\right)\div\frac{xy}{5}=5B+2y$일 때, $A+B$는?

① $\frac{1}{5}(x-y)$　② $\frac{1}{5}(x-2y)$
③ $\frac{1}{5}(x+y)$　④ $x-y$
⑤ $x+y$

21 $\frac{6x^2+4xy}{2x}-\frac{9y^2+3xy}{3y}$를 간단히 하면?

① $-x+2y$　② $x-y$
③ $2x+y$　④ $2x-y$
⑤ $2y-x$

22 $A=4xy^3(2x^2y-4x^2y^2-xy^2)\div(2xy^2)^2$,
$B=2x(1-2x+3y)$일 때,
$B-(A+C)=10xy+y-y^2$을 만족시키는 다항식 C를 구하면?

① $-4x^2+2y-y^2$　② $-4x^2-y^2$
③ $-4x^2+y^2$　④ $2x^2+y^2$
⑤ $4x^2-2y+y^2$

서술형

23 240×125가 n자리의 자연수일 때, n의 값을 구하여라.

답 ____________

24 다음 그림과 같은 직육면체의 부피가 $x^2y^2+2xy^3$일 때, 이 직육면체의 겉넓이를 구하여라.

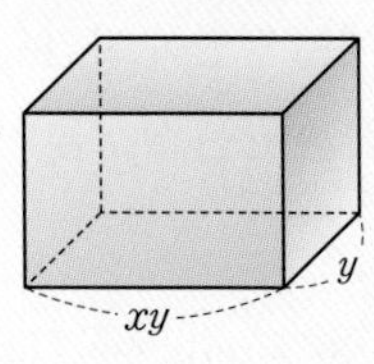

답 ____________

25 다음 그림과 같이 밑면의 반지름의 길이가 각각 $2x$인 원기둥과 원뿔이 있다. 원기둥의 부피가 $6\pi x^3y-3\pi x^2y^2$이고 원뿔의 부피가 $2\pi x^3y+3\pi x^2y^2$일 때, 두 도형의 높이의 합을 구하여라.

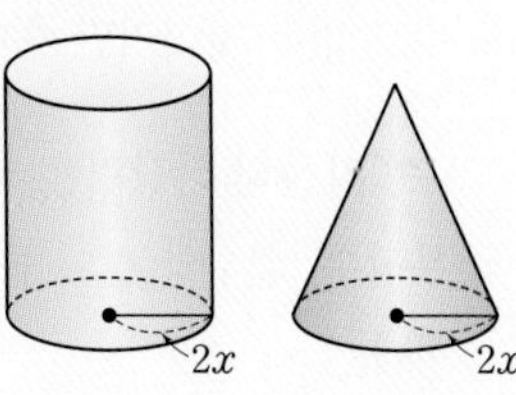

답 ____________

심화 학습

II Advanced Lecture

TOPIC 1 2^0, 2^{-1}처럼 지수가 0이나 음수일 수 있을까?

수학은 기호의 학문이다. 수학자들은 기호를 사용하여 복잡한 식을 간단히 표현하는 방법을 항상 연구해 왔다. 기호를 사용하여 표현이 간단해지면 생각이 정리되고 보다 복잡한 문제들까지 생각할 수 있게 되기 때문이다. 우리가 다루는 지수법칙 역시 훨씬 간단하게 표현할 수 있다는 장점 때문에 쓰게 되었다. $2\times2\times2\times2\times2$와 같이 2를 5번 연속으로 곱한 것을 2^5과 같이 표현하면 식이 간단해진다. 연속되는 곱을 간단히 표현한 것으로 생각하면 지수에는 당연히 자연수만 올 것으로 생각할 수 있다. 그런데 지수를 사용할수록 수학자들은 다음과 같은 상상을 하게 된다.

0을 지수로 써도 되지 않을까?

$2^5\div2^5=32\div32=1$인데 여기서 지수법칙을 바로 적용하여 $2^5\div2^5=2^{5-5}=2^0$과 같이 표현할 수 있지 않을까? 다시 말해 $2^0=1$로 생각할 수 있지 않을까 생각하게 된 것이다. 2를 0번 거듭제곱한 것을 상식적으로 생각하기 힘들지만 기호로 표현하는 것은 대단한 발견이었다. 실생활에서 존재하지 않은 음수를 수의 계산에서 당연한 수로 생각하는 것처럼 2^0도 1로 사용하여도 수학적으로 전혀 모순이 없음을 알고 사용하게 되었다.
그런데 수학자들은 여기에서 다음과 같은 더욱 신기한 상상을 하게 된다.

음수를 지수로 써도 되지 않을까?

$2^3\div2^5=8\div32=\frac{1}{4}$인데 여기서 지수법칙을 바로 적용하여 $2^3\div2^5=2^{-2}$과 같이 표현할 수 있지 않을까 생각한 것이다. 다시 말해 $2^{-2}=\frac{1}{4}$로 생각한 것이다. 많은 검증 끝에 이 생각 또한 모순이 없다는 것을 알게 되었다. 상식적으로 2를 -2번 거듭제곱한다는 것은 생각할 수도 없는 것이지만 수학적으로는 그 필요성을 인정받게 되었고 곧 널리 쓰이게 되었다.

수학자들의 상상력은 계속 이어져서 지수에 분수도 올 수 있게 만들었다. 이를 이해하려면 무리수, 실수와 같이 좀 더 큰 수의 체계를 알아야 하므로 이에 대한 설명은 여기서는 생략한다.

유제 01 다음 수와 같은 유리수를 말하여라.

(1) 2^0 (2) 5^0 (3) 2^{-3} (4) 3^{-2}

해설 BOOK 020쪽

TOPIC 2

다항식의 전개 – 분배법칙 하나면 된다.

본문에서 (단항식)×(다항식)에 대해서 공부를 해 보았다. 그렇다면 (다항식)×(다항식)은 어떻게 계산하는 것일까?

(단항식)×(다항식) 꼴인 $c(a+b)$의 전개를 그림으로 생각하면 다음과 같다.

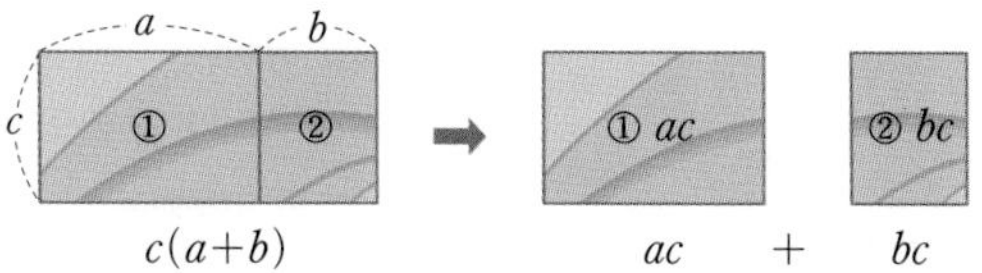

(다항식)×(다항식)은 식을 쪼개어 (단항식)×(다항식)의 전개를 여러 번 이용하는 것이다.

$(a+b)(c+d)$의 전개를 그림으로 이해해 보자.

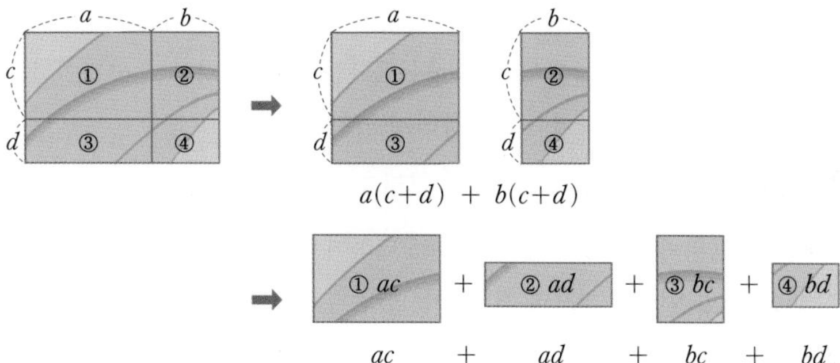

위와 같이 $(a+b)(c+d)$는 분배법칙을 2번 적용시켜 전개하면 된다.

$$(a+b)(c+d)=\underset{①}{\underline{ac}}+\underset{②}{\underline{ad}}+\underset{③}{\underline{bc}}+\underset{④}{\underline{bd}}$$

곱해지는 다항식의 항이 3개이면 분배법칙도 3번 이용하면 된다. 앞으로 배울 다항식의 전개는 모두 이를 바탕으로 하므로 특별히 새로울 것은 없다. 분배법칙만 잘 이해해 놓으면 다항식의 전개는 식은 죽 먹기!

유제 02 다음 식을 전개하여라.

(1) $(x+2)(x-1)$ (2) $(2x+1)(x+4)$ (3) $(x+y)(a+b+c)$

01 파스칼의 삼각형

다음과 같이 수로 만들어진 삼각형 모양이 있다.

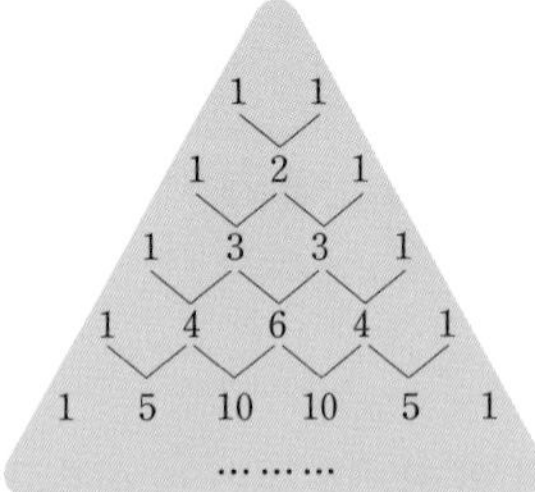

[만드는 규칙]

❶ 어느 층이나 양 끝의 숫자는 1이다.

❷ 위층의 이웃하는 두 숫자의 합이 아래층의 가운데 값과 같다.

이와 같은 삼각형을 **파스칼의 삼각형**이라고 한다.

프랑스의 수학자 파스칼(1623～1662)이 책에서 보았던 삼각형 모양으로부터 흥미로운 규칙들을 발견하고서 그 내용들을 체계화하고 다른 수학적인 성질에도 접목하였기에 파스칼의 삼각형이라고 불리게 되었다.

여기서 파스칼의 삼각형 속의 수들의 규칙을 몇 가지 소개해 보면 다음과 같다.

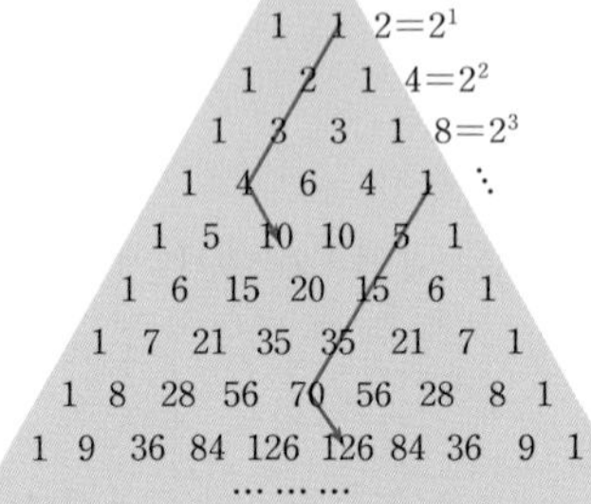

① 각 행의 수들은 중앙에 있는 수에 대하여 좌우 대칭을 이루고 있으며 최대 수는 중앙의 수이다.

② 각각의 n번째 행에 있는 수들의 합을 구해 보면 신기하게도 모두 2^n이 된다.

③ 세로줄의 각 수들의 합은 오른쪽 아래에 있는 수와 연관된다. 즉, 오른쪽 그림에서와 같이 $1+2+3+4$의 값은 4에서 오른쪽 아래에 위치한 수 10이 된다. 마찬가지로 $1+5+15+35+70$의 값은 70에서 오른쪽 아래에 위치한 수 126이 된다. 이를 하키 스틱과 닮았다고 하여 하키스틱 패턴이라고 부른다.

규칙적으로 나열된 수들의 합이 바로 아래 나온다는 점은 매우 흥미롭다. 이 외에도 파스칼의 삼각형에서 찾아볼 수 있는 수학적인 내용은 매우 많다. 흥미를 가지고 어떤 규칙이 또 숨겨져 있는지 찾아보기 바란다.

02 다항식끼리도 나눌 수 있다?

본문에서 배운 다항식의 나눗셈은 나누는 항이 하나였다. 즉, 다항식을 단항식으로 나누었다. 따라서 간단히 항끼리 나눗셈을 하면 되었다.

이처럼 중학교 과정에서는 단항식으로 나누는 것까지만 배우게 되고 고등학교 과정에서 다항식으로 나누는 방법을 배우게 되는데 사실 특별한 방법이 있는 것은 아니다. 단순히 수의 나눗셈처럼 식을 세로셈으로 나누는 것이다. 수의 나눗셈에서는 구구단만 쓰이지만 식의 나눗셈에서는 지수법칙과 단항식의 곱셈도 쓰이게 된다.

다음의 세로셈을 비교해 보면 쉽게 이해될 것이다.

수의 나눗셈		다항식의 나눗셈
수 $20 \div 4$		다항식 $(x^2+x) \div (x+1)$
5	← 몫 →	x
$4\,)\,20$		$x+1\,)\,x^2+x$
20		x^2+x
0		0

다항식의 나눗셈에서도 수의 나눗셈과 같이 몫과 나머지가 나온다.

수의 나눗셈		다항식의 나눗셈
수 $10 \div 4$		다항식 $(x^2+x+1) \div (x-1)$
2	← 몫 →	$x+2$
$4\,)\,10$		$x-1\,)\,x^2+\ x+1$
8		$x^2-\ x$
		$2x+1$
		$2x-2$
2	← 나머지 →	3

수의 나눗셈에서와 같이 다항식의 나눗셈도 그 결과가 맞는지 검산식을 이용하여 확인할 수 있다.

$4 \times \underset{\text{몫}}{2} + \underset{\text{나머지}}{2} = 10$, $(x-1)\underset{\text{몫}}{(x+2)} + \underset{\text{나머지}}{3} = x^2+x+1$

네덜란드의 암스테르담

네덜란드의 수도인 암스테르담은 네덜란드의 서북쪽에 위치하고 있다. 무역항인 암스테르담 항에는 북해 운하를 통하여 대양을 항해하는 선박들이 출입한다. 안네의 일기로 유명한 안네 프랑크의 생가와 화가 렘브란트의 생가가 보존되어 있다.

Ⅲ

부등식과 방정식

숨마쿰라우데® 개념기본서

INTRO to Chapter Ⅲ
부등식과 방정식

SUMMA CUM LAUDE - MIDDLE SCHOOL MATHEMATICS

오랜 역사와 함께 한 방정식...

동양에서 가장 오래된 수학책으로 「구장산술(九章算術)」이 있다. 이 책의 내용은 기원전에 쓰여졌다고도 하는데 정확히 누가 언제 집필했는지는 알려져 있지 않다. 우리나라에 전해진 구장산술은 236년에 삼국시대 위나라 사람인 유휘가 내용에 주석을 붙여 펴낸 것으로 이것이 지금까지 전해 오고 있다. 구장산술은 모두 9개의 장으로 구성되어 있는데 이 중

제8장인 방정(方程)에서는 연립방정식을 중심으로 다루고 있다. 방정(方程)에서 방(方)은 사각형이라는 뜻이고 정(程)은 헤아린다는 뜻이다. 방정이라는 이름을 붙인 이유는 당시에는 연립방정식을 풀 때 사각형 안에 계수를 나열하여 문제를 해결하였기 때문이다.
이집트의 파피루스, 바빌로니아의 점토판에도 방정식을 다루었던 내용이 있을 정도로 인류가 방정식을 풀기 시작한 것은 상당히 오래전부터였다. 이후 방정식에 대해 체계적으로 연구한 사람으로는 고대 그리스의 대수학자 디오판토스(246～330)가 유명하다.

디오판토스의 묘비에는 방정식 문제가 있다...

문자가 들어 있는 식 중에서 가장 중요한 것은 방정식으로 여러 가지 방정식의 해를 구하는 일은 역사적으로 끊임없이 연구되어 왔다.
문제를 푸는 데 어떤 수라는 말 대신 x라는 문자를 사용하여 푸는 방법을 도입한 사람이 바로 위에서 말한 디오판토스였다. 대수학의 아버지답게 그의 묘비에도 수학 문제가 새겨져 있다. 바로 아래와 같은 문구인데 이 묘비에 새겨진 방정식 문제를 풀어야 디오판토스가 몇 년을 살았는지 알 수 있도록 했다.

이 묘에 묻힌 사람은 생애의 6분의 1은 소년이었고,
그 후 12분의 1이 지나 수염이 났으며
또다시 7분의 1이 지나서 결혼을 하였다.
결혼한 지 5년 뒤에 아들이 태어났으나
아들은 아버지의 반밖에 살지 못했다.
그는 아들이 죽은 후 4년 후에 세상을 떠났다.

디오판토스의 나이를 x라고 하면 다음과 같이 일차방정식이 되어 x를 구할 수 있다.

$$\frac{1}{6}x+\frac{1}{12}x+\frac{1}{7}x+5+\frac{1}{2}x+4=x \Rightarrow x=84$$

이 단원에서 공부할 내용들...

중학교에서 다룰 방정식은 일차방정식과 이차방정식이다. 중 1에서는 일차방정식을 배웠고, 중 3에서는 이차방정식을 배우게 된다. 그렇다면 중 2는? 중 2에서는 차수가 올라가는 것이 아니라 미지수가 2개인 두 일차방정식의 공통인 해를 찾는 문제를 다룬다.
미지수가 2개인 방정식을 배우기 앞서 일차부등식의 해를 먼저 구할 것이다. 부등식은 방정식과 유사하지만 부등호의 방향에 계속 신경을 써 주어야 하는 점이 다르다. 내용이 많아 보여 부담을 가질 수 있지만 핵심 내용은 얼마 되지 않는다. 가벼운 마음으로 부등식과 방정식으로의 여행을 떠나 보자~.

부등식의 뜻과 성질

SUMMA NOTE

1. 부등식의 뜻과 해

(1) 부등식 : 수량 사이의 대소 관계를 부등호($>$, $<$, $\geq$, $\leq$)를 사용하여 나타낸 식

| 참고 | 부등호의 왼쪽 부분을 좌변, 오른쪽 부분을 우변이라 하고, 좌변과 우변을 통틀어 양변이라고 한다.

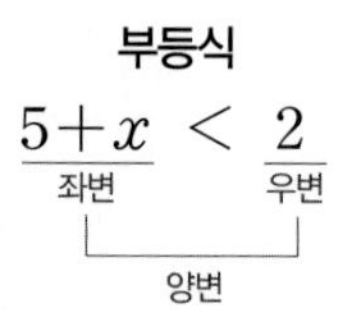

(2) 부등식의 표현

$a>b$	$a<b$	$a\geq b$	$a\leq b$
a는 b보다 크다. a는 b 초과이다.	a는 b보다 작다. a는 b 미만이다.	a는 b보다 크거나 같다. a는 b보다 작지 않다. a는 b 이상이다.	a는 b보다 작거나 같다. a는 b보다 크지 않다. a는 b 이하이다.

(3) 부등식의 해 : 부등식을 참이 되게 하는 미지수의 값

부등식을 푼다 : 부등식의 해를 구하는 것

2. 부등식의 성질 ← '$<$'일 때 뿐만 아니라 '$>$', '$\leq$', '$\geq$'일 때도 성립한다.

① 부등식의 양변에 같은 수를 더하거나 빼어도 부등호의 방향은 바뀌지 않는다. ➡ $a<b$이면 $\begin{cases} a+c<b+c \\ a-c<b-c \end{cases}$

② 부등식의 양변에 같은 양수를 곱하거나 나누어도 부등호의 방향은 바뀌지 않는다. ➡ $a<b$, $c>0$이면 $\begin{cases} ac<bc \\ \dfrac{a}{c}<\dfrac{b}{c} \end{cases}$

③ 부등식의 양변에 같은 음수를 곱하거나 나누면 부등호의 방향이 바뀐다. ➡ $a<b$, $c<0$이면 $\begin{cases} ac>bc \\ \dfrac{a}{c}>\dfrac{b}{c} \end{cases}$

1. 부등식의 뜻과 해

Q 028 부등식이란?

빠른 A 부등호를 사용하여 나타낸 식

친절한 A $5+x=2$와 같이 등호 $=$를 사용하여 나타낸 식을 등식이라고 하듯이 $5+x<2$와 같이 부등호 $>$, $<$, $\geq$, $\leq$를 사용하여 수 또는 식의 대소 관계를 나타낸 식을 **부등식**이라고 한다.

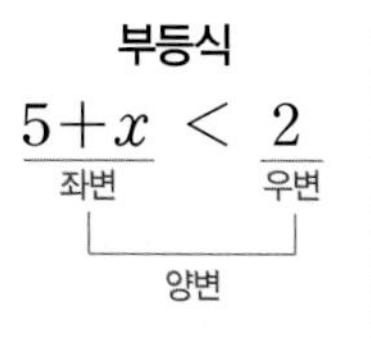

등식에서와 마찬가지로 부등식에서도 부등호의 왼쪽 부분을 좌변, 오른쪽 부분을 우변이라 하고, 좌변과 우변을 통틀어 양변이라고 한다.

| 참고 | $3x+6>0$ ➡ 부등식, $3x+6=0$ ➡ 등식, $3x+6$ ➡ 다항식

예제 1 부등식인지 아닌지 판별하여라.

(1) $2x-(x+1)$ (2) $2+4>3$ (3) $x+2\leq 3x$

풀이 (1) 부등호가 없다. ➡ 부등식이 아니다.
(2) 부등호가 있다. ➡ 부등식이다.
(3) 부등호가 있다. ➡ 부등식이다.

Q 029 'x는 음수이다.'를 부등식으로 나타내면?

빠른 A $x<0$

친절한 A 문장에서 수량 사이의 관계를 부등식으로 나타내기 위해서는 좌변과 우변 사이에 오는 부등호를 잘 결정해야 한다. 부등식 $a>b$, $a<b$, $a\geq b$, $a\leq b$는 각각 다음을 의미하므로 이를 문장에 적용하여 부등식으로 나타내면 된다.

$a>b$	$a<b$	$a\geq b$ ($a>b$ 또는 $a=b$)	$a\leq b$ ($a<b$ 또는 $a=b$)
a는 b보다 크다. a는 b 초과이다.	a는 b보다 작다. a는 b 미만이다.	a는 b보다 크거나 같다. a는 b보다 작지 않다. a는 b 이상이다.	a는 b보다 작거나 같다. a는 b보다 크지 않다. a는 b 이하이다.

'x는 음수이다.'와 같은 문장은 'x는 0보다 작다.'로 생각하자. 그러면 다음과 같이 부등식으로 나타낼 수 있다.

- x는 음수이다. ➡ x는 0보다 작다. ➡ $x<0$
- x는 음수가 아니다. ➡ x는 0보다 크거나 같다. ➡ $x\geq 0$

예제 2 다음 문장을 부등식으로 나타내어라.

(1) x의 2배는 16보다 작다.

(2) x에서 3을 뺀 것은 5보다 크지 않다.

(3) 한 권에 x원 하는 책 3권의 가격은 20000원 이상이다.

(4) 800원짜리 과자 1봉지와 700원짜리 우유 x개의 가격은 5000원 이하이다.

풀이 (1) $2x<16$ (2) $x-3\leq5$ (3) $3x\geq20000$ (4) $800+700x\leq5000$

Math STORY

부등식은 등식이 아닌 식?

부등식(不等式)이라는 말을 문자 그대로 해석한다면 등식이 아닌 식, 즉 $a\neq b$ 꼴의 식을 의미한다.

$a>b$, $a<b$, $a\geq b$, $a\leq b$와 같은 식은 a와 b의 대소 관계를 나타낸 식이므로 대소식이나 순서식 정도로 부르는 것이 어울릴 수도 있지만 이를 부등식으로 부르고 있다. 이때 $a\geq b$는 $a>b$와 $a=b$를 모두 나타낸다. $a>b$와 $a=b$ 중 하나만 성립해도 $a\geq b$는 참이 된다. 예를 들어 $3>3$은 거짓이지만 $3\geq3$은 참이다.

$a\neq b$
$a<b$

Q 030 부등식을 푼다는 말은?

빠른 A 부등식의 해를 구한다는 말!

친절한 A 방정식이 참이 되게 하는 미지수의 값을 그 방정식의 해라 하고, 방정식의 해를 구하는 것을 방정식을 푼다고 한다. 부등식에서도 좌변과 우변의 값의 대소 관계가 부등호의 방향과 일치하면 참인 부등식, 일치하지 않으면 거짓인 부등식이라고 한다. 이때

주어진 부등식을 참이 되게 하는 미지수의 값을 그 부등식의 해라 하고
부등식의 해를 구하는 것을 부등식을 푼다고 한다.

다음은 x가 1, 2, 3, 4일 때, 부등식 $3x-4<5$의 해를 구하기 위해 x에 수를 대입한 것이다.

x의 값	좌변의 값		우변의 값	부등식의 참, 거짓
1	$3-4=-1$	$<$	5	참
2	$6-4=2$	$<$	5	참
3	$9-4=5$	$=$	5	거짓
4	$12-4=8$	$>$	5	거짓

표를 보면 부등식 $3x-4<5$는

$x=1$, 2일 때는 참이 되지만 $x=3$, 4일 때는 거짓이 된다.

부등식을 만족하는 x의 값은 여러 개 일 수 있어!

따라서 x가 1, 2, 3, 4일 때, 부등식 $3x-4<5$의 해는 1, 2임을 알 수 있다.

이와 같이 주어진 값이 부등식의 해인지 알고자 할 때는 x에 대입하여 부등식이 성립하는지 살펴보면 된다.

예제 3 $x=3$을 해로 갖는 부등식을 골라라.

(1) $x-2>2$ (2) $2x<10$ (3) $5-x\geq 3$ (4) $3-2x\leq -3$

풀이

부등식	좌변의 값		우변의 값	부등식의 참, 거짓
(1) $x-2>2$	$3-2=1$	$<$	2	거짓
(2) $2x<10$	$2\times 3=6$	$<$	10	참
(3) $5-x\geq 3$	$5-3=2$	$<$	3	거짓
(4) $3-2x\leq -3$	$3-2\times 3=-3$	$=$	-3	참

표를 보면 $x=3$을 대입할 때 참이 되는 부등식은 (2), (4)이다.

2. 부등식의 성질

방정식을 풀 때 등식의 성질이 기본 원칙이었듯이 부등식을 풀 때에도 기본 원칙이 되는 부등식의 성질이 있다. 등식의 성질과 비교하여 그 성질을 확실하게 이해해 두도록 하자.

Q 031 부등식은 어떠한 성질을 가지고 있을까?

빠른 A 부등식의 양변에 음수를 곱하거나 나눌 때에만 부등호의 방향이 바뀐다.

친절한 A 부등식은 다음과 같은 3가지 기본 성질을 가지고 있다.

부등식의 성질 ← '$<$'일 때 뿐만 아니라 '$>$', '$\leq$', '$\geq$'일 때도 성립한다.

① 부등식의 양변에 같은 수를 더하거나 빼어도 부등호의 방향은 바뀌지 않는다. ➡ $a<b$이면 $\begin{cases} a+c<b+c \\ a-c<b-c \end{cases}$

② 부등식의 양변에 같은 양수를 곱하거나 나누어도 부등호의 방향은 바뀌지 않는다. ➡ $a<b$, $c>0$이면 $\begin{cases} ac<bc \\ \dfrac{a}{c}<\dfrac{b}{c} \end{cases}$

③ 부등식의 양변에 같은 음수를 곱하거나 나누면 부등호의 방향이 바뀐다. ➡ $a<b$, $c<0$이면 $\begin{cases} ac>bc \\ \dfrac{a}{c}>\dfrac{b}{c} \end{cases}$

부등식의 성질은 다음 그림과 같이 수직선 위에서 살펴보면 이해하기 쉽다.

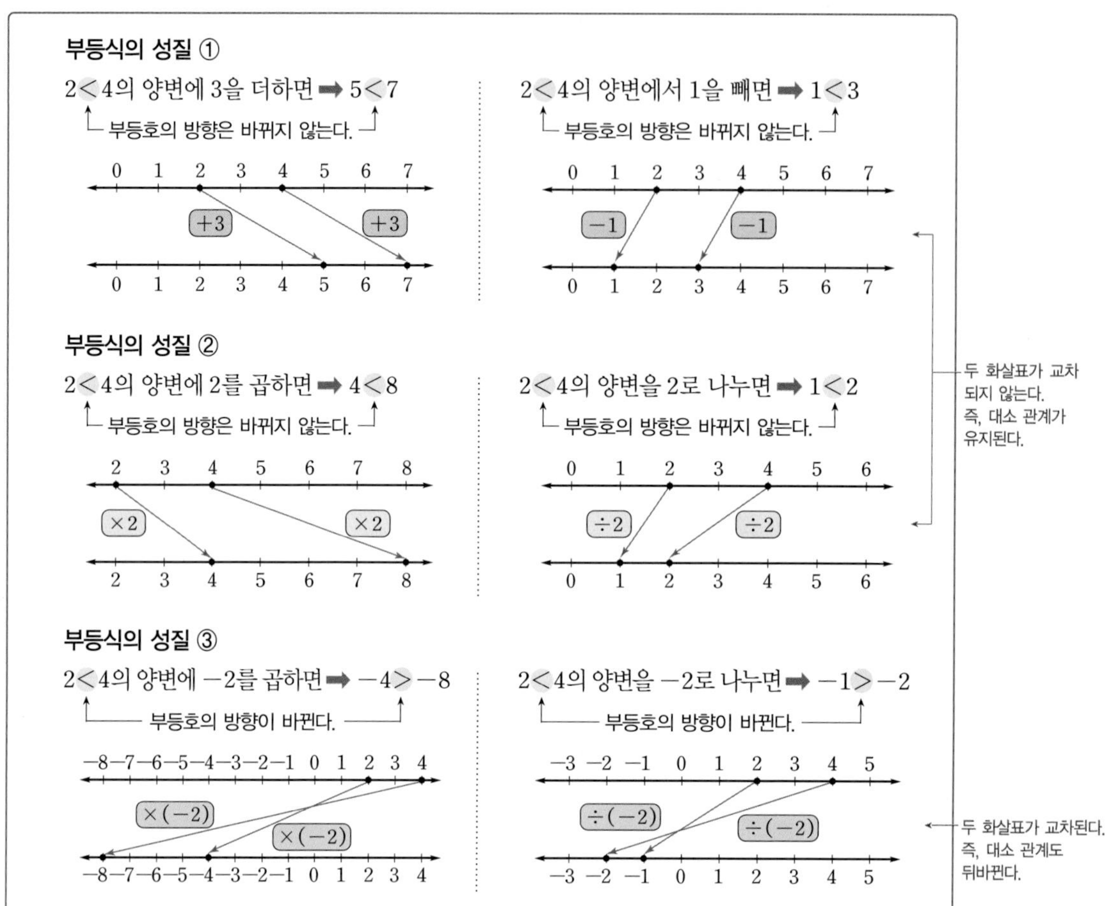

부등식의 성질을 간단히 요약하여

부등식의 양변에 음수를 곱하거나 나눌 때에만 부등호의 방향이 바뀌고
그 외에는 그대로!

로 기억하고 있으면 충분하다.

음수를 곱하거나 나눌 때에만 부등호가 바뀐다는 사실을 이용하면 다음과 같이 a, b의 부호를 한 눈에 알아낼 수 있다.

$4a+3>4b+3$	$-\frac{a}{3}<-\frac{b}{3}$	$5-2a>5-2b$
양수가 곱해짐	음수로 나누어짐	음수가 곱해짐
⬇	⬇	⬇
$a>b$	$a>b$	$a<b$

예제 4 $4a>2b$일 때, □ 안에 알맞은 부등호를 써넣어라.

(1) $4a+3$ □ $2b+3$　　(2) $4a-5$ □ $2b-5$

(3) $12a$ □ $6b$　　(4) $2a$ □ b

(5) $-8a+1$ □ $-4b+1$　　(6) $-2a-1$ □ $-b-1$

풀이 (1) $>$ (2) $>$ (3) $>$ (4) $>$ (5) $<$ (6) $<$

(5) $4a>2b$에서 $4a\times(-2)<2b\times(-2)$　$\therefore -8a+1<-4b+1$

(6) $4a>2b$에서 $4a\div(-2)<2b\div(-2)$　$\therefore -2a-1<-b-1$

Q 032 $a<3$일 때, $-2a+1$의 값의 범위는?

빠른 A $a<3$의 양변에 -2를 곱한 후 1을 더해 봐.

친절한 A 부등식의 성질을 이용하여 좌변 a를 $-2a+1$로 변형시키면 된다. 이때 계산 순서는 곱하거나 나누는 것이 먼저이다. a를 $-2a+1$로 변형시키려면 다음과 같이 -2를 곱한 다음 1을 더하면 된다. 여기서 곱한 수가 음수이면 부등호의 방향을 바꿔 주는 센스~!

$a<3$
) 양변에 -2를 곱한다.
$-2a>-6$
) 양변에 1을 더한다.
$-2a+1>-5$

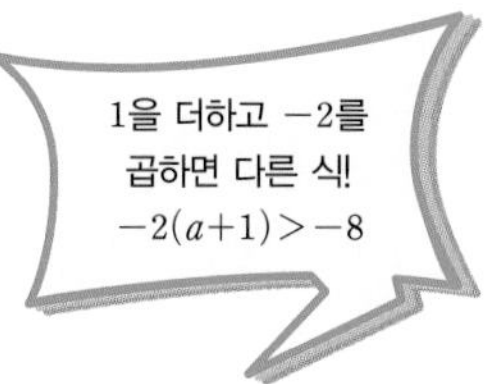

1을 더하고 -2를
곱하면 다른 식!
$-2(a+1)>-8$

$-1<a\le3$일 때, $-2a+1$의 값의 범위도 다음과 같이 간단히 구할 수 있다.

$-1<a\le3$
) 각 변에 -2를 곱한다.
$2>-2a\ge-6$
) 식의 형태만 바꿈
$-6\le-2a<2$
) 각 변에 1을 더한다.
$-5\le-2a+1<3$

예제 5 $-3\le x<5$이고 $A=2x-4$일 때, A의 값의 범위를 구하여라.

풀이 $-3\le x<5$의 각 변에 2를 곱하면 $-6\le2x<10$
각 변에서 4를 빼면 $-10\le2x-4<6$　$\therefore$ $\mathbf{-10\le A<6}$

예제 6 $-8\le5x+2<12$일 때, x의 값의 범위를 구하여라.

풀이 $-8\le5x+2<12$의 각 변에서 2를 빼면 $-10\le5x<10$
각 변을 5로 나누면 $\mathbf{-2\le x<2}$

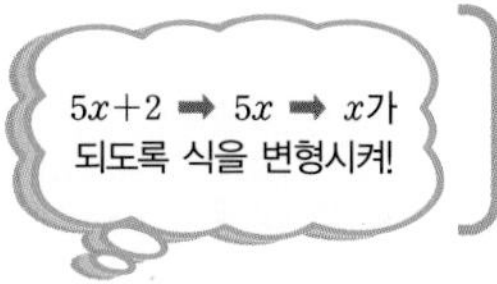

$5x+2$ ➡ $5x$ ➡ x가
되도록 식을 변형시켜!

개념 CHECK

해설 BOOK 021쪽

개념 확인

(1) 부등호를 사용하여 수량 사이의 대소 관계를 나타낸 식을 ☐이라 한다.

(2) 부등식의 양변에 ☐를 곱하거나 나누면 부등호의 방향이 바뀐다.

01 다음 문장을 부등식으로 나타내어라.

(1) 어떤 수 x에서 5를 뺀 수는 3보다 크다.

(2) 어떤 수 x의 3배에서 4를 뺀 수는 17보다 크지 않다.

(3) 무게가 4 kg인 바구니에 무게가 2 kg인 물건 x개를 담아 전체 무게를 재었더니 20 kg 미만이었다.

(4) 시속 x km로 4시간 걸어서 간 거리가 1.5 km 이상이었다.

02 다음 부등식 중에서 $x=2$를 해로 갖는 것을 모두 골라라.

보기			
	ㄱ. $x+3<3$	ㄴ. $2x+1\le5$	ㄷ. $x+2>4$
	ㄹ. $1-x\ge-2$	ㅁ. $3-x<0$	ㅂ. $4x-5\ge3$

03 다음 부등식이 성립할 때, ☐ 안에 알맞은 부등호를 써넣어라.

(1) $2a\ge2b$일 때 ➡ a ☐ b

(2) $a+3<b+3$일 때 ➡ a ☐ b

(3) $-\dfrac{a}{2}\le b$일 때 ➡ a ☐ $-2b$

(4) $1-a>1-b$일 때 ➡ a ☐ b

04 $-4<x<2$이고 $A=-3x+4$일 때, A의 값의 범위를 구하여라.

자기 진단

Q 027 ⊙ 088쪽
부등식이란?

Q 029 ⊙ 089쪽
부등식을 푼다는 말은?

Q 030 ⊙ 092쪽
부등식은 어떠한 성질을 가지고 있을까?

일차부등식의 풀이

SUMMA NOTE

1. 일차부등식과 그 풀이

(1) 부등식의 성질을 이용하여 부등식을 정리하였을 때,

(일차식)>0, (일차식)<0, (일차식)≥ 0, (일차식)≤ 0

중 어느 하나의 꼴로 나타내어지는 부등식을 일차부등식이라고 한다.

(2) 일차부등식의 해 : 일차부등식을 만족하는 모든 x의 값으로 다음 중 하나로 나타난다.

$x>$(수), $x<$(수), $x\geq$(수), $x\leq$(수)

(3) 일차부등식의 풀이

① x를 포함한 항은 좌변으로, 상수항은 우변으로 이항한다.

② 양변을 정리하여 $ax>b$, $ax<b$, $ax\geq b$, $ax\leq b$ $(a\neq 0)$ 꼴로 나타낸다.

③ 양변을 x의 계수 a로 나눈다.

| 참고 | 괄호가 있거나 계수가 정수가 아닌 부등식은 괄호를 풀거나 계수를 정수로 만든 다음 푼다.

1. 일차부등식과 그 풀이

Q 033 일차부등식이란?

빠른 A (일차식)>0과 같은 꼴

친절한 A (일차식)$=0$ 꼴의 방정식을 일차방정식이라 하듯이 부등식의 성질을 이용하여 정리하였을 때

(일차식)>0, (일차식)<0, (일차식)≥ 0, (일차식)≤ 0

중 어느 하나의 꼴로 나타내어지는 부등식을 **일차부등식**이라고 한다.

주어진 부등식이 일차부등식인지 확인하려면 부등식의 성질을 이용하여 식을 정리했을 때 일차식이 되는지만 보면 된다.

(1) $4x-3<x^2$ ➡ $4x-3-x^2<0$: 좌변이 이차식이므로 일차부등식이 아니다.

(2) $x-2x<6$ ➡ $-x-6<0$: 일차부등식이다.

(3) $x^2-3x>x+x^2$ ➡ $-4x>0$: 일차부등식이다.

(4) $2x-1<2x+1$ ➡ $-2<0$: x가 없으므로 일차부등식이 아니다.

Q 034 일차부등식의 해의 형태는 4가지?

빠른 A $x>$(수), $x<$(수), $x\geq$(수), $x\leq$(수)

친절한 A x에 대한 일차부등식의 해는 그 일차부등식을 만족하는 모든 x의 값으로 부등식의 성질을 이용하여 다음과 같이 x의 값의 범위로 나타낸다.

$$x>(\text{수}),\quad x<(\text{수}),\quad x\geq(\text{수}),\quad x\leq(\text{수})$$

부등식의 해는 $x>$(수)와 같이 x의 값의 범위이므로 수직선 위에 다음과 같이 나타낼 수 있다. 이때 부등호 $>$, $<$는 점 ○, 부등호 $\geq$, $\leq$는 점 ●을 사용하여 나타낸다.

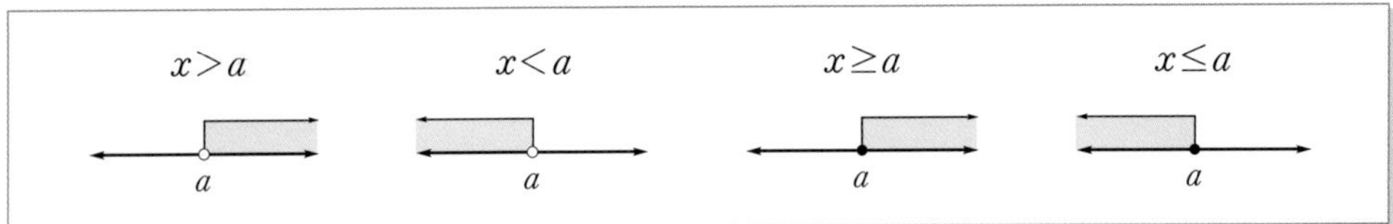

Q 035 일차부등식은 어떻게 풀까?

빠른 A 이항과 부등식의 성질을 이용하여 $x>$(수) 꼴로 나타내!

친절한 A 부등식의 성질 ①인 '부등식의 양변에 같은 수를 더하거나 빼어도 부등호의 방향은 바뀌지 않는다.' 에 의해 방정식에서와 마찬가지로 부등식에서도 한 변에 있는 항을 부호를 바꾸어 다른 변으로 옮기는 '이항' 이 가능하다.

$2x+1<7$
이항
$2x<7-1$

이항을 하면 항의 부호는 바뀌지만 부등호의 방향은 바뀌지 않는다는 점 기억하자. 다시 한 번 강조하지만 부등호의 방향은

x의 계수가 음수일 때, 그 계수로 나눌 때만 바뀐다.

일차부등식을 풀 때 이항을 이용하면 좀 더 빠르게 식을 정리할 수 있으므로 이를 이용하자. 일차부등식을 푸는 순서를 정리하면 다음과 같다.

일차부등식의 풀이

① x를 포함한 항은 좌변으로, 상수항은 우변으로 이항한다.
② 양변을 정리하여 $ax>b$, $ax<b$, $ax\geq b$, $ax\leq b\,(a\neq 0)$ 꼴로 나타낸다.
③ 양변을 x의 계수 a로 나누어 $x>$(수), $x<$(수), $x\geq$(수), $x\leq$(수) 중 하나의 꼴로 나타낸다.

예제 7 일차부등식을 풀고, 그 해를 수직선 위에 나타내어라.

(1) $x-2<3$　　(2) $x+3>5$

(3) $\frac{1}{3}x\le 1$　　(4) $-2x\le 8$

풀이 (1) $x-2<3$

$x-2+2<3+2$

$\therefore\ \boldsymbol{x<5}$

(2) $x+3>5$

$x+3-3>5-3$

$\therefore\ \boldsymbol{x>2}$

(3) $\frac{1}{3}x\le 1$

$\frac{1}{3}x\times 3\le 1\times 3$

$\therefore\ \boldsymbol{x\le 3}$

(4) $-2x\le 8$

$\frac{-2x}{-2}\ge\frac{8}{-2}$

$\therefore\ \boldsymbol{x\ge -4}$

예제 8 일차부등식을 풀고, 그 해를 수직선 위에 나타내어라.

(1) $6+8x>-2x-14$　　(2) $3x-6\ge 5x+2$

풀이 (1) $6+8x>-2x-14$

$8x+2x>-14-6$ ← 이항

$10x>-20$ ← 정리

$\therefore\ \boldsymbol{x>-2}$ ← x의 계수로 나눔

(2) $3x-6\ge 5x+2$

$3x-5x\ge 2+6$ ← 이항

$-2x\ge 8$ ← 정리

$\therefore\ \boldsymbol{x\le -4}$ ← x의 계수로 나눔 부등호의 방향 바뀜

위의 예제에서도 느꼈듯이 일차부등식의 풀이는 일차방정식의 풀이와 다를 바가 없다. 중요한 부분은 부등호의 방향이다. 계수와 부등호 방향 사이의 관계를 잘 이해해 두자.

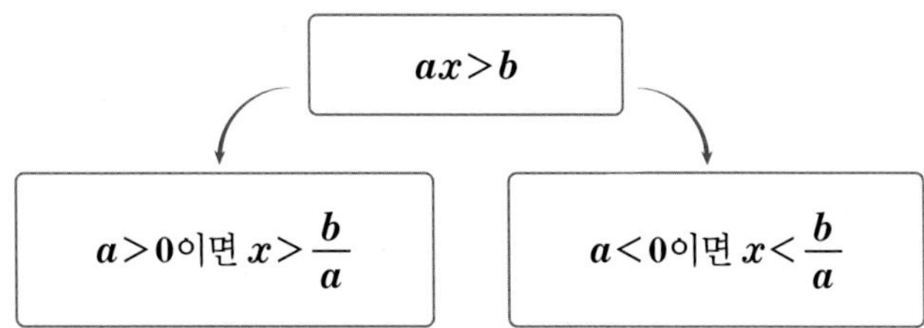

$ax>b$
$a>0$이면 $x>\frac{b}{a}$
$a<0$이면 $x<\frac{b}{a}$

THINK Math

x에 대한 부등식 $(a-2)x>a-2$의 해

(i) $a>2$일 때, $a-2>0$이므로 양변을 $a-2$로 나누면 $x>\frac{a-2}{a-2}$　$\therefore\ \boldsymbol{x>1}$

(ii) $a<2$일 때, $a-2<0$이므로 양변을 $a-2$로 나누면 $x<\frac{a-2}{a-2}$　$\therefore\ \boldsymbol{x<1}$

(iii) $a=2$일 때, $0\cdot x>0$이므로 x에 어떤 값을 대입해도 부등식이 성립하지 않는다. $\therefore$ **해는 없다.**

Q 036 복잡한 일차부등식은 어떻게 풀까?

괄호를 풀거나 계수를 정수로 바꾼 후 풀자.

방정식에서와 마찬가지로 괄호가 있거나 계수가 정수가 아닌 일차부등식은 괄호를 풀거나 계수를 정수로 바꾼 후 풀면 된다.

(1) 괄호가 있는 일차부등식의 경우

분배법칙을 이용하여 괄호를 풀고 동류항끼리 모아서 간단히 정리한 후 푼다.

예제 9 일차부등식을 풀어라.

(1) $4x-7>2(x-3)$

(2) $-2(3x+6)>3(x-1)+9$

풀이

(1) 괄호를 풀면

$4x-7>2x-6$

$4x-2x>-6+7$, $2x>1$

$\therefore \boldsymbol{x>\frac{1}{2}}$

(2) 괄호를 풀면

$-6x-12>3x-3+9$

$-6x-3x>6+12$,

$-9x>18$ $\therefore \boldsymbol{x<-2}$

(2) 계수가 소수인 일차부등식의 경우

계수가 소수인 경우는 양변에 10의 거듭제곱을 곱하여 일차부등식의 계수가 모두 정수가 되도록 고쳐서 푼다.

예제 10 일차부등식을 풀어라.

(1) $0.7x+0.2\ge0.5x-1.4$

(2) $0.58-0.2x\le0.04x+0.1$

풀이

(1) 양변에 10을 곱하면

$7x+2\ge5x-14$

$7x-5x\ge-14-2$

$2x\ge-16$ $\therefore \boldsymbol{x\ge-8}$

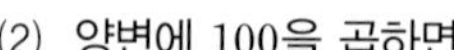

(2) 양변에 100을 곱하면

$58-20x\le4x+10$

$-20x-4x\le10-58$

$-24x\le-48$ $\therefore \boldsymbol{x\ge2}$

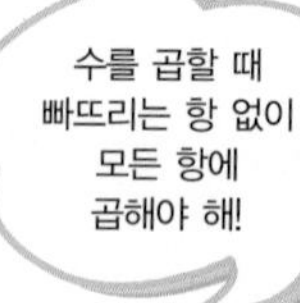
수를 곱할 때
빠뜨리는 항 없이
모든 항에
곱해야 해!

(3) 계수가 분수인 일차부등식의 경우

계수가 분수인 경우는 양변에 분모의 최소공배수를 곱하여 일차부등식의 계수가 모두 정수가 되도록 고쳐서 푼다.

예제 11 일차부등식을 풀어라.

(1) $\frac{x}{6}-\frac{1}{2}>\frac{x}{3}+2$

(2) $\frac{x+3}{4}-\frac{2x-1}{6}<1$

풀이

(1) 양변에 분모의 최소공배수인 6을 곱하면

$x-3>2x+12$

$x-2x>12+3$, $-x>15$

$\therefore \boldsymbol{x<-15}$

(2) 양변에 분모의 최소공배수인 12를 곱하면

$3(x+3)-2(2x-1)<12$

$3x+9-4x+2<12$, $-x<1$

$\therefore \boldsymbol{x>-1}$

Q 037 일차부등식 $3x-2a<x$를 만족하는 자연수 x가 3개일 때, 상수 a의 값의 범위는?

빠른 A 부등식을 풀어 수직선 위에서 생각해 보자.

친절한 A 일차부등식 $3x-2a<x$의 해에 관한 문제이므로 일단 부등식을 풀어야 한다.

$$3x-2a<x \Rightarrow 3x-x<2a \Rightarrow 2x<2a \Rightarrow x<a$$

해를 구했으니 조건에 맞는 상수 a의 값의 범위를 생각해 보자.

해 $x<a$에 속하는 자연수 x가 3개이므로 $x<a$를 수직선 위에 나타낼 때 자연수 1, 2, 3이 포함되도록 a의 위치를 정하면 된다.

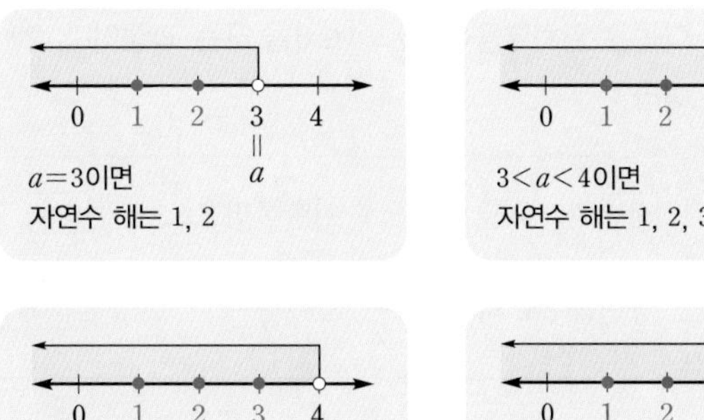

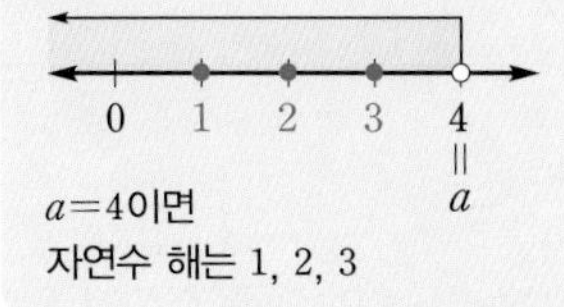

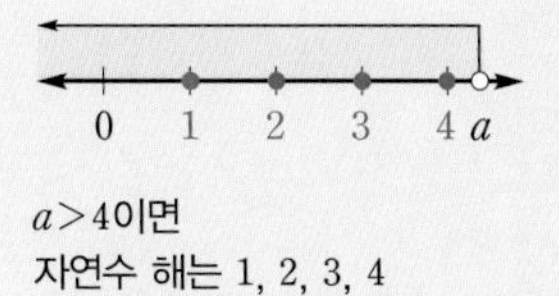

따라서 $x<a$의 범위에 자연수 1, 2, 3이 포함되려면 a의 값의 범위는 $\mathbf{3<a\le 4}$이어야 한다.

1, 2, 3만 포함하면 된다는 생각으로 a의 값의 범위를 단순히 $3<a<4$로 쓰지 않도록 주의하자. $a=4$이어도 부등식의 해에는 4가 포함되지 않는다는 점을 잘 기억해 두자.

만약 해가 $x\le a$이고, 이에 속하는 자연수 x가 3개라면?

이 경우 상수 a의 값의 범위는 $\mathbf{3\le a<4}$이어야 한다.

이때는 $a=3$이면 자연수 x가 1, 2, 3이 되어 조건에 맞지만, $a=4$이면 자연수 x가 1, 2, 3, 4가 되어 조건에 맞지 않기 때문이다.

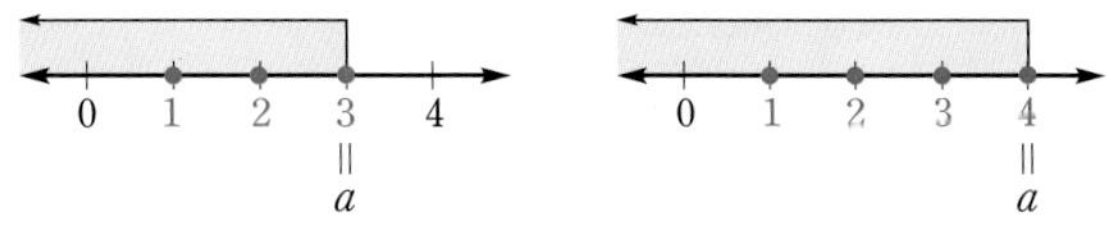

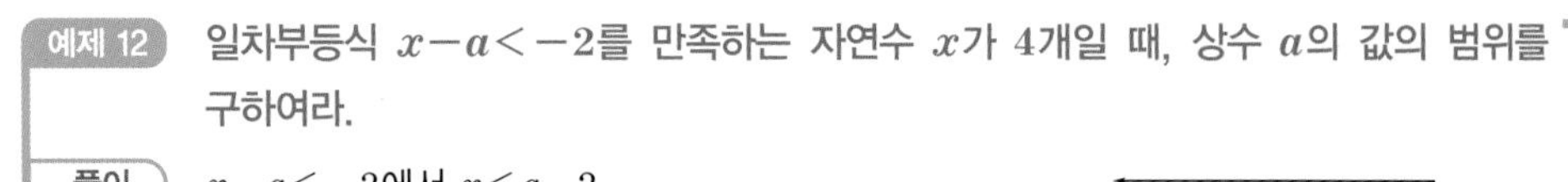

예제 12 일차부등식 $x-a<-2$를 만족하는 자연수 x가 4개일 때, 상수 a의 값의 범위를 구하여라.

풀이 $x-a<-2$에서 $x<a-2$

자연수 x가 4개이려면 자연수 1, 2, 3, 4가 포함되어야 한다. 따라서 $4<a-2\le 5$이어야 하므로 $\mathbf{6<a\le 7}$

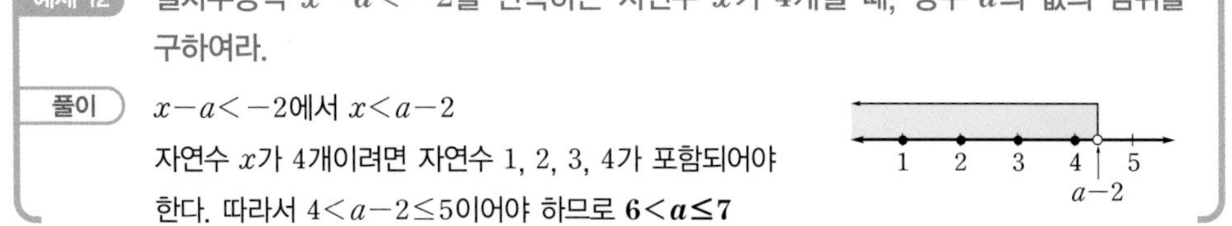

개념 CHECK

해설 BOOK 021쪽

개념 확인

(1) $2x+1=0$은 일치방정식이고 $2x+1>0$은 ☐이다.

(2) 일치부등식의 해는 $x<a$, $x>a$, ☐, ☐ 중 하나로 나타난다.

(3) 계수가 소수이거나 분수인 일차부등식은 계수를 ☐로 바꾼 후 푼다.

자기 진단

Q 032 ➲ 111쪽
일차부등식이란?

Q 034 ➲ 112쪽
일차부등식은 어떻게 풀까?

01 다음 중 일차부등식인 것을 모두 고르면? (정답 2개)

① $x-3>1$ ② $2x-1=3$ ③ $2x+3\le 2x+1$
④ $x+6<x^2$ ⑤ $4x-1\ge 3x+2$

02 다음은 일차부등식 $2x-4\le 6$을 푸는 과정이다. (가), (나), (다)에 알맞은 것을 각각 써넣어라.

> 좌변의 -4를 우변으로 이항하면 $2x\le 6+$ (가), $2x\le$ (나)
> 양변을 2로 나누면 $\frac{2x}{2}\le\frac{(나)}{2}$ $\therefore x\le$ (다)

03 일차부등식 $2x-5(x-3)<-6$의 해를 수직선 위에 바르게 나타낸 것은?

① (−7, 왼쪽, 빈 점) ② (−7, 왼쪽, 채운 점) ③ (−7, 오른쪽, 채운 점)
④ (7, 왼쪽, 빈 점) ⑤ (7, 오른쪽, 빈 점)

04 다음 일차부등식을 풀고, 그 해를 수직선 위에 나타내어라.

(1) $-4(2x-1)>x-14$
(2) $10-4x\le 2(x-4)$

05 다음 일차부등식을 풀어라.

(1) $0.3x\le 0.1x+0.8$ (2) $0.5x-1.2>0.3+0.2x$
(3) $0.4x+1.8<\frac{1}{5}(x-1)$ (4) $\frac{x-1}{3}+1\ge\frac{x+3}{2}$

일차부등식의 활용

SUMMA NOTE

1. 일차부등식의 활용 : 일차부등식의 활용 문제는 다음과 같은 순서로 푼다.

① 미지수 정하기 : 문제의 뜻을 파악하고, 구하려는 것을 미지수 x로 놓는다.
② 일차부등식 세우기 : x를 사용하여 문제의 뜻에 맞는 일차부등식을 세운다.
③ 일차부등식 풀기 : 일차부등식을 풀어 해를 구한다.
④ 확인하기 : 구한 해가 문제의 뜻에 맞는지 확인한다.

일차방정식의 활용 문제를 푸는 순서와 다를 게 없다. 다만 문제를 풀기 위해 세우는 식에서 차이가 있을 뿐이다.

1. 일차부등식의 활용

Q 038 일차부등식의 활용 문제에 접근하는 노하우는?

빠른 A 미지수를 정한 다음, 조건에 맞는 부등식을 세워!

친절한 A 부등식의 활용 문제의 경우 문장 속에 두 수량 사이의 대소를 비교하는

이상, 이하, 초과, 미만, ~보다 작다, ~보다 크다, ⋯

와 같은 표현이 있으니 식을 세울 때, 이에 맞게 부등호의 방향이나 등호의 포함 여부를 정하면 된다. 또 구한 해를 문제의 뜻에 맞게 해석해야 함을 잊지 말자. 다음 예를 위 과정에 따라 해결해 보도록 하자.

← 물건의 개수, 사람 수, 횟수 등은 음수나 분수, 소수가 될 수 없으므로 부등식을 푼 다음 조건에 맞는 x를 택해야 한다.

㉮ 한 개에 1500원인 사과를 3000원짜리 상자 하나에 담아서 사는데 전체 비용이 20000원 이하가 되게 하려고 한다. 사과를 최대 몇 개 살 수 있는지 구하여라.

❶ 미지수 정하기	살 수 있는 사과의 개수를 x라고 하자.
❷ 일차부등식 세우기	(사과의 가격)+(상자의 가격)$\le$20000이므로 $1500x+3000\le 20000$
❸ 일차부등식 풀기	$15x+30\le 200$, $15x\le 170$ $\therefore x\le 11.33\cdots$ 따라서 사과를 최대 **11개** 살 수 있다.
❹ 확인하기	전체 비용은 $1500\times 11+3000=19500$(원)이고, 이것은 20000원 이하이므로 문제의 뜻에 맞는다.

일차부등식의 활용 문제로 자주 등장하는 몇 가지 유형의 문제를 Q039~Q042에서 해결해 보자.

(1) 예금액에 관한 문제

(예금액)=(한 달 예금액)×(예금 개월 수)

(2) 평균에 관한 문제

$(평균)=\frac{(총합)}{(총 개수)}$

(3) 거리, 속력, 시간에 관한 문제

$(거리)=(속력)\times(시간)$, $(속력)=\frac{(거리)}{(시간)}$, $(시간)=\frac{(거리)}{(속력)}$

(4) 소금물의 농도에 관한 문제

$(소금의 양)=\frac{(농도)}{100}\times(소금물의 양)$

$(소금물의 농도)=\frac{(소금의 양)}{(소금물의 양)}\times 100(\%)$

Q039 예금액에 관한 문제는 어떻게 해결할까?

빠른 A (x개월 후의 저금액)=(현재의 저금액)+(매월 저금액)×x

친절한 A 지금까지 형은 50000원, 동생은 10000원을 저금하였다. 매월 형은 5000원씩, 동생은 2000원씩 저금한다면 형의 저금액이 동생의 저금액의 3배보다 처음으로 적어지는 것은 지금부터 몇 개월 후인지 구해 보자. (단, 이자는 생각하지 않는다.)

❶ 미지수 정하기	형의 저금액이 동생의 저금액의 3배보다 처음으로 적어지는 것이 지금부터 x개월 후라 하자.
❷ 일차부등식 세우기	x개월 후의 형의 저금액은 $(50000+5000x)$원이고, 동생의 저금액은 $(10000+2000x)$원이므로 (형의 저금액)<3×(동생의 저금액)에서 $50000+5000x<3(10000+2000x)$
❸ 일차부등식 풀기	$50000+5000x<30000+6000x$ $1000x>20000$ $\therefore x>20$ 따라서 형의 저금액이 동생의 저금액의 3배보다 처음으로 적어지는 것은 지금부터 **21개월 후**이다.

$x>20$이고, x는 자연수이므로 21개월로 답한다.

Q 040 비용이 유리한 경우에 관한 문제는 어떻게 해결할까?

빠른 A A가 B보다 유리하다. ➡ A가 B보다 비용이 적게 든다.

친절한 A 학교 앞 편의점에서는 1000원에 판매하는 과자를 도매점에서는 910원에 팔고 있다. 도매점까지 다녀오는 교통비가 2000원이 든다고 할 때, 최소 몇 개의 과자를 사야 도매점에서 사는 것이 유리한지 구해 보자.

❶ 미지수 정하기	살 과자의 개수를 x라고 하자.
❷ 일차부등식 세우기	x개의 과자를 (편의점에서 살 때 드는 비용)$=1000x$(원), (도매점에서 살 때 드는 비용)$=910x+2000$(원) 이때 도매점에서 사는 것이 유리하려면 $1000x>910x+2000$ ← =도매점 쪽 비용이 적게 들려면
❸ 일차부등식 풀기	$90x>2000$ $\quad\therefore x>\frac{200}{9}=22.2\cdots$ 따라서 최소 **23개**의 과자를 사야 도매점에서 사는 것이 유리하다.

유리하다는 것은 가격이 더 싸다는 말!

Q 041 거리, 속력, 시간에 관한 문제는 어떻게 해결할까?

빠른 A (거리)$=$(속력)$\times$(시간), (시간)$=\frac{(거리)}{(속력)}$

친절한 A 이룸이는 집에서 출발하여 산책로를 따라 산책을 하는데, 갈 때는 시속 4 km의 속력으로 걷고, 올 때는 왔던 길을 시속 6 km의 속력으로 걷는다. 이때 전체 걸리는 시간이 2시간 이내가 되도록 하려면 이룸이는 집에서 최대 몇 km 떨어진 곳까지 갔다가 돌아올 수 있는지 구해 보자.

'이내'는 '작거나 같다'는 뜻이다.

❶ 미지수 정하기	집에서 x km 떨어진 곳까지 갔다가 돌아온다고 하자.
❷ 일차부등식 세우기	(가는 데 걸리는 시간)$=\frac{x}{4}$(시간) (오는 데 걸리는 시간)$=\frac{x}{6}$(시간) 왕복하는 데 2시간 이내가 되어야 하므로 $\frac{x}{4}+\frac{x}{6}\le 2$
❸ 일차부등식 풀기	양변에 12를 곱하여 풀면 $3x+2x\le 24$, $5x\le 24$ $\quad\therefore x\le\frac{24}{5}=4.8$ 따라서 집에서 최대 **4.8 km** 떨어진 곳까지 갔다가 돌아올 수 있다.

Q 042 소금물의 농도에 관한 문제는 어떻게 해결할까?

빠른 A

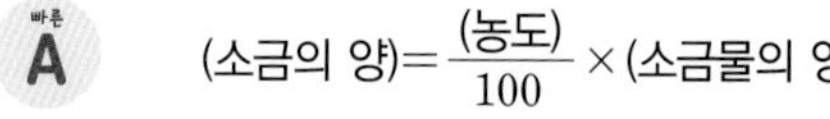

(소금의 양)$=\dfrac{(\text{농도})}{100}\times$(소금물의 양)

친절한 A

10 %의 소금물 120 g에 20 %의 소금물을 섞어서 농도가 14 % 이상인 소금물을 만들려고 한다. 20 %의 소금물을 몇 g 이상 섞어야 하는지 구해 보자.

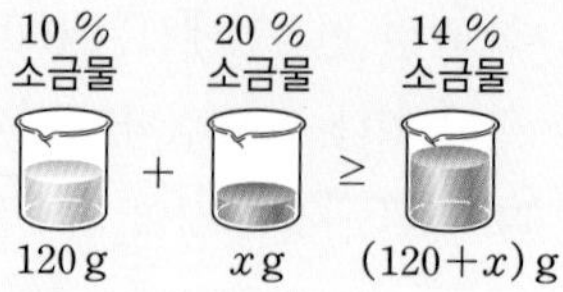

❶ 미지수 정하기	20 %의 소금물의 양을 x g이라고 하자.
❷ 일차부등식 세우기	(10 %의 소금물 120 g에 녹아 있는 소금의 양) +(20 %의 소금물 x g에 녹아 있는 소금의 양) $=\left(\dfrac{10}{100}\times120+\dfrac{20}{100}\times x\right)$g 두 소금물을 섞은 소금물의 양은 $(120+x)$ g이다. 한편 $(120+x)$g의 소금물 중 농도가 14 %인 소금물에 녹아 있는 소금의 양은 $\dfrac{14}{100}\times(120+x)$ g이다. 따라서 농도가 14 % 이상인 소금물을 만들려면 $\dfrac{10}{100}\times120+\dfrac{20}{100}\times x\geq\dfrac{14}{100}\times(120+x)$ 같은 양의 소금물일 때 소금의 양이 많은 쪽이 농도가 높겠지?
❸ 일차부등식 풀기	양변에 100을 곱하여 풀면 $1200+20x\geq14\times(120+x)$, $1200+20x\geq14x+1680$ $6x\geq480$ $\quad\therefore x\geq80$ 따라서 20 %의 소금물을 **80 g** 이상 섞어야 한다.

위에서는 소금의 양을 이용하여 일차부등식을 세웠지만 농도를 이용하여 부등식을 세울 수도 있다. 어떤 방식으로 풀어도 결과는 같기 때문에 자신에게 더 익숙한 방식을 선택하면 된다.
단, 농도를 이용하여 세운 부등식은 분모에 x가 있으므로 일차부등식은 아니라는 사실~!

❷ 부등식 세우기	두 소금물을 섞은 소금물의 양은 $(120+x)$g이고, 전체 소금의 양은$\left(\dfrac{10}{100}\times120+\dfrac{20}{100}\times x\right)$g이다. (소금물의 농도)$=\dfrac{(\text{소금의 양})}{(\text{소금물의 양})}\times100$ (%) 이때 농도가 14 % 이상이 되어야 하므로 $\dfrac{\dfrac{10}{100}\times120+\dfrac{20}{100}\times x}{120+x}\times100\geq14$
❸ 부등식 풀기	양변에 $(120+x)$를 곱하여 풀면 ← $(120+x)$가 양수이므로 양변에 $(120+x)$를 곱해도 부등호의 방향은 바뀌지 않는다. $\left(12+\dfrac{x}{5}\right)\times100\geq14(120+x)$, $1200+20x\geq1680+14x$ $20x-14x\geq1680-1200$, $6x\geq480$ $\quad\therefore x\geq80$

개념 CHECK

해설 BOOK 021쪽

개념 확인

(1) 일차부등식의 활용 문제를 푸는 순서는 다음과 같다.

❶ 미지수 정하기
⬇
❷ [ ] 세우기
⬇
❸ [ ] 풀기
⬇
❹ 확인하기

01 400원짜리 빵과 500원짜리 빵을 합하여 30개를 사고 13000원 이하로 지출하려고 할 때, 살 수 있는 500원짜리 빵의 최대 개수를 구하여라.

➡ 500원짜리 빵을 x개 산다고 하면

(1) 부등식 세우기 $\boxed{}+500x\le\boxed{}$

(2) 부등식 풀기 ______

(3) 빵은 최대 몇 개 살 수 있는지 구하기 ______

02 예진이는 3번의 수학 시험에서 77점, 87점, 92점을 받았다. 4번에 걸친 수학 시험의 평균 점수가 87점 이상이 되게 하려고 할 때, 4번째 수학 시험에서 몇 점 이상 받아야 하는지 구하여라.

➡ 4번째 수학 시험에서 받은 수학 점수를 x점이라 하면

(1) 부등식 세우기 ______

(2) 부등식 풀기 ______

(3) 4번째 수학 시험에서 몇 점 이상 받아야 하는지 구하기

______

03 연속하는 세 짝수의 합이 300보다 작다고 할 때, 가장 큰 세 짝수를 구하여라.

04 현재 준호는 15000원, 찬성이는 10000원을 저금하였다. 다음 달부터 매월 1회씩 준호는 3000원, 찬성이는 1000원씩 저금한다면 준호의 저금액이 찬성이의 저금액의 2배 이상이 되는 것은 몇 개월 후부터인지 구하여라.

자기 진단

Q 038 117쪽
일차부등식의 활용 문제에 접근하는 노하우는?

유형 EXERCISES

문제 이해도를 ☺, ☺, ☹으로 표시해 보세요.

해설 BOOK 022쪽 | 테스트 BOOK 034쪽

유형 1 부등식

다음 문장을 부등식으로 바르게 나타낸 것은?

> 어떤 수 x에 4를 곱하면
> 15보다 크거나 같다.

① $x \geq 4+15$ ② $x \geq 15 \times 4$ ③ $x+4 \geq 15$
④ $4x > 15$ ⑤ $4x \geq 15$

Summa Point
문장에서 비교하는 두 수량을 찾고, 두 수량의 대소 관계를 부등호를 써서 나타낸다.

105쪽 Q 028

1-1

다음 중 부등식인 것을 모두 고르면? (정답 2개)

① $x+3=10$ ② $2x \leq 10$ ③ $2x > x-4$
④ $3(x-2)=x$ ⑤ $5x-1$

1-2

다음 중 문장을 부등식으로 나타낸 것으로 옳지 않은 것은?

① x의 3배에서 2를 뺀 수는 x의 4배보다 작지 않다.
➡ $3x-2 \geq 4x$
② x의 4배와 y의 2배를 더한 것은 x와 y의 합보다 크다.
➡ $4x+2y > x+y$
③ x km의 거리를 시속 10 km로 달리면 2시간보다 적게 걸린다. ➡ $\frac{x}{10} < 2$
④ 8 %의 소금물 x g에 녹아 있는 소금의 양은 6 g 이하이다. ➡ $8x \leq 6$
⑤ 한 개에 600원인 볼펜 x개와 한 개에 400원인 연필 2개의 총 가격은 4000원을 넘지 않는다.
➡ $600x+800 \leq 4000$

유형 2 부등식의 해

x의 값이 2일 때, 다음 부등식 중 참이 되는 것을 모두 고르면? (정답 2개)

① $x+3 < 2x+1$ ② $2x \leq 9$
③ $5-2x > 1$ ④ $\frac{x}{4} \geq 0$
⑤ $x \leq -3$

Summa Point
x의 값을 대입할 때 부등호가 성립하면 참인 부등식이다.

106쪽 Q 030

2-1

다음 중 [ ] 안의 수가 주어진 부등식의 해인 것을 모두 고르면? (정답 2개)

① $6x-2 \geq 5$ [0] ② $x+5 < 8$ [1]
③ $x \leq 4x-2$ [2] ④ $-2x \geq x+2$ [1]
⑤ $\frac{x+1}{2} > 3$ [2]

2-2

다음 중 [ ] 안의 수가 주어진 부등식의 해가 아닌 것은?

① $x+2 < 4$ [1] ② $-2x+3 \geq 6$ [-3]
③ $3x > 2x-1$ [-1] ④ $-2x \leq x+3$ [2]
⑤ $x-8 \leq 5x+1$ [0]

2-3

x의 값이 자연수일 때, 부등식 $4x-3 < x+6$의 해의 개수를 구하여라.

유형 3 부등식의 성질

$a>b$일 때, 다음 중 옳은 것은?

① $-a>-b$ ② $a-c<b-c$

③ $-a+c>-b+c$ ④ $c<0$이면 $ac>bc$

⑤ $c>0$이면 $\frac{a}{c}>\frac{b}{c}$

Summa Point

$a<b$일 때

① $\begin{cases} a+c<b+c \\ a-c<b-c \end{cases}$ ② $c>0$이면 $ac<bc$, $\frac{a}{c}<\frac{b}{c}$

③ $c<0$이면 $ac>bc$, $\frac{a}{c}>\frac{b}{c}$

107쪽 Q 031

3-1

다음 중 $a<b$, $c>0$, $d<0$일 때 항상 성립하는 것은?

① $a-c>b-c$ ② $a-d<b-d$

③ $\frac{ac}{d}<\frac{bc}{d}$ ④ $\frac{ad}{c}<\frac{bd}{c}$

⑤ $\frac{a-c}{d}<\frac{b-c}{d}$

3-2

다음 중 □ 안에 알맞은 부등호의 방향이 나머지 넷과 다른 하나는?

① $a+2<b+2$이면 a □ b이다.

② $3a-2<3b-2$이면 a □ b이다.

③ $-a-\frac{1}{4}>-b-\frac{1}{4}$이면 a □ b이다.

④ $1-\frac{a}{6}<1-\frac{b}{6}$이면 a □ b이다.

⑤ $\frac{a-3}{2}<\frac{b-3}{2}$이면 a □ b이다.

유형 4 식의 값의 범위

$-1\le x<3$일 때, $6-4x$의 값의 범위는?

① $-9<6-4x\le 11$ ② $-9\le 6-4x<11$

③ $-6<6-4x\le 10$ ④ $-6\le 6-4x<10$

⑤ $-5<6-4x\le 15$

Summa Point

x의 값의 범위가 주어지고 $ax+b$의 값의 범위를 구할 때는 부등식의 성질을 이용하여 x ➡ ax ➡ $ax+b$의 순서대로 식의 값의 범위를 구한다.

109쪽 Q 032

4-1

$-3\le x\le 4$일 때, $a\le 2x\le b$이다. 이때 $b-a$의 값을 구하여라.

4-2

$-2<a\le 4$일 때, 다음 식의 값의 범위를 구하여라.

(1) $a+3$ (2) $-2a$

(3) $\frac{a}{2}$ (4) $-\frac{a}{4}-\frac{1}{2}$

4-3

$-3<x<6$이고 $A=1-\frac{2}{3}x$일 때, A의 값의 범위는 $a<A<b$이다. 이때 $b-a$의 값을 구하여라.

유형 5 일차부등식의 풀이

일차부등식 $\frac{1}{2}x-0.5<0.3x+\frac{3}{10}$을 만족시키는 자연수 x의 개수는?

① 3 ② 4 ③ 5
④ 6 ⑤ 7

Summa Point
x를 포함한 항은 좌변으로, 상수항은 우변으로 이항하고, x의 계수로 양변을 나눈다. 이때 계수가 분수나 소수이면 정수로 먼저 고친다.

112쪽 Q035

유형 6 조건을 만족시키는 미지수 구하기

일차부등식 $(a-5)x+8\geq 23$의 해를 수직선 위에 나타내면 오른쪽 그림과 같을 때, 상수 a의 값을 구하여라.

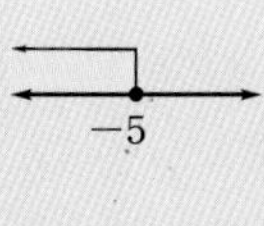

Summa Point
일차부등식을 풀어 수직선 위에 나타낸 해와 비교한다.

115쪽 Q037

5-1

다음 일차부등식 중 해가 $x<-4$인 것은?

① $7-2x<-1$ ② $x<8-3x$
③ $4x+3>2x+15$ ④ $3x-5<-x+7$
⑤ $5x-11>8x+1$

5-2

다음 중 일차부등식의 해를 수직선 위에 나타내었을 때, 오른쪽 그림과 같은 것은?

2

① $3x+2<-7$ ② $1-2x<-3$
③ $6+4x\leq 8x+4$ ④ $0.6x+0.7\leq 0.2x-0.5$
⑤ $\frac{1}{4}-\frac{1}{8}x\geq-\frac{1}{2}x+1$

5-3

일차부등식 $0.2(x+1)-\frac{x-3}{4}>-\frac{1}{2}$을 풀어라.

6-1

일차부등식 $6(x-1)+4\geq 8x+k$의 해가 $x\leq 2$일 때, 상수 k의 값을 구하여라.

6-2

일차부등식 $4x-a\leq 2x$를 만족하는 자연수 x의 개수가 3일 때, 상수 a의 값의 범위를 구하여라.

6-3

일차부등식 $2x-(ax+4)>5$의 해가 $x<-3$일 때, 상수 a의 값을 구하여라.

유형 7 일차부등식의 활용

어떤 수 x를 3배 하여 10을 뺀 수는 1에서 x를 빼어 4배 한 수보다 크지 않다고 할 때, 이를 만족시키는 자연수 x의 개수를 구하여라.

Summa Point

주어진 조건에 맞도록 x에 대한 식을 세운다.

117쪽 Q 038

7-1

한 개에 2000원인 사과와 한 개에 1000원인 귤을 섞어서 15개를 사고 그 값은 25000원 이하가 되게 하려고 한다. 살 수 있는 사과의 최대 개수는?

① 7 ② 8 ③ 9
④ 10 ⑤ 11

7-2

학교 앞 A 문구점에서 1000원에 판매하는 공책을 멀리 떨어져 있는 B 문구점에서는 900원에 판매하고 있다. B 문구점에 다녀오려면 2500원의 교통비가 든다고 할 때, 몇 권 이상의 공책을 사면 B 문구점에서 사는 것이 유리한지 구하여라.

7-3

이룸이는 3회의 수학 시험에서 각각 82점, 91점, 95점을 받았다. 다음 시험에서 몇 점 이상을 받으면 4회에 걸친 평균 성적이 90점 이상이 되는지 구하여라.

7-4

한 모서리의 길이가 각각 3 cm, 5 cm인 두 종류의 정육면체 모양의 블록을 합쳐서 한 줄로 10개를 쌓아 높이가 45 cm 이상이 되게 하려고 한다. 한 모서리의 길이가 5 cm인 블록을 최소한 몇 개 사용해야 하는지 구하여라.

7-5

3 %의 소금물 400 g이 있다. 이 소금물의 농도가 5 % 이상이 되려면 몇 g 이상의 물을 증발시켜야 하는지 구하여라.

7-6

A 지점에서 출발하여 14 km 떨어진 B 지점을 향하여 시속 12 km로 자전거를 타고 가는 도중에 자전거가 고장이 나서 나머지는 시속 5 km로 걸어갔다. B 지점에 도착하는 데 걸린 시간이 2시간 20분 이하라고 할 때, 자전거가 고장이 난 곳은 A 지점에서 몇 km 이상 떨어진 곳인지 구하여라.

7-7

어느 전시회의 1인당 입장료가 어른은 2000원, 어린이는 800원이라고 한다. 어른과 어린이를 합하여 20명이 20000원 이하로 전시회를 관람하려면 어른은 최대 몇 명까지 입장할 수 있는지 구하여라.

중단원 EXERCISES

해설 BOOK 025쪽 | 테스트 BOOK 038쪽

Step 1 | 내·신·기·본

01 '어떤 수 x의 3배에서 6을 뺀 수는 x에서 5를 뺀 수의 2배보다 크다.'를 부등식으로 나타내면?

① $3(x-6)>2x-5$
② $3x-6\geq 2x-5$
③ $3x-6<2(x-5)$
④ $3(x-6)<2(x-5)$
⑤ $3x-6>2(x-5)$

02 다음 중 옳지 않은 것은?

① $a<b$이면 $a+c<b+c$이다.
② $-\frac{1}{2}a>-\frac{1}{2}b$이면 $a<b$이다.
③ $-3a+1<-3b+1$이면 $1-\frac{a}{3}>1-\frac{b}{3}$이다.
④ $a<b$이고, $c>0$이면 $ac<bc$이다.
⑤ $b<a<0$이면 $c-a<c-b$이다.

03 $a<0$, $b>0$, $a+b<0$일 때, 다음 수들의 대소 관계를 부등호를 사용하여 나타내어라.

$a, b, -a, -b$

04 $-1<a<3$에 대하여 $m<5-2a<n$일 때, $m-n$의 값은?

① 8 ② -8 ③ 5
④ -5 ⑤ 0

05 다음 보기 중 일차부등식을 모두 고른 것은?

보기

ㄱ. $x^2+5x<x^2-1$ ㄴ. $x^2+2<3x$
ㄷ. $2x-9<5+2x$ ㄹ. $4(x-5)\geq -x$
ㅁ. $x^2-x+1<2x^2$

① ㄱ, ㄹ ② ㄷ, ㄹ ③ ㄱ, ㄷ, ㄹ
④ ㄴ, ㄷ, ㅁ ⑤ ㄴ, ㄹ, ㅁ

06 일차부등식 $5x-2>4+3x$의 해를 수직선 위에 바르게 나타낸 것은?

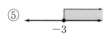

① (수직선: 3, 빈 점, 오른쪽) ② (수직선: 3, 빈 점, 왼쪽)
③ (수직선: 3, 찬 점, 왼쪽) ④ (수직선: 3, 찬 점, 오른쪽)
⑤ (수직선: -3, 찬 점, 오른쪽)

07 일차부등식 $x-2<3(x-2)+2$를 풀어라.

08 부등식 $\frac{x-3}{4}<\frac{x-1}{2}$을 만족하는 가장 작은 정수 x의 값은?

① 1 ② 2 ③ -1
④ -2 ⑤ 0

09 일차부등식 $-0.1x-\frac{7}{2}>\frac{4}{5}x+1.9$를 만족하는 x의 값 중 가장 큰 정수를 구하여라.

10 $a<0$일 때, x에 대한 일차부등식 $ax-1\leq 5$의 해를 구하여라.

11 일차부등식 $2x-a\leq 3$을 만족하는 자연수 x가 4개일 때, 상수 a의 값의 범위는?

① $3<a\leq 5$ ② $5<a\leq 7$
③ $5\leq a<7$ ④ $5\leq a<8$
⑤ $7<a<9$

12 두 일차부등식

$$x-10<4(x+5),\ -0.2x<a+0.1x$$

의 해가 서로 같을 때, 상수 a의 값을 구하여라.

13 어떤 자연수 x를 2배한 후 6을 더하여도 18을 넘지 않을 때, 자연수 x의 값의 합을 구하여라.

14 삼각형의 세 변의 길이가 각각 $x+1$, $2x+2$, $2x+7$일 때, x의 값의 범위는? (단, $x>0$)

① $x>1$ ② $x>3$ ③ $1<x<3$
④ $x>4$ ⑤ $3<x<4$

15 A지점에서 11 km 떨어진 B지점으로 가는데, 처음에는 시속 3 km로 가다가 도중에 시속 4 km로 남은 거리를 가서 출발한 후 3시간 이내에 B지점에 도착하려고 한다. A지점으로부터 최대 몇 km 떨어진 곳까지 시속 3 km로 갈 수 있는지 구하여라.

Step 2 | 내·신·발·전

16 $6x+3y=2$이고, $-3\le x<\frac{1}{2}$일 때, y의 값의 범위는 $a<y\le b$이다. 이때 $a+b$의 값은?

① 5 ② $\frac{16}{3}$ ③ $\frac{17}{3}$

④ 6 ⑤ $\frac{19}{3}$

17 x가 $|x|\le 2$인 정수일 때, 부등식 $x-1<4x+3$의 해의 개수를 구하여라.

18 부등식 $ax-3\le b(x-4)$에 대한 다음 설명 중 옳지 않은 것은?

① $a=b$, $b>\frac{3}{4}$이면 해가 없다.

② $a>b$이면 해는 $x\le\frac{3-4b}{a-b}$이다.

③ $a<b$이면 해는 $x\ge\frac{4b-3}{a-b}$이다.

④ $a=b$, $b<\frac{3}{4}$이면 해는 모든 수이다.

⑤ $a=3$, $b=\frac{1}{2}$일 때, 부등식을 만족하는 자연수 x는 없다.

19 부등식 $(2a-b)x-a+3b<0$의 해가 $x>\frac{4}{3}$일 때, 부등식 $(a-2b)x+5a-b<0$의 해를 구하여라.

20 사진을 6장 현상하는 데 4000원이고, 한 장씩 추가할 때마다 200원씩 더 받는다고 한다. 사진을 최소한 몇 장 이상 현상하면 1장의 가격이 400원 이하가 되는지 구하여라.

21 A, B 2개의 물탱크에서 물을 빼고 있다. 각 탱크마다 10분에 50 L씩 물을 뺀다고 한다. 현재 A에는 600 L, B에는 400 L의 물이 들어 있다. 몇 분 후에 A의 물의 양이 B의 물의 양의 3배 이상이 되는지 구하여라.

연립방정식

SUMMA NOTE

1. 미지수가 2개인 일차방정식

(1) 미지수가 x, y 2개인 일차방정식은 다음과 같이 나타낼 수 있다.

$$\boldsymbol{ax+by+c=0}\ (a,\ b,\ c\text{는 상수},\ a\neq0,\ b\neq0)$$

(2) 일차방정식 $ax+by+c=0$ $(a\neq0,\ b\neq0)$을 만족하는 x, y의 값 또는 순서쌍 $(x,\ y)$를 이 방정식의 해라고 한다.

(3) 일차방정식의 해를 구하는 것을 일차방정식을 푼다고 한다.

2. 미지수가 2개인 연립일차방정식

(1) 미지수가 2개인 두 일차방정식을 한 쌍으로 묶어 놓은 것을 미지수가 2개인 연립일차방정식 또는 연립방정식이라고 한다.

$$\begin{cases} ax+by=c \\ a'x+b'y=c' \end{cases}$$

(2) 연립방정식에서 두 일차방정식을 동시에 만족하는 x, y의 값 또는 순서쌍 $(x,\ y)$를 연립방정식의 해라고 한다.

(3) 연립방정식의 해를 구하는 것을 연립방정식을 푼다고 한다.

1. 미지수가 2개인 일차방정식

중1에서 우리는 미지수가 1개인 일차방정식을 배웠다. 미지수가 1개라는 말은 우리가 주목해야 하는 대상이 한 가지임을 말한다. 미지수가 1개인 일차방정식의 문제는 등식의 성질을 통해 간단히 해결할 수 있다.

어떤 수에 3을 더하면 10이래.
어떤 수는 얼마일까?

어떤 수를 x라고 하면
$x+3=10$ ➡ $x=7$
어떤 수는 7이야!

이 단원에서 배울 방정식도 일차방정식이다. 하지만 미지수가 1개가 아니라 2개라는 점, 즉 우리가 주목해야 하는 대상이 두 가지임을 말한다.

Q 043 미지수가 2개인 일차방정식은 어떤 꼴인가?

$ax+by+c=0$ 꼴!

'한 자루에 600원 하는 펜 x자루와 한 개에 400원 하는 지우개 y개의 값의 합은 3400원이다.' 를 식으로 나타내면

$$600x+400y=3400$$

이다. 이 식은 미지수 x, y에 따라 참이 되기도 하고 거짓이 되기도 하므로 방정식이다. 이때 각 미지수의 차수가 1이므로 일차방정식이다.

이와 같이 미지수가 2개이고, 그 차수가 모두 1인 방정식을 미지수가 2개인 일차방정식이라고 한다. 일반적으로 미지수가 x, y 2개인 일차방정식은 다음과 같이 나타낼 수 있다.

$$ax+by+c=0 \ (a,\ b,\ c\text{는 상수},\ a\neq0,\ b\neq0)$$

주어진 식이 미지수가 x, y 2개인 일차방정식인지 확인할 때는 모든 항을 좌변으로 이항하여 $ax+by+c=0$ $(a\neq0,\ b\neq0)$의 꼴인지 보면 된다.

$x+y=3+x$와 같은 경우 언뜻 보면 미지수가 x, y 2개인 일차방정식으로 보이지만 우변의 모든 항을 좌변으로 이항하여 정리해 보면 미지수가 y 1개인 일차방정식임을 알 수 있다.

$$x+y-3-x=0 \Rightarrow y-3=0$$

따라서 미지수가 2개인 일차방정식인지 확인할 때는 다음을 모두 체크하자.

① 등식인가? ② 미지수가 2개인가? ③ 미지수가 모두 1차인가?

예제 13 미지수가 2개인 일차방정식인 것에는 ○표, 아닌 것에는 ×표를 하여라.

(1) $x-2y+2$ ( )

(2) $x-2y+3=0$ ( )

(3) $x-2y^2+1=0$ ( )

(4) $x-2y=-x+y+3$ ( )

(5) $x+2y+2=2x+2y+4$ ( )

풀이 (1) × (2) ○ (3) × (4) ○ (5) ×

(4) 정리하면 $2x-3y-3=0$ (5) 정리하면 $x+2=0$

| 참고 | x에 대한 일차방정식 ➡ $ax+b=0\ (a\neq0)$

y에 대한 일차방정식 ➡ $ay+b=0\ (a\neq0)$

x, y에 대한 일차방정식 ➡ $ax+by+c=0\ (a\neq0,\ b\neq0)$

Q044 미지수가 2개인 일차방정식의 해는 어떻게 나타낼까?

$x=a$, $y=b$ 또는 (a, b)

미지수가 2개인 일차방정식을 만족하는 x, y의 값을 미지수가 2개인 **일차방정식의 해**라 하고, 일차방정식의 해를 모두 구하는 것을 **일차방정식을 푼다**고 한다.
미지수가 x, y 2개인 일차방정식의 해는 $\boldsymbol{x=a}$, $\boldsymbol{y=b}$ 꼴 또는 순서쌍 $\boldsymbol{(a, b)}$로 나타낸다.
순서쌍으로 나타낼 때에는 점의 좌표에서와 마찬가지로 x, y의 순서에 맞추어 써야 한다.

미지수가 2개인 일차방정식 $2x+y=10$의 해를 구해 보자.
일단 x에 몇 개의 수를 대입하여 y의 값을 구하면 다음 표와 같다.

x	⋯	0	1	2	3	4	5	6	⋯
y	⋯	10	8	6	4	2	0	-2	⋯

위의 표에서 보면 x, y가 자연수일 때 $2x+y=10$의 해는 다음과 같다.

$$(1, 8), (2, 6), (3, 4), (4, 2)$$

그런데 x의 값이 수 전체라면 순서쌍 (x, y)는 무수히 많이 나온다. 즉

x, y가 수 전체라면 미지수가 2개인 일차방정식의 해는 무수히 많다.

이처럼 미지수가 2개인 일차방정식은 미지수가 1개인 일차방정식과 달리 해가 여러 개일 수 있다는 점 기억하자!

예제 14 다음 물음에 답하여라.

(1) x, y가 자연수일 때 방정식 $x+y=5$의 해를 구하여라.

(2) $ax+y=3$의 한 해가 $(2, -5)$일 때, 상수 a의 값을 구하여라.

풀이 (1) $(1, 4)$, $(2, 3)$, $(3, 2)$, $(4, 1)$

(2) $x=2$, $y=-5$를 $ax+y=3$에 대입하면 $2a-5=3$ $\therefore$ $\boldsymbol{a=4}$

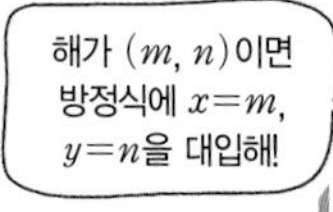

해가 (m, n)이면
방정식에 $x=m$,
$y=n$을 대입해!

2. 미지수가 2개인 연립일차방정식

미지수가 2개인 두 일차방정식을 한 쌍으로 묶어서 나타낸 것을 미지수가 2개인 **연립일차방정식** 또는 **연립방정식**이라고 한다.

↳ 연립: 여럿이 어울려 서거나 그렇게 서서 하나의 형태로 만드는 것

연립방정식

$$\begin{cases} ax+by=c \\ a'x+b'y=c' \end{cases}$$

Q 045 미지수가 2개인 연립일차방정식을 푼다는 말은?

빠른 A 두 일차방정식을 동시에 만족하는 x, y의 값을 구한다는 말!

친절한 A 두 일차방정식을 동시에 만족하는 x, y의 값 또는 그 순서쌍 (x, y)를 연립방정식의 해라 하고, 연립방정식의 해를 구하는 것을 연립방정식을 푼다고 한다.

x, y가 자연수일 때, 연립방정식 $\begin{cases} x+y=4 \\ 2x+y=7 \end{cases}$을 풀어 보면 다음과 같다.

단계 1 두 일차방정식의 해를 각각 구한다.

$x+y=4$의 해

x	1	2	3
y	3	2	1

$2x+y=7$의 해

x	1	2	3
y	5	3	1

단계 2 두 일차방정식의 공통인 해를 찾는다.

표에서 두 일차방정식을 모두 만족하는 x, y의 값을 찾으면 $x=3$, $y=1$이다.
따라서 주어진 연립방정식의 해는 $x=3$, $y=1$이다.

예제 15 x, y가 자연수일 때, 연립방정식 $\begin{cases} x+2y=5 \\ 2x+3y=8 \end{cases}$을 풀어라.

풀이 $x+2y=5$의 해는 $(1, 2)$, $(3, 1)$이고 $2x+3y=8$의 해는 $(1, 2)$이다.
따라서 주어진 연립방정식의 해는 **(1, 2)**이다.

주어진 해를 두 일차방정식에 각각 대입하면 등식이 모두 성립하므로 문자로 주어진 상수의 값을 구할 수 있다.

예제 16 연립방정식 $\begin{cases} x+ay=4 & \cdots\cdots ㉠ \\ bx+3y=3 & \cdots\cdots ㉡ \end{cases}$의 해가 $(3, -1)$일 때, 상수 a, b의 값을 구하여라.

풀이 $x=3$, $y=-1$을 ㉠에 대입하면 $3-a=4$ $\quad\therefore$ $\boldsymbol{a=-1}$
$x=3$, $y=-1$을 ㉡에 대입하면 $3b-3=3$ $\quad\therefore$ $\boldsymbol{b=2}$

개념 CHECK

해설 BOOK 026쪽

개념 확인

(1) $x+2y+3=0$은 미지수가 □ 개인 □ 방정식이다.

(2) 일차방정식의 해가 (m, n)이다.
➡ $x=$□, $y=$□을 일차방정식에 대입하면 등식이 성립한다.

01 다음 보기 중 미지수가 2개인 일차방정식을 모두 골라라.

보기
ㄱ. $3x+5=-y$ ㄴ. $x+2y-3=0$
ㄷ. $x^2-2y=1$ ㄹ. $2x+y=2x+6$

02 x, y가 자연수일 때, 일차방정식 $2x+5y=30$의 해를 구하여라.

03 다음 보기 중 $(1,\ 4)$를 해로 갖는 연립방정식을 모두 골라라.

보기
ㄱ. $\begin{cases} 5x+3y=2 \\ 2x-4y=6 \end{cases}$ ㄴ. $\begin{cases} 2x+y=6 \\ 3x-2y=0 \end{cases}$
ㄷ. $\begin{cases} 3x-2y=-5 \\ 5x+y=9 \end{cases}$ ㄹ. $\begin{cases} 2x-y=-2 \\ 4x-3y=-8 \end{cases}$

04 x, y가 자연수일 때, 연립방정식 $\begin{cases} x+y=6 \\ x-y=2 \end{cases}$의 해를 구하여라.

05 연립방정식 $\begin{cases} x-2y=a \\ bx+3y=9 \end{cases}$의 해가 $x=6$, $y=-3$일 때, 상수 a, b의 값을 각각 구하여라.

자기 진단

Q 043 130쪽
미지수가 2개인 일차방정식은 어떤 꼴인가?

Q 045 132쪽
미지수가 2개인 연립일차방정식을 푼다는 말은?

연립방정식의 풀이

SUMMA CUM LAUDE

SUMMA NOTE

1. 연립방정식의 풀이

(1) 대입법 : 한 방정식을 소거할 미지수에 대하여 풀고, 그 식을 다른 방정식에 대입하여 연립방정식의 해를 구하는 방법

(2) 가감법 : 두 방정식을 변끼리 더하거나 빼어서 한 미지수를 소거하여 연립방정식의 해를 구하는 방법

(3) 복잡한 연립방정식의 풀이

① 괄호가 있는 연립방정식은 먼저 괄호를 풀고 식을 간단히 한 후 푼다.

② 계수가 소수이거나 분수인 연립방정식은 계수를 정수로 고쳐서 푼다.

(4) $A=B=C$ 꼴의 방정식의 풀이 : 다음 세 연립방정식 중 하나로 고쳐서 푼다.

$$\begin{cases} A=B \\ B=C \end{cases}, \begin{cases} A=B \\ A=C \end{cases}, \begin{cases} A=C \\ B=C \end{cases}$$

2. 해가 특수한 연립방정식

연립방정식에서 하나의 방정식의 양변에 적당한 수를 곱하였을 때

(1) 다른 방정식과 같아지면 ➡ 연립방정식은 해가 무수히 많다.

(2) 다른 방정식과 x, y의 계수는 각각 같으나 상수항이 다르면 ➡ 연립방정식은 해가 없다.

1. 연립방정식의 풀이

앞 단원에서 연립방정식의 해를 구할 때 대응표를 만들어 일일이 각 일차방정식의 해를 구한 다음, 공통인 해를 찾았다.

$x+y=4$의 해

x	1	2	3
y	3	2	1

$2x+y=7$의 해

x	1	2	3
y	5	3	1

그런데 이는 사실 쉬운 일이 아니다. 하나하나 해를 찾는 것도 그렇지만 공통인 해가 무엇인지 찾는 것은 모래밭에서 바늘을 찾는 것과 마찬가지이기 때문이다.

하지만 다행히도 연립방정식을 쉽게 풀 수 있는 방법이 있다. 이는 수많은 수학자들의 노력 덕분이다.

연립방정식의 해를 구하는 방법의 핵심은

미지수 2개 중 하나를 없애 미지수가 1개인 일차방정식으로 바꾸는 것이다.

x, y 두 미지수 중 하나를 없애는 것을 그 미지수를 소거한다고 하는데 미지수를 소거하는 방법으로 **대입법**과 **가감법**이 이용된다. 이들을 이용하여 어떻게 연립방정식의 해를 구하는지 지금부터 알아보자.

Q 046 대입법이란?

하나의 식을 다른 방정식에 대입하여 미지수를 소거하는 방법!

여기서 우리는 하나의 식을 다른 식에 대입해 볼 것이다. 식을 대입하고 나면 미지수가 줄어들게 되는데 이를 연립방정식에 이용한 것이 **대입법**이다. 즉, 대입법을 이용하여 연립방정식을 푸는 것은 연립방정식의 한 방정식을 소거할 미지수에 대하여 풀고, 그 식을 다른 방정식에 대입하여 연립방정식의 해를 구하는 것이다.

$y=x+1$
↓ 대입
$x+2y=5$
➡ $x+2(x+1)=5$

다음은 대입법을 이용하여 연립방정식의 해를 구하는 과정이다.

연립방정식	$\begin{cases} x-3y=0 & \cdots\cdots ㉠ \\ 4x-y=-11 & \cdots\cdots ㉡ \end{cases}$	
작전	x를 소거한다.	y를 소거한다.
실행	㉠을 x에 대하여 풀면 $x=3y$ $x=3y$를 ㉡에 대입하면 $4\times 3y-y=-11$ $11y=-11$ $\quad\therefore y=-1$	㉡을 y에 대하여 풀면 $y=4x+11$ $y=4x+11$을 ㉠에 대입하면 $x-3(4x+11)=0$ $-11x=33$ $\quad\therefore x=-3$
결과	$y=-1$을 $x=3y$에 대입하면 $x=-3$ $\therefore x=-3, y=-1$	$x=-3$을 $x=3y$에 대입하면 $y=-1$ $\therefore x=-3, y=-1$

대입법은 보통 대입하기 좋은 형태, 즉 $y=(\quad)$, $x=(\quad)$ 꼴로 주어져 있거나 그 꼴로 고치기 쉬울 때 사용하면 좋다.

예제 17 다음 연립방정식을 대입법을 이용하여 풀어라.

(1) $\begin{cases} x=y+2 & \cdots\cdots ㉠ \\ 2x-3y=3 & \cdots\cdots ㉡ \end{cases}$ (2) $\begin{cases} 9-3x=y & \cdots\cdots ㉠ \\ x-2y=-4 & \cdots\cdots ㉡ \end{cases}$

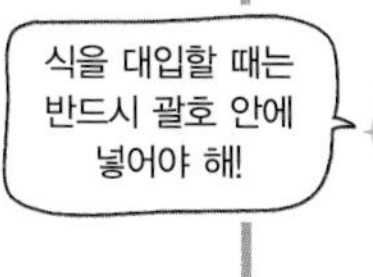

풀이 (1) $x=y+2$를 ㉡에 대입하면 $2(y+2)-3y=3$, $-y=-1$ $\quad\therefore \boldsymbol{y=1}$
$y=1$을 ㉠에 대입하면 $\boldsymbol{x=3}$
(2) $y=9-3x$를 ㉡에 대입하면 $x-2(9-3x)=-4$, $7x=14$ $\quad\therefore \boldsymbol{x=2}$
$x=2$를 ㉠에 대입하면 $\boldsymbol{y=3}$

Q 047 가감법이란? 

빠른 A 두 방정식을 더하거나 빼어서 하나의 미지수를 소거하는 방법!

친절한 A 가감법이란 단어 그대로 '더하거나 빼는 방법' 이다. 즉, 다음과 같이 두 등식을 나란히 놓고 변끼리 더하거나 빼는 방법이다.

가

$$\begin{array}{rr} & A=B \\ +) & C=D \\ \hline & A+C=B+D \end{array}$$

감

$$\begin{array}{rr} & A=B \\ -) & C=D \\ \hline & A-C=B-D \end{array}$$

하지만 연립방정식을 풀 때, 무작정 더하거나 빼면 안된다. 가감을 하는 목적은 하나의 미지수를 소거하는 것이다. 즉, 가감법을 이용하여 연립방정식을 푼다는 것은 두 일차방정식을 변끼리 더하거나 빼어서 하나의 미지수를 소거하여 연립방정식의 해를 구하는 것을 말한다.

다음은 가감법을 이용하여 연립방정식의 해를 구하는 과정이다.

연립방정식	$\begin{cases} x-y=6 \\ x+y=8 \end{cases}$	
작전	y를 소거한다.	x를 소거한다.
실행	두 식을 변끼리 더한다. $\begin{array}{rr} & x-y=6 \\ +) & x+y=8 \\ \hline & 2x \quad =14 \end{array}$ $\therefore x=7$	두 식을 변끼리 뺀다. $\begin{array}{rr} & x-y=6 \\ -) & x+y=8 \\ \hline & -2y=-2 \end{array}$ $\therefore y=1$
결과	$x=7$을 한 식에 대입하면 $y=1$ $\therefore x=7, y=1$	$y=1$을 한 식에 대입하면 $x=7$ $\therefore x=7, y=1$

어느 미지수를 소거하여 풀더라도 해는 다르지 않다. 다만 x, y의 계수를 비교하여

계수의 절댓값이 같은 미지수가 있으면 그 미지수를 소거하자.

예제 18 다음 연립방정식을 가감법을 이용하여 풀어라.

(1) $\begin{cases} x+y=2 & \cdots\cdots ㉠ \\ 2x-y=1 & \cdots\cdots ㉡ \end{cases}$　　(2) $\begin{cases} 5x-3y=11 & \cdots\cdots ㉠ \\ 5x-4y=13 & \cdots\cdots ㉡ \end{cases}$

풀이 (1) y의 계수의 절댓값이 같다. ➡ ㉠+㉡을 하면 $3x=3$　$\therefore$ $\boldsymbol{x=1}$

$x=1$을 ㉠에 대입하면 $\boldsymbol{y=1}$

(2) x의 계수의 절댓값이 같다. ➡ ㉠−㉡을 하면 $\boldsymbol{y=-2}$

$y=-2$를 ㉠에 대입하면 $5x+6=11$, $5x=5$　$\therefore$ $\boldsymbol{x=1}$

한편 계수의 절댓값이 같은 미지수가 없을 때에는 다음과 같이 최소공배수를 이용하여 계수의 절댓값이 같게 만들어 주면 된다.

<table>
<tr><td>연립방정식</td><td colspan="2">$\begin{cases} 4x-3y=5 & \cdots\cdots ㉠ \\ 3x+2y=8 & \cdots\cdots ㉡ \end{cases}$</td></tr>
<tr><td>작전</td><td>y를 소거한다.</td><td>x를 소거한다.</td></tr>
<tr><td>실행 1</td><td>㉠×2, ㉡×3을 하여
y의 계수의 절댓값을 6으로 같게 만든다.
$\begin{cases} 8x-6y=10 & \cdots\cdots ㉠\times 2 \\ 9x+6y=24 & \cdots\cdots ㉡\times 3 \end{cases}$</td><td>㉠×3, ㉡×4를 하여
x의 계수의 절댓값을 12로 같게 만든다.
$\begin{cases} 12x-9y=15 & \cdots\cdots ㉠\times 3 \\ 12x+8y=32 & \cdots\cdots ㉡\times 4 \end{cases}$</td></tr>
<tr><td>실행 2</td><td>두 식을 변끼리 더하면
$17x=34 \quad \therefore x=2$</td><td>두 식을 변끼리 빼면
$-17y=-17 \quad \therefore y=1$</td></tr>
<tr><td>결과</td><td>$x=2$를 ㉠에 대입하면 $y=1$
$\therefore x=2, y=1$</td><td>$y=1$을 ㉠에 대입하면 $x=2$
$\therefore x=2, y=1$</td></tr>
</table>

예제 19 **연립방정식 $\begin{cases} 3x-2y=8 & \cdots\cdots ㉠ \\ 2x+5y=-1 & \cdots\cdots ㉡ \end{cases}$을 보고, □ 안에 알맞게 써넣어라.**

(1) y를 소거할 때 필요한 식 ➡ ㉠×□+㉡×2

(2) x를 소거할 때 필요한 식 ➡ ㉠×2−㉡×□

(3) 연립방정식의 해 ➡ $x=$□, $y=$□

풀이 (1) 5 (2) 3 (3) 2, -1

대입법이나 가감법 중 어떤 방법으로 풀어도 연립방정식의 해는 같으므로 주어진 연립방정식의 모양을 보고 적절한 방법을 선택하도록 하자. 보통

① 연립방정식의 두 방정식 중 어느 하나가 $x=\sim$ 또는 $y=\sim$ 꼴이거나 하나의 미지수에 대한 식으로 정리하기 쉬울 때는 대입법을 이용하고,

② 이외의 경우에는 가감법을 이용한다.

THINK Math

등치법이란?

등치법이란 $A=B$이고 $A=C$이면 $B=C$임을 이용하여 연립방정식의 해를 구하는 방법이다.
오른쪽 연립방정식에서 두 방정식의 좌변이 같으므로 우변인 $x+1$과 $3x-5$의 값이 같아야 한다. 즉, $x+1=3x-5$
그런데 이 방법은 ㉠을 ㉡에 대입하여 푸는 것과 다르지 않아 보통 대입법에 포함시켜 생각한다.

$\begin{cases} y=x+1 & \cdots\cdots ㉠ \\ y=3x-5 & \cdots\cdots ㉡ \end{cases}$

⬇

$x+1=3x-5$

Q 048 복잡한 연립방정식은 어떻게 풀까?

괄호를 풀거나 계수를 정수로 바꾸어 간단히 한다.

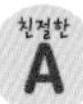

괄호가 있거나 계수가 정수가 아닌 연립방정식은 먼저 괄호를 풀거나 계수를 정수로 바꾸어 간단히 나타내어야 한다. 그 다음 가감법이나 대입법을 이용하여 풀면 된다.

(1) 괄호가 있는 연립방정식의 경우

분배법칙을 이용하여 괄호를 풀고 동류항끼리 모아서 간단히 정리한 후 푼다.

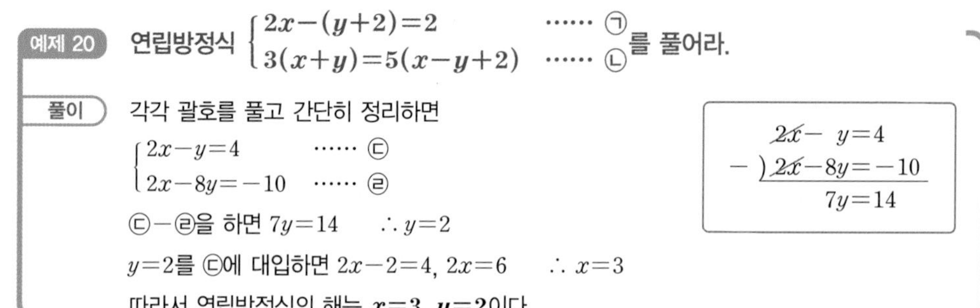

예제 20 연립방정식 $\begin{cases} 2x-(y+2)=2 & \cdots\cdots ㉠ \\ 3(x+y)=5(x-y+2) & \cdots\cdots ㉡ \end{cases}$를 풀어라.

풀이 각각 괄호를 풀고 간단히 정리하면

$\begin{cases} 2x-y=4 & \cdots\cdots ㉢ \\ 2x-8y=-10 & \cdots\cdots ㉣ \end{cases}$

㉢−㉣을 하면 $7y=14$ $\quad \therefore y=2$

$y=2$를 ㉢에 대입하면 $2x-2=4$, $2x=6$ $\quad \therefore x=3$

따라서 연립방정식의 해는 $x=3$, $y=2$이다.

$$\begin{array}{r} 2x-\ y=4 \\ -\big)\ 2x-8y=-10 \\ \hline 7y=14 \end{array}$$

(2) 계수가 소수인 연립방정식의 경우

계수가 소수인 경우는 양변에 10의 거듭제곱을 곱하여 두 일차방정식의 계수가 모두 정수가 되도록 고쳐서 푼다.

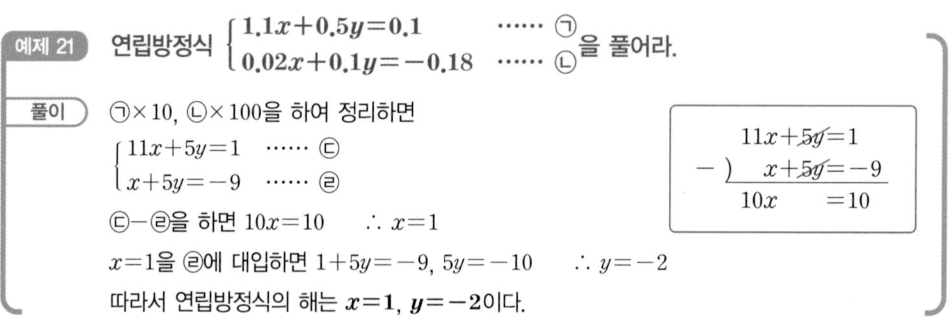

예제 21 연립방정식 $\begin{cases} 1.1x+0.5y=0.1 & \cdots\cdots ㉠ \\ 0.02x+0.1y=-0.18 & \cdots\cdots ㉡ \end{cases}$을 풀어라.

풀이 ㉠×10, ㉡×100을 하여 정리하면

$\begin{cases} 11x+5y=1 & \cdots\cdots ㉢ \\ x+5y=-9 & \cdots\cdots ㉣ \end{cases}$

㉢−㉣을 하면 $10x=10$ $\quad \therefore x=1$

$x=1$을 ㉣에 대입하면 $1+5y=-9$, $5y=-10$ $\quad \therefore y=-2$

따라서 연립방정식의 해는 $x=1$, $y=-2$이다.

$$\begin{array}{r} 11x+5y=1 \\ -\big)\ \ x+5y=-9 \\ \hline 10x\qquad=10 \end{array}$$

(3) 계수가 분수인 연립방정식의 경우

계수가 분수인 경우는 양변에 분모의 최소공배수를 곱하여 두 일차방정식의 계수가 모두 정수가 되도록 고쳐서 푼다.

예제 22 연립방정식 $\begin{cases} \frac{1}{2}x-\frac{3}{5}y=\frac{2}{5} & \cdots\cdots ㉠ \\ \frac{1}{6}x+\frac{1}{2}y=\frac{5}{6} & \cdots\cdots ㉡ \end{cases}$ 를 풀어라.

풀이 ㉠$\times 10$, ㉡$\times 6$을 하여 정리하면

$\begin{cases} 5x-6y=4 & \cdots\cdots ㉢ \\ x+3y=5 & \cdots\cdots ㉣ \end{cases}$

㉢+㉣$\times 2$를 하면 $7x=14$ $\quad \therefore x=2$

$x=2$를 ㉣에 대입하면 $2+3y=5$, $3y=3$ $\quad \therefore y=1$

따라서 연립방정식의 해는 $\boldsymbol{x=2}$, $\boldsymbol{y=1}$이다.

$$\begin{array}{rl} & 5x-\cancel{6y}=4 \\ +\,) & 2x+\cancel{6y}=10 \\ \hline & 7x \qquad =14 \end{array}$$

Q 049 $A=B=C$ 꼴의 방정식은 어떻게 풀까?

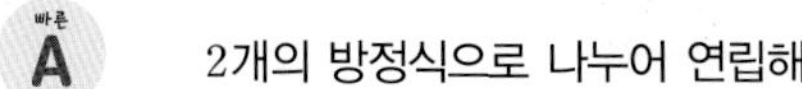

빠른 **A** 2개의 방정식으로 나누어 연립해!

친절한 **A** $A=B=C$ 꼴의 방정식의 해는 다음 세 연립방정식과 해가 같으므로 세 연립방정식 중 어느 하나를 선택하여 풀면 된다.

$$\underbrace{\begin{cases} A=B \\ A=C \end{cases}, \begin{cases} A=B \\ B=C \end{cases}, \begin{cases} A=C \\ B=C \end{cases}}_{\text{세 연립방정식의 해는 모두 같다.}}$$

이때 세 식 A, B, C 중에서 형태가 간단하거나 항의 개수가 적은 것 또는 상수항만으로 된 것을 선택하여 연립방정식을 만들면 풀이를 간단히 할 수 있다.

예제 23 방정식 $\boldsymbol{x+2y=3x+y=5}$를 풀어라.

풀이 위의 방정식의 해는 다음 연립방정식의 해와 같다.

$\begin{cases} x+2y=5 & \cdots\cdots ㉠ \\ 3x+y=5 & \cdots\cdots ㉡ \end{cases}$

㉠−㉡$\times 2$를 하면 $-5x=-5$ $\quad \therefore x=1$

$x=1$을 ㉠에 대입하면 $1+2y=5$, $2y=4$ $\quad \therefore y=2$

따라서 방정식의 해는 $\boldsymbol{x=1}$, $\boldsymbol{y=2}$이다.

참고 다음 각 연립방정식으로 풀어도 해는 같다.

(1) $\begin{cases} x+2y=3x+y \\ x+2y=5 \end{cases} \Rightarrow \begin{cases} -2x+y=0 \\ x+2y=5 \end{cases} \Rightarrow x=1,\ y=2$

(2) $\begin{cases} x+2y=3x+y \\ 3x+y=5 \end{cases} \Rightarrow \begin{cases} -2x+y=0 \\ 3x+y=5 \end{cases} \Rightarrow x=1,\ y=2$

2. 해가 특수한 연립방정식

일반적으로 연립방정식을 풀면 해가 (x, y) 한 쌍으로 나온다. 그런데 특수한 경우에는 해가 무수히 많거나 해가 없다. 어떤 경우인지 살펴보자.

Q 050 연립방정식의 해가 무수히 많은 경우는?

빠른 A 계수도 같고, 상수항도 같을 때!

친절한 A 연립방정식 $\begin{cases} x-2y=3 & \cdots\cdots ㉠ \\ 2x-4y=6 & \cdots\cdots ㉡ \end{cases}$의 경우를 살펴보자.

㉠의 양변에 2를 곱한 식은 ㉡과 서로 **일치한다.**

$$\begin{cases} 2x-4y=6 & \cdots\cdots ㉠\times 2 \\ 2x-4y=6 & \cdots\cdots ㉡ \end{cases}$$

x, y의 계수가
같고 상수항도
같아.

따라서 ㉠의 모든 해는 ㉡의 해도 된다. 이때 ㉠의 해는 무수히 많으므로

주어진 연립방정식의 해는 무수히 많다.

이 경우 가감법을 이용하여 한 미지수를 소거하면 $0\cdot x=0$ 또는 $0\cdot y=0$ 꼴이 되어 x, y는 무수히 많음을 알 수 있다.

$$\begin{array}{rl} & 2x-4y=6 \\ -) & 2x-4y=6 \\ \hline & 0\cdot x \quad\; =0 \end{array}$$

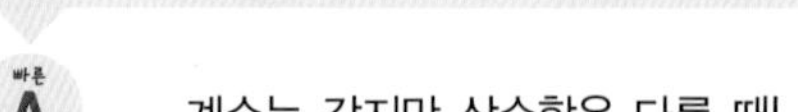

Q 051 연립방정식의 해가 없는 경우는?

빠른 A 계수는 같지만 상수항은 다를 때!

친절한 A 연립방정식 $\begin{cases} x-2y=4 & \cdots\cdots ㉠ \\ 2x-4y=6 & \cdots\cdots ㉡ \end{cases}$의 경우를 살펴보자.

㉠의 양변에 2를 곱한 식은 ㉡과 x, y의 **계수가 각각 같고, 상수항만 다르다.**

$$\begin{cases} 2x-4y=8 & \cdots\cdots ㉠\times 2 \\ 2x-4y=6 & \cdots\cdots ㉡ \end{cases}$$

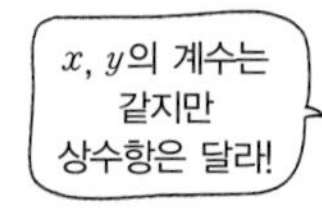
x, y의 계수는
같지만
상수항은 달라!

$2x-4y$의 값을 8이 되게 하면서 동시에 6이 되도록 하는 x, y의 값은 존재하지 않으므로

주어진 연립방정식의 해는 없다.

이 경우 가감법을 이용하여 한 미지수를 소거하면 $0\cdot x=k$ 또는 $0\cdot y=k$ ($k\neq 0$인 상수) 꼴이 되어 식을 만족하는 x, y가 없음을 알 수 있다.

$$\begin{array}{rl} & 2x-4y=8 \\ -) & 2x-4y=6 \\ \hline & 0\cdot x \quad\; =2 \end{array}$$

예제 24 다음 보기의 연립방정식 중 해가 무수히 많은 것과 해가 없는 것을 각각 골라라.

보기

ㄱ. $\begin{cases} x-2y=2 \\ x-4y=2 \end{cases}$ ㄴ. $\begin{cases} 2x+6y=4 \\ x+3y=1 \end{cases}$ ㄷ. $\begin{cases} x+y=1 \\ 4x+y=1 \end{cases}$

ㄹ. $\begin{cases} 3x+y=2 \\ 6x+2y=4 \end{cases}$ ㅁ. $\begin{cases} -2x+4y=-8 \\ x-2y=4 \end{cases}$ ㅂ. $\begin{cases} -x+2y=2 \\ 2x-4y=1 \end{cases}$

(1) 해가 무수히 많은 것 (2) 해가 없는 것

풀이 x, y의 계수 중 하나를 같게 만들 때

(1) 두 식이 일치하는 식을 찾으면 ➡ **ㄹ, ㅁ**

(2) x, y의 계수는 각각 같고 상수항이 다른 식을 찾으면 ➡ **ㄴ, ㅂ**

해가 특수한 연립방정식의 해는 다음과 같이 계수의 비로 이해해 두어도 좋다.

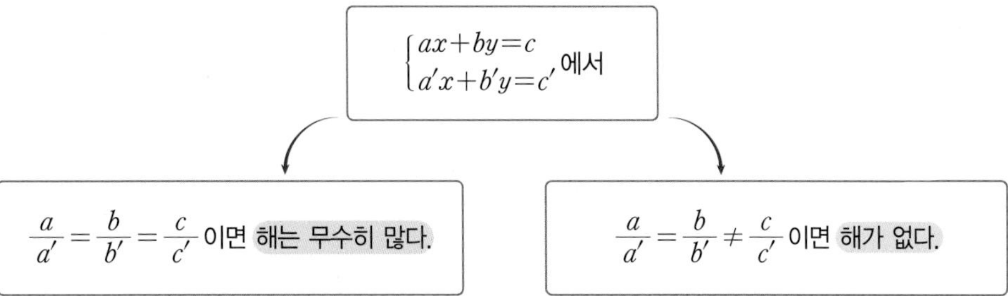

$\begin{cases} ax+by=c \\ a'x+b'y=c' \end{cases}$ 에서
$\frac{a}{a'}=\frac{b}{b'}=\frac{c}{c'}$ 이면 해는 무수히 많다.
$\frac{a}{a'}=\frac{b}{b'}\neq\frac{c}{c'}$ 이면 해가 없다.

예제 25 연립방정식 $\begin{cases} ax-4y=3 \\ 2x+8y=b \end{cases}$ 의 해가 다음과 같도록 상수 a, b의 조건을 정하여라.

(1) 해가 무수히 많다. (2) 해가 없다.

풀이 (1) 해가 무수히 많으려면 $\frac{a}{2}=-\frac{4}{8}=\frac{3}{b}$ $\therefore$ $\boldsymbol{a=-1,\ b=-6}$

(2) 해가 없으려면 $\frac{a}{2}=-\frac{4}{8}\neq\frac{3}{b}$ $\therefore$ $\boldsymbol{a=-1,\ b\neq-6}$

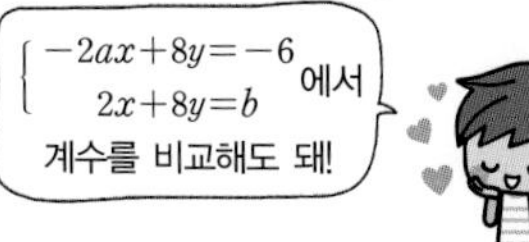

$\begin{cases} -2ax+8y=-6 \\ 2x+8y=b \end{cases}$ 에서
계수를 비교해도 돼!

THINK Math

연립방정식의 해의 개수

연립방정식의 해는 3가지뿐이다. 해가 한 개이거나 해가 무수히 많거나 해가 없다.
해가 2개 혹은 3개가 나오는 경우는 없을까? 호기심을 가질 수 있겠지만 그러한 경우는 생기지 않는다. 이는 좌표평면에 의해 명쾌하게 설명된다.
각 일차방정식을 만족하는 순서쌍 (x, y)를 좌표평면에 나타내면 직선이 된다. 두 직선의 위치 관계는 '한 점에서 만난다.', '일치한다.', '평행하다.' 뿐이므로 연립방정식의 해도 3가지밖에 생기지 않는다. 일차방정식의 그래프가 직선이 됨은 4단원 일차함수에서 자세히 배우게 된다.

개념 CHECK

해설 BOOK 027쪽

개념 확인

(1) 연립방정식에서 미지수를 소거하는 방법으로 ☐과 ☐이 있다.

(2) $A=B=C$ 꼴의 방정식은

$\begin{cases} A=B \\ B=C \end{cases}$, $\begin{cases} \square \\ A=C \end{cases}$, $\begin{cases} \square \\ B=C \end{cases}$

중 하나로 바꾸어 푼다.

01 다음 연립방정식을 대입법을 이용하여 풀어라.

(1) $\begin{cases} y=x-3 \\ 2y=-2x+14 \end{cases}$

(2) $\begin{cases} x=y-2 \\ 4x-y=7 \end{cases}$

02 다음 연립방정식을 가감법을 이용하여 풀어라.

(1) $\begin{cases} 2x-y=3 \\ x+y=6 \end{cases}$

(2) $\begin{cases} x+3y=7 \\ 3x-y=11 \end{cases}$

03 다음 방정식을 풀어라.

(1) $\begin{cases} x+6=2(x-2y) \\ 3(x-y)+2y=7 \end{cases}$

(2) $\begin{cases} \dfrac{x}{3}-\dfrac{y}{2}=-\dfrac{1}{3} \\ 0.4x+0.1y=2.4 \end{cases}$

(3) $x+y=2x-y=3$

(4) $\dfrac{2x+y}{6}=\dfrac{x+2y}{9}=1$

04 다음 연립방정식을 풀어라.

(1) $\begin{cases} 3x-2y=-2 \\ 9x-6y=-6 \end{cases}$

(2) $\begin{cases} x-y=4 \\ 3x-3y=5 \end{cases}$

자기 진단

Q 046 135쪽
대입법이란?

Q 047 136쪽
가감법이란?

Q 049 139쪽
$A=B=C$ 꼴의 방정식은 어떻게 풀까?

03 연립방정식의 활용

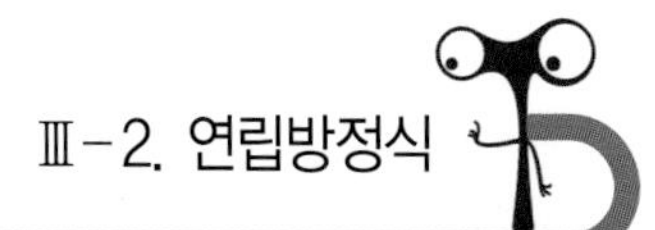

SUMMA NOTE

1. 연립방정식의 활용 : 연립방정식의 활용 문제는 다음과 같은 순서로 푼다.

① 미지수 정하기 : 무엇을 미지수 x, y로 나타낼 것인지 정한다.

② 연립방정식 세우기 : x, y를 사용하여 문제의 뜻에 맞게 연립방정식을 세운다.

③ 연립방정식 풀기 : 연립방정식을 풀어 x, y의 값을 구한다.

④ 확인하기 : 구한 x, y의 값이 문제의 뜻에 맞는지 확인한다.

1. 연립방정식의 활용

Q 052 연립방정식의 활용 문제에 접근하는 노하우는?

빠른 A 미지수를 정한 다음, 주어진 조건에 맞는 연립방정식을 세워!

친절한 A 지금부터는 실생활에서 있을 수 있는 수량 사이의 관계를 파악하여 연립방정식을 세우고 풀어 보려고 한다. SUMMA **NOTE**에 제시한 순서로 다음 예를 해결해 보도록 하자.

예 저금통에서 100원짜리와 500원짜리 동전을 꺼내 세어 보니 동전의 개수는 40이고, 금액은 10000원이었다. 이때 100원짜리와 500원짜리 동전의 개수를 각각 구하여라.

❶ 미지수 정하기	100원짜리 동전의 개수를 x, 500원짜리 동전의 개수를 y라고 하자.
❷ 연립방정식 세우기	㉠ 동전의 총 개수는 40이므로 $x+y=40$ ㉡ 금액이 10000원이므로 $100x+500y=10000$ 연립방정식을 세우면 $\begin{cases} x+y=40 & \cdots\cdots ㉠ \\ 100x+500y=10000 & \cdots\cdots ㉡ \end{cases}$
❸ 연립방정식 풀기	㉡을 간단히 정리하면 $\begin{cases} x+y=40 & \cdots\cdots ㉠ \\ x+5y=100 & \cdots\cdots ㉡' \end{cases}$ 연립방정식을 풀면 $x=25$, $y=15$ 따라서 **100원짜리 동전**의 개수는 **25**, **500원짜리 동전**의 개수는 **15**이다.
❹ 확인하기	동전의 총 개수는 $25+15=40$이고, 금액은 $100\times25+500\times15=10000$(원)이므로 구한 답이 문제의 뜻에 맞다.

| 참고 | 이와 같은 문제는 1학년 때 배운 일차방정식으로도 충분히 풀 수 있다.
100원짜리 동전의 개수를 x, 500원짜리 동전의 개수를 $(40-x)$라고 하면
$100x+500(40-x)=10000$을 풀어 해를 구할 수 있다.
이는 연립방정식에서 $y=40-x$를 ㉡의 y에 대입한 식과 같다.

연립방정식의 활용 문제에서 자주 등장하는 유형들이 있다. 각 유형마다 알아두면 편리한 식이 있으니 기억해 두고 식을 세울 때 적극 활용하도록 하자.

(1) 자릿수에 관한 문제
십의 자리의 숫자가 x, 일의 자리의 숫자가 y인 두 자리 수 ➡ $10x+y$

(2) 거리, 속력, 시간에 관한 문제
$(\text{거리})=(\text{속력})\times(\text{시간})$, $(\text{속력})=\dfrac{(\text{거리})}{(\text{시간})}$, $(\text{시간})=\dfrac{(\text{거리})}{(\text{속력})}$

(3) 소금물의 농도에 관한 문제
$(\text{소금의 양})=\dfrac{(\text{농도})}{100}\times(\text{소금물의 양})$

$(\text{소금물의 농도})=\dfrac{(\text{소금의 양})}{(\text{소금물의 양})}\times100(\%)$

(4) 일에 관한 문제
① 전체 일의 양을 1로 놓는다.
② 단위 시간(1시간, 1일 등) 동안 할 수 있는 일의 양을 미지수로 놓는다.

Q 053 자릿수에 관한 문제는 어떻게 해결할까?

두 자리 수는 $10x+y$로 나타내!

두 자리의 자연수가 있다. 각 자리의 숫자의 합은 9이고, 십의 자리의 숫자와 일의 자리의 숫자를 바꾼 수는 처음 수보다 9가 크다고 할 때, 처음의 자연수를 구해 보자.

❶ 미지수 정하기	십의 자리의 숫자를 x, 일의 자리의 숫자를 y라고 하자.
❷ 연립방정식 세우기	㉠ 각 자리의 숫자의 합이 9이다. ㉡ 십의 자리의 숫자와 일의 자리의 숫자를 바꾼 수는 처음 수보다 9가 크다. 연립방정식을 세우면 $\begin{cases} x+y=9 & \cdots\cdots ㉠ \\ 10y+x=10x+y+9 & \cdots\cdots ㉡ \end{cases}$
❸ 연립방정식 풀기	㉡을 간단히 정리하면 $\begin{cases} x+y=9 & \cdots\cdots ㉠ \\ x-y=-1 & \cdots\cdots ㉡' \end{cases}$ 연립방정식을 풀면 $x=4$, $y=5$ 따라서 처음의 자연수는 **45**이다.

Q 054 거리, 속력, 시간에 관한 문제는 어떻게 해결할까?

빠른 A (거리) = (속력) × (시간), (시간) = $\frac{(\text{거리})}{(\text{속력})}$

친절한 A 이룸이가 산책로 입구에서 출발한 지 5분 후에 같은 장소에서 같은 경로로 숨마가 출발하였다. 이룸이는 분속 200 m로 달렸고, 숨마는 분속 300 m로 달렸을 때, 두 사람이 만날 때까지 달린 시간을 각각 구해 보자.

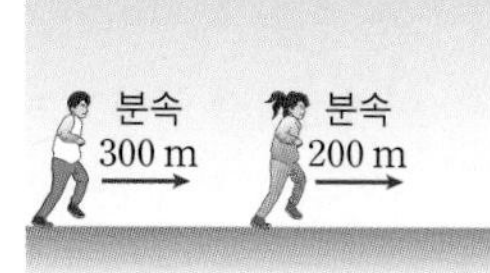

❶ 미지수 정하기	이룸이가 달린 시간을 x분, 숨마가 달린 시간을 y분이라고 하자.
❷ 연립방정식 세우기	두 사람이 만나기까지 ㉠ 이룸이가 숨마보다 5분 더 달렸다. ㉡ 두 사람의 달린 거리가 서로 같다. 연립방정식을 세우면 $\begin{cases} x=y+5 & \cdots\cdots ㉠ \\ 200x=300y & \cdots\cdots ㉡ \end{cases}$
❸ 연립방정식 풀기	㉡을 간단히 정리하면 $\begin{cases} x=y+5 & \cdots\cdots ㉠ \\ 2x-3y=0 & \cdots\cdots ㉡' \end{cases}$ 연립방정식을 풀면 $x=15$, $y=10$ 따라서 두 사람이 만날 때까지 달린 시간은 **이룸이가 15분, 숨마가 10분**이다.

Q 055 소금물의 농도에 관한 문제는 어떻게 해결할까?

빠른 A (소금의 양) = $\frac{(\text{농도})}{100}$ × (소금물의 양)

친절한 A 6 %의 소금물과 10 %의 소금물을 섞어 농도가 7 %인 소금물 300 g을 만들려고 한다. 6 %의 소금물과 10 %의 소금물을 각각 몇 g씩 섞어야 하는지 구해 보자.

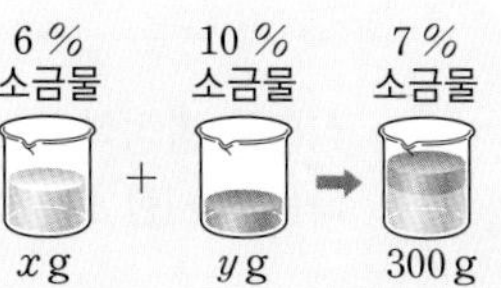

❶ 미지수 정하기	6 %의 소금물을 x g, 10 %의 소금물을 y g 섞는다고 하자.
❷ 연립방정식 세우기	㉠ 두 소금물을 섞으면 300 g이다. ㉡ 두 소금물 속에 녹아 있는 소금의 양의 합은 7 %의 소금물 300 g에 녹아 있는 소금의 양과 같다. 연립방정식을 세우면 $\begin{cases} x+y=300 & \cdots\cdots ㉠ \\ \frac{6}{100}x+\frac{10}{100}y=\frac{7}{100}\times 300 & \cdots\cdots ㉡ \end{cases}$
❸ 연립방정식 풀기	㉡을 간단히 정리하면 $\begin{cases} x+y=300 & \cdots\cdots ㉠ \\ 3x+5y=1050 & \cdots\cdots ㉡' \end{cases}$ 연립방정식을 풀면 $x=225$, $y=75$ 따라서 **6 %의 소금물 225 g**과 **10 %의 소금물 75 g**을 섞어야 한다.

Q 056 일에 관한 문제는 어떻게 해결할까?

빠른 A 전체 일의 양을 1로 놓는다.

친절한 A 호승이와 예진이가 함께 일해 4시간 걸려서 끝내던 일을 어느 날 호승이가 2시간 일하고 나머지는 예진이가 8시간 일하여 끝냈다. 같은 일을 호승이가 혼자 일해서 끝낸다면 몇 시간이 걸리는지 구해 보자.

❶ 미지수 정하기	전체 일의 양을 1이라 놓고 호승이와 예진이가 1시간에 할 수 있는 일의 양을 각각 x, y라고 하자.
❷ 연립방정식 세우기	㉠ 두 사람이 함께 4시간 동안 일하여 끝냈다. ㉡ 호승이가 2시간, 예진이가 8시간 동안 일하여 끝냈다. 연립방정식을 세우면 $\begin{cases} 4x+4y=1 & \cdots\cdots ㉠ \\ 2x+8y=1 & \cdots\cdots ㉡ \end{cases}$
❸ 연립방정식 풀기	연립방정식을 풀면 $x=\frac{1}{6}$, $y=\frac{1}{12}$ 따라서 호승이는 1시간에 전체의 $\frac{1}{6}$만큼 일하므로 호승이가 혼자서 일한다면 **6시간**이 걸린다.

| 주의 | 일에 관한 문제에서처럼 구한 x, y의 값이 그대로 답이 되는 것이 아니라 한 번 더 계산해야 하는 문제가 나올 수 있다. 따라서 연립방정식을 푼 다음, 구하는 것이 무엇인지 다시 확인하여 실수를 줄이도록 하자.

THINK Math

상황을 방정식으로 나타낼 때 그 상황에 대한 이해가 필요한 유형들이 있다. 다음 제시한 상황을 보고 어떻게 식을 세우는지 기억해 두자.

(1) 기차가 어떤 터널을 완전히 지나는 데 3분이 걸렸다.
➡ 기차가 3분 동안 가는 거리는 (기차의 길이)+(터널의 길이)이다.

(2) 공원 둘레를 두 사람이 같은 지점에서 동시에 출발하여 처음으로 만났다.
같은 방향으로 가면 ➡ 두 사람이 걸은 거리의 차는 공원 둘레의 길이와 같다.
반대 방향으로 가면 ➡ 두 사람이 걸은 거리의 합은 공원 둘레의 길이와 같다.

(3) 속력이 일정한 배가 흐르는 강물 위에 있다.
강을 내려갈 때 ➡ 배의 속력은 (잔잔한 물에서의 배의 속력)+(강물의 속력)이다.
강을 올라갈 때 ➡ 배의 속력은 (잔잔한 물에서의 배의 속력)−(강물의 속력)이다.

해설 BOOK 028쪽

개념 확인

(1) 연립방정식의 활용 문제를 푸는 순서는 다음과 같다.

❶ 미지수 정하기

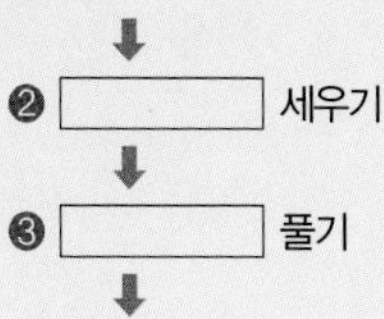

❷ ☐ 세우기

❸ ☐ 풀기

❹ 확인하기

01 어느 농장에 닭과 돼지가 모두 20마리가 있다. 다리의 수의 합이 54개일 때, 닭과 돼지는 각각 몇 마리인지 구하여라.

02 연필 3자루와 사인펜 2자루의 값은 1900원이고, 연필 5자루와 사인펜 3자루의 값은 3000원이다. 이때 연필 1자루의 값을 구하여라.

03 가로의 길이가 세로의 길이보다 5 cm 짧은 직사각형이 있다. 둘레의 길이가 34 cm 일 때, 이 직사각형의 세로의 길이를 구하여라.

04 어느 퀴즈 대회에서 한 문제를 풀어 답을 맞히면 15점을 얻고, 틀리면 10점을 잃는다. 총 10문제를 풀어서 75점을 얻었을 때, 맞힌 문제의 수를 구하여라.

05 1200 m 떨어진 두 지점에서 이룸이는 분속 20 m로, 숨마는 분속 30 m로 마주 보고 동시에 출발하여 걷다가 도중에 만났다. 이때 숨마는 이룸이보다 몇 m를 더 걸었는지 구하여라.

자기 진단

Q 052 143쪽
연립방정식의 활용 문제에 접근하는 노하우는?

유형 EXERCISES

문제 이해도를 ☺, 😐, ☹으로 표시해 보세요.

해설 BOOK 029쪽 | 테스트 BOOK 040쪽

유형 1 미지수가 2개인 일차방정식과 그 해

x, y가 자연수일 때, 일차방정식 $2x+y=9$를 풀어라.

Summa Point

$x=1, 2, 3, \cdots$을 대입하여 y의 값을 구한다. 구한 순서쌍 중에서 x, y가 모두 자연수인 것을 고른다.

130쪽 Q043

1-1

다음 중 미지수가 2개인 일차방정식을 모두 고르면? (정답 2개)

① $x^2+2x+1=0$　② $2x-4y=-8$
③ $x+3y=x$　④ $3x+4y=7$
⑤ $2x+6y-3$

1-2

다음 중 일차방정식 $2x+3y=13$의 해를 모두 고르면? (정답 2개)

① $(1, 4)$　② $(2, 3)$　③ $(3, 3)$
④ $(4, 2)$　⑤ $(5, 1)$

1-3

두 순서쌍 $(2, a)$, $(b, 1)$이 일차방정식 $2x-3y=7$의 해일 때, 상수 a, b의 값을 각각 구하여라.

유형 2 연립방정식과 그 해

연립방정식 $\begin{cases} ax-2y=3 \\ 2x+by=-1 \end{cases}$의 해가 $(1, -1)$일 때, 상수 a, b의 값을 각각 구하여라.

Summa Point

주어진 해를 연립방정식에 대입하여 a, b의 값을 구한다.

131쪽 Q044

2-1

x, y가 자연수일 때, 연립방정식 $\begin{cases} x+2y=8 \\ 2x+y=10 \end{cases}$에 대하여 다음 물음에 답하여라.

(1) 두 일차방정식의 해를 각각 구하여라.
(2) 연립방정식의 해를 구하여라.

2-2

다음 연립방정식의 해를 보기에서 골라라.

보기

ㄱ. $(1, -1)$　ㄴ. $(1, 1)$　ㄷ. $(2, 2)$　ㄹ. $(3, 1)$

(1) $\begin{cases} x-y=2 \\ 3x-5y=8 \end{cases}$　(2) $\begin{cases} 3x+2y=11 \\ 4x-3y=9 \end{cases}$

2-3

다음 연립방정식 중 $(3, -6)$을 해로 갖는 것은?

① $\begin{cases} x+y=1 \\ 2x+5y=6 \end{cases}$　② $\begin{cases} 2x+y=2 \\ y=2x \end{cases}$

③ $\begin{cases} 3x-2y=-15 \\ 4x+y=6 \end{cases}$　④ $\begin{cases} 3x+y=-3 \\ x-2y=5 \end{cases}$

⑤ $\begin{cases} 2x-y=12 \\ 3x+4y=-15 \end{cases}$

유형 3 **연립방정식의 풀이 – 대입법, 가감법**

다음 연립방정식을 풀어라.

(1) $\begin{cases} y=3x-1 \\ 2x-y=3 \end{cases}$　　(2) $\begin{cases} 2x-5y=1 \\ 5x-y=14 \end{cases}$

Summa **Point**

- 대입법 : 연립방정식에서 한 방정식을 $x=\sim$나 $y=\sim$ 꼴로 고친 후 다른 방정식에 대입한다.
- 가감법 : 연립방정식에서 x 또는 y의 계수의 절댓값을 같게 한 후, 부호가 같으면 빼고 다르면 더한다.

135쪽 **Q 046**

3-1

다음은 연립방정식 $\begin{cases} y=x-6 & \cdots\cdots ㉠ \\ 2x-3y=7 & \cdots\cdots ㉡ \end{cases}$을 대입법으로 푸는 과정이다. □ 안에 알맞은 것을 써넣어라.

> ㉠을 ㉡에 대입하면
> $2x-3(\square)=7$　　$\therefore x=\square$
> $x=\square$을 ㉠에 대입하면 $y=\square$
> 따라서 연립방정식의 해는 $x=\square$, $y=\square$이다.

3-2

연립방정식 $\begin{cases} 2x=7y+8 & \cdots\cdots ㉠ \\ 2x-2y=3 & \cdots\cdots ㉡ \end{cases}$에서 ㉠을 ㉡에 대입하여 x를 소거하면 $5y=A$이다. 이때 A의 값은?

① -5　② -3　③ -1
④ 1　⑤ 3

3-3

연립방정식 $\begin{cases} 3x-2y=5 & \cdots\cdots ㉠ \\ 2x+y=8 & \cdots\cdots ㉡ \end{cases}$에서 x를 소거하려고 할 때, 다음 중 필요한 식은?

① ㉠$+$㉡$\times 2$　② ㉠$-$㉡$\times 2$
③ ㉠$\times 2-$㉡　④ ㉠$\times 2+$㉡$\times 3$
⑤ ㉠$\times 2-$㉡$\times 3$

3-4

연립방정식 $\begin{cases} 6x-2y=10 \\ 2x+y=5 \end{cases}$의 해를 $x=a$, $y=b$라고 할 때, $3a+b$의 값을 구하여라.

3-5

연립방정식 $\begin{cases} 4x-y=4 \\ x+2y=7+a \end{cases}$를 만족하는 x와 y의 값의 비가 $1:2$일 때, 상수 a의 값을 구하여라.

3-6

두 연립방정식

$$\begin{cases} 2x-y=7 \\ ax-6y=2 \end{cases},\ \begin{cases} 6x-5by=9 \\ -3x+y=-11 \end{cases}$$

의 해가 서로 같을 때, 상수 a, b의 값을 각각 구하여라.

유형 4 복잡한 연립방정식의 풀이

연립방정식 $\begin{cases} 0.3x+0.4y=1.7 \\ \frac{2}{3}x+\frac{1}{2}y=3 \end{cases}$ 을 풀어라.

Summa Point
연립방정식의 계수에 소수가 있으면 양변에 10의 거듭제곱을 곱하고, 분수가 있으면 양변에 분모의 최소공배수를 곱하여 계수를 정수로 만든다.

138쪽 Q048

4-1

연립방정식 $\begin{cases} 4(x-2)-3(y+5)=-40 \\ 2(x-3y)+10=13-x-2y \end{cases}$ 를 풀어라.

4-2

연립방정식 $\begin{cases} 0.2(x+y)-0.1y=1.8 \\ \frac{1}{2}x+\frac{2}{5}y=3 \end{cases}$ 의 해가 $x=a$, $y=b$라고 할 때, $a-b$의 값은?

① -72　② -36　③ -6
④ 24　⑤ 48

4-3

다음 방정식을 풀어라.

(1) $3x+2y=5x+y=2x+3y-2$

(2) $\frac{2x+y}{3}=\frac{x}{2}-y=1$

유형 5 해가 특수한 연립방정식

연립방정식 $\begin{cases} ax+2y=-10 \\ 2x+y=b \end{cases}$ 의 해가 무수히 많을 때, 상수 a, b의 값을 각각 구하여라.

Summa Point
연립방정식의 해가 무수히 많다는 것은 두 연립방정식이 같다는 뜻이므로 y의 계수가 같아지도록 적당한 수를 곱하면 x의 계수와 상수항도 같아진다.

140쪽 Q050

5-1

다음 연립방정식 중 해가 없는 것은?

① $\begin{cases} x-3y=5 \\ 2x-5y=-5 \end{cases}$　② $\begin{cases} 2x-3y=15 \\ x-6y=3 \end{cases}$

③ $\begin{cases} 2x-y=3 \\ -x+2y=3 \end{cases}$　④ $\begin{cases} 4x-2y=5 \\ 2x-y=1 \end{cases}$

⑤ $\begin{cases} y=x-2 \\ 3x-3y=6 \end{cases}$

5-2

연립방정식 $\begin{cases} x+3y=8 \\ y=ax+1 \end{cases}$ 의 해가 없을 때, 상수 a의 값을 구하여라.

5-3

연립방정식 $\begin{cases} ax-3y=3 \\ 2x+by=2 \end{cases}$ 의 해가 무수히 많을 때, $a+b$의 값은? (단, a, b는 상수)

① -3　② -2　③ -1
④ 0　⑤ 1

유형 6 연립방정식의 활용

한 개에 500원인 사과와 800원인 배를 합하여 14개를 사고, 10000원을 내었더니 600원의 거스름돈을 받았다. 이때 산 배의 개수를 구하여라.

Summa Point

사과를 x개, 배를 y개 샀다고 하고 연립방정식을 세운 후, y의 값을 구한다.

143쪽 Q 052

6-1

현재 어머니와 아들의 나이의 합은 58세이고, 13년 후에는 어머니의 나이가 아들의 나이의 2배가 된다고 한다. 현재 어머니의 나이를 구하여라.

6-2

두 자리의 자연수가 있다. 각 자리의 숫자의 합은 9이고, 이 수의 십의 자리의 숫자와 일의 자리의 숫자를 바꾼 수는 처음 수보다 9가 크다고 한다. 처음 수의 십의 자리의 숫자는?

① 3 ② 4 ③ 6
④ 7 ⑤ 8

6-3

산을 올라갈 때는 시속 3 km의 속력으로 걷고, 내려올 때는 올라갈 때보다 2 km 짧은 지름길로 시속 4 km로 걸어서 내려왔더니 올라가고 내려오는 데 모두 3시간이 걸렸다. 이때 내려온 거리를 구하여라.

6-4

3 %의 소금물과 6 %의 소금물을 섞어서 5 %의 소금물 270 g을 만들었다. 이때 3 %의 소금물과 6 %의 소금물은 각각 몇 g씩 섞었는지 구하여라.

6-5

어떤 일을 예진이가 3일 한 후에 진서가 6일 하면 마칠 수 있고, 예진이가 5일 한 후에 진서가 2일 하면 마칠 수 있다고 한다. 예진이와 진서가 함께 일을 하면 며칠 만에 마칠 수 있는지 구하여라.

6-6

어느 중학교의 전체 학생 수는 작년에 1000명이었는데 올해는 작년에 비해 남학생 수는 2 % 증가하고, 여학생 수는 8 % 감소하여 전체 학생 수는 5 % 감소하였다. 올해의 남학생 수와 여학생 수를 각각 구하여라.

해설 BOOK 034쪽 | 테스트 BOOK 045쪽

Step 1 | 내·신·기·본

●○○

01 다음 중 미지수가 2개인 일차방정식은?

① $x-5=0$　② $5x=60$
③ $y=x^2$　④ $7x-3y=5$
⑤ $x^2-2x-3=0$

●○○

02 x, y가 자연수일 때, 일차방정식 $x+5y=20$의 해를 구하여라.

●●○

03 x, y가 자연수일 때, 다음 일차방정식 중 해가 <u>없는</u> 것은?

① $2x-y=7$　② $x+3y=8$
③ $3x+2y=10$　④ $4x+y=16$
⑤ $2x+2y=7$

●●○

04 연립방정식 $\begin{cases} ax-y=3 \\ 5x+by=1 \end{cases}$의 해가 $(1, -1)$일 때, 상수 a, b에 대하여 $a+b$의 값을 구하여라.

●●○

05 다음 연립방정식의 풀이 과정에서 □ 안에 알맞은 수로 옳지 <u>않은</u> 것은?

$$\begin{array}{rl} & x-y=8 \\ +) & 3x+y=4 \\ \hline & \boxed{①}x \quad =\boxed{②} \end{array}$$

$\therefore x=\boxed{③}$

$x=\boxed{④}$을 $x-y=8$에 대입하면 $y=\boxed{⑤}$

① 4　② 12　③ 3
④ 3　⑤ 5

●●○

06 연립방정식 $\begin{cases} 3x-y=8 & \cdots\cdots ㉠ \\ 7x+2y=3 & \cdots\cdots ㉡ \end{cases}$을 대입법으로 풀 때, ㉠을 ㉡에 대입하였더니 $ax-b=3$이 되었다. 이때 상수 a, b에 대하여 $b-a$의 값은?

① -2　② 0　③ 2
④ 3　⑤ 4

●○○

07 다음 연립방정식을 풀어라.

(1) $\begin{cases} y=3-x \\ x+2y=4 \end{cases}$　(2) $\begin{cases} 2x-y=13 \\ 4x+3y=11 \end{cases}$

●●●

08 미지수가 2개인 일차방정식 $ax+by=4$의 두 해가 $(-1, -2)$, $(4, 6)$일 때, 상수 a, b에 대하여 $a+b$의 값을 구하여라.

09 다음 연립방정식을 풀어라.

(1) $\begin{cases} 3(x-2y)+7y=-3 \\ 6y-4(x+y)=10 \end{cases}$

(2) $\begin{cases} 0.5x-0.2y=0.1 \\ \dfrac{x}{3}+\dfrac{y}{2}=\dfrac{4}{3} \end{cases}$

10 방정식 $\dfrac{2x-y}{3}=\dfrac{x-3y}{4}=\dfrac{x+3}{2}$의 해를 $x=p$, $y=q$라고 할 때, $5p+10q$의 값을 구하여라.

11 연립방정식 $\begin{cases} 2x+ay=3 \\ x-2y=b \end{cases}$의 해가 무수히 많을 때, $a+2b$의 값을 구하여라. (단, a, b는 상수)

12 다음 연립방정식 중 해가 <u>없는</u> 것을 모두 고르면? (정답 2개)

① $\begin{cases} 9x-2y=-5 \\ 2x+3y=-8 \end{cases}$ ② $\begin{cases} x-2y=2 \\ 2x-4y=4 \end{cases}$

③ $\begin{cases} 2x-3y=3 \\ 4x-6y=4 \end{cases}$ ④ $\begin{cases} x=-3y-5 \\ 2x+6y=4 \end{cases}$

⑤ $\begin{cases} x+y=8 \\ 2x+y=10 \end{cases}$

13 다음 그림과 같이 점 O를 중심으로 마주 보는 수의 합이 서로 같은 6개의 수가 있다. 이때 a, b의 값을 각각 구하여라.

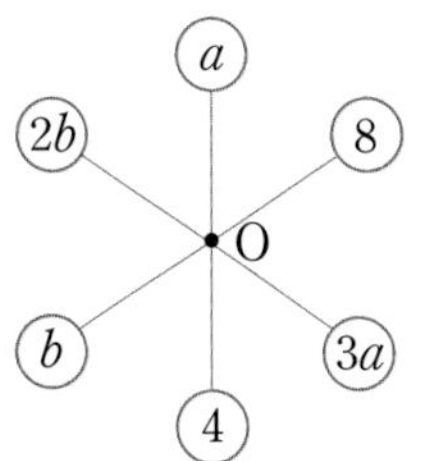

14 6 %의 소금물과 9 %의 소금물을 섞어서 8 %의 소금물 300 g을 만들려고 한다. 이때 필요한 9 %의 소금물의 양을 구하여라.

15 A, B 두 사람이 가위바위보를 하여 이긴 사람은 계단을 2개씩 올라가고, 진 사람은 계단을 1개씩 내려가기로 한 결과 처음 위치보다 A는 20개의 계단을, B는 8개의 계단을 올라가 있었다. 이때 A가 이긴 횟수를 구하여라. (단, 비긴 경우는 없다.)

16 이룸이와 숨마가 같이 하면 30일 만에 끝낼 수 있는 일을 이룸이가 15일 동안 일하고, 남은 일을 숨마가 40일 동안 일하여 끝냈다. 이룸이가 혼자서 일하면 며칠 만에 끝낼 수 있는가?

① 50일 ② 55일 ③ 60일 ④ 65일 ⑤ 75일

Step 2 | 내·신·발·전

17 두 연립방정식

$$\begin{cases} ax-by=-10 \\ x+\frac{7}{2}y=17 \end{cases}, \begin{cases} \frac{1}{6}x-0.5y=-\frac{3}{2} \\ 6x+ay=10 \end{cases}$$

의 해가 서로 같을 때, $a+b$의 값을 구하여라.

(단, a, b는 상수)

18 연립방정식 $\begin{cases} ax+by=5 \\ 2x+cy=-3 \end{cases}$을 푸는데, 이룸이는 바르게 풀어서 $x=-3$, $y=1$을 얻었고, 수지는 c를 잘못 보고 풀어서 $x=9$, $y=7$을 얻었다고 한다. 이때 $a+b+c$의 값을 구하여라. (단, a, b, c는 상수)

19 둘레의 길이가 250 m인 트랙을 두 사람이 같은 지점에서 출발하여 반대 방향으로 달리면 50초 후에 만나고, 같은 방향으로 달리면 빠른 사람이 느린 사람을 4분 10초 후에 따라잡는다고 한다. 느린 사람의 속력은?

① 초속 1 m
② 초속 2 m
③ 초속 3 m
④ 초속 4 m
⑤ 초속 5 m

20 농도가 다른 두 종류의 소금물 A, B가 있다. 소금물 A를 100 g, 소금물 B를 300 g 섞었더니 농도가 10 %인 소금물이 되었고, 소금물 A를 200 g, 소금물 B를 200 g 섞었더니 농도가 7 %인 소금물이 되었다. 이때 소금물 A, B의 농도를 각각 구하여라.

21 배를 타고 길이가 36 km인 강을 거슬러 올라가는 데 3시간, 내려오는 데 2시간이 걸린다고 한다. 이때 흐르지 않는 물에서의 배의 속력을 구하여라. (단, 배와 강물의 속력은 일정하다.)

22 일정한 속력으로 달리는 기차가 길이가 1000 m인 다리를 완전히 건너는 데는 4분, 길이가 1400 m인 터널을 완전히 통과하는 데는 5분이 걸린다고 한다. 이때 기차의 길이를 구하여라.

1. 부등식

01. 부등식의 뜻과 성질

028 부등식이란?
수 또는 대소 관계를 부등호 $>$, $<$, $\geq$, $\leq$ 를 사용하여 나타낸 식

030 부등식을 푼다는 말은?
그 부등식이 참이 되게 하는 미지수의 값을 부등식의 해라고 하는데, 해를 모두 구하는 것을 부등식을 푼다고 해.

031 부등식은 어떠한 성질을 가지고 있을까?
$a<b$일 때
① $a+c<b+c$, $a-c<b-c$
② $c>0$이면 $ac<bc$, $\frac{a}{c}<\frac{b}{c}$
③ $c<0$이면 $ac>bc$, $\frac{a}{c}>\frac{b}{c}$

02. 일차부등식의 풀이

033 일차부등식이란?
(일차식)<0, (일차식)>0, (일차식)≤0, (일차식)≥0 중 어느 하나의 꼴로 나타내어지는 부등식이야.

034 일차부등식의 해의 형태는 4가지?

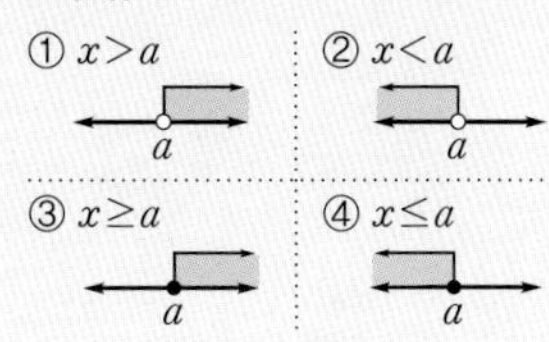

035 일차부등식은 어떻게 풀까?
x를 포함한 항은 좌변으로, 상수항은 우변으로 이항하고, 양변을 간단히 정리한 후 x의 계수로 양변을 나누면 돼.

03. 일차부등식의 활용

038 일차부등식의 활용 문제에 접근하는 노하우는?
다음과 같은 순서로 풀면 돼.
① 미지수 정하기
② 부등식 세우기
③ 부등식 풀기
④ 확인하기

2. 연립방정식

01. 연립방정식

043 미지수가 2개인 일차방정식은 어떤 꼴인가?

$$ax+by+c=0$$
$(a, b, c$는 상수, $a\neq0, b\neq0)$

044 미지수가 2개인 일차방정식의 해는 어떻게 나타낼까?
일차방정식을 만족하는 x, y의 값 또는 그 순서쌍 (x, y)

045 미지수가 2개인 연립일차방정식을 푼다는 말은?
두 일차방정식을 동시에 만족하는 x, y의 값을 구한다는 말!
➡ $x=a$, $y=b$ 또는 (a, b)

2. 연립방정식의 풀이

046 대입법이란?
한 방정식을 소거할 미지수에 대하여 풀고, 그 식을 다른 방정식에 대입하여 연립방정식의 해를 구하는 방법이야.

047 가감법이란?
두 일차방정식을 변끼리 더하거나 빼어서 하나의 미지수를 소거하여 연립방정식의 해를 구하는 방법이야.

049 $A=B=C$ 꼴의 방정식은 어떻게 풀까?
$\begin{cases}A=B\\A=C\end{cases}$, $\begin{cases}A=B\\B=C\end{cases}$, $\begin{cases}A=C\\B=C\end{cases}$
중 어느 하나로 고쳐서 풀면 돼.

050, 051 연립방정식의 해가 특수한 경우는?
연립방정식에서 하나의 방정식의 양변에 적당한 수를 곱했을 때
① 다른 방정식과 같아지면 해가 무수히 많다.
② 다른 방정식과 x, y의 계수만 같으면 해가 없다.

03. 연립방정식의 활용

052 연립방정식의 활용 문제에 접근하는 노하우는?
다음과 같은 순서로 풀면 돼.
① 미지수 정하기
② 연립방정식 세우기
③ 연립방정식 풀기
④ 확인하기

대단원 EXERCISES

해설 BOOK 037쪽 | 테스트 BOOK 048쪽

●○○
01 $a<b$일 때, 다음 중 옳은 것을 모두 고르면? (정답 2개)

① $3a>3b$　② $-a+2>-b+2$
③ $-3a>-3b$　④ $\frac{1}{2}a>\frac{1}{2}b$
⑤ $-2a-7<-2b-7$

●●○
02 $-1\le x<2$일 때, $A=-2x+1$의 범위는?

① $-4<A\le 3$　② $-3\le A<0$
③ $-3<A\le 2$　④ $-3<A\le 3$
⑤ $-3<A<3$

●○○
03 다음 중 일차부등식인 것을 모두 고르면? (정답 2개)

① $2x+1<5$　② $3(x-1)\ge 3x+1$
③ $-x^2<2x$　④ $-x^2\le 2x-x^2+2$
⑤ $x(x-2)>x+2$

●○○
04 다음 중 일차부등식의 해가 나머지 넷과 다른 하나는?

① $-x-1>2$　② $x+3<0$
③ $x>2x+3$　④ $-2x+1>7$
⑤ $4x-2>2x+6$

●●○
05 일차부등식 $5x-2(x-1)\ge a$의 해를 수직선 위에 나타내면 다음 그림과 같다. 이때 상수 a의 값은?

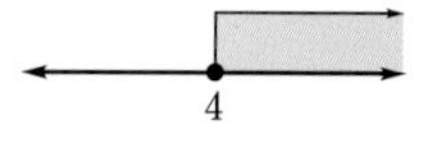

① 10　② 11　③ 12
④ 13　⑤ 14

●○○
06 일차부등식 $\frac{3}{2}-\frac{x-1}{4}>x-1$을 풀어라.

●●○
07 일차부등식 $0.3(x-5)>\frac{x-3}{2}+1$을 만족하는 x의 값 중에서 가장 큰 정수를 구하여라.

●●○
08 $ax-4<3x-18$의 해가 $x>2$일 때, 상수 a의 값은?

① -4　② -3　③ 1
④ 3　⑤ 4

●●●
09 8 % 소금물 300 g에 2 % 소금물을 섞어서 6 % 이하의 소금물을 만들려고 한다. 2 %의 소금물을 몇 g 이상 넣어야 하는지 구하여라.

●●○
10 증명 사진을 찍고 6장 뽑는 데 10000원이고, 한 장을 추가하여 뽑을 때마다 1000원씩 받는다고 한다. 사진을 몇 장 이상 뽑으면 1장의 가격이 1200원 이하가 되는지 구하여라.

●○○
11 다음 방정식 중 미지수가 2개인 일차방정식을 모두 고르면? (정답 2개)

① $2x-3y=2x+5$　② $xy^2+8x=-6$
③ $4x=y+2$　④ $x^2-3xy-2y^2=0$
⑤ $x^2+2y=x^2+3x$

●●○
12 다음 중 $ax+y=4x-y$가 미지수가 2개인 일차방정식이 되기 위한 상수 a의 값으로 적당하지 않은 것은?

① 1　② 2　③ 3
④ 4　⑤ 5

13 x, y가 자연수일 때, 일차방정식 $3x+2y=20$을 풀어라.

14 두 순서쌍 $(1, 2)$와 $(-2, 1)$이 일차방정식 $2x+ay=b$의 해일 때, 상수 a, b에 대하여 $a+b$의 값을 구하여라.

15 연립방정식 $\begin{cases} 3x-2(y-1)=-2 \\ 2(x-3y)+5y=1 \end{cases}$을 풀어라.

16 연립방정식 $\begin{cases} \frac{x}{4}+\frac{y}{2}=1 \\ 2(y+1)-\frac{2x+9y}{3}=-1 \end{cases}$의 해를 $x=a$, $y=b$라고 할 때, ab의 값은?

① -6　② -5　③ -3　④ 5　⑤ 6

17 방정식 $5x+2y+3=3x+y+2=4x+2y+1$을 풀어라.

18 연립방정식 $\begin{cases} 2x+3y=b \\ 6x+ay=3 \end{cases}$의 해가 무수히 많을 때, 상수 a, b에 대하여 $a-b$의 값은?

① 3　② 5　③ 6　④ 8　⑤ 9

서술형

●○○
19 연립방정식 $\begin{cases} 2x+ay=3 \\ x-2y=2 \end{cases}$의 해가 존재하지 않을 때, 상수 a의 값을 구하여라.

●●○
20 이룸이가 자장면 세 그릇과 짬뽕 두 그릇을 주문하였더니 음식값이 모두 합하여 23500원이었다. 짬뽕 한 그릇의 값이 자장면 한 그릇의 값보다 500원이 비싸다고 할 때, 짬뽕 한 그릇의 값을 구하여라.

●●●
21 숨마 중학교의 올해 학생 수는 작년에 비하여 남학생 수는 3 % 줄고, 여학생 수는 4 % 줄어서 전체 학생 수는 15명이 적어진 425명이 되었다고 한다. 작년의 남학생 수와 여학생 수를 각각 구하여라.

●●○
22 일차부등식 $4x-1<2x-k$를 만족하는 자연수 x의 개수가 2일 때, 상수 k의 값의 범위를 구하여라.

답 ______

●●○
23 연수는 집에서 7 km 떨어진 직업체험관에 가는데 처음에는 시속 3 km로 걷다가 도중에 시속 6 km로 뛰어서 1시간 30분 이내에 직업체험관에 도착하였다. 연수가 걸어간 거리는 최대 몇 km인지 구하여라.

답 ______

●●○
24 두 연립방정식 $\begin{cases} 2x-y=3 \\ ax-4y=6 \end{cases}$, $\begin{cases} y=3x-5 \\ y=-4x+b \end{cases}$의 해가 서로 같을 때, 상수 a, b에 대하여 $a+b$의 값을 구하여라.

답 ______

심화 학습 Ⅲ

Advanced Lecture

TOPIC 1 절댓값 기호를 포함한 부등식의 해

부등식 $|x|<2$와 $|x|>2$의 해는 어떻게 구할까?

수직선을 이용하면 간단히 구할 수 있다.

❶ $|x|<2$는 수직선에서 원점으로부터의 거리가 2보다 작은 x의 값들을 말한다.

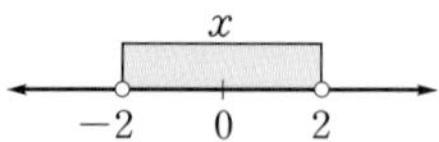

따라서 부등식 $|x|<2$의 해는 $-2<x<2$

❷ $|x|>2$는 수직선에서 원점으로부터의 거리가 2보다 큰 x의 값들을 말한다.

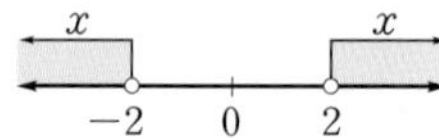

따라서 부등식 $|x|>2$의 해는 $x<-2$ 또는 $x>2$

수직선을 통해 정리해 보면 절댓값 기호가 들어 있는 부등식은 다음과 같은 형태로 해가 주어짐을 알 수 있다.

> **$|x|<a$ (단, a는 양수) ➡ $-a<x<a$**
> **$|x|>a$ (단, a는 양수) ➡ $x<-a$ 또는 $x>a$**

이를 이용하면 부등식 $|x-1|\le 3$과 $|x-1|\ge 3$의 해도 간단히 구할 수 있다.

❶ $|x-1|\le 3$에서 $x-1=A$라 하면 $|A|\le 3$ ➡ $-3\le A\le 3$

$A=x-1$을 대입하면

$-3\le x-1\le 3$ ➡ $-2\le x\le 4$

따라서 부등식 $|x-1|\le 3$의 해는 $-2\le x\le 4$

❷ $|x-1|\ge 3$에서 $x-1=A$라 하면 $|A|\ge 3$ ➡ $A\le -3$ 또는 $A\ge 3$

$A=x-1$을 대입하면

$x-1\le -3$ 또는 $x-1\ge 3$ ➡ $x\le -2$ 또는 $x\ge 4$

따라서 부등식 $|x-1|\ge 3$의 해는 $x\le -2$ 또는 $x\ge 4$

유제 01 다음 부등식을 풀어라.

(1) $|2x-3|<5$　　　　(2) $|1-2x|\ge 3$

'아는 만큼 보이고, 보는 만큼 느낀다.'는 말은 수학에서도 일맥상통합니다.
교과서 밖으로 나와 더 넓은 수학을 접하여 나만의 사고력을 한 단계 높여 보세요!

해설 BOOK 040쪽

TOPIC 2

미지수가 3개인 연립방정식의 풀이

미지수가 2개인 연립일차방정식은 가감법이나 대입법을 통해 미지수를 하나로 줄이는 방법으로 풀었다. 2개인 미지수를 하나로 줄여

한 미지수에 관한 일차방정식으로 나타내기만 하면

연립방정식의 해는 거의 구한 것이나 다름이 없었다.
이러한 방법은 미지수의 개수가 많아져도 똑같이 적용된다. 가감법이나 대입법을 여러 번 사용해서라도 한 미지수에 대한 일차방정식으로만 나타낼 수 있으면 된다.
미지수가 3개인 연립방정식은 미지수를 하나 소거해서 미지수가 2개인 연립방정식으로 만든 다음 그것을 풀어 미지수 2개의 값을 먼저 구한다.

예제 01 연립방정식 $\begin{cases} 3x-y-z=2 & \cdots\cdots ㉠ \\ x-3y+z=6 & \cdots\cdots ㉡ \\ x+y-3z=-6 & \cdots\cdots ㉢ \end{cases}$ 을 풀어라.

풀이 ㉠, ㉡에서 z를 소거하고 ㉡, ㉢에서 z를 소거한다.
㉠+㉡을 하면 $4x-4y=8$ ...... ㉣
㉡×3+㉢을 하면 $4x-8y=12$ ...... ㉤
(본문에서 다룬 미지수가 x, y 2개인 연립방정식이 되었다.)
연립방정식을 풀면 $x=1$, $y=-1$
$x=1$, $y=-1$을 ㉠에 대입하면 $z=2$
따라서 구하는 해는 $x=1$, $y=-1$, $z=2$

유제 02 연립방정식 $\begin{cases} x-y+z=5 & \cdots\cdots ㉠ \\ x+y-z=1 & \cdots\cdots ㉡ \\ 2x-3y+z=4 & \cdots\cdots ㉢ \end{cases}$ 를 풀어라.

미지수가 3개인 연립방정식 중에는 오른쪽과 같이 보다 간단한 방법으로 그 해를 구할 수 있는 경우도 있다. 이와 같은 형태의 연립방정식은 대개 비슷한 방법을 적용할 수 있으므로 잘 알아두도록 하자.

$\begin{cases} x+y=1 & \cdots\cdots ㉠ \\ y+z=2 & \cdots\cdots ㉡ \\ z+x=3 & \cdots\cdots ㉢ \end{cases}$ 의 풀이

㉠+㉡+㉢을 하면 $2(x+y+z)=6$
$x+y+z=3$ ...... ㉣
㉣에 ㉠, ㉡, ㉢을 각각 대입하여 풀면
$x=1$, $y=0$, $z=2$

01 역사 속의 연립방정식

고대 중국의 수학책인 「손자산경」에는 다음과 같은 형태의 문제가 실려 있다. 이 문제는 당시에도 비교적 쉽게 계산을 하였다. 지금의 연립방정식의 가감법을 이용한 풀이와 비교하여 살펴보자.

> 닭과 토끼가 바구니에 있다. 위를 보니 머리의 수가 35개이고, 아래를 보니 다리의 수가 94개이다. 닭과 토끼는 각각 몇 마리인지 구하여라.

손자산경의 풀이

다리의 수를 반으로 해라.

➡ $94 \div 2 = 47$(개)

그것에서 머리의 수를 빼면 토끼의 수이다.

➡ 토끼는 $47 - 35 = 12$(마리)이다.

그것을 머리의 수에서 빼면 닭의 수이다.

➡ 닭은 $35 - 12 = 23$(마리)이다.

가감법을 이용한 풀이

닭의 마리 수를 x, 토끼의 마리 수를 y라 하면

$$\begin{cases} x+y=35 & \cdots\cdots ㉠ \\ 2x+4y=94 & \cdots\cdots ㉡ \end{cases}$$

㉠$\times 2-$㉡을 하면

$-2y=-24,\ y=12 \qquad \therefore x=23,\ y=12$

따라서 닭은 **23마리**, 토끼는 **12마리**이다.

지금은 가감법으로 누구나 쉽게 풀 수 있는 문제이지만 미지수를 사용하여 식으로 나타내는 방법을 알기 이전에는 위와 같이 생각하여 푼다는 것은 매우 어려운 일이었다.

그리스의 대표적인 수학자 유클리드가 지은 「그리스 시화집」에는 다음과 같은 재미있는 문제가 있다.

> 노새와 당나귀가 터벅터벅 자루를 운반하는데 당나귀가 짐이 무거워서 한탄하고 있었다. 노새가 당나귀에게 말했다. "연약한 소녀가 울 듯이 어째서 너는 한탄하고 있니? 네가 진 짐의 한 자루만 내 등에다 옮겨 놓으면 내 짐은 너의 두 배가 되는 걸, 내 짐 한 자루를 네 등에다 옮기면 나와 너는 같은 수가 되는 거다."
> 수학을 아는 사람들이여, 어서어서 가르쳐 주세요. 노새와 당나귀의 짐이 몇 자루인지를 …….

노새와 당나귀가 운반하는 자루 수를 각각 x, y라고 하면

$$\begin{cases} x+1=2(y-1) \\ x-1=y+1 \end{cases}$$

연립방정식을 풀면

$x=7,\ y=5$

따라서 노새는 **7자루**, 당나귀는 **5자루**를 운반하고 있다.

「그리스 시화집」에 있는 문제와 유사한 문제를 우리나라 수학책에서도 찾아볼 수 있다. 다음은 조선 후기 수학자 홍정하(1684∼?)가 지은 수학책인 「구일집」에 실린 내용이다.

"갑이 을에게 말하기를, 네 나이에서 8세를 내게 주면 내 나이는 네 나이의 두 배가 된다고 하였다. 을이 갑에게 말하기를, 네 나이에서 8세를 내게 주면 우리 둘의 나이가 같다고 하였다." 이때 갑의 나이와 을의 나이를 각각 구하여라.

갑과 을의 나이를 각각 x세, y세라고 하면

$$\begin{cases} x+8=2(y-8) \\ x-8=y+8 \end{cases}$$

연립방정식을 풀면

$x=56,\ y=40$

따라서 갑의 나이는 **56세**, 을의 나이는 **40세**이다.

다음은 조선 시대의 과학서인 「이수신편」에 소개된 내용이다. 이책은 조선 후기 호남의 이름난 실학자인 황윤석(1729∼1791)이 저술한 것으로 1774년에 간행된 책이다.

만두 백 개에 스님이 백 명인데, 큰 스님에게는 각각 세 개씩 나누어 주고 작은 스님에게는 세 사람당 한 개씩 나누어 준다면, 큰 스님과 작은 스님은 각각 몇 명일까?

큰 스님과 작은 스님의 수를 각각 x명, y명이라고 하면

$$\begin{cases} x+y=100 \\ 3x+\frac{1}{3}y=100 \end{cases}$$

연립방정식을 풀면

$x=25,\ y=75$

따라서 큰 스님은 **25명**, 작은 스님은 **75명**이다.

위에서는 현대의 미지수를 이용한 연립방정식으로 식으로 세워 풀었지만 당시에는 미지수를 사용하지 않았기에 계산을 여러 번 할 수 밖에 없었다. 때문에 여기서 소개하진 않겠지만 위 책에 실린 풀이를 보면 다소 복잡해 보이기도 한다. 하지만 풀이를 세세히 따라가 보면 문제를 해결하는 수학적인 원리가 결국 현대의 연립방정식을 푸는 원리와 같음을 알게 된다.

포르투칼의 리스본

포르투칼의 수도인 리스본은 포르투칼의 중앙에 위치하며
이탈리아의 나폴리, 터키의 이스탄불 등과 함께 유럽에서 손꼽히는 경관의 항만 도시이다.
고딕양식의 수도원과 박물관 등의 역사적인 건축물들이 남아 있다.

Ⅳ 일차함수

INTRO to Chapter Ⅳ
일차함수

SUMMA CUM LAUDE - MIDDLE SCHOOL MATHEMATICS

사회적, 과학적 현상들을 그래프로 보다...

수학은 모든 학문의 바탕이다. 이는 다른 단원들에서도 느끼는 바이지만 그래프 단원에서 더욱 확연하게 느낄 수 있는 말이다. 그래프는 수학의 한 부분일 뿐만 아니라 자연 현상이나 사회 현상을 관찰할 때 빈번하게 쓰이는 분석 도구이다. 이를 우리는 과학이나 사회 수업에서도 쉽게 접할 수 있는데, 흔한 예로 온도, 압력, 부피 사이의 관계를 나타낸 그래프를 들 수 있다.

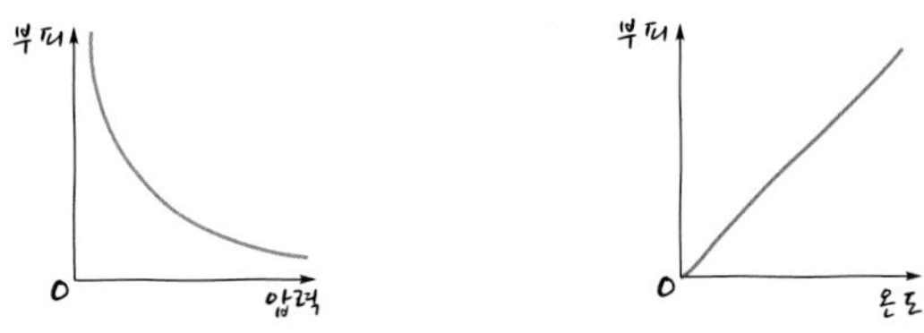

하나의 그래프만이 아닌 2개 이상의 그래프를 동시에 나타내 보면 문제가 되는 부분, 결정할 수 있는 부분이 잘 보일 때가 있다. 다음과 같이 수요와 공급의 그래프를 하나로 놓고 보면 적정한 가격을 얼마로 정하면 되는지 판단할 수 있다.

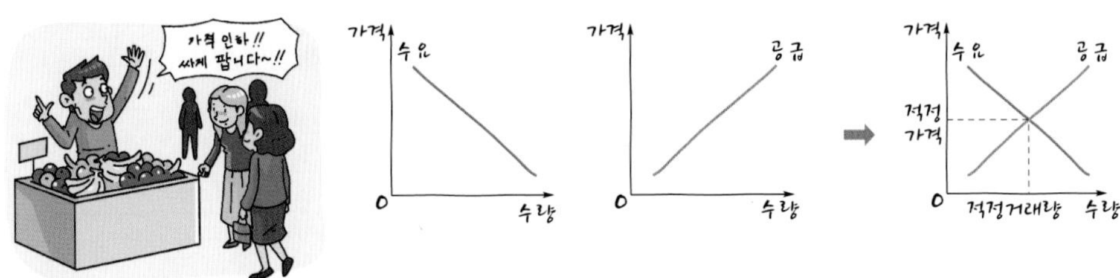

1단원 *Math Essay*에서 살펴보았듯이 제논의 역설도 그래프를 통해서 불가능함을 알 수 있었다. 아킬레스와 거북이가 달린 시간과 거리 사이의 관계를 이용하여 그래프를 그려 보면 오른쪽 그림과 같이 두 그래프의 교점에서의 시간과 거리에서 둘은 만나게 되고 그 만남 이후에 아킬레스가 거북이를 앞서게 됨을 쉽게 이해할 수 있다.

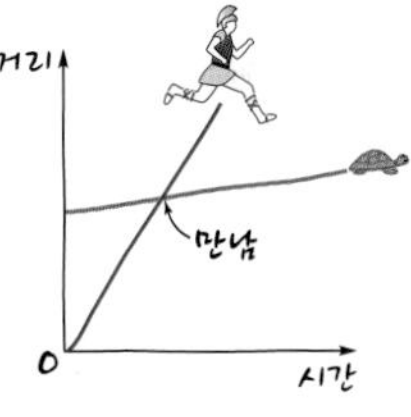

직선 모양의 그래프에 통달하자...

그래프가 모든 영역에서 중요하게 쓰임을 알았다면 왜 함수의 그래프를 배우는지도 알 수 있을 것이다. 이 단원에서 배우는 일차함수의 그래프는 그 모양이 직선인 아주 기본적인 그래프이다. 일차함수의 그래프는 정비례 관계 $y=ax$의 그래프의 확장이다.

$y=ax$의 그래프를 평행이동하거나 기울기와 y절편, x절편과 y절편을 이용하여 일차함수의 그래프를 그려 볼 것이다. 이때 어떤 경우에 어느 방법으로 그래프를 그리면 보다 쉽고 빠른지 판단할 수 있어야 한다. 더 나아가 그래프의 기울기나 x절편, y절편 등은 무엇인지 설명하고, 각각의 점이 실제 상황에서 어떤 것을 의미하는지 해석해 보는 것이 일차함수를 이해하는 데 보다 효과적인 학습이 될 것이다.

함수와 일차함수

SUMMA NOTE

1. 함수와 일차함수

(1) 두 변수 x, y에 대하여 x의 값이 변함에 따라 y의 값이 하나씩 정해지는 대응 관계가 성립할 때 y를 x의 함수라 하고, 기호로 $y=f(x)$와 같이 나타낸다.

(2) 함수 $y=f(x)$에서 y가 x에 대한 일차식, 즉 $y=ax+b$ (a, b는 상수, $a\neq0$)로 나타내어질 때, 이 함수를 x에 대한 일차함수라고 한다.

2. 함숫값

함수 $y=f(x)$에서 x의 값에 따라 하나로 정해지는 y의 값을 x에서의 함숫값이라 하고, $x=p$에서의 함숫값을 기호로 $f(p)$와 같이 나타낸다.

1. 함수와 일차함수

Q 057 함수란 무엇일까? 

빠른 A x의 값이 변함에 따라 y의 값이 하나씩 정해지는 대응 관계

친절한 A 1 L의 휘발유로 15 km를 갈 수 있는 자동차가 x L의 휘발유로 갈 수 있는 거리를 y km라고 하면 두 양 x, y 사이의 관계는 다음 표와 같이 나타난다.

x	1	2	3	4	5	6	…
y	15	30	45	60	75	90	…

$\times 15$

이때 두 양 x, y 사이의 관계를 식으로 나타내면 $y=15x$이다.

| 참고 | 여기서 부피(리터)와 거리를 나타내기 위해 사용한 문자 x, y와 같이 여러 가지 값을 가질 수 있는 문자를 **변수**라고 한다. 변수는 동시에 다루고자 하는 수들을 대표하는 문자로, 이들 수 중에서 아무거나 택할 수 있으니 '변할 수 있는 수'라고 하여 변수라고 한다.
반면 하나의 일정한 값을 가지는 수나 문자는 **상수**라고 한다.

변수
$y=15x$
상수

앞의 $y=15x$의 대응표를 살펴보면 x의 값이 1, 2, 3, …으로 변함에 따라 이에 대응하는 y의 값이 15, 30, 45, …로 하나씩 정해짐을 확인할 수 있다. 이와 같이

> 두 변수 x, y에 대하여
>
> x의 값이 변함에 따라 y의 값이 하나씩 정해지는 대응 관계
>
> 가 있을 때 y를 x의 **함수**라 하고, 기호로 $\boldsymbol{y=f(x)}$와 같이 나타낸다.

f는 함수를 뜻하는 영어 function의 첫 글자를 기호화한 거야.

쉽게 말해 두 변수 x, y 사이의 관계가 x의 값 하나에 y의 값 하나가 대응하는 관계이면 y는 x의 함수라고 한다.

두 변수 x, y 사이의 관계가 다음과 같을 때, y가 x의 함수인지 확인해 보자.

(1) $y=3x$

x	1	2	3	4	5	6	…
y	3	6	9	12	15	18	…

➡ x의 값 하나에 y의 값 하나가 대응하므로 y는 x의 함수이다.

(2) $y=\dfrac{60}{x}$

x	1	2	3	4	5	6	…
y	60	30	20	15	12	10	…

➡ x의 값 하나에 y의 값 하나가 대응하므로 y는 x의 함수이다.

(3) $y=x+5$

x	1	2	3	4	5	6	…
y	6	7	8	9	10	11	…

➡ x의 값 하나에 y의 값 하나가 대응하므로 y는 x의 함수이다.

(4) 자연수 x의 약수의 개수 y

x	1	2	3	4	…
x의 약수	1	1, 2	1, 3	1, 2, 4	…
y	1	2	2	3	…

하나씩 정해진다.

➡ x의 값 하나에 y의 값 하나가 대응하므로 y는 x의 함수이다.

| 참고 | 두 변수 x, y 사이에 다음과 같은 꼴의 관계식이 있으면 무조건 y는 x의 함수가 된다. 자주 다룰 것이므로 잘 기억해 두도록 하자. (단, $a\neq0$)

$\boldsymbol{y=ax}$	$\boldsymbol{y=\dfrac{a}{x}}$	$\boldsymbol{y=ax+b}$
정비례 관계	반비례 관계	x에 대한 일차식

Q 058 y가 x의 함수가 아닌 경우는?

빠른 **A** x의 값에 대응하는 y의 값이 없거나 2개 이상이면 y는 x의 함수가 아니야.

친절한 **A** y가 x의 함수가 아닌 대응 관계도 당연히 있다.

x의 값을 하나씩 정해가면서 두 변수 x, y 사이의 관계를 따져볼 때,

x의 값에 대응하는 y의 값이 없거나 2개 이상인 경우가 하나라도 있으면

y는 x의 함수가 아니다.

예를 들어 자연수 x보다 작은 자연수를 y라고 할 때, 두 변수 x, y 사이의 관계를 살펴보자.

x	1	2	3	4	$\cdots$
x보다 작은 자연수	없다.	1	1, 2	1, 2, 3	$\cdots$
y	없다.	1	1, 2	1, 2, 3	$\cdots$

위의 표에서와 같이 x의 값에 대응하는 y의 값이 없거나 2개 이상인 경우가 있으므로 y는 x의 함수가 아니다.

예제 1 다음 중 y가 x의 함수인 것은 ○표, 함수가 아닌 것은 ×표를 하여라.

(1) 자연수 x보다 작은 자연수의 개수 y (　　)

(2) 자연수 x의 약수 y (　　)

(3) 200원짜리 사탕 x개를 사고 5000원을 냈을 때 거스름돈 y원 (　　)

풀이 (1) ○ (2) × (3) ○

(2)

x	1	2	3	4	5	$\cdots$
y	1	1, 2	1, 3	1, 2, 4	1, 5	$\cdots$

➡ y는 x의 함수가 아니다.

Math STORY

함수(函數, function)의 유래

function이라는 용어를 처음 사용한 사람은 독일의 수학자 라이프니츠이다.
19세기 중국의 수학자 이선란은 미국의 엘리야스 로미스가 쓴 수학책을 중국어로 번역한 책 '代微積拾級(대미적습급)'에서 function을 그 당시 중국어 발음 중 '훵션'에 가까운 한자를 찾아 函數로 번역하였다. 函數는 '상자 함', '수 수'로 우리나라에서는 이를 함수라고 부르는데, 오른쪽 그림과 같이 x의 값 하나가 상자 안에 들어가서 계산되어 오직 하나의 y의 값이 나오는 관계로 함수를 이해한다면 한자의 뜻과 일맥상통한다.

Q 059 $y=15x$와 $f(x)=15x$는 같은 함수를 나타낸 것?

빠른 A 같은 뜻, 다른 표현이야.

친절한 A 앞에서 배운 바와 같이 $y=15x$로 주어진 두 변수 x, y 사이의 관계는 y가 x의 함수이므로 기호 $y=f(x)$로 쓸 수 있다.

이때 오른쪽과 같이 이 둘을 비교하면

$$\begin{cases} y=15x \\ y=f(x) \end{cases} \Rightarrow f(x)=15x$$

$f(x)=15x$ ← y는 $15x$와도 같고 $f(x)$와도 같으므로…

를 얻을 수 있는데, 이는 무엇을 뜻하는 걸까?

x의 값 하나에 y의 값이 하나씩 대응되므로 우리는 함수를

x의 값을 하나 입력하면 결과인 y의 값이 단 하나 출력되는 프로그램

으로 이해할 수 있다. 따라서 함수 $y=15x$를 이와 같이 이해해 보면 다음과 같다.

함수 $y=15x$ ➡ x의 값을 하나 입력하면 y의 값으로 $15x$가 출력되는 프로그램

이를 특히 입 · 출력에만 주목하여 생각해 보면

함수 $y=15x$ ➡ x의 값을 하나 입력하면 $15x$가 출력되는 프로그램

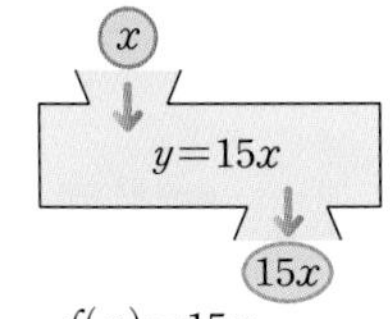

$f(x)=15x$

이라고 할 수 있는데, 이것을 기호로 쓴 것이 바로 $f(x)=15x$라고 하겠다.

따라서 $y=15x$와 $f(x)=15x$는 같은 함수를 나타내는 같은 뜻, 다른 표현이다.

| 참고 | y가 x의 함수임을 반드시 기호 $y=f(x)$로만 나타내는 것은 아니다.
여러 함수를 동시에 말할 때는 $y=g(x)$, $y=h(x)$, $\cdots$ 등도 함수의 기호로 사용한다.

Q 060 일차함수란 무엇일까?

빠른 A $y=$(x에 대한 일차식) 꼴의 함수

친절한 A 깊이가 2 m인 수영장에 50 cm의 높이로 물이 채워져 있다. 이 수영장에 매분 높이가 3 cm씩 증가하도록 물을 받으려고 한다.

물을 받는 시간을 x분, 물의 높이를 y cm라고 하면 y는 x에 대한 함수이다.

이때 (물의 높이)$=$(처음 물의 높이)$+$(늘어난 물의 높이)이므로 (처음 물의 높이 $=50$, 늘어난 물의 높이 $=3x$)

두 양 x, y 사이의 관계를 식으로 나타내면 $y=3x+50$이 된다.

관계식 $y=3x+50$을 보면 $y=$(x에 대한 일차식) 꼴이다.

이와 같이 함수 $y=f(x)$에서 y가 x에 대한 일차식, 즉

$$y=ax+b\ (a,\ b\text{는 상수},\ a\neq 0)$$

로 나타내어질 때 이 함수를 x에 대한 **일차함수**라고 한다.

$ax+b$에서 $a=0$이면 $ax+b$는 일차식이 아니다. 따라서 $y=ax+b$가 일차함수가 되려면 반드시 $a\neq0$이어야 함을 기억하자.
한편 모든 일차함수 $y=ax+b$는 b의 값, 즉 $b=0$이냐 $b\neq0$이냐에 따라 $y=ax$, $y=ax+b$ 꼴로 나타날 것이다.

예제 2 **다음 중 일차함수인 것을 모두 골라라.**

(1) $y=2x$　　(2) $y=x^2+1$　　(3) $y=-x+1$

(4) $y=x^2-3$　　(5) $y=\frac{x}{3}-1$　　(6) $y=\frac{2}{x}-1$

풀이 (1), (3), (5)

x와 y 사이의 관계가 문장으로 주어진 경우에 일차함수인지를 알아보기 위해서는 관계식으로 나타내어야 한다. 관계식을 세울 때에는 무작정 $y=\sim$이라고 놓기보다는 문장을 따라 등식을 세운 다음 $y=\sim$으로 변형시키면 쉽다.

예제 3 **y를 x에 대한 식으로 나타내고, y가 x에 대한 일차함수인지 말하여라.**

(1) 하루 중 낮의 길이가 x시간일 때, 밤의 길이는 y시간이다.

(2) 한 변의 길이가 x cm인 정사각형의 넓이는 y cm^2이다.

(3) 자전거를 타고 시속 x km로 y시간 동안 달린 거리는 80 km이다.

풀이 (1) $x+y=24$ ➡ $\boldsymbol{y=24-x}$ ➡ 일차함수이다.

(2) $\boldsymbol{y=x^2}$ ➡ 일차함수가 아니다.

(3) $\boldsymbol{y=\frac{80}{x}}$ ➡ 일차함수가 아니다.

| 참고 | 1학년 때부터 지금까지 일차식, 일차방정식, 일차부등식, 일차함수에 대해 배웠다.

일차식 : $ax+b$　　일차방정식 : $ax+b=0$

일차부등식 : $ax+b>0$　　일차함수 : $y=ax+b$

일차방정식, 일차부등식, 일차함수는 모두 그 식의 꼴이 일차식이다.
따라서 $ax+b$가 일차식일 조건 'a, b는 상수, $a\neq0$'은 일차방정식, 일차부등식, 일차함수에도 그대로 적용된다.

THINK Math

다항함수는 $y=$(다항식) 꼴인 함수

일차함수는 $y=$(일차인 다항식) 꼴인 함수이다.
다항식에서 일차식, 이차식, 삼차식이 있다면 함수에도 일차함수, 이차함수, 삼차함수가 있다.
이때 일차함수, 이차함수 등을 통틀어 다항함수라고 부른다. 간단히 다항함수는 다항식으로 되어 있는 함수로 $y=$(다항식) 꼴이다. 예를 들어 $y=3x+1$이나 $y=x^2-x+5$는 둘다 다항함수이고, 차수로 구분하여 $y=3x+1$은 일차함수, $y=x^2-x+5$는 이차함수라고 부른다.

2. 함숫값

Q 061 함숫값이란 무엇일까?

빠른 A x의 값에 따라 하나로 정해지는 y의 값

친절한 A 함수 $y=f(x)$에서 x의 값에 따라 하나로 정해지는 y의 값, 즉 $f(x)$를 x에서의 **함숫값**이라고 한다.

예를 들어 함수 $y=3x-1$, 즉 $f(x)=3x-1$에 대하여

$x=1$에서의 함숫값은 ➡ $f(1)=3\times1-1=2$ ← $x=1$일 때 $y=2$이다.
$x=2$에서의 함숫값은 ➡ $f(2)=3\times2-1=5$ ← $x=2$일 때 $y=5$이다.
⋮
$x=10$에서의 함숫값은 ➡ $f(10)=3\times10-1=29$ ← $x=10$일 때 $y=29$이다.

이다. 이렇게 함숫값 $f(p)$는 함수 $f(x)$에 x 대신 p를 대입하여 얻은 값이 된다.

| 참고 | $f(x)$는 함수와 함숫값을 동시에 나타내는 기호라고 볼 수 있다.

$f(x)=3x-1$
㉠ x의 값을 입력하면 $3x-1$이 출력되는 함수라는 뜻
㉡ x에서의 함숫값이 $3x-1$이라는 뜻

예제 4 다음을 구하여라.

(1) 함수 $f(x)=3x$에서 $x=-2$일 때의 함숫값

(2) 함수 $f(x)=\frac{12}{x}$에서 $f(4)$

(3) 함수 $f(x)=-2x+1$에서 $f(3)$

(4) 함수 $f(x)=$(x 이하의 짝수의 개수)에서 $f(8)$

풀이 (1) $f(-2)=3\times(-2)=\mathbf{-6}$

(2) $f(4)=\frac{12}{4}=\mathbf{3}$

(3) $f(3)=(-2)\times3+1=\mathbf{-5}$

(4) 8 이하의 짝수는 $\underbrace{2, 4, 6, 8}_{4개}$이므로 $f(8)=\mathbf{4}$

함숫값의 뜻과 더불어 $f(p)=q$는 다음을 뜻함을 항상 기억해 두자.

$f(p)=q$ ➡
$x=p$일 때, $y=q$이다.
$x=p$일 때, 함숫값은 q이다.
$f(x)$에 x 대신 p를 대입하면 q가 나온다.
함수식에 $x=p$, $y=q$를 대입하면 등식이 성립한다.

개념 CHECK

해설 BOOK 041쪽

개념 확인

(1) x의 값이 변함에 따라 y의 값이 하나씩 정해지는 대응 관계가 있을 때 y는 x의 ☐이다.

(2) $y=$(x에 대한 일차식) 꼴인 함수를 ☐라고 한다.

(3) $y=f(x)$에서 $x=p$에서의 함숫값은 ☐이다.

01 다음 중 y가 x의 함수인 것은?

① 자연수 x의 배수 y
② 자연수 x를 3으로 나눈 나머지 y
③ 자연수 x의 소인수 y
④ 자연수 x와 서로소인 수 y
⑤ 절댓값이 x인 수 y

02 다음 보기 중 일차함수인 것을 모두 골라라.

보기	
ㄱ. $y=x+3$	ㄴ. $y=1-x$
ㄷ. $xy=6$	ㄹ. $y=x(x-2)-x^2$

03 다음과 같은 함수 $f(x)$에 대하여 $f(2)$의 값을 구하여라.

(1) $f(x)=-4x$　　(2) $f(x)=\dfrac{6}{x}$

(3) $f(x)=2x-3$　　(4) $f(x)=\dfrac{3}{x}+1$

04 함수 $f(x)=4x-1$에 대하여 다음을 만족시키는 a의 값을 구하여라.

(1) $f(a)=-9$　　(2) $f(a)=0$

05 함수 $f(x)=ax+3$에 대하여 $f(-1)=1$일 때, 상수 a의 값을 구하여라.

자기 진단

Q 057 ◎ 168쪽
함수란 무엇일까?

Q 060 ◎ 171쪽
일차함수란 무엇일까?

Q 061 ◎ 173쪽
함숫값이란 무엇일가?

일차함수의 그래프

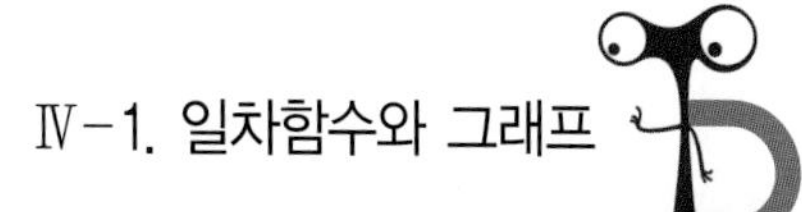

SUMMA NOTE

1. 일차함수 $y=ax+b$의 그래프

(1) 평행이동 : 한 도형을 일정한 방향으로 일정한 거리만큼 옮기는 것

(2) 일차함수 $y=ax+b$의 그래프 : 일차함수 $y=ax$의 그래프를 y축의 방향으로 b만큼 평행이동한 직선

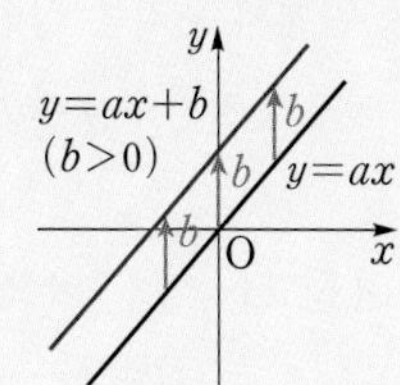

1. 일차함수 $y=ax+b$의 그래프

Q 062 일차함수의 그래프는 어떤 모양일까?

x의 값이 수 전체이면 그래프는 직선이야.

앞에서 모든 일차함수는 $y=ax$이거나 $y=ax+b(b\neq0)$로 나타난다고 말했다. 이 중 우리는 일차함수 $y=ax$의 그래프에 대하여 이미 잘 알고 있다. 바로 원점을 지나는 직선이다. 그렇다면 일차함수 $y=ax+b$의 그래프는 어떤 모양이 될까? 일단 $b\neq0$이므로 원점을 지나지 않을 것이다. 대응표를 그려 좌표평면에 점을 나타내어 봄으로써 그래프의 모양을 확인해 보자.

x의 값이 정수일 때, 일차함수 $y=2x+3$에서 x에 대응하는 함숫값 y를 구하면 다음과 같다.

x	…	-3	-2	-1	0	1	2	3	…
y	…	-3	-1	1	3	5	7	9	…

위의 표에서 x의 값과 y의 값으로 이루어진 순서쌍 (x, y)를 좌표로 하는 점을 좌표평면 위에 나타내면 [그림 1]과 같다. 이때 x의 값의 간격을 점점 작게 하면 할수록 [그림 2]와 같이 점점 직선에 가까워지게 되고, 결국 x의 값의 범위가 수 전체이면 $y=2x+3$의 그래프는 [그림 3]과 같은 직선이 된다.

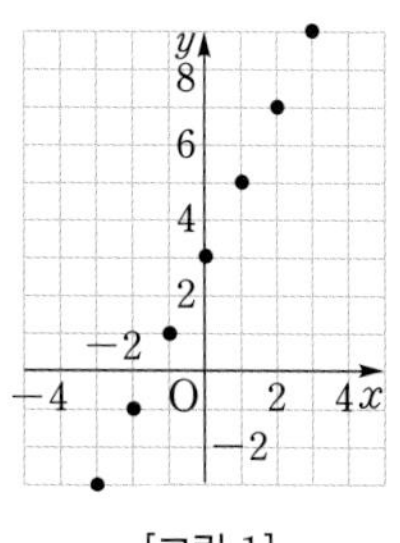

[그림 1]

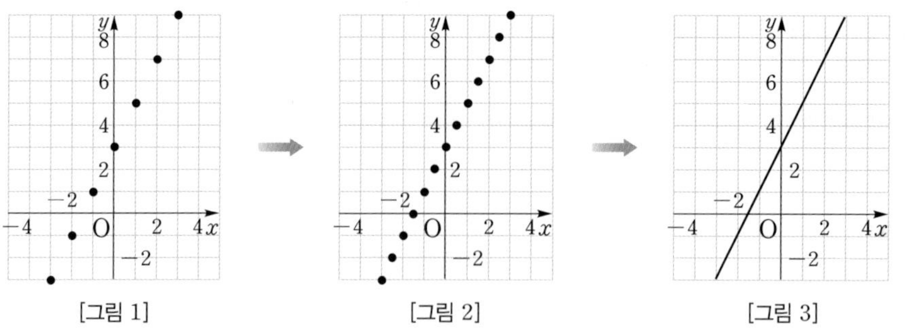

위에서 우리는 직선 $y=2x+3$은 원점이 아닌 점 $(0, 3)$을 지나는 직선임을 확인하였다. 즉, 일차함수 $y=ax+b$의 그래프는 점 $(0, b)$를 지나는 직선으로 나타난다.

| 참고 | 일차함수의 그래프의 모양은 변수 x의 값의 개수에 따라 결정된다. x의 값이 유한개의 수이면 그래프는 유한개의 점이고, x의 값이 수 전체이면 그래프는 직선이 된다. 또 x의 값이 제한된 범위이면 그래프는 선분으로 나타난다. 특별한 언급이 없는 경우 x의 값의 범위는 수 전체이고 그래프는 직선으로 그려진다.

Q 063 $y=ax$와 $y=ax+b$의 그래프 사이에는 어떤 관계가 있을까?

$y=ax+b$의 그래프는 $y=ax$의 그래프를 y축의 방향으로 b만큼 평행이동한 것이야.

한 도형을 일정한 방향으로 일정한 거리만큼 옮기는 것을 **평행이동**이라고 한다. 평행이동은 위치를 옮기는 것이므로 모양이나 크기는 전혀 변하지 않는다.
마찬가지로 일차함수의 그래프를 일정한 거리만큼 옮기는 것을 일차함수의 그래프의 평행이동이라고 한다.

$y=2x+3$의 그래프를 나타낸 위의 [그림 3]에 $y=2x$의 그래프를 함께 그려 보자. x의 값에 대해 $2x+3$의 값을 대응한 점과 $2x$의 값을 대응한 점의 위치는 정확히 3만큼 차이가 난다.
즉, $y=2x+3$의 그래프는 $y=2x$의 그래프보다 위쪽으로 3만큼 올라가 있다. 여기서 '위쪽으로 3만큼 올라가 있다'를 수학적으로 표현하면

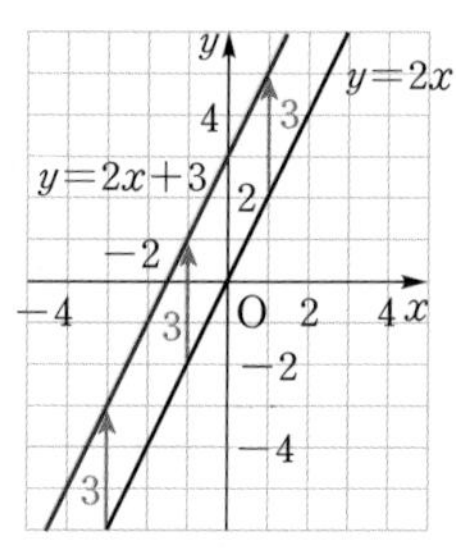

'y축의 방향으로 3만큼 평행이동하였다.'

가 된다.

$y=2x$의 그래프 (직선)	$\xrightarrow[\text{3만큼 평행이동}]{y\text{축의 방향으로}}$	$y=2x+3$의 그래프 (직선)

일반적으로 두 일차함수 $y=ax$와 $y=ax+b$의 그래프 사이에는 다음과 같은 관계가 있다.

일차함수 $y=ax+b$의 그래프

일차함수 $y=ax+b(b\neq0)$의 그래프는 일차함수 $y=ax$의 그래프를 y축의 방향으로 b만큼 평행이동한 직선이다.

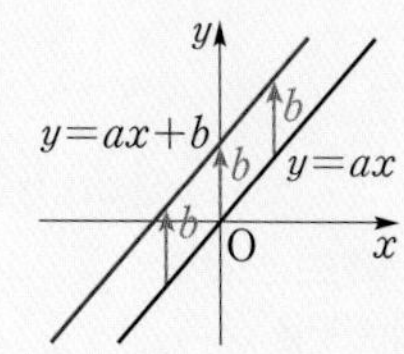

평행이동으로 우리는 $y=ax+b$의 그래프를 좀 더 간단히 그릴 수 있게 되었다.
즉, $y=ax$의 그래프를 그린 다음 y축의 방향으로 b만큼 평행이동시키면 되기 때문이다.

$y=ax$의 그래프를 기준으로 $y=ax+b\ (b\neq0)$의 그래프는 네 가지 위치가 나온다.

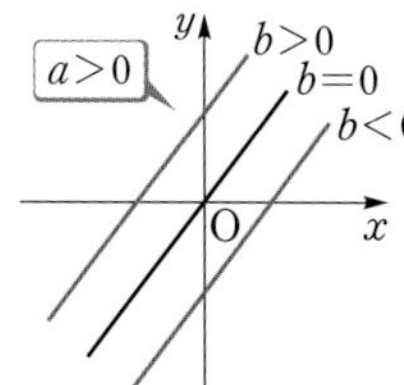

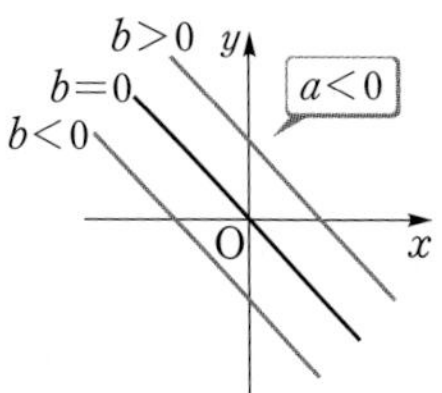

| 참고 | (1) y축의 방향이라 함은 위 또는 아래의 방향을 뜻한다.
y축의 방향으로 3만큼 평행이동한다면 위쪽으로 3만큼,
y축의 방향으로 -3만큼 평행이동한다면 아래쪽으로 3만큼
평행이동한다는 뜻이다.

(2) 일차함수 $y=ax+b$의 그래프를 y축의 방향으로 c만큼 평행이동하면 $y=ax+b+c$의 그래프가 된다.

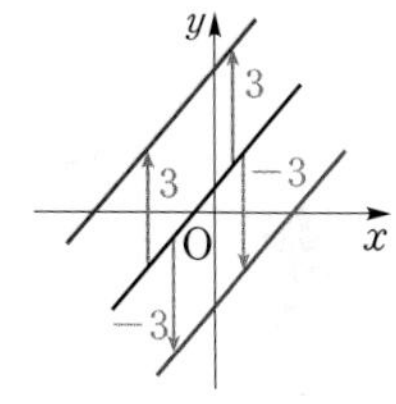

예제 5 **다음 일차함수의 그래프를 y축의 방향으로 [ ] 안의 값만큼 평행이동한 그래프의 식을 구하여라.**

(1) $y=3x$ [5]　　(2) $y=-2x$ [1]

(3) $y=\frac{1}{2}x$ [-3]　　(4) $y=-\frac{4}{3}x$ [$\frac{1}{2}$]

(5) $y=x+1$ [2]　　(6) $y=-3x-2$ [-1]

풀이 (1) $\boldsymbol{y=3x+5}$ (2) $\boldsymbol{y=-2x+1}$ (3) $\boldsymbol{y=\frac{1}{2}x-3}$ (4) $\boldsymbol{y=-\frac{4}{3}x+\frac{1}{2}}$

(5) $y=x+1+2$ ➡ $\boldsymbol{y=x+3}$ (6) $y=-3x-2-1$ ➡ $\boldsymbol{y=-3x-3}$

개념 CHECK

해설 BOOK 041쪽

개념 확인

(1) 한 도형을 일정한 방향으로 일정한 거리만큼 옮기는 것을 ☐이라고 한다.

(2) 일차함수 $y=ax+b$의 그래프는 일차함수 $y=ax$의 그래프를 y축의 방향으로 ☐만큼 평행이동한 직선이다.

01 다음 일차함수의 그래프는 일차함수 $y=x$의 그래프를 y축의 방향으로 얼마만큼 평행이동한 것인지 구하여라.

(1) $y=x+1$ (2) $y=x-2$

(3) $y=4+x$ (4) $y=-3+x$

02 $y=3x$의 그래프의 평행이동을 이용하여 다음 일차함수의 그래프를 그려라.

(1) $y=3x+6$ (2) $y=3x-6$

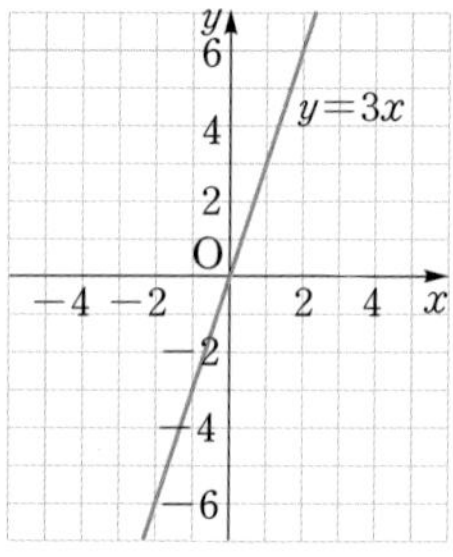

03 $y=-2x$의 그래프의 평행이동을 이용하여 다음 일차함수의 그래프를 그려라.

(1) $y=-2x+4$ (2) $y=-2x-4$

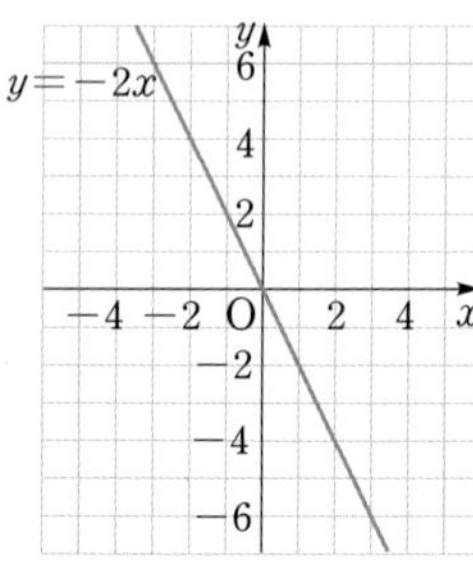

04 일차함수 $y=-5x+2$의 그래프를 y축의 방향으로 -4만큼 평행이동하였더니 $y=ax+b$의 그래프가 되었다. 이때 상수 a, b에 대하여 $a-b$의 값을 구하여라.

자기 진단

Q 062 175쪽
일차함수의 그래프는 어떤 모양일까?

Q 063 176쪽
$y=ax$와 $y=ax+b$의 그래프 사이에는 어떤 관계가 있을까?

절편과 기울기

SUMMA NOTE

1. 일차함수의 그래프의 절편

(1) x절편 : 일차함수의 그래프가 x축과 만나는 점의 x좌표
y절편 : 일차함수의 그래프가 y축과 만나는 점의 y좌표

(2) x절편, y절편을 이용하여 일차함수의 그래프 그리기
➡ x절편과 y절편을 좌표평면 위에 나타낸 후 직선으로 연결한다.

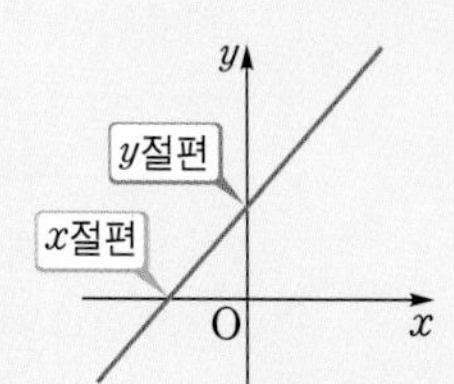

2. 일차함수의 그래프의 기울기

(1) 기울기 : 일차함수 $y=ax+b$의 그래프에서 x의 값의 증가량에 대한 y의 값의 증가량의 비율

$$(\text{기울기})=\frac{(y\text{의 값의 증가량})}{(x\text{의 값의 증가량})}=a$$

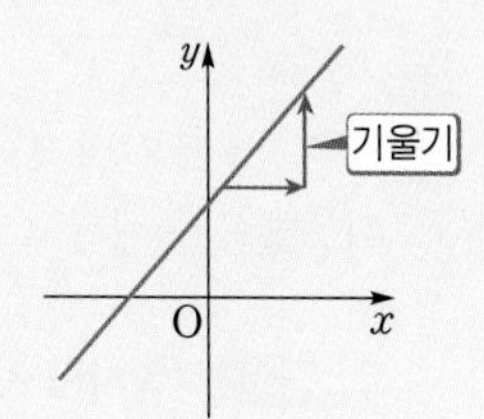

(2) 기울기, y절편을 이용하여 일차함수의 그래프 그리기
➡ y절편을 좌표평면 위에 나타내고 기울기를 이용하여 다른 한 점을 찾은 후 두 점을 직선으로 연결한다.

1. 일차함수의 그래프의 절편

Q 064 x절편, y절편이란 무엇일까?

빠른 A x절편은 x축과 만나는 점의 x좌표, y절편은 y축과 만나는 점의 y좌표

친절한 A 일차함수의 그래프는 기울기가 0이 아닌 직선이므로 x축, y축과 반드시 만나게 된다. 이때

x축과 만나는 점의 x좌표를 **x절편**, y축과 만나는 점의 y좌표를 **y절편**

└ 절편(截片) : 끊어진 조각

이라고 한다.

오른쪽 그림에서 일차함수 $y=-2x+4$의 그래프가

x축과 만나는 점의 좌표가 $(2, 0)$이므로 ➡ x절편은 2

y축과 만나는 점의 좌표가 $(0, 4)$이므로 ➡ y절편은 4

이다. 이때 x절편과 y절편은 순서쌍 $(x, 0)$, $(0, y)$에서 각각의 수 x, y를 나타내므로 점의 좌표가 아니라 '수'라는 점을 명심하자.

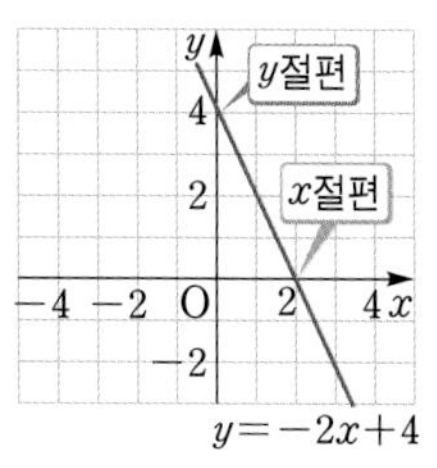

Q 065 x절편, y절편을 구하는 방법은?

빠른 A x절편은 $y=0$을 대입하고, y절편은 $x=0$을 대입해!

친절한 A 일차함수 $y=ax+b(a\neq0)$의 그래프에서 x절편과 y절편은 다음과 같이 구한다.

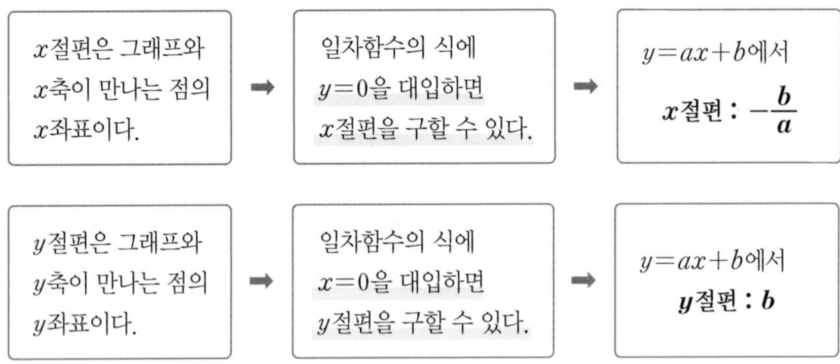

x절편은 그래프와 x축이 만나는 점의 x좌표이다.
일차함수의 식에 y=0을 대입하면 x절편을 구할 수 있다.
y=ax+b에서
x절편 : −b/a
y절편은 그래프와 y축이 만나는 점의 y좌표이다.
일차함수의 식에 x=0을 대입하면 y절편을 구할 수 있다.
y=ax+b에서
y절편 : b

앞에서 $y=ax+b$의 그래프는 $y=ax$의 그래프를 y축의 방향으로 b만큼 평행이동했음을 배웠고 우리는 이제 이 b의 값을 y절편이라고 부르게 되었다.

$y=ax+b$
↑
y절편

예제 6 일차함수 $y=-2x+6$의 그래프에서 x절편과 y절편을 각각 구하여라.

풀이 $y=-2x+6$에 $y=0$을 대입하면 $x=3$이므로 ➡ x절편은 **3**

$y=-2x+6$에 $x=0$을 대입하면 $y=6$이므로 ➡ y절편은 **6**

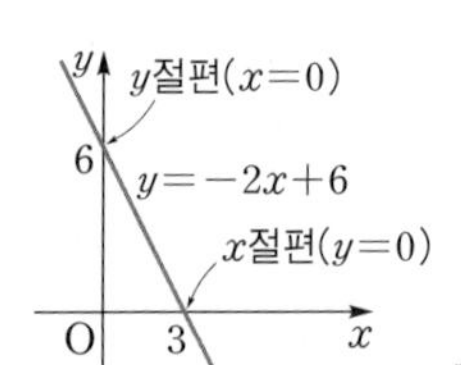

Q 066 x절편과 y절편을 이용하여 일차함수의 그래프를 어떻게 그릴까?

빠른 A x축, y축과 만나는 두 점을 이용하여 그릴 수 있어.

친절한 A 일차함수의 그래프는 직선이므로 직선 위의 서로 다른 두 점만 찾으면 그릴 수 있다. 두 점을 찾는 방법 중의 하나가 바로 앞에서 배운 x절편, y절편을 이용하는 것이다.

x절편, y절편을 이용하여 일차함수의 그래프를 그리는 방법은 다음과 같다.

❶ x절편, y절편을 구한다.

❷ 두 점 (x절편, 0), (0, y절편)을 좌표평면 위에 나타낸다.

❸ 두 점을 직선으로 연결한다.

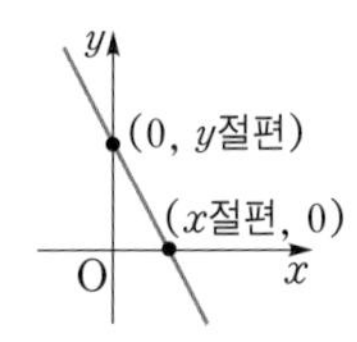

예제 7 x절편, y절편을 이용하여 일차함수 $y=2x-6$의 그래프를 그려라.

풀이 $y=2x-6$의 그래프의 x절편은 3이고, y절편은 -6이다.

따라서 일차함수 $y=2x-6$의 그래프는 오른쪽 그림과 같이 두 점 $(3, 0)$, $(0, -6)$을 지나는 직선이다.

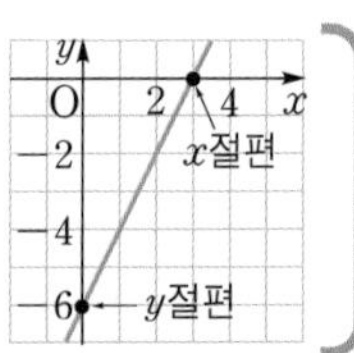

2. 일차함수의 그래프의 기울기

Q 067 일차함수의 그래프의 기울기란?

빠른 A 그래프의 기울어진 정도를 나타내는 값이야. ➡ (기울기)$=\dfrac{(y\text{의 값의 증가량})}{(x\text{의 값의 증가량})}$

친절한 A 일차함수의 그래프는 직선이고, 직선의 기울어진 정도를 결정짓는 성질로 기울기가 있다. 오른쪽 그림과 같이 어느 한 점을 지나는 직선은 무수히 많은데 서로 다른 직선은 서로 다른 각도를 나타낸다. 따라서 각도를 주고 해당하는 직선을 찾으라 하면 정확히 찾을 수 있다.

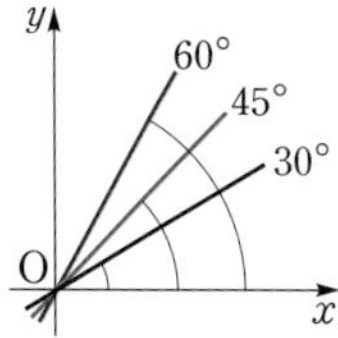

하지만 각도로 기울어지는 것을 정하기에는 복잡하고 무리가 따른다. 다행히도 기울어진 정도를 하나의 수로 나타내는 방법이 있다. 바로 직각삼각형에서 밑변의 길이와 높이의 비를 이용하는 것이다.
한 직선에서는 어느 부분에 직각삼각형을 그려도 이 비가 일정하므로 이 비를 이용하여 직선의 기울어진 정도를 나타낸다.

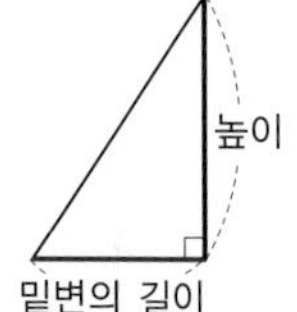

오른쪽 일차함수 $y=2x+1$의 그래프를 살펴보면

x의 값이 1만큼 증가할 때, y의 값은 2만큼 증가
x의 값이 2만큼 증가할 때, y의 값은 4만큼 증가
x의 값이 3만큼 증가할 때, y의 값은 6만큼 증가한다.

그런데 x의 값의 증가량에 대한 y의 값의 증가량의 비율은

$$\frac{(y\text{의 값의 증가량})}{(x\text{의 값의 증가량})}=\frac{2}{1}=\frac{4}{2}=\frac{6}{3}=\cdots=2$$

로 일정하고, 이 값은 일차함수의 x의 계수 2와 같음을 알 수 있다.

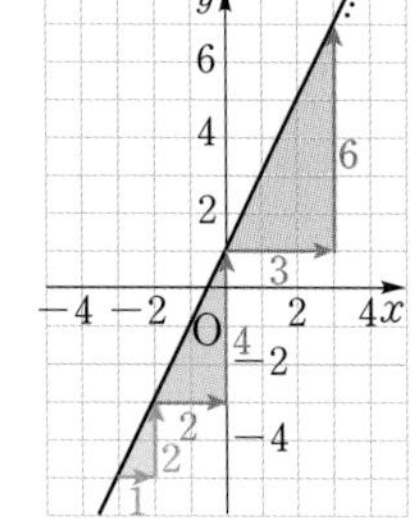

일반적으로 일차함수 $y=ax+b$에서 x의 값의 증가량에 대한 y의 값의 증가량의 비율은 항상 일정하고, 이 비율은 x의 계수 $\boldsymbol{a}$와 같다. 이 증가량의 비율 a를 일차함수 $y=ax+b$의 그래프의 **기울기**라고 한다.

$$(\text{기울기})=\frac{(y\text{의 값의 증가량})}{(x\text{의 값의 증가량})}=a$$

예제 8 다음 일차함수의 그래프의 기울기를 구하여라.

(1) $y=-3x+1$ (2) $y=\frac{1}{2}x-3$

풀이 (1) -3 (2) $\frac{1}{2}$

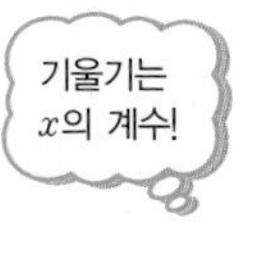

Q 068 두 점 (x_1, y_1), (x_2, y_2)를 지나는 일차함수의 그래프의 기울기는?

빠른 A (기울기)$=\dfrac{y_2-y_1}{x_2-x_1}$ 또는 $\dfrac{y_1-y_2}{x_1-x_2}$

친절한 A 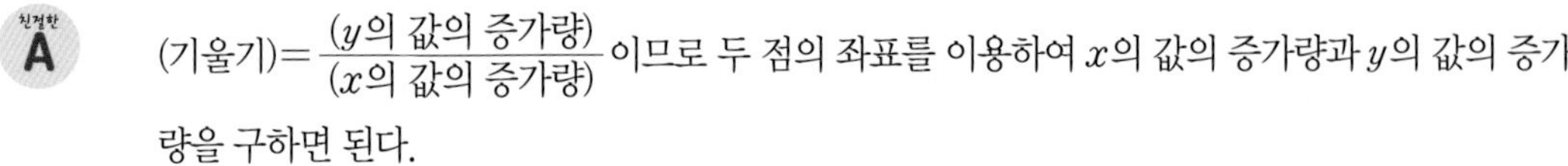
(기울기)$=\dfrac{(y\text{의 값의 증가량})}{(x\text{의 값의 증가량})}$이므로 두 점의 좌표를 이용하여 x의 값의 증가량과 y의 값의 증가량을 구하면 된다.

두 점 $(0, -6)$, $(2, -2)$를 지나는 일차함수의 그래프의 기울기는 오른쪽 그림과 같이 직각삼각형을 떠올리자!

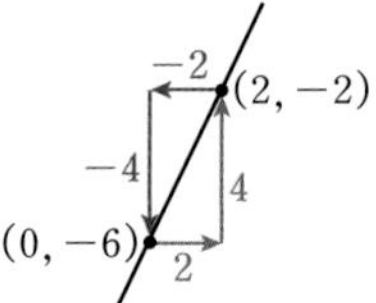

$$\frac{(y\text{의 값의 증가량})}{(x\text{의 값의 증가량})}=\frac{4}{2}=\frac{-4}{-2}=2$$

이때 각 증가량은 각각의 좌표의 차와 같다.

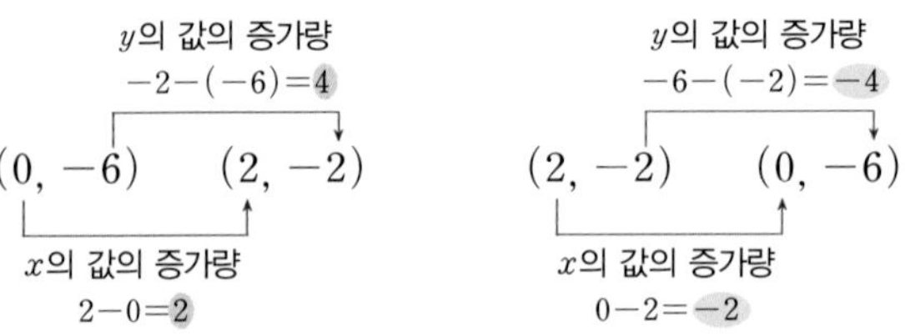

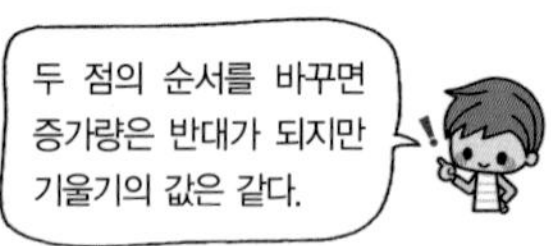

두 점의 순서를 바꾸면
증가량은 반대가 되지만
기울기의 값은 같다.

따라서 두 점 (x_1, y_1), (x_2, y_2)를 지나는 일차함수의 그래프의 기울기는 다음과 같다.

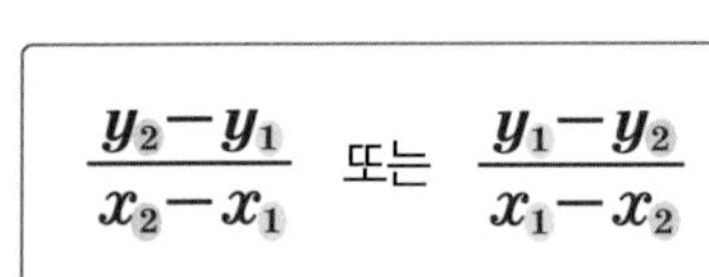

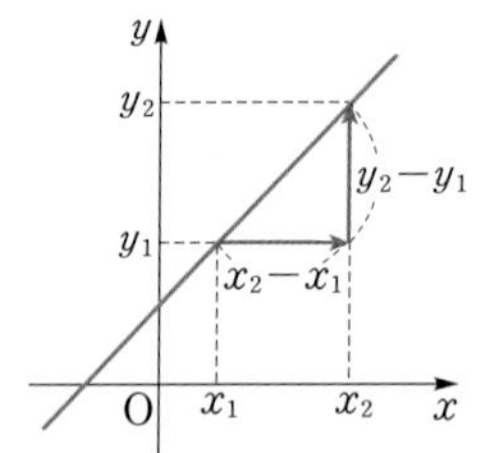

| 주의 | 기울기를 구할 때 $\dfrac{y_2-y_1}{x_1-x_2}$과 같이 구하지 않도록 주의한다.

예제 9 **다음 두 점을 지나는 일차함수의 그래프의 기울기를 구하여라.**

(1) $(-1, 9)$, $(1, 3)$ (2) $(2, -3)$, $(-3, 7)$

풀이 (1) (기울기)$=\dfrac{3-9}{1-(-1)}=\mathbf{-3}$ (2) (기울기)$=\dfrac{7-(-3)}{-3-2}=\mathbf{-2}$

서로 다른 세 점 A, B, C가 한 직선 위에 있을 때, 어느 두 점을 택하여 기울기를 구해도 기울기는 같다. 즉,

(두 점 A, B를 지나는 일차함수의 그래프의 기울기)
=(두 점 B, C를 지나는 일차함수의 그래프의 기울기)
=(두 점 A, C를 지나는 일차함수의 그래프의 기울기)

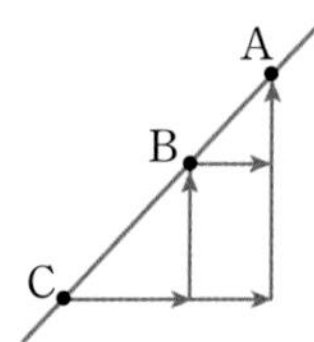

이를 기억하면 다음과 같은 문제를 쉽게 해결할 수 있다.

예제 10 세 점 $A(2, k)$, $B(-1, 6)$, $C(1, 2)$가 한 직선 위에 있을 때, k의 값을 구하여라.

풀이 (두 점 A, B를 지나는 일차함수의 그래프의 기울기)$=\frac{6-k}{-1-2}=\frac{6-k}{-3}$

(두 점 B, C를 지나는 일차함수의 그래프의 기울기)$=\frac{2-6}{1-(-1)}=-2$

기울기가 같으므로 $\frac{6-k}{-3}=-2$, $6-k=6$ $\therefore k=\mathbf{0}$

THINK Math

일차함수 $y=ax+b$에서 x의 계수 a가 그래프의 기울기임을 확인하기

일차함수 $y=ax+b$를 지나는 임의의 서로 다른 두 점 (x_1, y_1), (x_2, y_2)에 대하여 $y_1=ax_1+b$, $y_2=ax_2+b$가 성립한다.

그런데 (기울기)$=\frac{(y\text{의 값의 증가량})}{(x\text{의 값의 증가량})}$이므로 $\frac{y_2-y_1}{x_2-x_1}$로 나타낼 수 있다. 따라서

$$(\text{기울기})=\frac{y_2-y_1}{x_2-x_1}=\frac{(ax_2+b)-(ax_1+b)}{x_2-x_1}=\frac{ax_2-ax_1}{x_2-x_1}=\frac{a(x_2-x_1)}{x_2-x_1}=a$$

임을 확인할 수 있다.

Q 069 기울기와 y절편을 이용하여 일차함수의 그래프를 어떻게 그릴까?

빠른 A y절편으로 한 점을 찍고, 기울기로 나머지 한 점을 택하여 두 점을 직선으로 연결해!

친절한 A 일차함수 $y=ax+b$의 그래프에서 기울기는 a이고, y절편은 b이다.

이때 기울기와 y절편을 이용하여 일차함수 $y=ax+b$의 그래프를 그리는 방법은 다음과 같다.

$y=ax+b$ (기울기: a, y절편: b)

❶ 점 $(0, y$절편$)$, 즉 $(0, b)$를 좌표평면 위에 나타낸다.

❷ 기울기 a를 이용하여 그래프가 지나는 다른 한 점을 찾는다.

❸ 두 점을 직선으로 연결한다.

점 $(0, b)$로부터 x의 값의 증가량에 대한 y의 값의 증가량의 비율이 a인 또 다른 점을 구한다.

예제 11 기울기와 y절편을 이용하여 일차함수 $y=\frac{3}{4}x+2$의 그래프를 그려라.

풀이 ❶ y절편이 2이므로 그래프는 점 $(0, 2)$를 지난다.

❷ 기울기가 $\frac{3}{4}$이므로 점 $(0, 2)$에서 x축의 방향으로 4만큼, y축의 방향으로 3만큼 증가한 점 $(4, 5)$를 택한다.

❸ 일차함수 $y=\frac{3}{4}x+2$의 그래프는 오른쪽 그림과 같이 두 점 $(0, 2)$, $(4, 5)$를 지나는 직선이다.

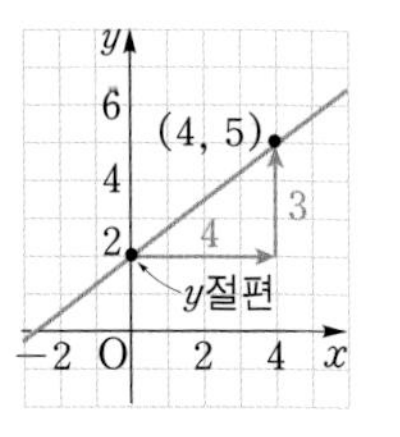

| 참고 | 기울기가 -2와 같은 정수일 때는 $\frac{-2}{1}$로 생각하여 x의 값이 1만큼 증가할 때 y의 값이 2만큼 감소한 점을 찾으면 된다. ← $\frac{2}{-1}$로 생각해도 되고, $\frac{-4}{2}$로 생각해도 된다.

개념 CHECK

해설 BOOK 042쪽

개념 확인

(1) 일차함수의 그래프가 x축과 만나는 점의 x좌표를 $\square$, y축과 만나는 점의 y좌표를 $\square$이라고 한다.

(2) $\square = \dfrac{(y\text{의 값의 증가량})}{(x\text{의 값의 증가량})}$

01 다음 일차함수의 그래프의 x절편과 y절편을 각각 구하여라.

(1) $y=x-4$　　(2) $y=-x+2$

(3) $y=1-2x$　　(4) $y=-\dfrac{1}{2}x+9$

02 다음 보기의 일차함수의 그래프 중 x의 값이 증가할 때, y의 값도 증가하는 것을 모두 골라라.

보기

ㄱ. $y=3x+1$　　ㄴ. $y=-x+2$

ㄷ. $y=\dfrac{1}{2}x-5$　　ㄹ. $y=-\dfrac{4}{3}x-1$

03 오른쪽 그림에서 각 일차함수의 그래프를 보고, 기울기와 y절편을 구하여라.

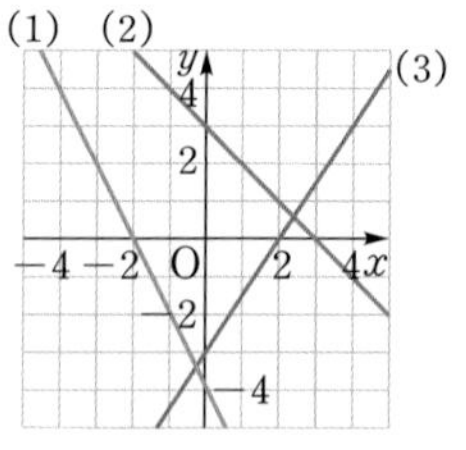

04 x절편이 -2이고, y절편이 6인 일차함수의 그래프의 기울기를 구하여라.

05 일차함수 $y=-\dfrac{1}{2}x+2$의 그래프에 대하여 다음 $\square$ 안에 알맞은 수를 써넣고, 그 그래프를 그려라.

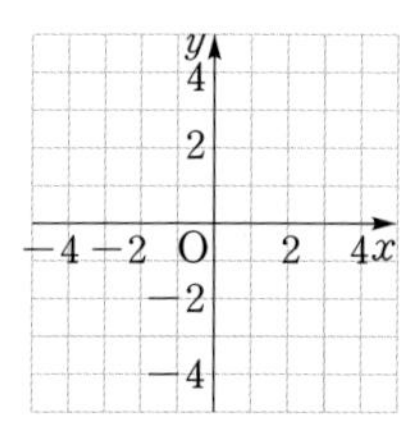

(1) 기울기는 $\square$이고, y절편은 $\square$이다.

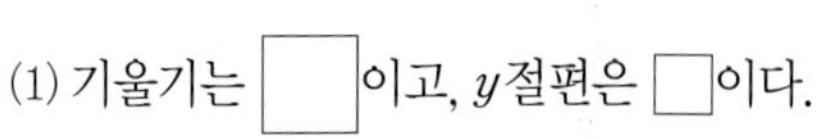

(2) x의 값이 2만큼 증가할 때, y의 값은 만큼 감소한다.

자기 진단

Q 065 ⊙ 180쪽
x절편, y절편을 구하는 방법은?

Q 067 ⊙ 181쪽
일차함수의 그래프의 기울기란?

유형 EXERCISES

문제 이해도를 ☺, ☺, ☹으로 표시해 보세요.

해설 BOOK **042쪽** | 테스트 BOOK **052쪽**

유형 1 함수와 일차함수

다음 중 y가 x의 함수가 아닌 것은?

① x와 y의 합은 7이다.
② x분은 y초이다.
③ 시속 x km로 y시간 동안 달린 거리 60 km
④ 자연수 x보다 작은 홀수 y
⑤ 한 개에 300원 하는 빵 x개의 값 y원

Summa **Point**
x의 값이 변함에 따라 y의 값이 하나씩 정해지면 y는 x의 함수이다.

168쪽 **Q 057**

유형 2 함숫값

함수 $f(x)=-3x+5$에 대하여 $f(3)+2f(-2)$의 값은?

① 10 ② 14 ③ 18
④ 22 ⑤ 26

Summa **Point**
함숫값 $f(a)$는 $y=f(x)$에서 x 대신 a를 대입하여 얻은 y의 값이다.

173쪽 **Q 061**

1-1

다음 중 일차함수가 아닌 것을 모두 고르면? (정답 2개)

① $y=4$ ② $y=-\frac{x}{3}$
③ $y=2x-3$ ④ $y=2x(x+1)$
⑤ $y=x^2-x(x-3)$

1-2

다음 **보기** 중 y가 x에 대한 일차함수인 것을 모두 골라라.

보기
ㄱ. 한 변의 길이가 x cm인 정삼각형의 둘레의 길이는 y cm이다.
ㄴ. 밑변의 길이가 x cm이고 높이가 y cm인 삼각형의 넓이는 30 cm²이다.
ㄷ. x각형의 한 꼭짓점에서 그을 수 있는 대각선의 개수는 y이다.
ㄹ. x각형의 외각의 크기의 합은 $y°$이다.

2-1

함수 $f(x)=$(자연수 x의 약수의 개수)에 대하여 $f(24)-f(72)$의 값을 구하여라.

2-2

함수 $f(x)=-x+b$에 대하여 $f(3)=3$일 때, $f(-1)$의 값을 구하여라. (단, b는 상수)

2-3

함수 $f(x)=ax-2$에 대하여 $f(1)=5$, $f(b)=12$일 때, 상수 a, b에 대하여 $a+b$의 값을 구하여라.

유형 3 일차함수의 그래프의 평행이동

일차함수 $y=-2x+b$의 그래프를 y축의 방향으로 3만큼 평행이동하였더니 일차함수 $y=ax+5$의 그래프가 되었다. 이때 상수 a, b에 대하여 $a+b$의 값을 구하여라.

Summa Point

$y=ax+b$의 그래프를 y축의 방향으로 c만큼 평행이동한 그래프의 식은 $y=ax+b+c$이다.

176쪽 Q063

3-1

일차함수 $y=-\frac{3}{2}x$의 그래프를 y축의 방향으로 -5만큼 평행이동한 그래프의 식을 구하여라.

3-2

다음 일차함수의 그래프 중 일차함수 $y=-\frac{2}{3}x$의 그래프를 평행이동했을 때, 겹쳐지는 것을 모두 고르면? (정답 2개)

① $y=-2x$
② $y=-3x+2$
③ $y=-\frac{1}{2}x+1$
④ $y=-\frac{2}{3}x-5$
⑤ $y=-\frac{2}{3}x+\frac{1}{2}$

3-3

일차함수 $y=4x+b$의 그래프를 y축의 방향으로 -5만큼 평행이동하였더니 일차함수 $y=4x-1$의 그래프가 되었다. 일차함수 $y=4x+b$의 그래프를 y축의 방향으로 2만큼 평행이동한 그래프의 식을 구하여라. (단, b는 상수)

유형 4 일차함수의 그래프의 x절편, y절편

일차함수 $y=\frac{3}{2}x-6$의 그래프의 x절편을 a, y절편을 b라고 할 때, $a+b$의 값을 구하여라.

Summa Point

x절편은 $y=0$일 때 x의 값이고, y절편은 $x=0$일 때 y의 값이다.

180쪽 Q065

4-1

오른쪽 그림은 일차함수 $y=2x-4$의 그래프이다. 이때 $m+n$의 값을 구하여라.

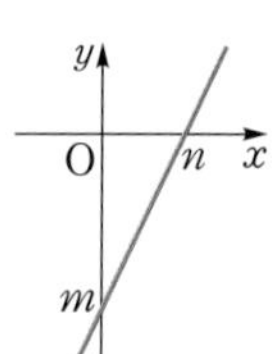

4-2

일차함수 $y=2x+3$의 그래프를 y축의 방향으로 -5만큼 평행이동한 그래프의 x절편을 구하여라.

4-3

일차함수 $y=ax+b$의 그래프의 x절편이 -2, y절편이 3일 때, 상수 a, b에 대하여 $a+b$의 값을 구하여라.

유형 5 일차함수의 그래프의 기울기

다음 일차함수의 그래프 중 x의 값이 4만큼 증가할 때 y의 값이 6만큼 감소하는 것은?

① $y=-4x+1$ ② $y=-\frac{1}{3}x-1$

③ $y=3x+2$ ④ $y=-3x+1$

⑤ $y=-\frac{3}{2}x-5$

Summa Point

일차함수 $y=ax+b$의 그래프에서

(기울기)$=\frac{(y\text{의 값의 증가량})}{(x\text{의 값의 증가량})}=a$

181쪽 Q 067

5-1

일차함수 $y=4x-3$의 그래프에서 x의 값이 -2에서 3까지 증가할 때, y의 값의 증가량을 구하여라.

5-2

다음 두 점을 지나는 일차함수의 그래프의 기울기를 구하여라.

(1) $(1,\ -2)$, $(-3,\ 6)$

(2) $(2,\ 3)$, $(-4,\ -6)$

5-3

두 점 $(-12,\ 9)$, $(k,\ -5)$를 지나는 일차함수의 그래프의 기울기가 -2일 때, k의 값을 구하여라.

유형 6 일차함수의 그래프 그리기

다음 중 일차함수 $y=\frac{1}{3}x-2$의 그래프는?

①
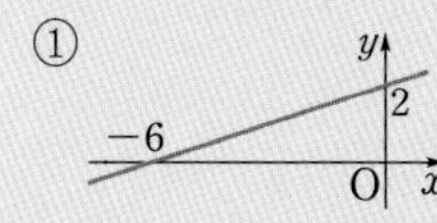

②
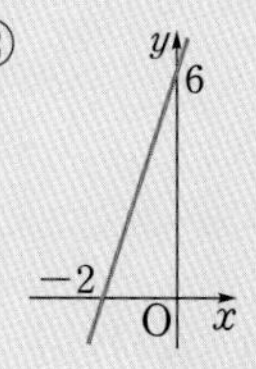

③
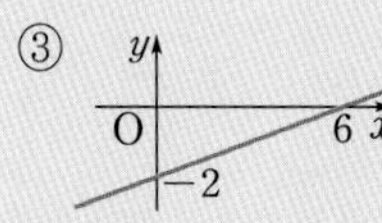

④
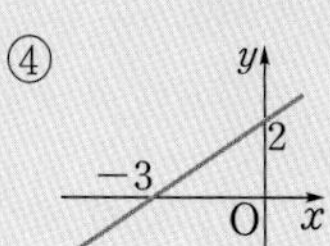

⑤
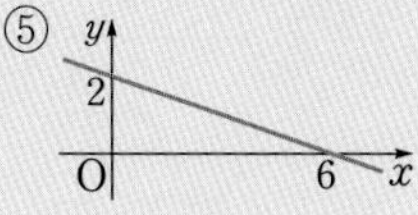

Summa Point

일차함수의 그래프는 직선이므로 기울기와 y절편 또는 x절편과 y절편 등을 이용하여 직선 위의 두 점을 찾아 그릴 수 있다.

183쪽 Q 069

6-1

다음 중 일차함수 $y=-\frac{3}{2}x-3$의 그래프는?

①
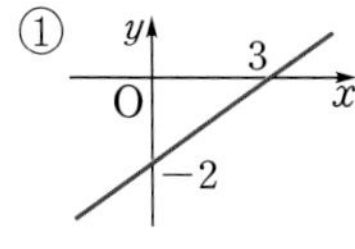

②
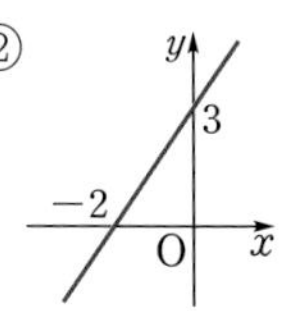

③
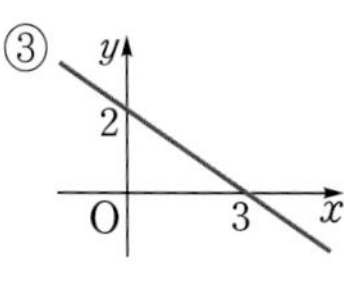

④
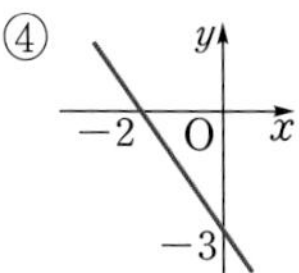

⑤
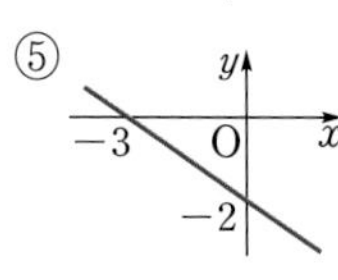

6-2

두 일차함수 $y=\frac{3}{2}x+3$, $y=-x+3$의 그래프와 x축으로 둘러싸인 도형의 넓이를 구하여라.

일차함수의 그래프의 성질

SUMMA NOTE

1. 일차함수 $y=ax+b$의 그래프의 모양

(1) $a>0$, $b>0$일 때 (2) $a>0$, $b<0$일 때 (3) $a<0$, $b>0$일 때 (4) $a<0$, $b<0$일 때

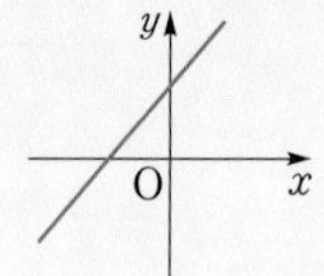

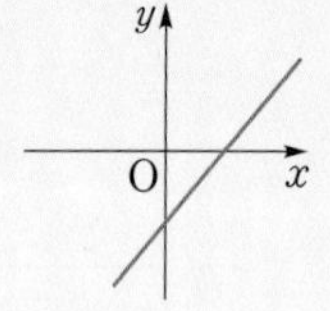

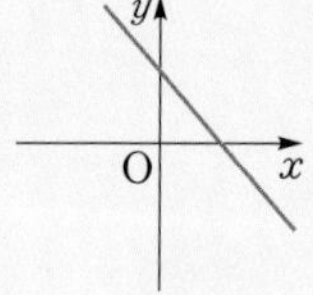

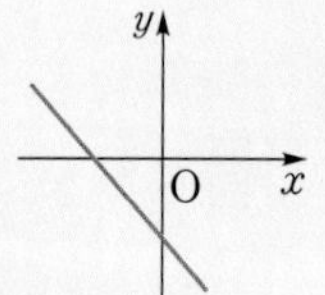

2. 일차함수의 그래프의 평행과 일치

기울기가 같은 두 일차함수의 그래프는 서로 평행하거나 일치한다.

(1) 기울기가 같고 y절편이 다른 경우 ➡ 평행

(2) 기울기가 같고 y절편도 같은 경우 ➡ 일치

1. 일차함수 $y=ax+b$의 그래프의 모양

Q 070 a, b의 부호로 $y=ax+b$의 그래프의 모양을 짐작할 수 있다?

a의 부호는 그래프의 모양을 결정하고, b의 부호는 y축과 만나는 점의 위치를 결정해.

친절한 A

일차함수 $y=ax+b$의 a, b의 부호만 보고도 그 그래프의 대략적인 모양을 짐작할 수 있다.

(i) 기울기 a의 부호는 그래프의 모양을 결정한다.

기울기 a	$a>0$일 때	$a<0$일 때
그래프의 모양	오른쪽 위로 향하는 직선이다. ➡ x의 값이 증가할 때 y의 값도 증가한다. 증가(위) 증가(오른쪽)	오른쪽 아래로 향하는 직선이다. ➡ x의 값이 증가할 때 y의 값은 감소한다. 증가(오른쪽) 감소(아래)

| 참고 | $y=ax$의 그래프와 마찬가지로 $y=ax+b$의 그래프도 a의 절댓값이 클수록 y축에 가깝다.

(ii) y절편 b의 부호는 그래프가 y축과 만나는 점의 위치를 결정한다.

y절편 b	$b>0$일 때	$b<0$일 때
y축과 만나는 위치	y축과 양의 부분에서 만난다. (b ← x축보다 위)	y축과 음의 부분에서 만난다. (b ← x축보다 아래)

| 참고 | $b=0$이면 원점을 지난다.

이상으로부터 일차함수 $y=ax+b$의 그래프는 기울기 a와 y절편 b의 부호에 따라 다음과 같이 4가지 형태로 그려짐을 알 수 있다.

기울기와 y절편에 따라 그래프가 지나는 사분면이 결정된다.

(1) $a>0$, $b>0$일 때	(2) $a>0$, $b<0$일 때	(3) $a<0$, $b>0$일 때	(4) $a<0$, $b<0$일 때
제 1, 2, 3사분면을 지난다.	제 1, 3, 4사분면을 지난다.	제 1, 2, 4사분면을 지난다.	제 2, 3, 4사분면을 지난다.

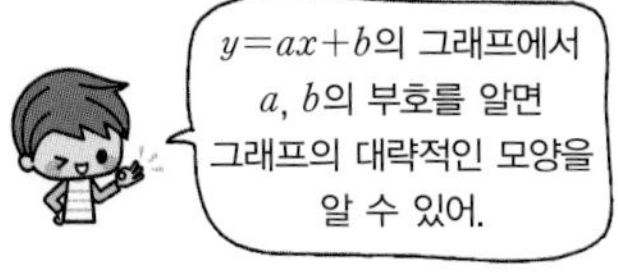

$y=ax+b$의 그래프에서 a, b의 부호를 알면 그래프의 대략적인 모양을 알 수 있어.

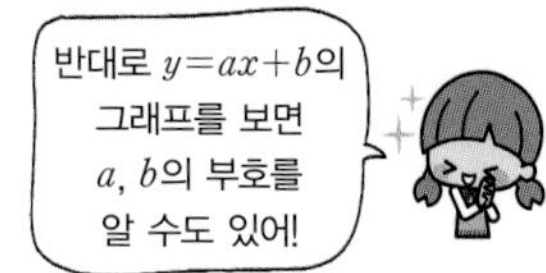

반대로 $y=ax+b$의 그래프를 보면 a, b의 부호를 알 수도 있어!

예제 12 **다음 조건을 만족시키는 일차함수의 그래프를 보기에서 모두 골라라.**

보 기

ㄱ. $y=2x-1$ ㄴ. $y=3x+4$ ㄷ. $y=-x-1$ ㄹ. $y=-2x+3$

(1) 오른쪽 위로 향하는 그래프

(2) x의 값이 증가할 때 y의 값은 감소하는 그래프

(3) y축과 양의 부분에서 만나는 그래프

(4) 제2사분면을 지나지 않는 그래프

풀이

(1) 기울기가 양수인 것은 **ㄱ, ㄴ**이다.

(2) 기울기가 음수인 것은 **ㄷ, ㄹ**이다.

(3) y절편이 양수인 것은 **ㄴ, ㄹ**이다.

(4) 기울기가 양수, y절편이 음수인 것은 **ㄱ**이다.

2. 일차함수의 그래프의 평행과 일치

Q 071 기울기가 같은 두 일차함수의 그래프 사이에는 어떤 관계가 있을까?

빠른 A y절편이 다르면 서로 평행하고, y절편이 같으면 일치해.

친절한 A 한 평면 위에 있는 두 직선의 위치 관계는 다음의 세 가지 경우뿐이다.

한 점에서 만난다. / 평행하다. / 일치한다.

이는 일차함수의 그래프에서도 그대로 나타난다. 두 일차함수의 그래프의 위치 관계도 위와 같이 세 가지로 나누어지는데, 이때 기울기가 중요하게 작용한다.

두 일차함수 $y=ax+b$, $y=cx+d$의 그래프의 위치 관계		
(1) 한 점에서 만난다.	(2) 평행하다.	(3) 일치한다.
기울기가 다르다. $(a\neq c)$	기울기가 같다. $(a=c)$	기울기가 같다. $(a=c)$
	y절편이 다르다. $(b\neq d)$	y절편이 같다. $(b=d)$

기울기가 같은 두 일차함수의 그래프에서
y절편이 다르면 두 일차함수의 그래프는 평행하고
y절편도 같으면 두 일차함수의 그래프는 일치한다.
또한 서로 평행한 두 일차함수의 그래프의 기울기는 같다.

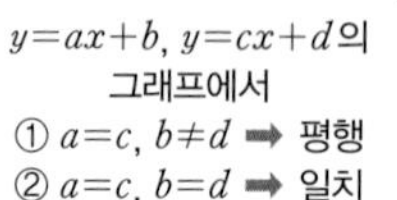
$y=ax+b$, $y=cx+d$의
그래프에서
① $a=c$, $b\neq d$ ➡ 평행
② $a=c$, $b=d$ ➡ 일치

예제 13 두 일차함수 $y=ax+2$, $y=3x+b$의 그래프에 대하여 다음을 구하여라.

(1) 두 그래프가 평행하도록 하는 상수 a, b의 조건

(2) 두 그래프가 일치하도록 하는 상수 a, b의 조건

(3) 두 그래프가 한 점에서 만나도록 하는 상수 a의 조건

풀이 (1) $a=3$, $b\neq 2$ (2) $a=3$, $b=2$ (3) $a\neq 3$

개념 확인

(1) 일차함수 $y=ax+b$의 그래프는 $a>0$이면 오른쪽 ☐로 향하는 직선이 된다.

(2) 기울기가 같은 두 일차함수의 그래프는 ☐ 또는 ☐한다.

01 $y=ax+b$의 그래프가 다음과 같을 때, 상수 a, b의 부호를 각각 구하여라.

(1)

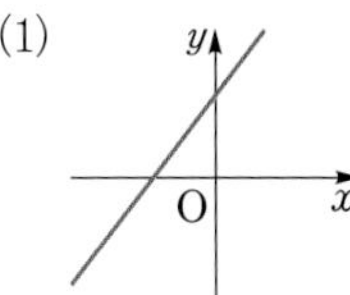

(2)

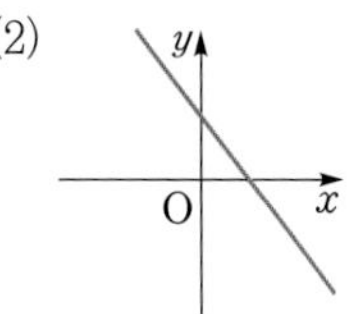

(3)

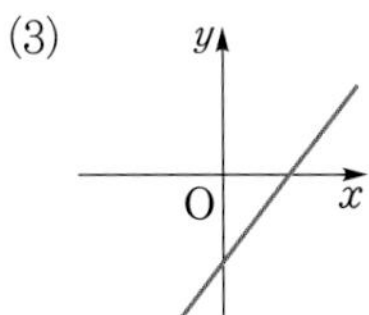

(4)

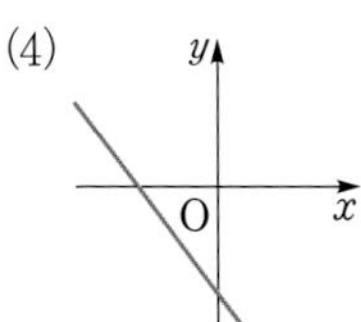

02 다음 조건을 만족시키는 일차함수의 그래프를 보기에서 모두 골라라.

보기	
ㄱ. $y=2x+1$	ㄴ. $y=3x-2$
ㄷ. $y=-x+5$	ㄹ. $y=-2x-1$

(1) x의 값이 증가할 때 y의 값도 증가하는 그래프

(2) y축과 음의 부분에서 만나는 그래프

(3) $y=-x$의 그래프와 평행한 그래프

03 두 일차함수 $y=-\frac{1}{3}x+2$, $y=ax-2$의 그래프가 서로 평행할 때, 상수 a의 값을 구하여라.

04 두 일차함수 $y=\frac{a}{2}x-3$, $y=-x-3b$의 그래프가 서로 일치할 때, 상수 a, b의 값을 각각 구하여라.

자기 진단

Q 070 188쪽
a, b의 부호로 $y=ax+b$의 그래프의 모양을 짐작할 수 있다?

Q 071 190쪽
기울기가 같은 두 일차함수의 그래프 사이에는 어떤 관계가 있을까?

일차함수의 식 구하기

SUMMA NOTE

1. 일차함수의 식 구하기

다음과 같은 직선을 그래프로 하는 일차함수의 식은 아래와 같이 구한다.

(1) 기울기가 a, y절편이 b인 직선 ➡ $y=ax+b$

(2) 기울기가 a이고, 한 점 (x_1, y_1)을 지나는 직선

❶ 일차함수의 식을 $y=ax+b$로 놓는다.

❷ $x=x_1$, $y=y_1$을 대입하여 b의 값을 구한다.

(3) 서로 다른 두 점 (x_1, y_1), (x_2, y_2)를 지나는 직선

❶ 기울기 a를 구한다. ➡ $a=\dfrac{y_2-y_1}{x_2-x_1}=\dfrac{y_1-y_2}{x_1-x_2}$

❷ 일차함수의 식을 $y=ax+b$로 놓는다.

❸ 두 점 중 한 점의 좌표를 대입하여 b의 값을 구한다.

(4) x절편이 m, y절편이 n인 직선 ➡ $y=-\dfrac{n}{m}x+n$

1. 일차함수의 식 구하기

일차함수의 식이 주어지면 그 그래프를 그리고, 기울기와 x절편, y절편을 구할 수 있었다. 반대로 그래프, 기울기, x절편, y절편 등이 주어졌을 때 일차함수의 식도 구할 수 있어야 한다. 일차함수의 식은 $y=ax+b\ (a\neq0)$ 꼴이므로 기울기 a와 y절편 b를 알면 식을 구할 수 있다. 주어진 조건을 이용하여 기울기와 y절편을 알아내고 식을 구해 보도록 하자.

$y=\underline{a}x+\underline{b}$
기울기 y절편

Q 072 기울기와 y절편이 주어질 때, 일차함수의 식은 어떻게 구할까? 

 $y=$(기울기)$x+$(y절편)에 넣으면 완성!

 기울기가 a이고, y절편이 b인 직선을 그래프로 하는 일차함수의 식은 $y=ax+b$이므로 a, b에 대입만 하면 된다. 즉,

기울기가 2이고, y절편 -3인 직선 ➡ $y=2x-3$

기울기가 -3이고, y절편이 4인 직선 ➡ $y=-3x+4$

단, 기울기나 y절편이 변형되어 주어지더라도 이로부터 기울기와 y절편을 알아내어 일차함수의 식을 구할 수 있도록 하자.

① x의 값이 3에서 5까지 증가할 때 y의 값은 2만큼 감소하고, y절편이 3인 직선

➡ 기울기 : $\frac{-2}{5-3}=-1$, y절편 : 3 ➡ $y=-x+3$

② 일차함수 $y=-3x+1$의 그래프와 평행하고, y축과 만나는 점의 좌표가 $(0, 3)$인 직선

➡ 기울기 : -3, y절편 : 3 ➡ $y=-3x+3$

예제 14 다음과 같은 직선을 그래프로 하는 일차함수의 식을 구하여라.

(1) x의 값이 1만큼 증가할 때 y의 값이 2만큼 증가하고, 점 $(0, 1)$을 지나는 직선

(2) 일차함수 $y=-\frac{4}{3}x+1$의 그래프와 평행하고, y절편이 -3인 직선

풀이 (1) (기울기)$=\frac{2}{1}=2$, (y절편)$=1$이므로 $\boldsymbol{y=2x+1}$

(2) (기울기)$=-\frac{4}{3}$, (y절편)$=-3$이므로 $\boldsymbol{y=-\frac{4}{3}x-3}$

Q 073 기울기와 한 점의 좌표가 주어질 때, 일차함수의 식은 어떻게 구할까?

빠른 A $y=$(기울기)$x+b$에 지나는 한 점의 좌표를 대입하여 b의 값을 구해.

친절한 A 기울기가 a이고, 한 점 (x_1, y_1)을 지나는 직선을 그래프로 하는 일차함수의 식은 다음과 같이 구한다.

❶ 기울기가 a이므로 일차함수의 식을 $y=ax+b$로 놓는다.

❷ $y=ax+b$에 $x=x_1$, $y=y_1$을 대입하여 b의 값을 구한다.

예제 15 다음과 같은 직선을 그래프로 하는 일차함수의 식을 구하여라.

(1) 기울기가 3이고, 점 $(1, 2)$를 지나는 직선

(2) x의 값이 3만큼 증가할 때 y의 값은 -6만큼 증가하고, 점 $(2, 3)$을 지나는 직선

풀이 (1) ❶ 기울기가 3이므로 일차함수의 식을 $y=3x+b$로 놓는다.

❷ $y=3x+b$에 $x=1$, $y=2$를 대입하면 $2=3\times1+b$ $\quad\therefore b=-1$

따라서 구하는 식은 $\boldsymbol{y=3x-1}$이다.

(2) ❶ (기울기)$=\frac{-6}{3}=-2$이므로 일차함수의 식을 $y=-2x+b$로 놓는다.

❷ $y=-2x+b$에 $x=2$, $y=3$를 대입하면 $3=-4+b$ $\quad\therefore b=7$

따라서 구하는 식은 $\boldsymbol{y=-2x+7}$이다.

Q 074 서로 다른 두 점의 좌표가 주어질 때, 일차함수의 식은 어떻게 구할까?

빠른 A 두 점의 좌표를 이용하여 기울기를 먼저 구해.

친절한 A 서로 다른 두 점 (x_1, y_1), (x_2, y_2)를 지나는 직선을 그래프로 하는 일차함수의 식은 다음과 같이 구한다.

❶ 기울기 a를 구한다. ➡ $a=\dfrac{y_2-y_1}{x_2-x_1}=\dfrac{y_1-y_2}{x_1-x_2}$

❷ 일차함수의 식을 $y=ax+b$로 놓는다.

❸ $y=ax+b$에 두 점 중 한 점의 좌표를 대입하여 b의 값을 구한다.

예제 16 두 점 $(2, -1)$, $(4, 3)$을 지나는 직선을 그래프로 하는 일차함수의 식을 구하여라.

풀이 ❶ (기울기)$=\dfrac{3-(-1)}{4-2}=2$

❷ 기울기가 2이므로 일차함수의 식을 $y=2x+b$로 놓는다.

❸ 이 식에 $x=2$, $y=-1$을 대입하면 $-1=2\times2+b$ $\quad\therefore b=-5$

따라서 구하는 식은 $\boldsymbol{y=2x-5}$이다.

다른풀이 구하는 일차함수의 식을 $y=ax+b$로 놓고 두 점의 좌표를 각각 대입하여 연립방정식을 푼다.

두 점의 좌표가 $(2, -1)$, $(4, 3)$이므로 $\begin{cases} -1=2a+b \\ 3=4a+b \end{cases}$

연립방정식을 풀면 $a=2$, $b=-5$ $\quad\therefore \boldsymbol{y=2x-5}$

Q 075 x절편과 y절편이 주어질 때, 일차함수의 식은 어떻게 구할까?

빠른 A x절편이 m, y절편이 n인 직선은 두 점 $(m, 0)$, $(0, n)$을 지나.

친절한 A x절편과 y절편이 주어질 때는 y절편을 이미 알고 있으므로 기울기만 구하면 된다.
x절편이 m, y절편이 n인 직선은 두 점 $(m, 0)$, $(0, n)$을 지나므로

(기울기)$=\dfrac{n-0}{0-m}=-\dfrac{n}{m}$

따라서 일차함수의 식은 $\boldsymbol{y=-\dfrac{n}{m}x+n}$이다.

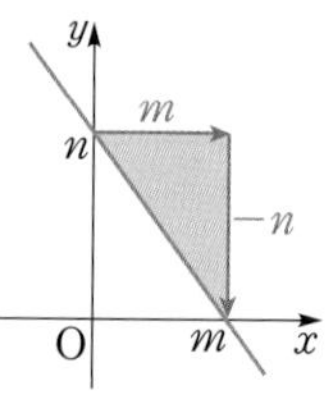

x절편 m과 y절편 n을 좌표평면에 나타내어 보면 기울기가 $-\dfrac{n}{m}$임을 한눈에 알 수 있다.

예제 17 x절편이 2, y절편이 4인 직선을 그래프로 하는 일차함수의 식을 구하여라.

풀이 (기울기)$=-\dfrac{4}{2}=-2$이고, y절편은 4이므로

구하는 일차함수의 식은 $\boldsymbol{y=-2x+4}$이다.

해설 BOOK 044쪽

개념 확인

(1) 기울기가 a이고, y절편이 b인 직선을 그래프로 하는 일차함수의 식은
➡ $y=$ □

(2) x절편이 m, y절편이 n인 직선을 그래프로 하는 일차함수의 식은
➡ $y=$ □ $x+$ □

자기 진단

Q 072 192쪽
기울기와 y절편이 주어질 때, 일차함수의 식은 어떻게 구할까?

Q 073 193쪽
기울기와 한 점의 좌표가 주어질 때, 일차함수의 식은 어떻게 구할까?

Q 074 194쪽
서로 다른 두 점의 좌표가 주어질 때, 일차함수의 식은 어떻게 구할까?

Q 075 194쪽
x절편과 y절편이 주어질 때, 일차함수의 식은 어떻게 구할까?

개념 CHECK

01 다음과 같은 직선을 그래프로 하는 일차함수의 식을 구하여라.

(1) 기울기가 3이고, y절편이 -2인 직선

(2) 기울기가 $-\frac{2}{3}$이고, y절편이 -1인 직선

02 다음과 같은 직선을 그래프로 하는 일차함수의 식을 구하여라.

(1) 기울기 2이고, 점 $(1, 6)$을 지나는 직선

(2) 기울기가 $\frac{2}{3}$이고, 점 $(3, 6)$을 지나는 직선

03 다음 두 점을 지나는 직선을 그래프로 하는 일차함수의 식을 구하여라.

(1) $(1, 4)$, $(3, 10)$ (2) $(2, -3)$, $(4, -9)$

(3) $(3, -2)$, $(7, 2)$ (4) $(-2, 4)$, $(4, 1)$

04 다음과 같은 직선을 그래프로 하는 일차함수의 식을 구하여라.

(1) x절편이 3, y절편이 6인 직선

(2) x절편이 4, y절편이 -2인 직선

05 오른쪽 그림과 같은 직선을 그래프로 하는 일차함수의 식을 구하여라.

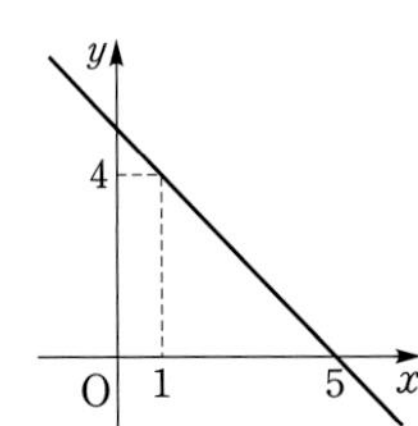

SUMMA **NOTE**

1. 일차함수의 활용

일차함수의 활용 문제는 다음과 같은 순서로 해결한다.

❶ 변수 정하기 : 문제의 뜻을 파악하여 두 양을 x, y로 놓는다.

❷ 관계식 세우기 : x, y 사이의 관계식을 일차함수 $y=ax+b$ 꼴로 나타낸다.

❸ 답 구하기 : 관계식을 이용하여 조건에 맞는 x의 값 또는 y의 값을 구한다.

❹ 확인하기 : 구한 해가 문제의 뜻에 맞는지 확인한다.

1. 일차함수의 활용

Q 076 일차함수의 활용 문제에 접근하는 노하우는? 

변수 x, y 정하기 ➡ x, y 사이의 관계식 세우기 ➡ 답 구하기 ➡ 확인하기

일차함수를 활용하여 여러 가지 실생활 문제를 해결할 수 있다. 이때 SUMMA **NOTE**에서 제시한 순서에 따라 문제를 해결하면 된다. 식을 풀어 구한 해일지라도 실생활에서 성립하지 않는 경우가 있으므로 반드시 구한 해가 문제의 뜻에 맞는지 확인해야 한다.
다음 문제를 순서에 따라 해결해 보도록 하자.

㉮ 현재 20 ℃인 물의 온도가 1분이 지날 때마다 5 ℃씩 상승한다고 한다.
물의 온도가 50 ℃가 되려면 몇 분이 걸리는지 구해 보자.

❶ 변수 정하기	x분 후의 물의 온도를 y ℃라고 하자.
❷ 관계식 세우기	물의 온도가 매분 5 ℃씩 상승하면 x분 후에는 물의 온도가 $5x$ ℃ 상승하므로 $y=5x+20$
❸ 답 구하기	$y=50$을 대입하면 $50=5x+20$, $5x=30$ $\quad\therefore x=6$
	따라서 물의 온도가 50 ℃가 되려면 **6분**이 걸린다.
❹ 확인하기	6분 후에는 30 ℃가 상승하므로 물의 온도는 50 ℃가 되어 문제의 뜻에 맞다.

| 참고 | 활용 문제에서 x, y가 주어져 있는 경우도 있지만 주어지지 않은 경우 먼저 변하는 것을 x로 놓고, x가 변함에 따라 나중에 변하는 것을 y로 놓고 식을 세워야 한다.

예) 시간이 지남에 따라 온도가 변하면 ➡ 시간 x, 온도 y

무게가 늘어남에 따라 길이가 변하면 ➡ 무게 x, 길이 y

온도에 관한 문제 외에 일차함수의 활용에서 자주 다루어지는 유형의 문제를 **Q077**~**Q080**에서 해결해 보자. 이때 구한 해가 문제의 조건에 맞는지도 확인해 보도록 하자.

Q 077 길이에 관한 문제는 어떻게 해결할까?

빠른 A 처음 길이에서 짧아지면 −, 길어지면 +

친절한 A 길이가 30 cm인 양초에 불을 붙이면 양초의 길이는 5분마다 6 cm씩 짧아진다고 한다. 양초의 길이가 18 cm가 되는 것은 불을 붙인 지 몇 분 후인지 구해 보자.

❶ 변수 정하기	x분 후의 양초의 길이를 y cm라고 하자.
❷ 관계식 세우기	양초의 길이는 5분마다 6 cm씩 짧아지므로 1분마다 1.2 cm씩 짧아진다. 따라서 x분 후에는 $1.2x$ cm 짧아지므로 $y=30-1.2x$
❸ 답 구하기	$y=18$을 대입하면 $18=30-1.2x$, $1.2x=12$ $\quad\therefore x=10$
	따라서 양초의 길이가 18 cm가 되는 것은 불을 붙인 지 **10분** 후이다.

| 주의 | 위의 문제처럼 1분마다 6 cm씩 짧아지는 것이 아닌 경우에는 단위에 주의해야 한다.

5분 지나면 6 cm 짧아짐 ➡ 1분 지나면 1.2 cm 짧아짐 ➡ x분 지나면 $1.2x$ cm 짧아짐

Q 078 시간, 거리, 속력에 관한 문제는 어떻게 해결할까?

빠른 A (거리)=(속력)×(시간)을 이용해.

친절한 A 경수네 가족이 서울을 출발하여 동해까지 270 km를 가는데 자동차를 이용하여 시속 90 km로 가려고 한다. 출발한 지 2시간 후 동해까지 남은 거리를 구해 보자.

❶ 변수 정하기	x시간 동안 달리고 남은 거리를 y km라고 하자.
❷ 관계식 세우기	시속 90 km로 달리면 x시간 동안 달린 거리는 $90x$ km이므로 $y=270-90x$
❸ 답 구하기	$x=2$를 대입하면 $y=270-90\times 2$ $\quad\therefore y=90$
	따라서 출발한 지 2시간 후 남은 거리는 **90 km**이다.

Q 079 도형에 관한 문제는 어떻게 해결할까?

빠른 A 넓이나 둘레의 길이를 y로 놓고 식을 세운다.

친절한 A 오른쪽 그림과 같이 직사각형 ABCD에서 점 P는 점 D를 출발하여 $\overline{AD}$ 위를 매초 2 cm의 속력으로 점 A까지 움직이고 있다. △ABP의 넓이가 60 cm^2가 되는 것은 점 P가 점 D를 출발한 지 몇 초 후인지 구해 보자.

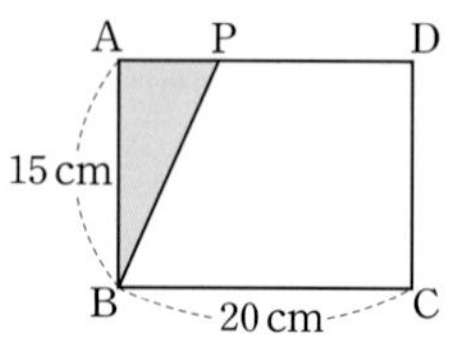

❶ 변수 정하기	x초 후의 △ABP의 넓이를 y cm^2라고 하자.
❷ 관계식 세우기	x초 후의 $\overline{AP}$의 길이는 $(20-2x)$ cm이므로 $y=\frac{1}{2}\times15\times(20-2x)$ $\therefore y=150-15x$
❸ 답 구하기	$y=60$을 대입하면 $60=150-15x$, $15x=90$ $\therefore x=6$
	따라서 점 P가 점 D를 출발한 지 **6초** 후이다.

Q 080 그래프가 주어진 문제는 어떻게 해결할까?

빠른 A 그래프가 나타내는 일차함수의 식을 구해.

친절한 A 일정한 속력으로 이동하고 있는 버스가 있다. 버스가 출발한 지 1시간 후 도착 지점까지 남은 거리는 300 km이고, 3시간 후 도착 지점까지 남은 거리는 200 km이다. 출발한 지 x시간 후 도착 지점까지 남은 거리를 y km라고 할 때, x와 y에 대한 그래프는 오른쪽 그림과 같다. 버스가 출발하여 도착 지점까지 가는 데 걸리는 시간을 구해 보자.

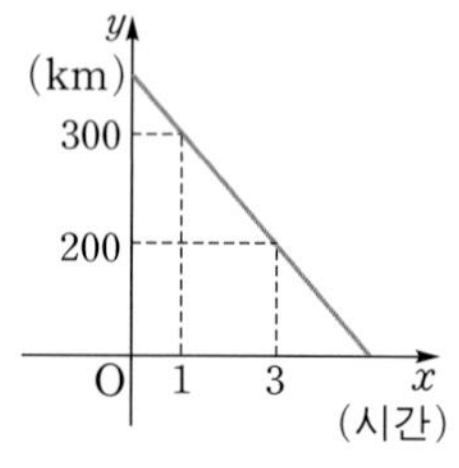

❶ 변수 정하기	x시간 후 도착 지점까지 남은 거리를 y km라고 하자.
❷ 관계식 세우기	그래프는 두 점 (1, 300), (3, 200)을 지나는 직선이므로 (기울기)$=\frac{200-300}{3-1}=\frac{-100}{2}=-50$ $y=-50x+b$로 놓고 $x=1$, $y=300$을 대입하면 $300=-50+b$ $\therefore b=350$ 따라서 x와 y 사이의 관계식은 $y=-50x+350$이다.
❸ 답 구하기	도착 지점까지의 남은 거리가 0 km일 때의 x의 값을 구한다. 즉, $y=0$을 대입하면 $0=-50x+350$, $50x=350$ $\therefore x=7$
	따라서 버스가 출발하여 도착 지점까지 가는 데는 **7시간**이 걸린다.

개념 CHECK

해설 BOOK 044쪽

개념 확인

(1) 일차함수의 활용 문제를 푸는 순서는 다음과 같다.

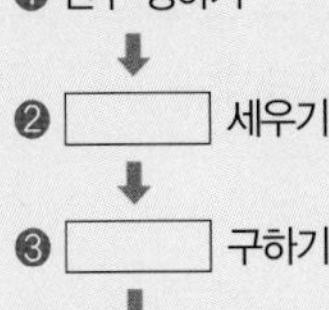

01 기온이 0 ℃일 때 소리의 속력은 초속 331 m이고, 기온이 1 ℃ 오를 때마다 소리의 속력은 초속 0.6 m씩 증가한다고 한다. 기온이 x ℃일 때의 소리의 속력을 초속 y m라고 할 때, 다음 물음에 답하여라.

(1) x와 y 사이의 관계식을 구하여라.

(2) 기온이 20 ℃일 때, 소리의 속력을 구하여라.

02 10톤의 물을 채울 수 있는 수족관에 4톤의 물이 들어 있고, 이 수족관에 물을 가득 채우기 위해 매분 0.5톤의 물을 채워 넣기 시작하였다. x분 후에 수족관에 들어 있는 물의 양을 y톤이라고 할 때, 다음 물음에 답하여라.

(1) x와 y 사이의 관계식을 구하여라.

(2) 수족관에 들어 있는 물의 양이 7톤이 되는 것은 물을 채워 넣기 시작한 지 몇 분 후인지 구하여라.

03 오래된 나무 한 그루에 400 mL 들이의 수액을 매분 일정한 양만큼 넣고 있다. 수액을 넣기 시작한 지 x분 후 용기에 남아 있는 수액의 양을 y mL라고 할 때, x와 y에 대한 그래프는 오른쪽 그림과 같다. 다음 물음에 답하여라.

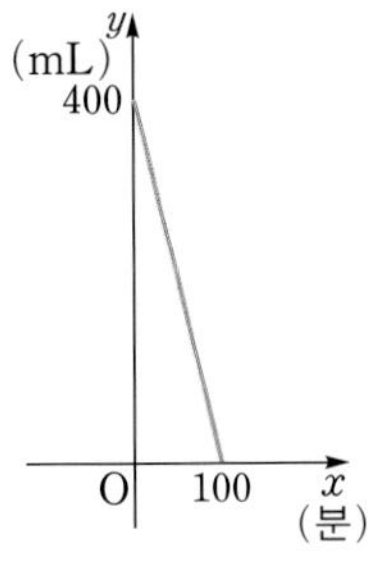

(1) x와 y 사이의 관계식을 구하여라.

(2) 수액이 100 mL 남았다면 몇 분 동안 수액을 넣은 것인지 구하여라.

자기 진단

Q 076 196쪽
일차함수의 활용 문제에 접근하는 노하우는?

문제 이해도를 ☺, 😐, ☹으로 표시해 보세요.

해설 BOOK 045쪽 | 테스트 BOOK 055쪽

유형 1 일차함수의 그래프의 성질

다음 중 일차함수 $y=-2x-6$의 그래프에 대한 설명으로 옳지 않은 것은?

① x절편은 -3이다.
② x의 값이 증가하면 y의 값은 감소한다.
③ 점 $(3, -2)$를 지난다.
④ 제1사분면을 지나지 않는다.
⑤ y축과 음의 부분에서 만난다.

Summa Point
$y=ax+b$의 그래프는 $a>0$이면 오른쪽 위로, $a<0$이면 오른쪽 아래로 향하는 직선이다.

188쪽 Q 070

1-1

일차함수 $y=-\frac{1}{2}x$의 그래프를 y축의 방향으로 3만큼 평행이동한 그래프가 지나는 사분면을 말하여라.

1-2

일차함수 $y=ax+b$의 그래프가 오른쪽 그림과 같을 때, 상수 a, b의 부호를 각각 정하여라.

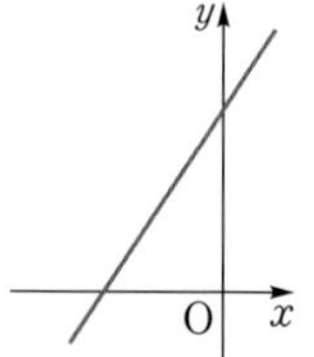

1-3

$a<0$, $b>0$일 때, 일차함수 $y=-ax-b$의 그래프가 지나지 않는 사분면을 구하여라.

유형 2 일차함수의 그래프의 평행과 일치

두 일차함수 $y=ax-3$과 $y=-2x+b$의 그래프가 서로 평행하기 위한 상수 a, b의 조건을 구하여라.

Summa Point
두 일차함수의 그래프가 평행하면 기울기는 같고, y절편은 다르다.

190쪽 Q 071

2-1

두 일차함수 $y=3x+2b$, $y=2ax-6$의 그래프가 서로 일치할 때, 상수 a, b에 대하여 $a-b$의 값을 구하여라.

2-2

일차함수 $y=ax+b$의 그래프가 오른쪽 그래프와 평행하고 x절편이 -1이다. 이때 상수 a, b에 대하여 $a+b$의 값을 구하여라.

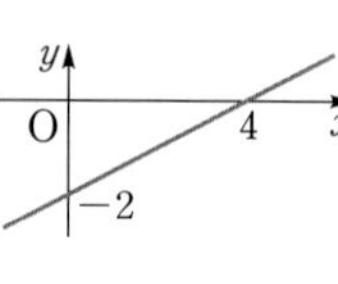

2-3

일차함수 $y=\frac{a}{2}x+\frac{3}{2}$의 그래프를 y축의 방향으로 $-\frac{1}{2}$만큼 평행이동하였더니 $y=-4x+b$의 그래프와 일치하였다. 이때 상수 a, b에 대하여 $a+b$의 값을 구하여라.

유형 3 일차함수의 식 구하기

일차함수 $y=2x-1$의 그래프와 평행하고, 점 $(2, 8)$을 지나는 직선을 그래프로 하는 일차함수의 식을 구하여라.

Summa Point

기울기를 알고 있으므로 일차함수의 식을 $y=2x+b$로 놓고 일차함수의 식을 구한다.

192쪽 Q 072

3-1

x의 값이 3만큼 증가할 때, y의 값은 -2만큼 증가하고, y절편이 2인 직선을 그래프로 하는 일차함수의 식을 구하여라.

3-2

두 점 $(2, 3)$, $(3, 1)$을 지나는 일차함수의 그래프의 x절편을 구하여라.

3-3

오른쪽 그림과 같은 직선을 그래프로 하는 일차함수의 식을 구하여라.

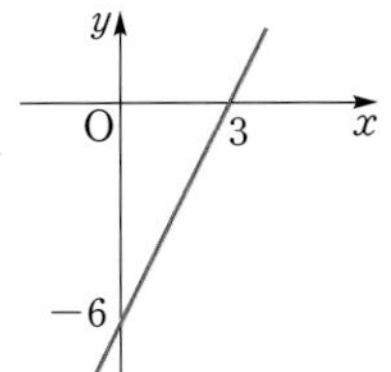

유형 4 일차함수의 활용

지면에서 10 km까지는 높이가 100 m씩 증가함에 따라 기온이 0.6 ℃씩 내려간다고 한다. 현재 지면의 기온이 25 ℃이고, 지면으로부터 높이가 x km인 지점의 기온을 y ℃라고 할 때, 다음 물음에 답하여라.

(1) x와 y 사이의 관계식을 구하여라.

(2) 지면으로부터의 높이가 3 km인 곳의 기온은 몇 ℃인지 구하여라.

Summa Point

100 m씩 증가함에 따라 기온이 0.6 ℃씩 내려가므로 1 km씩 증가함에 따라 기온이 6 ℃씩 내려간다.

196쪽 Q 076

4-1

휘발유 1 L로 약 15 km를 달릴 수 있는 자동차에 60 L의 휘발유를 넣고 여행을 떠났다. 자동차가 x km 달렸을 때 남아 있는 휘발유의 양을 y L라고 할 때, x와 y 사이의 관계식을 구하여라.

4-2

길이가 20 cm인 양초가 있다. 불을 붙이면 10분마다 길이가 2 cm씩 짧아진다고 한다. 불을 붙인 지 25분 후에 남아 있는 양초의 길이를 구하여라.

중단원 EXERCISES

해설 BOOK 046쪽 | 테스트 BOOK 058쪽

Step 1 | 내·신·기·본

01 다음 중 y가 x의 함수가 아닌 것은?

① 올해 x세인 정현이의 2년 후의 나이 y세
② 시속 x km로 5 km를 걸을 때 걸리는 시간 y시간
③ 농도가 x %인 소금물 300 g에 들어 있는 소금의 양 y g
④ 자연수 x보다 작은 짝수 y
⑤ 정수 x의 절댓값 y

02 다음 보기에서 y가 x에 대한 일차함수인 것을 모두 골라라.

보기

ㄱ. $y=x(x-1)$
ㄴ. $y=4(2x-1)-7x$
ㄷ. $y=-7$
ㄹ. $y=\frac{4}{x}$
ㅁ. $5x-y=1$

03 일차함수 $f(x)=ax+b$에서 $f(-2)=\frac{11}{3}$, $f(2)=\frac{7}{3}$일 때, $f(3)$의 값을 구하여라.

(단, a, b는 상수)

04 일차함수 $y=\frac{1}{2}x+b$의 그래프를 y축의 방향으로 -4만큼 평행이동한 그래프가 두 점 $(a, 2)$, $(-2, -2)$를 지날 때, 상수 a, b에 대하여 $a+b$의 값을 구하여라.

05 일차함수 $y=-2x-3$의 그래프를 y축의 방향으로 6만큼 평행이동한 그래프의 x절편을 a, y절편을 b라고 할 때, $a+b$의 값은?

① -5 ② -3 ③ $-\frac{1}{2}$
④ 4 ⑤ $\frac{9}{2}$

06 일차함수 $y=2x-3$의 그래프와 x축 위의 점에서 만나는 직선을 그래프로 하는 일차함수의 식은?

① $y=-2x+3$ ② $y=3x-1$
③ $y=-3x+1$ ④ $y=\frac{1}{2}x-3$
⑤ $y=-\frac{2}{3}x+2$

07 일차함수 $y=ax+2$의 그래프와 x축, y축으로 둘러싸인 삼각형의 넓이가 3일 때, 상수 a의 값을 구하여라.

(단, $a<0$)

08 두 점 $(-2, 3)$, $(4, k)$를 지나는 일차함수의 그래프의 기울기가 -3일 때, k의 값은?

① -15 ② -6 ③ 2
④ 6 ⑤ 12

09 좌표평면에서 세 점 $(2, -2)$, $(3, k)$, $(5, 4)$가 한 직선 위에 있을 때, k의 값을 구하여라.

10 다음 중 일차함수 $y=-\frac{4}{3}x+1$의 그래프에 대한 설명으로 옳지 않은 것은?

① x의 값이 3만큼 증가할 때, y의 값은 4만큼 감소한다.
② x절편은 $\frac{3}{4}$이다.
③ y축과 만나는 점의 좌표는 $(0, 1)$이다.
④ $y=-\frac{4}{3}x$의 그래프를 y축의 방향으로 1만큼 평행이동한 것이다.
⑤ 두 점 $(-3, 5)$, $(6, 10)$을 연결하여 그릴 수 있다.

11 다음 보기의 일차함수 중 그 그래프가 서로 평행한 것을 골라라.

보기

ㄱ. $y=3x+2$ ㄴ. $y=-3x+2$
ㄷ. $y=\frac{1}{2}x-1$ ㄹ. $y=3x-1$
ㅁ. $y=-2x+5$ ㅂ. $y=1+2x$

12 오른쪽 그림과 같은 일차함수의 그래프와 평행하고, y절편이 5인 직선을 그래프로 하는 일차함수의 식을 구하여라.

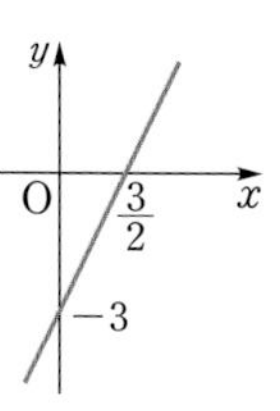

13 오른쪽 그림과 같은 직선을 그래프로 하는 일차함수의 식을 구하여라.

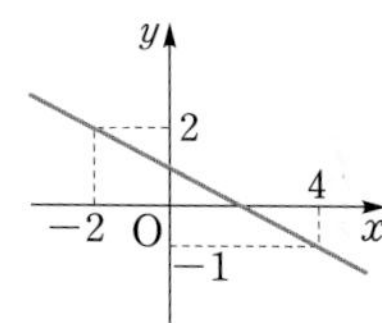

14 수소 전기 자동차는 1회에 5 kg의 수소를 충전하여 500 km를 주행할 수 있다고 한다. 1회 충전하여 x km를 주행한 후 남은 수소의 양을 y km라고 할 때, 물음에 답하여라.

(1) x와 y 사이의 관계식을 구하여라.
(2) 수소 전기 자동차를 타고 서울에서 대전까지 160 km를 주행했을 때, 남은 수소의 양을 구하여라.

Step 2 | 내 · 신 · 발 · 전

15 일차함수 $y=ax+b$의 그래프가 오른쪽 그림과 같을 때, 일차함수 $y=bx-a$의 그래프가 지나지 않는 사분면을 구하여라. (단, a, b는 상수)

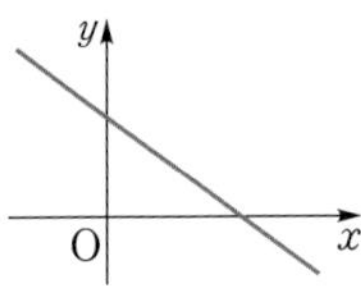

16 두 일차함수 $y=3x-3$, $y=-\frac{1}{2}x+k$의 그래프가 x축과 만나는 점을 각각 A, B라고 할 때, $\overline{AB}=5$이다. 이때 상수 k의 값을 모두 구하여라.

17 오른쪽 그림과 같이 일차함수 $y=ax-3$의 그래프가 두 점 A(1, 2), B(3, −1)을 이은 선분과 만날 때, 상수 a의 값의 범위를 구하여라.

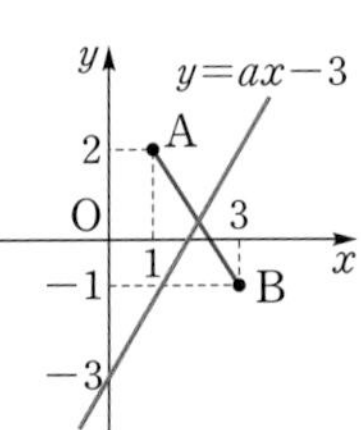

18 500 L의 물을 저장할 수 있는 물통에 현재 100 L의 물이 들어 있고, 1분마다 20 L의 물을 더 채워 넣고 있다. x분 후에 물통에 들어 있는 물의 양을 y L라고 할 때, 다음 중 옳지 <u>않은</u> 것은?

① x와 y 사이의 관계식은 $y=20x+100$이다.
② y는 x에 대한 일차함수이다.
③ 10분 후의 물의 양은 300 L이다.
④ 물통의 물이 400 L가 되려면 18분이 걸린다.
⑤ 물통을 가득 채우는 데 걸리는 시간은 20분이다.

19 창의융합

운동 중 분당 최대 한계 심장 박동 수 h회와 신체 나이 a세 사이에는 $h=-0.8a+176$인 관계가 성립한다. 다음 물음에 답하여라.

(1) 신체 나이가 15세인 학생의 운동 중 분당 최대 한계 심장 박동 수를 구하여라.
(2) 신체 나이가 10세 많아질 때마다 운동 중 분당 최대 한계 심장 박동 수는 얼마씩 감소하는지 구하여라.

20 오른쪽 그림과 같은 직사각형 ABCD에서 점 P는 점 B를 출발하여 $\overline{BC}$ 위를 매초 2 cm의 속력으로 점 C까지 움직인다고 한다. 점 P가 점 B를 출발한 지 10초 후의 사다리꼴 APCD의 넓이를 구하여라.

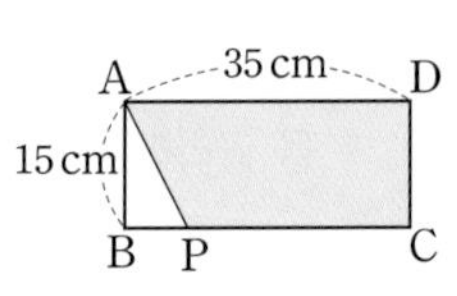

01 일차함수와 일차방정식의 관계

SUMMA NOTE

1. 일차함수와 일차방정식의 관계

미지수가 2개인 일차방정식 $ax+by+c=0$ (a, b, c는 상수, $a\neq0$, $b\neq0$)의 그래프는 일차함수 $y=-\frac{a}{b}x-\frac{c}{b}$의 그래프와 같다.

2. 축에 평행한 직선

(1) $x=p(p\neq0)$의 그래프 : 점 $(p, 0)$을 지나고 y축에 평행한 직선

(2) $y=q(q\neq0)$의 그래프 : 점 $(0, q)$를 지나고 x축에 평행한 직선

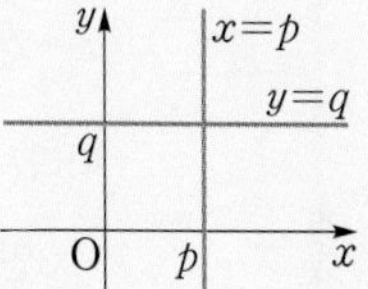

3. 직선의 방정식

일차방정식 $ax+by+c=0$ (a, b, c는 상수, $a\neq0$ 또는 $b\neq0$)을 직선의 방정식이라고 한다.

1. 일차함수와 일차방정식의 관계

Q 081 일차방정식 $ax+by+c=0$ $(a\neq0, b\neq0)$의 그래프는 어떤 모양일까?

빠른 A 일차함수 $y=-\frac{a}{b}x-\frac{c}{b}$ 꼴로 나타낼 수 있으므로 그래프의 모양은 직선이야.

친절한 A 순서쌍 (x, y)를 좌표평면 위에 점으로 나타낼 수 있으므로 해가 순서쌍 (x, y)로 나타나는 일차방정식의 해도 좌표평면 위에 나타낼 수 있다.
그렇다면 x, y가 수 전체일 때 미지수가 2개인 일차방정식 $ax+by+c=0(a\neq0, b\neq0)$의 해가 되는 순서쌍을 좌표평면 위에 나타내면 어떤 모양이 될까? 정답은 직선!
이는 다음과 같이 식을 변형하여 보면 간단히 알 수 있다.

$$㉠\ ax+by+c=0 \Rightarrow y\text{에 대하여 풀면} \Rightarrow ㉡\ y=-\frac{a}{b}x-\frac{c}{b}$$

㉡은 앞에서 다루었던 일차함수의 식이다. 일차함수 ㉡을 만족하는 순서쌍 (x, y)를 좌표평면 위에 모두 나타내면 직선이 된다. 따라서 ㉠의 그래프도 ㉡의 그래프와 같은 직선이 될 것은 명백하다.

따라서 미지수가 2개인 일차방정식 $ax+by+c=0$의 그래프는 $ax+by+c=0$을 y에 대하여 풀어서 일차함수 $y=-\frac{a}{b}x-\frac{c}{b}$ 꼴로 만들고, 앞에서 배웠던 일차함수의 그래프 그리는 방법을 이용하여 일차방정식의 그래프를 쉽게 그릴 수 있다.

예제 18 일차방정식 $x-2y=4$의 그래프를 그려라.

풀이 $x-2y=4$를 y에 대하여 풀면 $-2y=-x+4$ $\therefore y=\frac{1}{2}x-2$

따라서 일차방정식 $x-2y=4$의 그래프는 기울기가 $\frac{1}{2}$, y절편이 -2인 직선으로 오른쪽 그림과 같다.

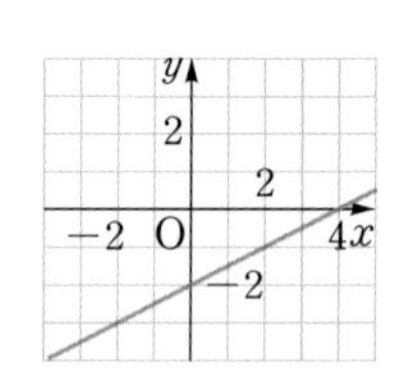

2. 축에 평행한 직선

미지수가 2개인 일차방정식 $ax+by+c=0(a\neq0,\ b\neq0)$의 그래프는 오른쪽 그림과 같이 기울어진 직선들로 나타난다.

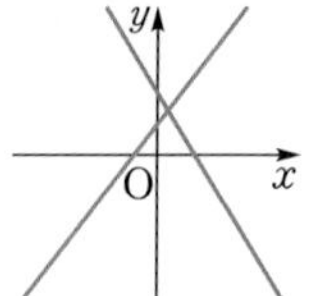

$$ax+by+c=0\,(a\neq0,\ b\neq0)\text{의 그래프} \Rightarrow \text{기울어진 직선}$$

그렇다면 기울어지지 않는 직선, 즉 x축이나 y축에 평행한 모양의 직선들은 일차방정식과 관계가 없는 것일까? Q 082에서 자세히 살펴보겠지만 x축, y축에 평행한 모양의 직선은 미지수가 2개인 방정식이 아니라 **미지수가 1개인 방정식과 관계가 있다.** 미지수가 1개인 방정식은 일차방정식 $ax+by+c=0$에서 $a=0$이거나 $b=0$ 꼴의 방정식, 즉 $ax+c=0$ 또는 $by+c=0$ 꼴의 방정식이다.

Q 082 일차방정식 $ax+c=0$, $by+c=0$의 그래프는 어떤 직선일까?

$ax+c=0$ ➡ y축에 평행한 직선, $by+c=0$ ➡ x축에 평행한 직선

(1) 일차방정식 $ax+c=0$의 그래프

방정식 $ax+c=0$ ➡ $\boldsymbol{x=-\frac{c}{a}}$의 그래프를 그리기 위해서는 $ax+c=0$을 만족하는 순서쌍 $(x,\ y)$를 구하면 된다. 식에는 미지수 y가 없지만 $ax+c=0$ ➡ $ax+0\cdot y+c=0$으로 생각하면 y는 수 전체임을 알 수 있다.

따라서 방정식 $x=-\frac{c}{a}$의 그래프는 오른쪽 그림과 같이 x좌표가 $-\frac{c}{a}$인 모든 점을 찾아 표시하면 되므로

점 $\left(-\frac{c}{a},\ 0\right)$을 지나고 y축에 평행한 직선이 된다.

(2) 일차방정식 $by+c=0$의 그래프

방정식 $by+c=0$ ➡ $\boldsymbol{y=-\frac{c}{b}}$의 그래프도 마찬가지로 $by+c=0$ ➡ $0\cdot x+by+c=0$으로 생각하면 x는 수 전체임을 알 수 있다.

따라서 방정식 $y=-\frac{c}{b}$의 그래프는 오른쪽 그림과 같이 y의 좌표가 $-\frac{c}{b}$인 모든 점을 찾아 표시하면 되므로

점 $\left(0,\ -\frac{c}{b}\right)$를 지나고 x축에 평행한 직선이 된다.

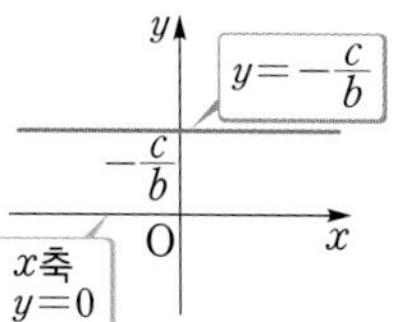

이상을 정리하면 다음과 같다.

일차방정식 $x=p$, $y=q$의 그래프

일차방정식	$x=p$	$y=q$
그래프의 모양	점 $(p,\ 0)$을 지나고 y축에 평행한 직선 (x축에 수직인 직선)	점 $(0,\ q)$를 지나고 x축에 평행한 직선 (y축에 수직인 직선)
그래프		

예제 19 **다음 일차방정식의 그래프로 알맞은 것을 오른쪽 그림에서 찾아 짝지어라.**

(1) $x=3$　　(2) $x+4=0$

(3) $2y=4$　　(4) $3y+8=-1$

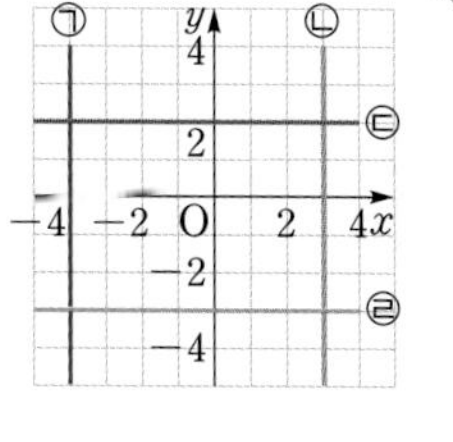

풀이 (1) ㉡ (2) ㉠ (3) ㉢ (4) ㉣

(3) $y=2$ (4) $y=-3$

| 참고 | (1) $x=p$: x의 값 p에 대한 y의 값이 무수히 많으므로 함수가 아니다.

(2) $y=q$: 어떤 x의 값에 대해서도 y의 값이 항상 q이므로 함수이다. 단, 일차함수는 아니다.

3. 직선의 방정식

Q 083 직선의 방정식이란?

빠른 A $ax+by+c=0$ 꼴의 일차방정식(단, $a\neq0$ 또는 $b\neq0$)

친절한 A 일차방정식의 모든 해를 좌표평면 위에 나타내면 직선이 된다. 반대로 좌표평면 위에서 직선으로 나타낸 그래프의 식을 구했더니 모두 $ax+by+c=0$ 꼴이었다.
이로부터 일차방정식 $\boldsymbol{ax+by+c=0}$ **(**$\boldsymbol{a\neq0}$ **또는** $\boldsymbol{b\neq0}$**)**은 모든 직선을 나타낼 수 있는 식이기에 일차방정식을 특별히 **직선의 방정식**이라고 부른다.

직선의 방정식 $ax+by+c=0$ ($a\neq0$ 또는 $b\neq0$)은 다음과 같이 분류할 수 있다.

미지수가 x, y인 경우 $a\neq0$, $b\neq0$	미지수가 x뿐인 경우 $a\neq0$, $b=0$	미지수가 y뿐인 경우 $a=0$, $b\neq0$
$ax+by+c=0$ ⬇ $y=-\frac{a}{b}x-\frac{c}{b}$	$x=-\frac{c}{a}$	$y=-\frac{c}{b}$

예제 20 다음 직선의 방정식을 구하여라.

(1) 기울기가 2이고, 점 $(3, -2)$를 지나는 직선

(2) 두 점 $(3, 2)$, $(3, -5)$를 지나는 직선

(3) 두 점 $(5, -4)$, $(-2, -4)$를 지나는 직선

풀이 (1) 직선의 방정식을 $y=2x+b$로 놓고 $x=3$, $y=-2$를 대입하면
$-2=6+b$, $b=-8$ $\therefore$ $\boldsymbol{y=2x-8}$

(2) $\boldsymbol{x=3}$ (3) $\boldsymbol{y=-4}$

THINK Math

차원에 따라 달라지는 $x=2$의 기하적 의미

일차방정식 $2x-4=0$의 해 $x=2$는 방정식이 참이 되는 x의 값이 2라는 뜻이다.
그런데 $x=2$를 기하적으로 접근하면 1차원인 수직선 위에서는 2에 대응하는 한 점을 나타내고, 2차원인 좌표평면 위에서는 x의 좌표가 2인 모든 점으로 y축에 평행한 직선을 나타낸다.
더 나아가 3차원인 좌표공간에서 $x=2$는 평면을 나타낸다.

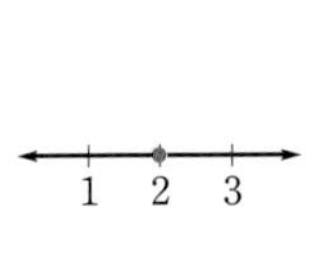

수직선에서 $x=2$

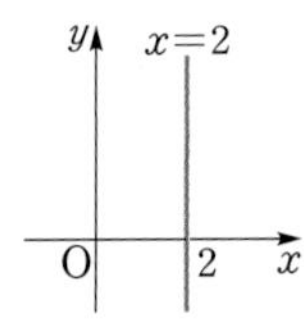

좌표평면에서 $x=2$

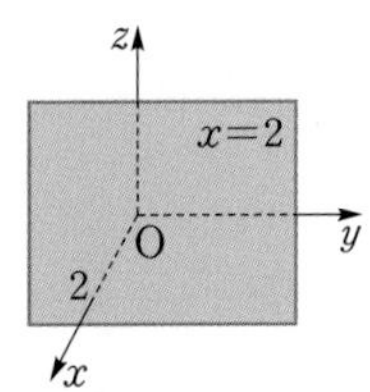

좌표공간에서 $x=2$

해설 BOOK 048쪽

01 다음 일차방정식의 그래프를 그려라.

(1) $x+y-4=0$

(2) $2x-3y+6=0$

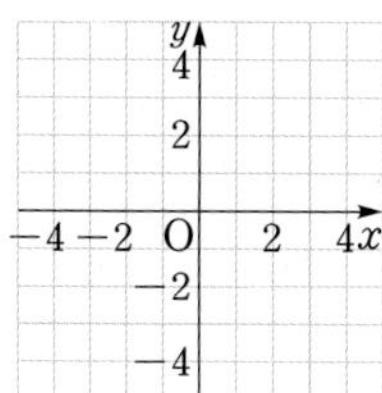

02 일차방정식 $ax+y+6=0$의 그래프가 점 $(5, 4)$를 지날 때, 상수 a의 값을 구하여라.

03 다음 일차방정식의 그래프를 그려라.

(1) $x+3=0$　　(2) $3x-6=0$

(3) $y-3=0$　　(4) $2y+4=0$

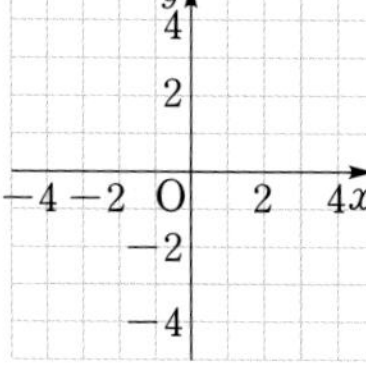

04 다음 직선의 방정식을 구하여라.

(1) 점 $(2, 3)$을 지나고 x축에 평행한 직선

(2) 점 $(-3, 4)$를 지나고 y축에 평행한 직선

(3) 두 점 $(2, -3)$, $(2, 7)$을 지나는 직선

(4) 두 점 $(-2, 5)$, $(-1, 5)$를 지나는 직선

개념 확인

(1) $ax+by+c=0(a\neq0,\ b\neq0)$을 y에 대하여 풀면 $y=$ ☐

(2) $x=k$의 그래프는 ☐축에 평행하고 $y=k$의 그래프는 ☐축에 평행하다.

(3) 일차방정식 $ax+by+c=0$ $(a\neq0$ 또는 $b\neq0)$을 ☐이라고 한다.

자기 진단

Q 081 205쪽
일차방정식 $ax+by+c=0$ $(a\neq0, b\neq0)$의 그래프는 어떤 모양일까?

Q 082 206쪽
일차방정식 $ax+c=0$, $by+c=0$의 그래프는 어떤 직선일까?

Q 083 208쪽
직선의 방정식이란?

연립방정식의 해와 그래프

Ⅳ-2. 일차함수와 일차방정식의 관계

SUMMA NOTE

1. 연립방정식의 해와 그래프

(1) 연립방정식의 해를 $x=p$, $y=q$라고 하면 두 일차방정식의 그래프의 교점의 좌표는 (p, q)이다.

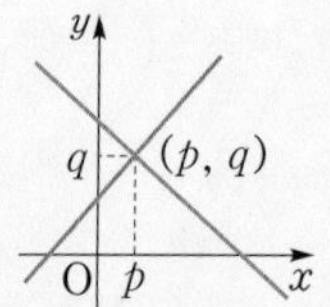

(2) 연립방정식의 해의 개수는 두 일차방정식의 그래프의 교점의 개수와 같다.

두 일차방정식의 그래프	기울기가 다르다.	기울기는 같고 y절편은 다르다.	기울기와 y절편이 모두 같다.
그래프의 교점의 개수	1	없다.	무수히 많다.
연립방정식의 해의 개수	1	없다.	무수히 많다.

1. 연립방정식의 해와 그래프

일차방정식의 그래프는 직선이고, 직선 위의 모든 점의 좌표는 그 직선의 방정식의 해이다. 그렇다면 연립방정식의 해는 두 일차방정식의 그래프를 그릴 때 어떻게 나타날까?

Q 084 연립방정식의 해는 두 일차방정식의 그래프의 교점의 좌표이다?

Yes!

연립방정식 $\begin{cases} x+y=4 & \cdots\cdots ㉠ \\ x-y=-2 & \cdots\cdots ㉡ \end{cases}$를 풀면 해는 $x=1$, $y=3$이다.

한편 두 일차방정식 ㉠, ㉡의 그래프를 그리면 오른쪽 그림과 같이 점 $(1, 3)$에서 만난다.

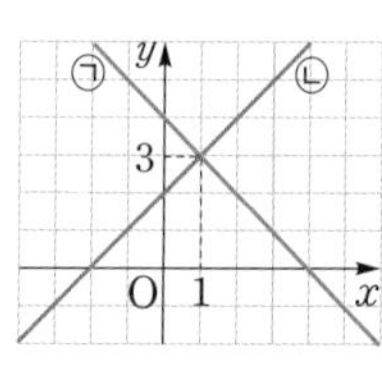

연립방정식의 해는 두 일차방정식의 공통인 해이고, 두 일차방정식의 그래프의 교점은 두 그래프 위에 있는 공통인 점이므로 연립방정식의 해는 당연하게도 두 일차방정식의 그래프의 교점으로 나타난다. 즉,

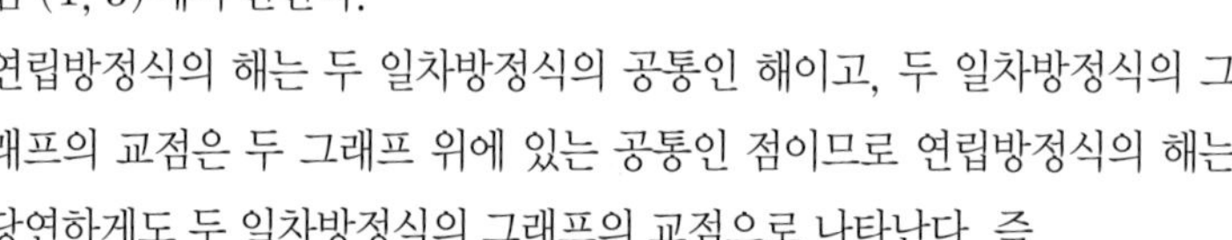

연립방정식의 해와 두 일차방정식의 그래프의 교점의 좌표가 서로 같다.

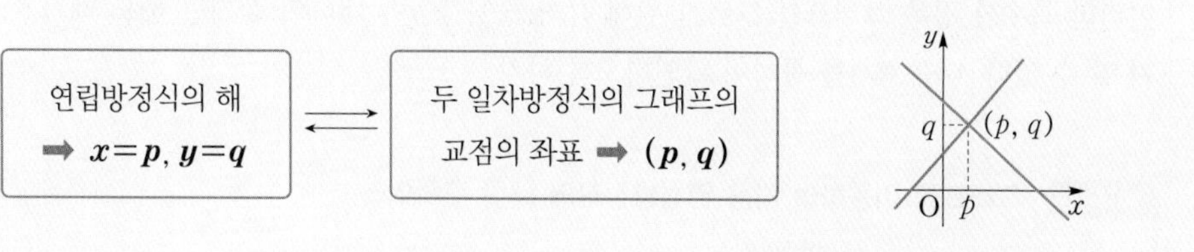

예제 21 오른쪽 그림을 이용하여 연립방정식 $\begin{cases} x+y=3 \\ x-y=-5 \end{cases}$의 해를 구하여라.

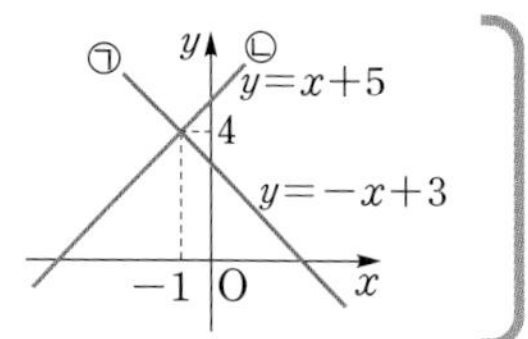

풀이 두 직선 ㉠, ㉡의 교점의 좌표는 $(-1,\ 4)$이므로
주어진 연립방정식의 해는 $\boldsymbol{x=-1,\ y=4}$

(연립방정식의 해)=(두 직선의 교점의 좌표)는 너무나도 당연해 보이지만 이는 역사적으로 매우 중대한 발견이었다. 다양한 직선들의 교점의 좌표를 연립방정식을 풀어 구할 수 있게 되었고, 연립방정식의 해가 기하학적으로 어떤 의미를 갖는지도 확인할 수 있게 된 것이다.
만약 방정식과 함수의 그래프 사이의 관계를 알지 못했다면 우리는 여전히 직선의 교점의 좌표를 구하기 힘들었을 것이다.

Q 085 두 직선이 서로 평행하거나 일치할 때의 연립방정식의 해는?

빠른 A 평행하면 해가 없고, 일치하면 해가 무수히 많아!

친절한 A 두 일차방정식의 그래프가 한 점에서 만나면 그 교점의 좌표가 연립방정식의 해가 되었다.
그런데 두 직선이 한 점에서 만나지 않으면, 즉 평행하거나 일치한다면 연립방정식의 해는 해가 없거나 해가 무수히 많은 특수한 경우가 된다.

(1) 두 직선이 평행하면 ➡ 연립방정식의 해가 없다.

연립방정식 $\begin{cases} 2x-y=-2 \\ 4x-2y=6 \end{cases}$의 두 일차방정식의 그래프를 그리면 오른쪽 그림과 같이 두 직선이 서로 평행하다.
두 직선의 교점이 존재하지 않으므로 연립방정식의 해도 존재하지 않는다.

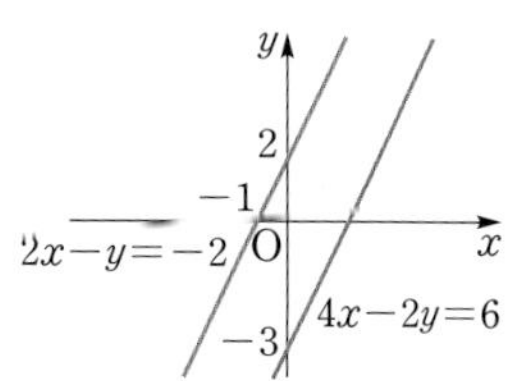

(2) 두 직선이 일치하면 ➡ 연립방정식의 해가 무수히 많다.

연립방정식 $\begin{cases} x+y=3 \\ 2x+2y=6 \end{cases}$의 두 일차방정식의 그래프를 그리면 오른쪽 그림과 같이 두 직선이 일치한다.
두 직선의 교점이 무수히 많으므로 연립방정식의 해도 무수히 많다.

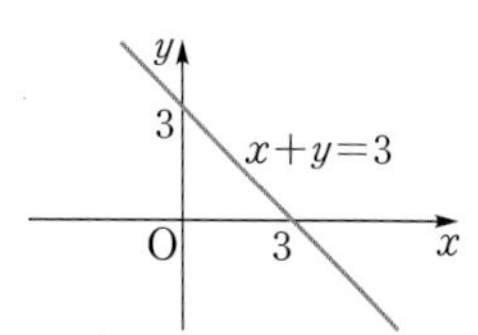

이러한 특수한 경우 그래프를 그리기 위해 각 방정식을 y에 대하여 풀기만 해도 해가 어떻게 될지 알 수 있다. 다음 예제를 통하여 확인하도록 하자.

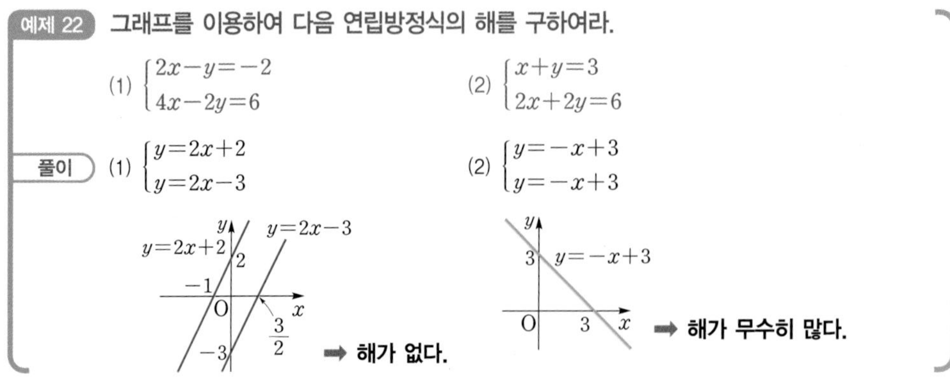

예제 22 **그래프를 이용하여 다음 연립방정식의 해를 구하여라.**

(1) $\begin{cases} 2x-y=-2 \\ 4x-2y=6 \end{cases}$　　(2) $\begin{cases} x+y=3 \\ 2x+2y=6 \end{cases}$

풀이 (1) $\begin{cases} y=2x+2 \\ y=2x-3 \end{cases}$　　(2) $\begin{cases} y=-x+3 \\ y=-x+3 \end{cases}$

➡ **해가 없다.**　　➡ **해가 무수히 많다.**

이상을 정리하면 다음과 같다.

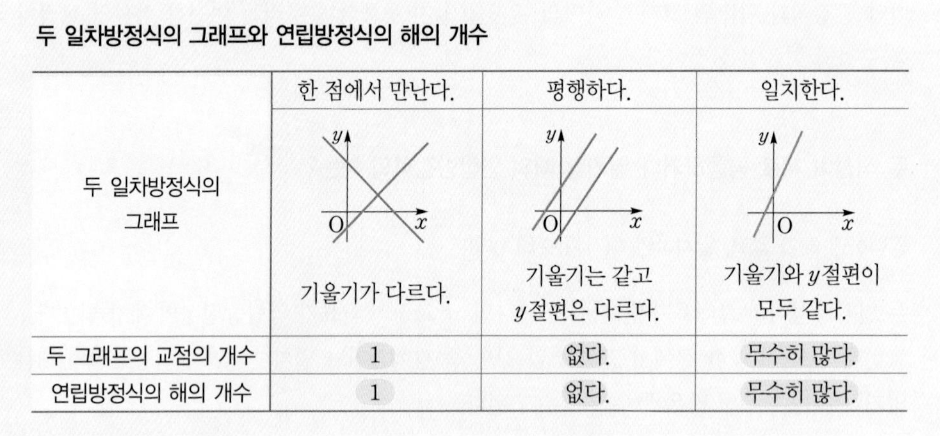

두 일차방정식의 그래프와 연립방정식의 해의 개수

	한 점에서 만난다.	평행하다.	일치한다.
두 일차방정식의 그래프	기울기가 다르다.	기울기는 같고 y절편은 다르다.	기울기와 y절편이 모두 같다.
두 그래프의 교점의 개수	1	없다.	무수히 많다.
연립방정식의 해의 개수	1	없다.	무수히 많다.

예제 23 **연립방정식 $\begin{cases} y=2x-2 \\ y=ax-b \end{cases}$의 해가 다음과 같을 때, 상수 a, b의 조건을 구하여라.**

(1) 해가 한 쌍이다.　　(2) 해가 없다.　　(3) 해가 무수히 많다.

풀이 (1) $a\neq2$　(2) $a=2$, $b\neq2$　(3) $a=2$, $b=2$

| 참고 | 연립방정식 $\begin{cases} ax+by=c \\ a'x+b'y=c' \end{cases}$의 해의 개수는 다음과 같이 계수의 비를 이용하여 알 수 있다.

계수의 비	$\frac{a}{a'}\neq\frac{b}{b'}$	$\frac{a}{a'}=\frac{b}{b'}\neq\frac{c}{c'}$	$\frac{a}{a'}=\frac{b}{b'}=\frac{c}{c'}$
연립방정식의 해의 개수	1	없다.	무수히 많다.

해설 BOOK 049쪽

개념 확인

(1) 연립방정식의 해는 두 일차함수의 그래프의 [　　]의 좌표와 같다.

(2) 연립방정식에서 각 일차방정식의 그래프가 평행하면 연립방정식의 해는 [　　].

01 오른쪽 그림을 이용하여 연립방정식 $\begin{cases} x+y=3 \\ 2x-y=3 \end{cases}$의 해를 구하여라.

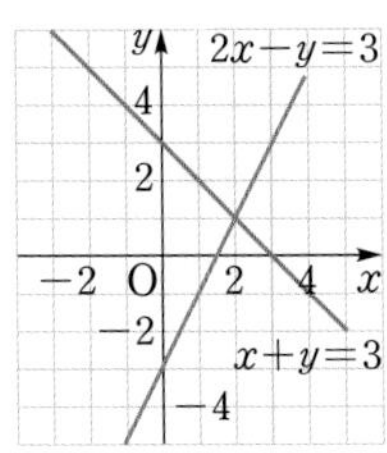

02 두 일차방정식 $3x+4y=1$, $2x+ay=-5$의 그래프가 오른쪽 그림과 같을 때, 상수 a의 값을 구하여라.

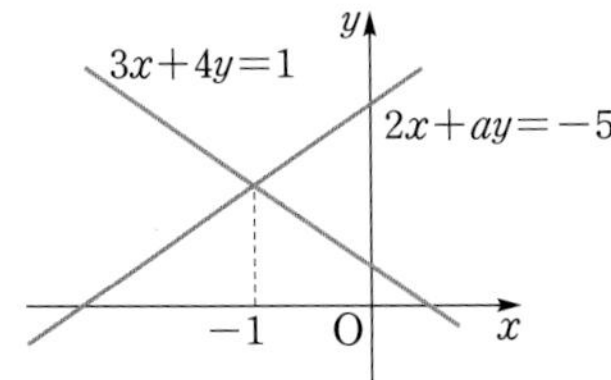

03 다음 연립방정식을 그래프를 이용하여 풀어라.

(1) $\begin{cases} 2x+y=1 \\ 2x+y=3 \end{cases}$

(2) $\begin{cases} x-y=2 \\ 2x-2y=4 \end{cases}$

04 연립방정식 $\begin{cases} ax+2y=3 \\ 2x+by=-6 \end{cases}$의 해가 무수히 많을 때, 상수 a, b의 값을 각각 구하여라.

자기 진단

Q 084 210쪽
연립방정식의 해는 두 일차방정식의 그래프의 교점의 좌표이다?

Q 085 211쪽
두 직선이 서로 평행하거나 일치할 때의 연립방정식의 해는?

유형 EXERCISES

문제 이해도를 ☺, 😐, ☹으로 표시해 보세요.

해설 BOOK **049쪽** | 테스트 BOOK **061쪽**

유형 1 일차함수와 일차방정식의 관계

일차방정식 $ax+by-4=0$의 그래프와 일차함수 $y=\frac{1}{2}x-2$의 그래프가 일치할 때, 상수 a, b에 대하여 $a+b$의 값을 구하여라. (단, a, b는 상수)

Summa **Point**

❶ 주어진 일차방정식을 y에 대하여 푼다.

❷ 기울기와 절편을 각각 비교하여 a, b의 값을 구한다.

205쪽 Q 081

1-1

일차방정식 $x-2y+1=0$의 그래프가 지나지 않는 사분면은?

① 제1사분면 ② 제2사분면
③ 제3사분면 ④ 제4사분면
⑤ 제1사분면과 제3사분면

1-2

다음 중 일차방정식 $3x+2y-8=0$의 그래프에 대한 설명으로 옳지 않은 것은?

① 점 $(2, 1)$을 지난다.
② y절편은 4이다.
③ x절편은 3이다.
④ 제3사분면을 지나지 않는다.
⑤ $y=-\frac{3}{2}x$의 그래프를 y축의 방향으로 4만큼 평행이동한 것이다.

유형 2 일차방정식의 미지수의 값 구하기

일차방정식 $x+ay+4=0$의 그래프가 오른쪽 그림과 같을 때, 상수 a의 값을 구하여라.

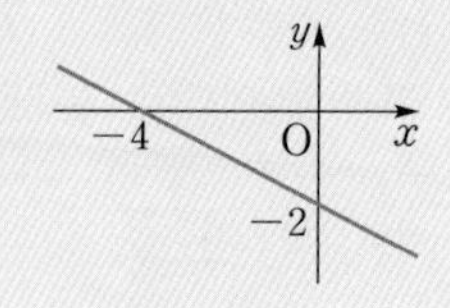

Summa **Point**

일차함수의 식을 구하여 일차방정식의 꼴로 변형한다.

205쪽 Q 081

2-1

오른쪽 그림은 일차방정식 $ax+y=-1$의 그래프이다. 이때 상수 a의 값을 구하여라.

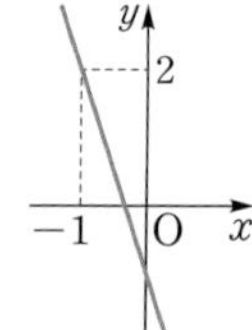

2-2

일차방정식 $ax+by-1=0$의 그래프의 기울기가 -3이고 y절편이 1일 때, 상수 a, b에 대하여 $a+b$의 값을 구하여라.

2-3

일차방정식 $2x+ay+6=0$의 그래프가 점 $(3, 4)$를 지날 때, 이 그래프의 기울기를 구하여라. (단, a는 상수)

유형 3 일차방정식 $ax+by+c=0$의 그래프와 a, b, c의 부호

일차방정식 $ax+y+b=0$의 그래프가 오른쪽 그림과 같을 때, a, b의 부호는? (단, a, b는 상수)

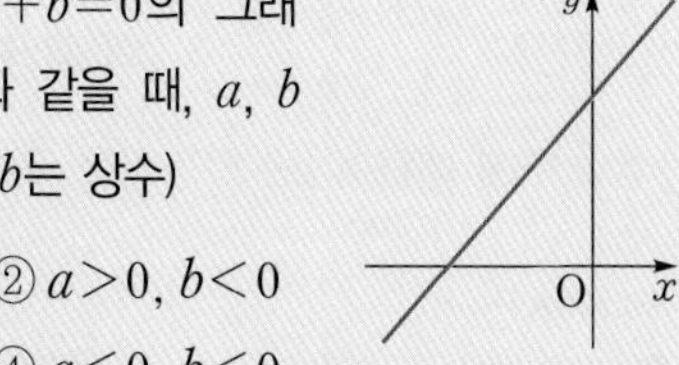

① $a<0$, $b>0$　② $a>0$, $b<0$
③ $a<0$, $b>0$　④ $a<0$, $b<0$
⑤ $a<0$, $b=0$

Summa Point
일차함수의 꼴로 변형하여 기울기와 y절편의 부호를 알아본다.

205쪽 Q 081

유형 4 축에 평행한 직선

점 $(3,\ -4)$를 지나고, y축에 평행한 직선의 방정식을 구하여라.

Summa Point
y축에 평행한 직선의 방정식은 $x=k$ 꼴이다.

206쪽 Q 082

3-1

일차방정식 $ax+by+c=0$의 그래프가 오른쪽 그림과 같을 때, a, b, c의 부호는? (단, a, b, c는 상수)

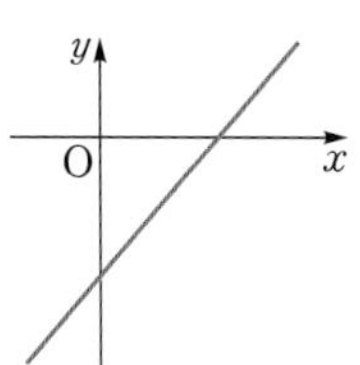

① $a>0$, $b>0$, $c>0$
② $a<0$, $b<0$, $c>0$
③ $a<0$, $b<0$, $c<0$
④ $a>0$, $b<0$, $c>0$
⑤ $a<0$, $b>0$, $c>0$

3-2

일차방정식 $ax-by-c=0$의 그래프가 오른쪽 그림과 같을 때, 상수 a, c의 부호는? (단, $b<0$)

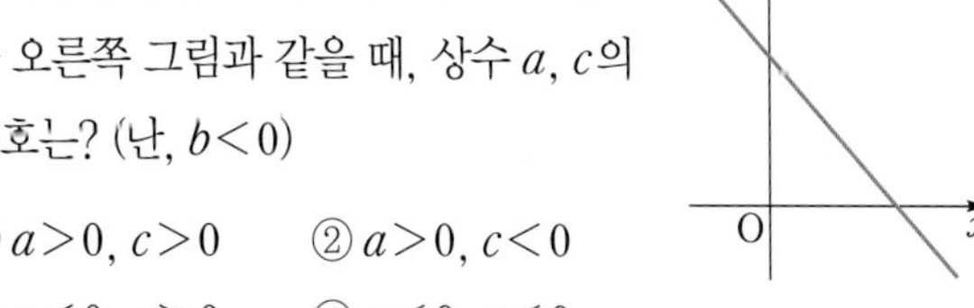

① $a>0$, $c>0$　② $a>0$, $c<0$
③ $a<0$, $c>0$　④ $a<0$, $c<0$
⑤ $a<0$, $c=0$

4-1

두 점 $(-2,\ a)$, $(3,\ 2)$를 지나는 직선이 x축에 평행할 때, a의 값을 구하여라.

4-2

두 점 $(-3,\ 2)$, $(2,\ 2)$를 지나는 직선의 방정식을 구하여라.

4-3

일차방정식 $ax+by=1$의 그래프가 오른쪽 그림과 같을 때, 상수 a, b에 대하여 $a+b$의 값을 구하여라.

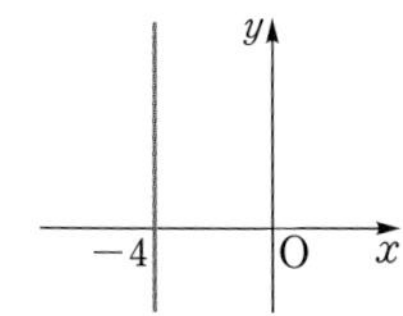

유형 5 연립방정식의 해와 그래프

오른쪽 그림은 연립방정식 $\begin{cases} 2x+y=a \\ bx-y=5 \end{cases}$의 해를 구하기 위해 각 일차방정식의 그래프를 그린 것이다. 상수 a, b에 대하여 $a-b$의 값을 구하여라.

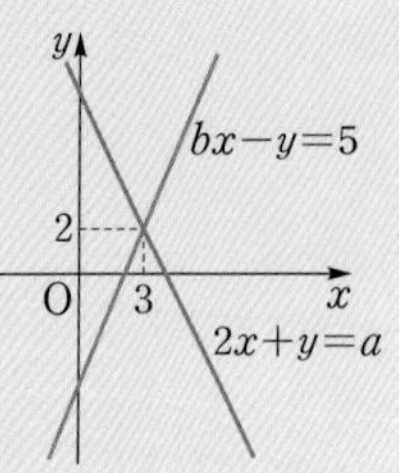

Summa **Point**

두 일차방정식의 그래프의 교점의 좌표가 연립방정식의 해이다.

210쪽 Q 084

5-1

오른쪽 그림을 이용하여 연립방정식 $\begin{cases} 2x+y=4 \\ x+3y=-3 \end{cases}$의 해를 구하여라.

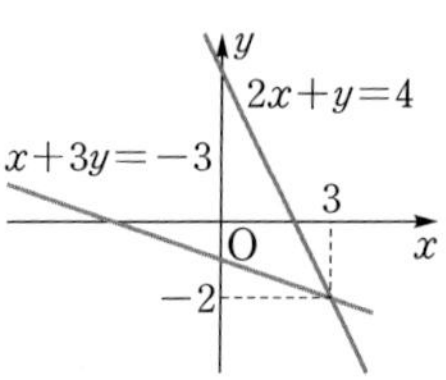

5-2

두 일차방정식 $x-3y+1=0$, $6x+y-13=0$의 그래프의 교점의 좌표가 (a, b)일 때, $a+b$의 값을 구하여라.

5-3

오른쪽 그림은 연립방정식 $\begin{cases} x-y-1=0 \\ 2x+ay=10 \end{cases}$의 해를 구하기 위하여 각 일차방정식의 그래프를 그린 것이다. 이때 $a+b$의 값을 구하여라. (단, a는 상수)

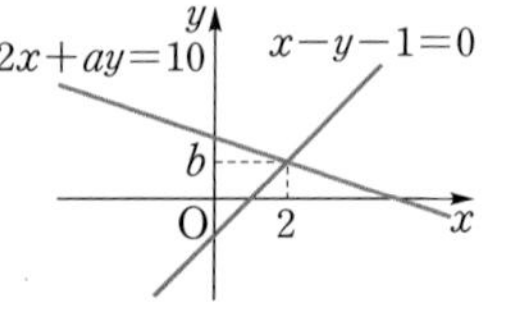

유형 6 연립방정식의 해의 개수

연립방정식 $\begin{cases} ax-y+3=0 \\ 4x+by-6=0 \end{cases}$의 해가 무수히 많을 때, 상수 a, b에 대하여 $a+b$의 값을 구하여라.

Summa **Point**

❶ 연립방정식의 해의 개수는 두 일차방정식의 그래프의 교점의 개수와 같다.

❷ 연립방정식 $\begin{cases} ax+by=c \\ a'x+b'y=c' \end{cases}$의 해가 무수히 많다.

➡ 두 직선이 일치한다.

➡ 두 직선의 기울기와 y절편이 각각 같다.

211쪽 Q 085

6-1

두 직선 $kx+y=3$, $4x+2y=10$의 교점이 존재하지 않을 때, 상수 k의 값을 구하여라.

6-2

두 직선 $y=\frac{3}{2}x+2$, $ax+y=b$의 교점이 무수히 많을때, 상수 a, b에 대하여 ab의 값을 구하여라.

6-3

연립방정식 $\begin{cases} x-2y=3 \\ ax+4y=b \end{cases}$의 해가 무수히 많을 때, 일차함수 $y=\frac{b}{a}x+\frac{a}{b}$의 그래프가 지나는 사분면을 구하여라.

(단, a, b는 상수)

해설 BOOK 051쪽 | 테스트 BOOK 064쪽

Step 1 | 내·신·기·본

01 다음 중 일차방정식 $x-3y+6=0$의 그래프는?

① 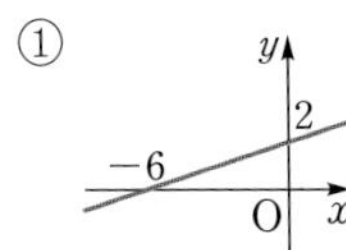

② 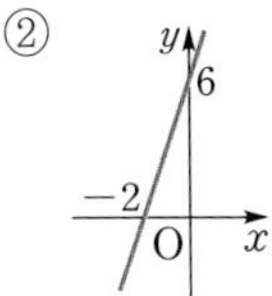

③ 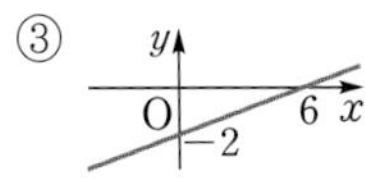

④ 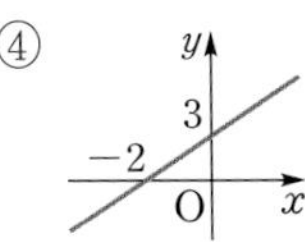

⑤ 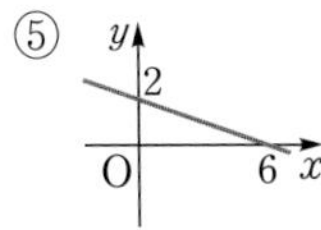

02 다음 중 일차방정식 $9x+3y+9=0$의 그래프에 대한 설명으로 옳지 않은 것은?

① x절편은 -1이다.
② y절편은 -3이다.
③ 기울기는 -3이다.
④ 제4사분면을 지나지 않는다.
⑤ $3x+y-5=0$의 그래프와 평행하다.

03 일차방정식 $3x+ay-b=0$의 그래프가 오른쪽 그림과 같을 때, 상수 a, b에 대하여 $a+b$의 값을 구하여라.

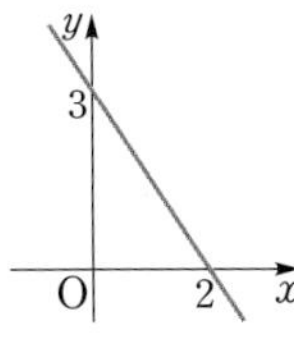

04 일차방정식 $ax-2y+3=0$의 그래프가 점 $(-1,\ 2)$를 지날 때, 이 그래프의 기울기는? (단, a는 상수)

① -3　② $-\frac{1}{2}$　③ 1
④ $\frac{3}{2}$　⑤ 3

05 일차방정식 $2x+3y-6=0$의 그래프에 평행하고, x절편이 6인 직선을 그래프로 하는 일차함수의 식을 구하여라.

06 일차방정식 $3x+y-2=0$의 그래프를 y축의 방향으로 -3만큼 평행이동하면 점 $(a,\ -7)$을 지날 때, a의 값은?

① -3　② -2　③ 1
④ 2　⑤ 3

●○○
07
일차함수 $x+ay-b=0$의 그래프가 오른쪽 그림과 같을 때, 상수 a, b의 부호를 각각 정하여라.

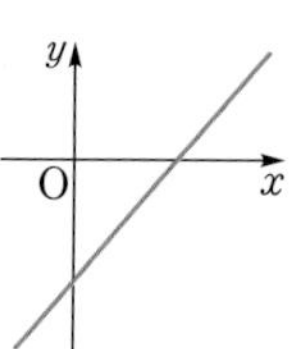

●○○
08
다음 중 방정식 $3x-6=0$의 그래프는?

① 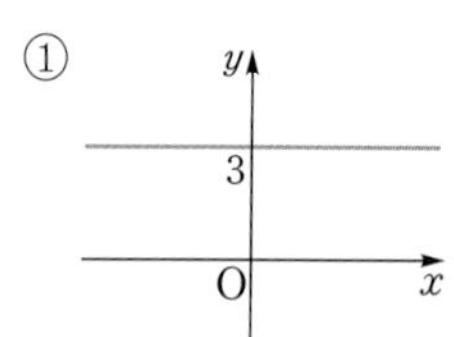

② 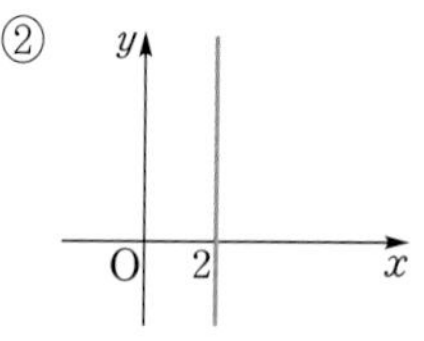

③ 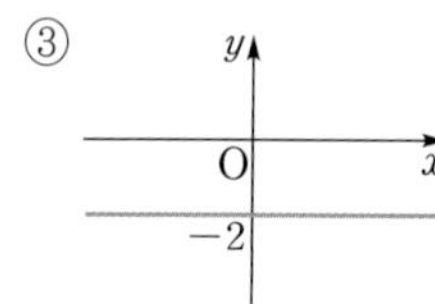

④ 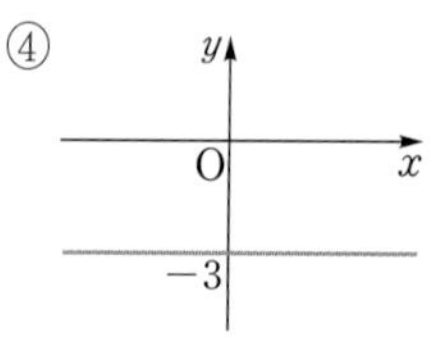

⑤ 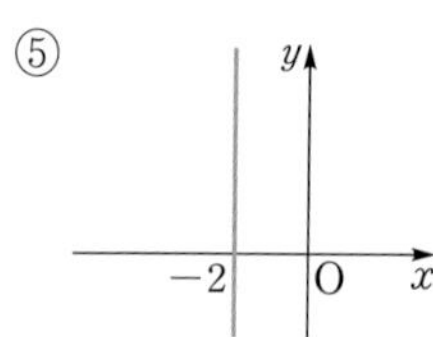

●●○
09
두 점 $(-3,\ a-1)$, $(2,\ -2a+5)$를 지나는 직선이 x축에 평행할 때, a의 값을 구하여라.

●●○
10
직선 $6x-2y+4=0$이 x축과 만나는 점을 지나고, y축에 평행한 직선의 방정식을 구하여라.

●●○
11
두 일차방정식 $3x+y=4$, $2x-y=6$의 그래프가 한 점 A에서 만난다고 할 때, 점 A의 좌표를 구하여라.

●●○
12
오른쪽 그림은 연립방정식 $\begin{cases} ax+y=7 \\ x-by=-5 \end{cases}$의 해를 구하기 위하여 두 일차방정식의 그래프를 그린 것이다. 상수 a, b에 대하여 ab의 값을 구하여라.

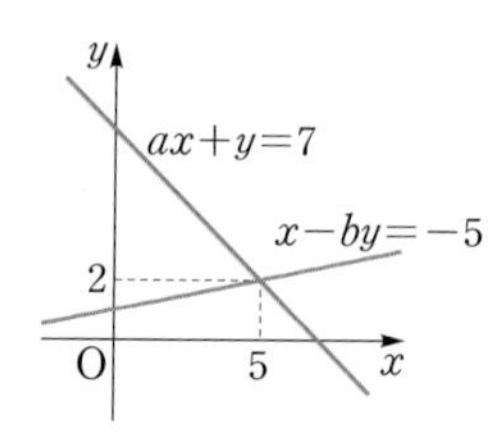

●●○
13
두 직선 $3x-2y=7$, $ax-by=-14$의 교점이 무수히 많을 때, 상수 a, b에 대하여 $a+b$의 값을 구하여라.

●●○
14
연립방정식 $\begin{cases} ax+y-1=0 \\ 3x-y-2=0 \end{cases}$의 해가 없을 때, 상수 a의 값을 구하여라.

Step 2 | 내·신·발·전

15 방정식 $ax+by+c=0$의 그래프가 오른쪽 그림과 같을 때, 다음 중 방정식 $bx+cy+a=0$의 그래프가 지나지 않는 사분면은? (단, a, b, c는 상수)

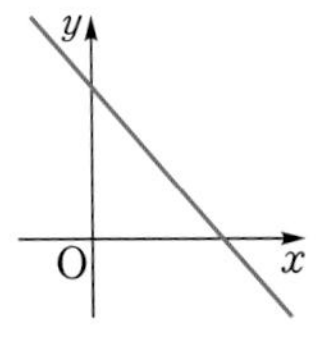

① 제1사분면　② 제2사분면
③ 제3사분면　④ 제4사분면
⑤ 제1, 2사분면

16 점 $(-1, 3)$을 지나고 x축에 평행한 직선이 있다. 이 직선에 수직이고 점 $(-3, 1)$을 지나는 직선의 방정식을 구하여라.

17 네 직선 $x-p=0$, $x-4p=0$, $y+3=0$, $y-4=0$에 의해 둘러싸인 도형의 넓이가 42일 때, 양수 p의 값을 구하여라.

18 두 직선 $3x-y+3=0$, $x+y-7=0$과 x축으로 둘러싸인 도형의 넓이를 구하여라.

19 오른쪽 그림은 연립방정식 $\begin{cases} x-2y-11=0 \\ ax+3y-1=0 \end{cases}$의 해를 구하기 위하여 두 일차방정식의 그래프를 그린 것이다. 상수 a, b에 대하여 $a+b$의 값을 구하여라.

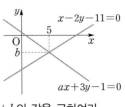

20 연립방정식 $\begin{cases} 3x-2y+a=0 \\ 3x+4y-b=0 \end{cases}$의 해를 구하기 위해 두 일차방정식의 그래프를 그렸더니 다음 그림과 같이 한 점에서 만났다. 이때 선분 AB의 길이를 구하여라.

(단, a, b는 상수)

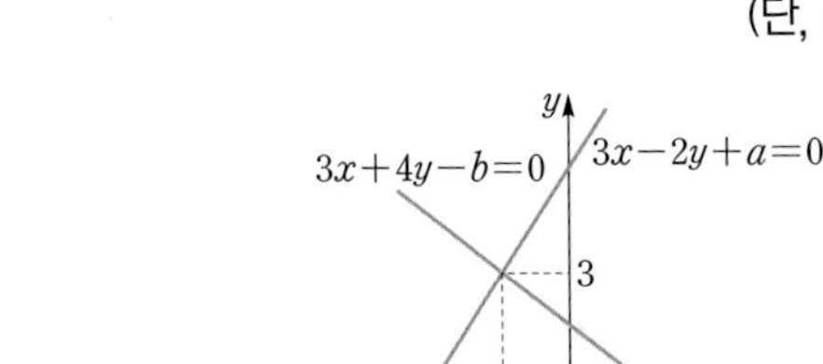

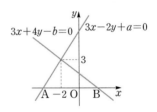

21 세 직선 $x+y=3$, $ax+2y=2$, $x-2y=6$이 한 점에서 만날 때, 상수 a의 값을 구하여라.

for IV. 일차함수

※ 묻고 답하면서 대단원 정리하자!

1. 일차함수와 그래프

01. 함수와 일차함수

057 함수란 무엇일까?

두 변수 x, y에 대하여 x의 값이 변함에 따라 y의 값이 하나씩 정해지는 대응 관계가 있을 때 y는 x의 함수라고 해!
이를 기호로 $y=f(x)$와 같이 나타내지!

058 y가 x의 함수가 아닌 경우는?

x의 값에 대응하는 y의 값이 없거나 2개 이상인 경우가 하나라도 있으면 y는 x의 함수가 아니야!

060 일차함수란 무엇일까?

$y=ax+b$ (a, b는 상수, $a\neq0$) 꼴로 나타내어지는 함수!

061 함숫값이란 무엇일까?

함수 $y=f(x)$에서 x의 값에 따라 하나로 정해지는 y의 값을 x에서의 함숫값이라고 해! $x=p$에서의 함숫값을 기호로 $f(p)$와 같이 나타내지!

02. 일차함수의 그래프

062 일차함수의 그래프는 어떤 모양일까?

x의 값이 수 전체이면 그래프는 직선이야.

063 $y=ax$와 $y=ax+b$의 그래프 사이에는 어떤 관계가 있을까?

$y=ax+b$의 그래프는 $y=ax$의 그래프를 y축의 방향으로 b만큼 평행이동한 것이야.

03. 절편과 기울기

064 x절편, y절편이란 무엇일까?

x절편 : x축과 만나는 점의 x좌표
y절편 : y축과 만나는 점의 y좌표

일차함수의 식에
$y=0$을 대입하면 x절편,
$x=0$을 대입하면 y절편
을 구할 수 있어!

067 일차함수의 그래프의 기울기란?

$$(\text{기울기})=\frac{(y\text{의 값의 증가량})}{(x\text{의 값의 증가량})}$$

(x_1, y_1), (x_2, y_2)
➡ $\dfrac{y_2-y_1}{x_2-x_1}$ 또는 $\dfrac{y_1-y_2}{x_1-x_2}$

066, 069 기울기와 절편을 이용하여 일차함수의 그래프를 어떻게 그릴까?

y절편으로 한 점을, 기울기나 x절편으로 나머지 한 점을 찾아 두 점을 지나는 직선을 그린다.

04. 일차함수의 그래프의 성질

070 a, b의 부호로 $y=ax+b$의 그래프의 모양을 짐작할 수 있다?

① $a>0$, $b>0$

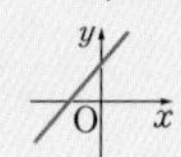

② $a>0$, $b<0$

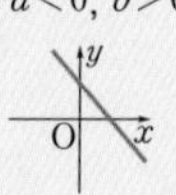

③ $a<0$, $b>0$

④ $a<0$, $b<0$

071 기울기가 같은 두 일차함수의 그래프 사이에는 어떤 관계가 있을까?

기울기가 같으면 일단
평행 또는 일치!
y절편이 다르면 ➡ 평행
y절편이 같으면 ➡ 일치

05. 일차함수의 식 구하기

072~075 일차함수의 식은 어떻게 구할까?

기울기와 y절편을 알 때 : $y=$(기울기)$x+$(y절편)에 바로 대입하면 완성!

기울기와 한 점의 좌표를 알 때 : $y=$(기울기)$x+b$에 지나는 한 점의 좌표를 대입!

서로 다른 두 점의 좌표를 알 때 :
❶ 기울기 $a=\frac{y_2-y_1}{x_2-x_1}$
❷ $y=ax+b$라 놓고 한 점의 좌표를 대입!

x절편과 y절편을 알 때 : x절편이 m, y절편이 n
➡ $y=-\frac{n}{m}x+n$

06. 일차함수의 활용

076 일차함수의 활용 문제에 접근하는 노하우는?

❶ 변수 x, y 정하기
❷ x, y 사이의 관계식 세우기
❸ 답 구하기
❹ 확인하기

2. 일차함수와 일차방정식의 관계

01. 일차함수와 일차방정식의 관계

081 일차방정식 $ax+by+c=0$ $(a\neq0,\ b\neq0)$의 그래프는 어떤 모양일까?

일차함수 $y=-\frac{a}{b}x-\frac{c}{b}$ 꼴로 나타낼 수 있으므로 그 그래프의 모양은 직선이야.

082 일차방정식 $ax+c=0$, $by+c=0$의 그래프는 어떤 직선일까?

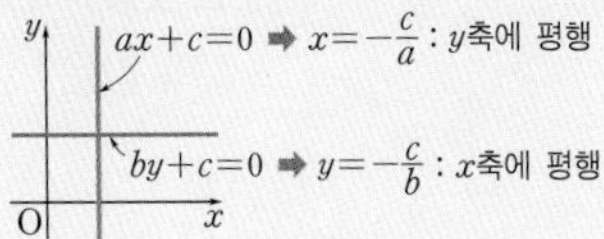

083 직선의 방정식이란?

일차방정식 $ax+by+c=0$ $(a\neq0$ 또는 $b\neq0)$은 모든 직선을 나타내므로 직선의 방정식이라 해.

02. 연립방정식의 해와 그래프

084 연립방정식의 해는 두 일차방정식의 그래프의 교점의 좌표이다?

맞아. 연립방정식의 해와 두 일차방정식의 그래프의 교점의 좌표는 서로 같아!

085 두 직선이 서로 평행하거나 일치할 때의 연립방성식의 해는?

평행하면 연립방정식의 해가 없고, 일치하면 해가 무수히 많아!

해설 BOOK 053쪽 | 테스트 BOOK 066쪽

●●○

01 다음 중 y가 x의 함수가 아닌 것은?

① 합이 1인 두 수 x, y

② 자연수 x와 6의 최소공배수 y

③ 200쪽인 책을 x쪽 읽고 남은 쪽수 y쪽

④ 시속 x km로 2시간 동안 이동한 거리 y km

⑤ 둘레의 길이가 x cm인 직사각형의 넓이 y cm^2

●○○

02 다음 보기 중 y가 x에 대한 일차함수인 것을 모두 골라라.

보기

ㄱ. $y=\frac{1}{x-1}$ ㄴ. $y=-x$

ㄷ. $y=\frac{1}{3}x^2$ ㄹ. $y=2x+2(1-x)$

ㅁ. $y=x+2$

●●○

03 일차함수 $f(x)=-3x+2$에서 $f(3)=a$, $f(b)=-10$일 때, $a+b$의 값을 구하여라.

●●○

04 x가 자연수일 때, 함수

$f(x)=(x$의 서로 다른 소인수의 개수$)$

에 대하여 $f(120)+f(210)$의 값을 구하여라.

●●○

05 일차함수 $y=ax+b$의 대응 관계가 다음 표와 같을 때, 상수 a, b, c에 대하여 $a+b+c$의 값을 구하여라.

x	⋯	-1	0	1	2	⋯	c	⋯
y	⋯	-1	1	3	5	⋯	11	⋯

●●○

06 일차함수 $y=-\frac{2}{3}x$의 그래프를 y축의 방향으로 2만큼 평행이동한 그래프가 점 $(6,\ a)$를 지난다고 할 때, a의 값은?

① -2 ② -1 ③ 0

④ 1 ⑤ 2

●●●

07 일차함수 $y=3x$의 그래프를 y축의 방향으로 b만큼 평행이동한 그래프는 두 점 $\mathrm{A}(1,\ 4)$, $\mathrm{B}(3,\ 1)$을 이은 선분과 만난다. 이때 b의 값의 범위를 구하여라.

08 두 일차함수 $y=ax-1$, $y=-x+4$의 그래프가 x축 위에서 만날 때, 상수 a의 값은?

① -1　② $-\frac{1}{3}$　③ $\frac{1}{4}$
④ 1　⑤ 2

09 일차함수 $y=-3x+6$의 그래프에 대한 다음 보기의 설명 중 옳은 것을 모두 골라라.

보기
ㄱ. $y=3x+6$의 그래프와 평행하다.
ㄴ. x절편과 y절편의 합은 8이다.
ㄷ. 제3사분면을 지나지 않는다.
ㄹ. x의 값이 1만큼 증가할 때, y의 값은 3만큼 증가한다.

10 두 일차함수 $y=-2x+4$, $y=-2x+1$의 그래프와 x축, y축으로 둘러싸인 도형의 넓이를 구하여라.

11 오른쪽 그림과 같이 일차함수 $y=-\frac{1}{2}x+2$의 그래프와 x축, y축으로 둘러싸인 삼각형의 넓이를 일차함수 $y=ax$의 그래프가 이등분하도록 하는 상수 a의 값을 구하여라.

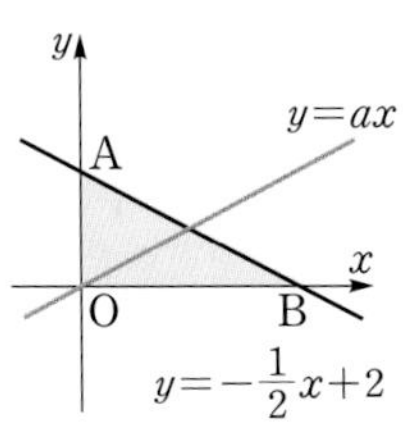

12 일차함수 $y=ax+b$의 그래프가 오른쪽 그림과 같을 때, 일차함수 $y=-bx-a$의 그래프는? (단, a, b는 상수)

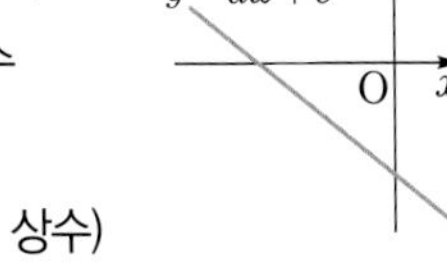

①

②
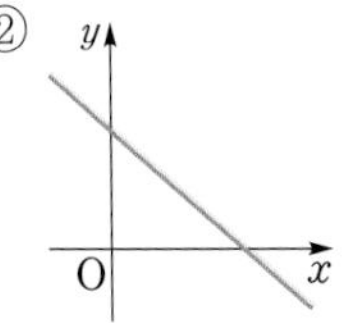

③
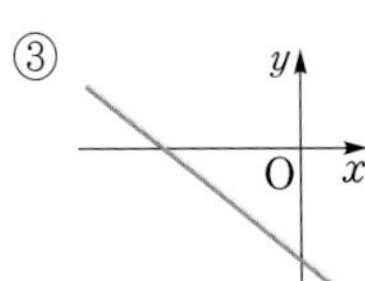

④
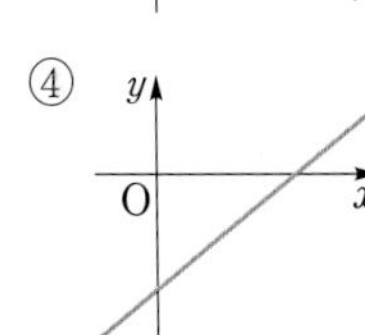

⑤
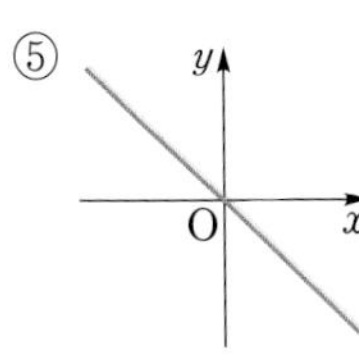

13 일차함수 $y=(2k-1)x+3k$의 그래프가 제1, 2, 4사분면을 지나기 위한 상수 k의 값의 범위를 구하여라.

●●○
14 다음 중 일차함수 $y=ax+b$의 그래프에 대한 설명으로 옳지 않은 것은? (단, a, b는 상수)

① x절편은 $-\frac{b}{a}$이다.
② 점 $(0, b)$를 지난다.
③ 점 $(1, a+b)$를 지난다.
④ $a>0$일 때, 제1, 2, 3사분면을 지난다.
⑤ $a<0$일 때, x의 값이 증가하면 y의 값은 감소한다.

●●○
15 두 점 $A(-1, -7)$, $B(2, 2)$를 지나는 직선을 y축의 방향으로 2만큼 평행이동하였다. 이 직선을 그래프로 하는 일차함수의 식을 구하여라.

●●●
16 다음 조건을 만족하는 일차함수의 식을 구하여라.

> (가) y절편이 x절편의 3배이다.
> (나) 두 점 $(1, m)$, $(m, -1)$을 지난다.

●●○
17 오른쪽 그림과 같은 직사각형 ABCD에서 $\overline{AB}=50$ cm, $\overline{AD}=80$ cm이고, 점 P가 점 B를 출발하여 점 C까지 매초 4 cm의 속력으로 움직일 때, x초 후의 사각형 APCD의 넓이를 y cm^{2}라고 하자. 다음 물음에 답하여라.

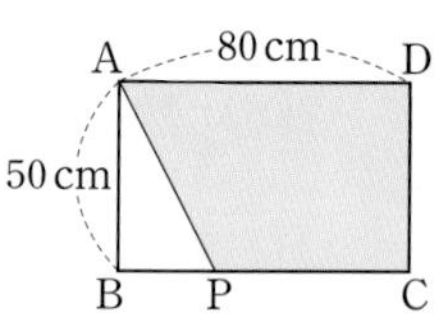

(1) y를 x에 대한 식으로 나타내어라.
(2) 점 P가 점 B를 출발하고 몇 초 후에 사각형 APCD의 넓이가 2500 cm^{2}가 되는지 구하여라.

●●●
18 일차방정식 $ax+by+c=0$에서 $ab>0$, $ac<0$일 때, 이 방정식의 그래프가 지나지 않는 사분면을 모두 고른 것은? (단, a, b, c는 상수)

① 제1사분면　② 제2사분면
③ 제3사분면　④ 제4사분면
⑤ 제2, 4사분면

●●○
19 두 점 $(a-3, -1)$과 $(2a+5, 1)$을 지나는 직선이 y축에 평행할 때, a의 값을 구하여라.

●●○

20 오른쪽 그림은 연립방정식 $\begin{cases} x+2y=8 \\ ax-\frac{3}{2}y=-1 \end{cases}$의 해를 구하기 위해 두 일차방정식의 그래프를 그린 것이다. 이때 상수 a의 값을 구하여라.

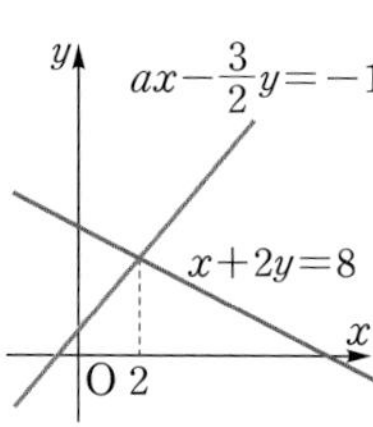

●●●

21 연립방정식 $\begin{cases} ax+y=5 \\ x-y=-1 \end{cases}$의 해가 두 점 $\mathrm{P}(-3,\ 4)$, $\mathrm{Q}(1,\ 2)$를 지나는 직선 위에 있을 때, 상수 a의 값을 구하여라.

22 두 일차함수 $3x+2y-2=0$, $ax+4y+3=0$의 그래프의 교점이 존재하지 않을 때, 상수 a의 값을 구하여라.

●●●

23 세 일차방정식 $x+y=5$, $2x-y=4$, $y=-2$의 그래프로 둘러싸인 도형의 넓이를 구하여라.

●●○

24 일차함수 $y=-\frac{1}{2}x+3$의 그래프를 y축의 방향으로 p만큼 평행이동한 그래프가 점 $(2,\ -2)$를 지날 때, 평행이동한 일차함수의 식을 구하고, 좌표평면 위에 일차함수의 그래프를 그려라.

답 ____________________

●●○

25 두 점 $(-1,\ 1)$, $(2,\ -5)$를 지나는 일차함수의 그래프에 평행하고, 점 $(1,\ -1)$을 지나는 직선을 그래프로 하는 일차함수의 식을 구하여라.

답 ____________________

●●●

26 지훈이와 진서의 집은 4 km 떨어져 있다. 지훈이는 진서네 집을 향해 분속 250 m의 속력으로, 진서는 지훈이네 집을 향해 같은 길로 분속 150 m의 속력으로 가고 있다. x분 후 지훈이와 진서 사이의 거리를 y m라고 할 때, x와 y 사이의 관계식을 구하고, 두 사람은 출발한 지 몇 분 후에 만나는지 구하여라.

답 ____________________

심화 학습 Ⅳ Advanced Lecture

TOPIC 1

그래프로 본 방정식과 부등식의 해

일차함수 $y=2x+4$와 일차방정식 $2x+4=0$ 사이에는 어떤 관계가 있을까?

일차함수 $y=2x+4$는 y에 $2x+4$의 값을 대응시킨 함수로 $(x,\ 2x+4)$로 이루어진 모든 순서쌍을 좌표평면 위에 나타내면 우리가 잘 알고 있는 직선이 된다.

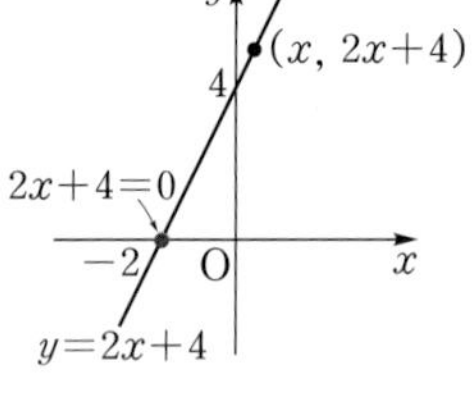

순서쌍 $(x,\ 2x+4)$에서

$2x+4$가 0이 되게 하는 x의 값을 구하고자

식을 세우면 그것이 바로 일차방정식 $2x+4=0$이 된다.
이때 방정식을 만족하는 x의 값은 그래프의 x절편이다.

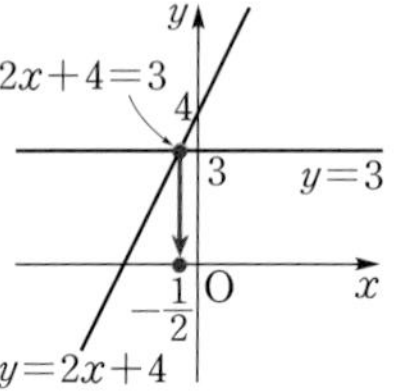

일차방정식 $2x+4=3$을 만족하는 x의 값을 그래프와 연관지어 나타내면 오른쪽 그림과 같다. 이때 $2x+4=3$을 직선 $y=2x+4$와 직선 $y=3$의 교점의 x좌표를 구하는 방정식으로 여겨도 좋다.

일차함수 $y=2x+4$와 일차부등식 $2x+4>0$ 사이에는 어떤 관계가 있을까?

순서쌍 $(x,\ 2x+4)$에서

$2x+4$가 0보다 크도록 하는 x의 값을 구하고자

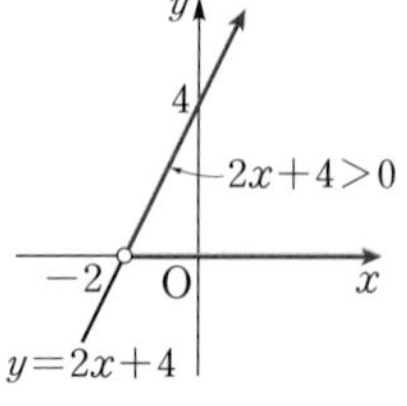

식을 세우면 그것이 바로 일차부등식 $2x+4>0$이 된다.
이때 부등식을 만족하는 x의 값의 범위는 x축에서 그래프의 x절편보다 큰 쪽임을 알 수 있다.

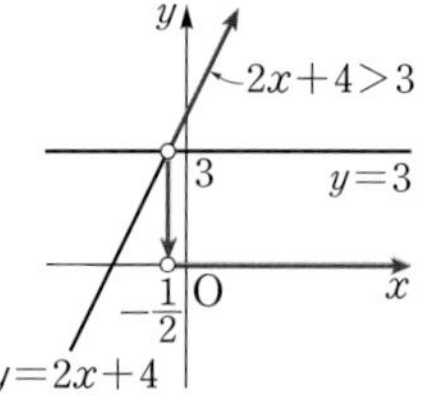

일차부등식 $2x+4>3$을 만족하는 x의 값의 범위를 그래프와 연관지어 나타내면 오른쪽 그림과 같다. 이때 $2x+4>3$은 직선 $y=2x+4$에서 직선 $y=3$보다 위쪽에 있는 부분의 x의 값을 구하는 부등식으로 여겨도 좋다.

유제 01 다음 방정식과 부등식의 해를 일차함수 $y=-3x+6$의 그래프와 연관지어 설명하고, 그 그래프에 나타내 보아라.

(1) $-3x+6=0$ (2) $-3x+6=3$

(3) $-3x+6>0$ (4) $-3x+6<3$

'아는 만큼 보이고, 보는 만큼 느낀다.'는 말은 수학에서도 일맥상통합니다.
교과서 밖으로 나와 더 넓은 수학을 접하여 나만의 사고력을 한 단계 높여 보세요!

해설 BOOK 056쪽

TOPIC 2

변수와 그래프의 해석

어떤 현상을 파악하기 위한 자료가 그래프라면 한눈에 많은 정보를 알 수 있어서 편리한 점이 많다. 하지만 그래프를 잘못 이해하여 틀린 해석을 한다면 현상을 바르게 이해하지 못할 뿐 아니라 앞으로 나타날 변화에 대한 예측도 틀리게 되므로 조심해야 한다. 특히 그래프에서 변수나 단위를 잘못 보고 그래프 자체를 잘못 이해하는 경우가 있다. 다음은 직선 위를 움직이는 로봇을 작동시켜 움직임을 그래프로 나타낸 것이다. 두 그래프를 살펴보자. (출발 시 오른쪽으로 움직였다.)

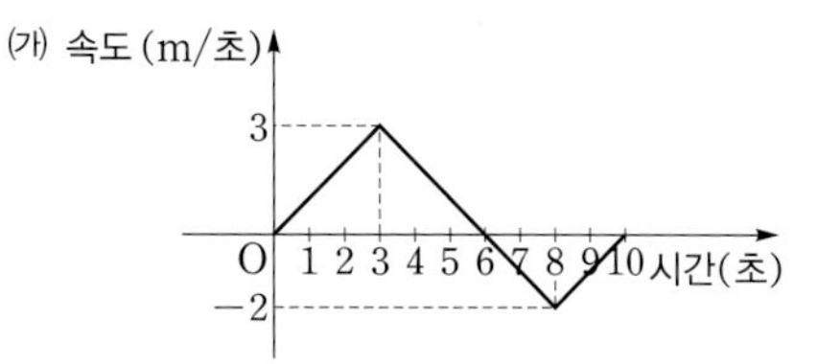

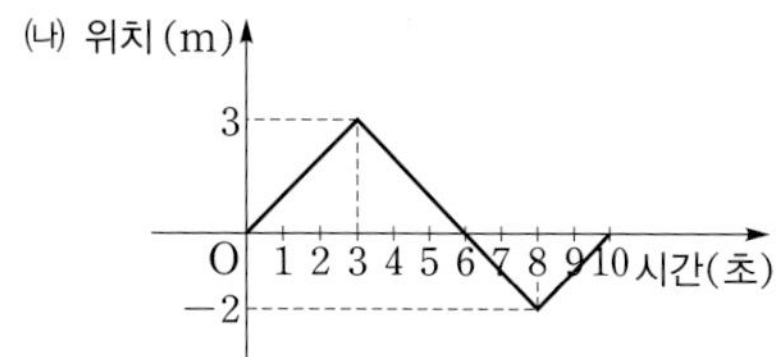

위의 두 그래프는 모양이 똑같아서 같은 그래프로 생각할 수 있지만 완전히 다른 내용의 그래프이다. (가) 그래프는 시간에 따른 로봇의 속도를 나타낸 것이고, (나) 그래프는 시간에 따른 로봇의 위치를 나타낸 것이다.

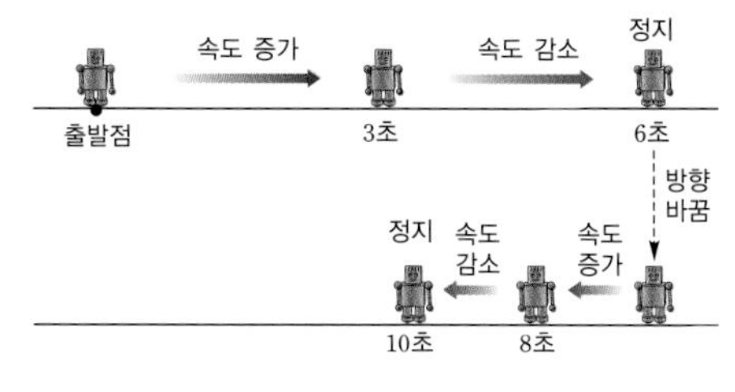

(가) 그래프로 본 로봇의 움직임

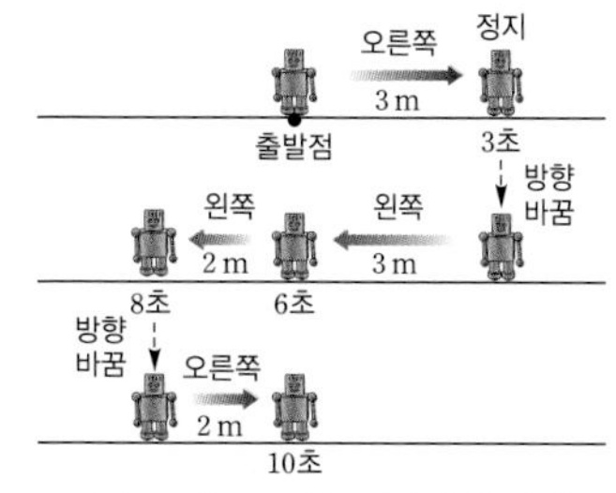

(나) 그래프로 본 로봇의 움직임

유제 02 로봇의 움직임을 나타낸 그래프가 다음과 같을 때, 각 경우의 움직임을 분석해 보아라.

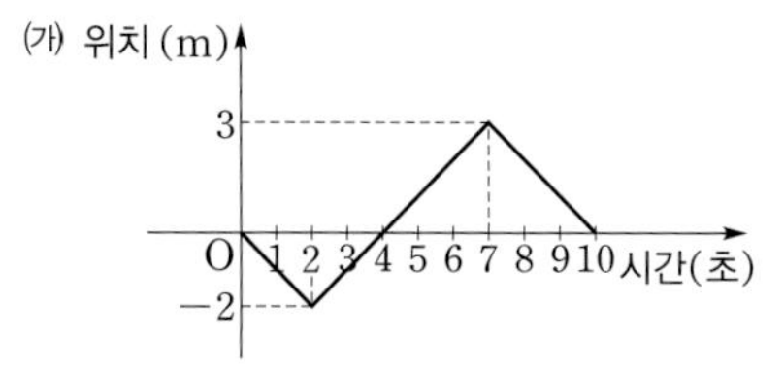

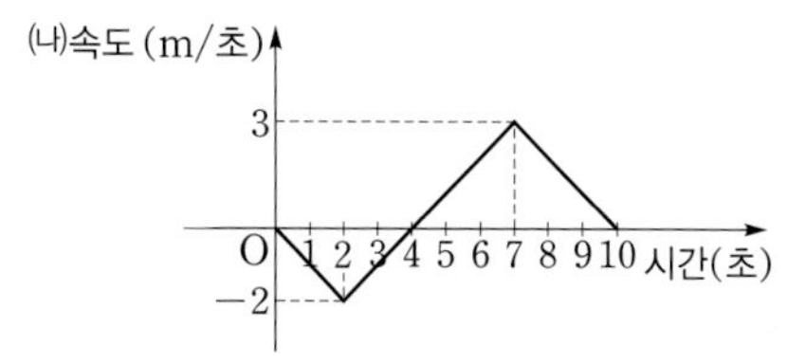

TOPIC

3 절댓값 기호가 들어 있는 함수의 그래프

절댓값 기호가 들어 있는 함수의 그래프는 어떻게 그릴까? 물론 대응표를 만들어 점을 찍어 보면 그래프의 형태를 알 수 있다. 하지만 대응표를 일일이 만드는 것은 약간 불편하므로 절댓값 기호가 없는 식으로 나타내어 그래프를 그려 보도록 하자.

절댓값 기호가 없는 식으로 나타내는 방법은 절댓값 기호 안의 식의 값이 양수가 되는 경우와 음수가 되는 경우로 나누어 식을 두 가지로 구분하는 것이다. 다음 각 식의 그래프를 그리는 과정을 통해 이해해 보자.

❶ **$y=|x|+2$의 그래프** : x의 부호에 따라 식을 나누고, 각각의 그래프를 그려서 합한다.

$x\geq0$이면 $|x|=x$, 즉 $|x|+2=x+2$이므로 $y=x+2$

$x<0$이면 $|x|=-x$, 즉 $|x|+2=-x+2$이므로 $y=-x+2$

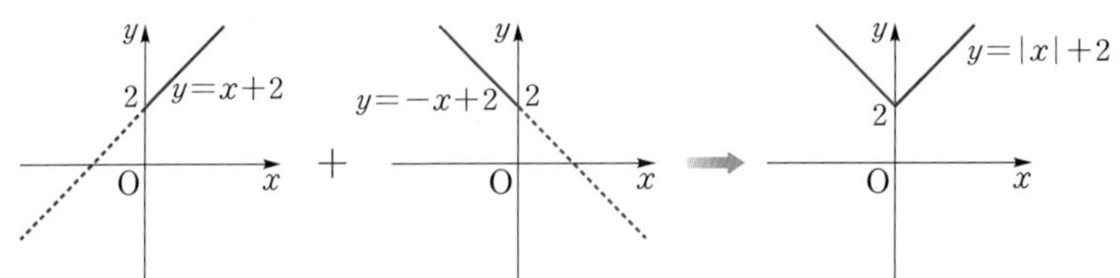

❷ **$y=|x+2|$의 그래프** : $x+2$의 부호에 따라 식을 나누고, 각각의 그래프를 그려서 합한다.

$x+2\geq0$, 즉 $x\geq-2$이면 $|x+2|=x+2$이므로 $y=x+2$

$x+2<0$, 즉 $x<-2$이면 $|x+2|=-(x+2)$이므로 $y=-x-2$

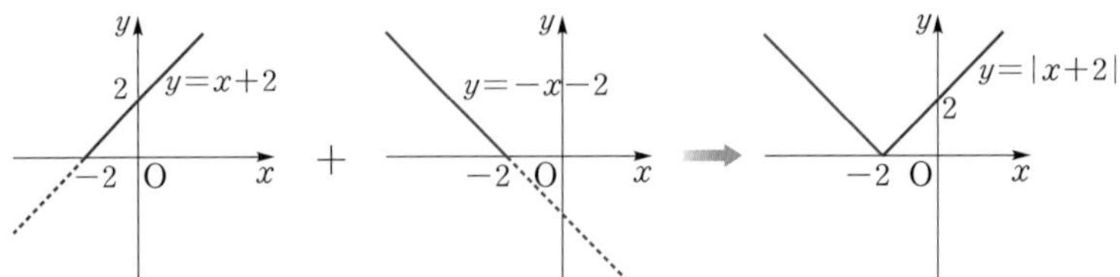

❸ **$|y|=x+2$의 그래프** : y의 부호에 따라 식을 나누고, 각각의 그래프를 그려서 합한다.

$y\geq0$이면 $|y|=y$이므로 $y=x+2$

$y<0$이면 $|y|=-y$이므로 $-y=x+2$ ➡ $y=-x-2$

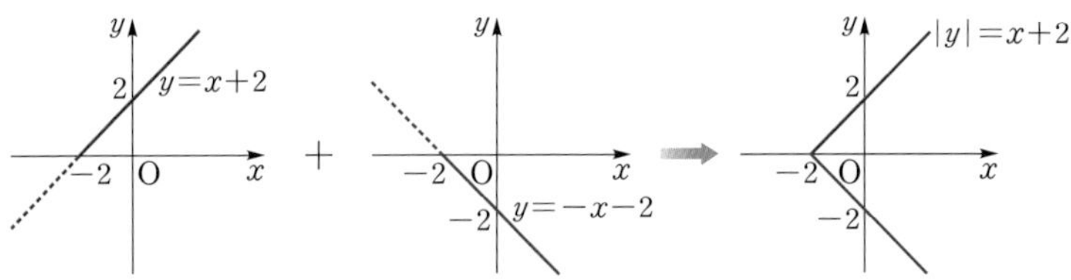

해설 BOOK 056쪽

❶과 ❷의 그래프를 살펴보면 x의 범위가 나누어지는 점을 기준으로 그래프가 좌우대칭이 되고, ❸의 그래프는 y의 범위가 나누어지는 점을 기준으로 그래프가 상하대칭이 됨을 알 수 있다. 따라서 어느 한 범위에 대한 그래프를 그리고, 범위를 나누는 점을 기준으로 대칭시켜 그려 주면 되겠다.

유제 03 다음 그래프를 좌표평면 위에 그려 보아라.

(1) $y=|x|-3$ (2) $y=|x-3|$ (3) $|y|=x-3$

TOPIC 4 함수 $y=[x]$의 그래프

수학에서 기호 [ ]를 가우스 기호라고 하는데, 어떤 수 x에 대하여

$[x]$는 x보다 크지 않는 최대의 정수

를 뜻한다. 예를 들면 $[2]=2$, $[3.5]=3$, $[4.9]=4$이다. 단순히 보면 소수점 아래를 버림하는 방법과 같지만 버림으로만 기억하다가는 x가 음수일 경우에 실수할 수 있으므로 다음과 같이 수직선을 이용하여 x가 정수이면 x 그대로, x가 정수가 아니면 x보다 왼쪽에 오는 처음 정수를 택하는 것으로 기억하자.

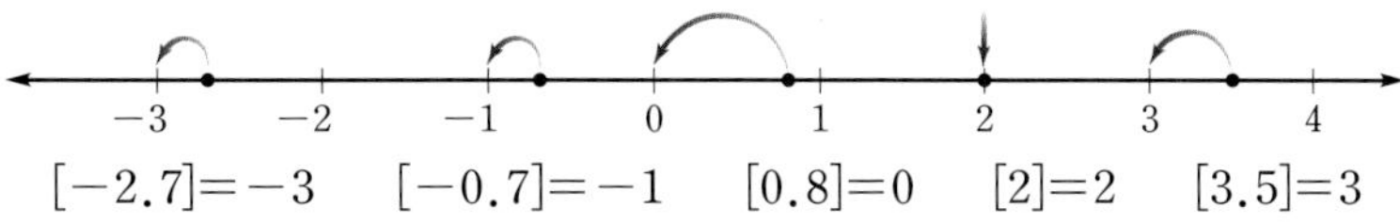

$[-2.7]=-3$ $[-0.7]=-1$ $[0.8]=0$ $[2]=2$ $[3.5]=3$

수직선에서 확인할 수 있듯이 a가 정수일 때 $a\le x<a+1$을 만족하는 모든 수 x에 대해 $[x]=a$가 된다. 따라서 함수 $y=[x]$의 그래프는 다음 그림과 같이 계단 모양으로 나타난다.

$$y=[x]\begin{cases}\quad\vdots \\ -1\le x<0 \Rightarrow y=-1 \\ 0\le x<1 \Rightarrow y=0 \\ 1\le x<2 \Rightarrow y=1 \\ 2\le x<3 \Rightarrow y=2 \\ \quad\vdots\end{cases}$$

01 귀뚜라미 울음소리로 온도를 알다!

1897년 미국의 돌베어(1837~1910)라는 과학자는 '온도계 귀뚜라미(The Cricket as a Thermometer)'라는 논문을 발표하였는데, 그는 흰나무귀뚜라미가 변온 동물로 주변 온도에 민감하기 때문에 그 울음소리를 이용하여 온도를 잴 수 있다고 하였다. 흰나무귀뚜라미는 같은 시간 동안 온도에 비례한 속도로 날개를 비벼 소리를 낸다고 한다. 온도가 올라가면 울음소리의 횟수도 규칙적으로 증가하는 것이다.

흰나무귀뚜라미의 15초 동안의 울음소리의 횟수를 N번이라 하고 화씨온도를 F라고 하면 $F=N+40$인 관계가 성립한다. 이것을 섭씨온도 C로 바꾸고 N에 대하여 풀면

$$C=\frac{5}{9}N+\frac{40}{9} \Rightarrow N=\frac{9}{5}C-8$$

이 된다. 다음은 섭씨 온도 C와 15초 동안의 귀뚜라미 울음소리의 횟수 N의 관계를 표와 그래프로 나타낸 것이다.

온도 (C)	10	15	20	25	30
울음 횟수 (N)	10	19	28	37	46

N, $N=\frac{9}{5}C-8$, O, $\frac{40}{9}$, C

실제로는 너무 더우면 귀뚜라미가 살 수 없으므로 일정 온도 사이에서만 위의 식이 성립할 것이다. 하지만 자연에서 관찰할 수 있는 일차함수의 좋은 예임이 분명하다.

일상생활의 문제를 해결하는 과정에서 온도와 귀뚜라미의 울음소리처럼 일차함수의 관계로 나타나는 경우들이 있다.

번개가 치고 나서 약간의 시간을 두고 천둥소리가 들려오는 것을 경험해 보았을 것이다. 시간의 차가 생기는 이유는 빛보다 소리의 속력이 느리기 때문인데 공기 중에서 소리의 속력은 공기의 온도, 즉 기온에 영향을 받는다. 기온이 0 ℃일 때, 공기 중에서 소리의 속력은 초속 331 m이고, 온도가 1 ℃ 오를 때마다 소리의 속력은 초속 0.6 m씩 증가한다고 한다.

기온 x와 소리의 속력 y 사이의 관계를 식으로 나타내면 $y=0.6x+331$이다.

02 수학으로 착시를 깨다!

실제 사물이 갖고 있는 성질과 눈으로 보는 성질 사이에 차이가 있는 경우의 시각을 착시라고 한다. 시각적 차이는 항상 존재하므로 보통 착시라고 하면 두 성질의 차이가 큰 경우를 말한다. 착시는 시각에 의해서 생기는 일종의 착각이라고 할 수 있다.

기하학적 착시도 흥미롭다. 다음 그림을 살펴보아라.

그리지 않은
흰 삼각형이 보인다.

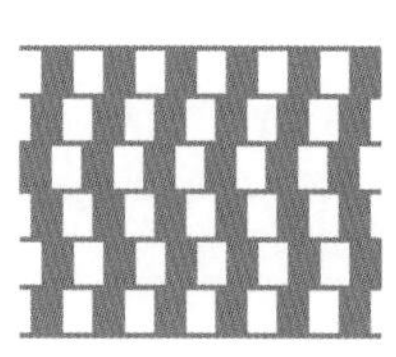

평행한 가로 선들이
기울어져 보인다.

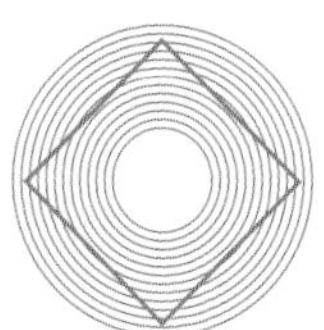

정사각형의 네 변이
휘어져 보인다.

착시는 아니지만 의도적으로 착각을 유발하여 트릭을 쓴 경우도 있다.

다음과 같이 [그림 1]의 정사각형을 4조각 내어 [그림 2]의 직사각형을 만들었다. 같은 색깔의 도형은 서로 합동이므로 각 도형의 넓이는 같고 정사각형과 직사각형의 넓이도 같아야 한다. 그런데 넓이를 구해 보면 정사각형은 $8\times8=64$이고, 직사각형은 $13\times5=65$이다. 넓이 1만큼은 어디에서 생긴 것일까?

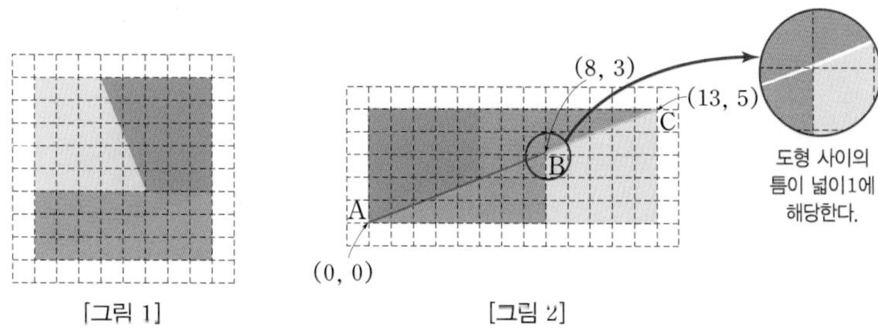

[그림 1]

[그림 2]

넓이 1만큼은 직사각형 그림 속에 숨어 있다. 이 착각은 직선의 기울기를 통해 밝힐 수 있다.

분홍색 삼각형에서 $\overline{AB}$의 기울기는 $\frac{3-0}{8-0}=\frac{3}{8}$

노란색 사다리꼴에서 $\overline{BC}$의 기울기는 $\frac{5-3}{13-8}=\frac{2}{5}$

그런데 기울기 $\frac{3}{8}$과 $\frac{2}{5}$를 눈으로는 구별하기 힘들기 때문에 우리 눈에는 $\overline{AB}$와 $\overline{BC}$가 하나의 직선으로 이어진 것처럼 보인 것이다.

SUMMA CUM LAUDE
MIDDLE SCHOOL MATHEMATICS

보내는 사람

Stamp

받는 사람

경기도 성남시 수정구 위례광장로 21-9

KCC웰츠타워 2층 2018호

1 3 6 4 6

이룸이앤비
Education & Books
www.erumenb.com

숨마쿰라우데
중학수학 개념기본서 2-상

홈페이지를 방문하시면 온라인으로 편리하게 교재 평가에 참여할 수 있습니다!
(매월 우수 평가자를 선정하여 소정의 교재를 보내드립니다.)

www.erumenb.com

풀 칠 하 세 요

이 름		남☐ 여☐	학교(학원) 학년
Mobile		E-mail	

숨마쿰라우데 중학수학 개념기본서 2-상

■ 교재를 구입하게 된 동기는 무엇입니까?

① 서점에서 보고 ② 선생님의 추천 ③ 학교 보충수업용 ④ 학원 수업용
⑤ 과외 수업용 ⑥ 공부방 수업용 ⑦ 부모, 형제, 친구의 추천 ⑧ 서점에서 추천

■ 교재의 전체적인 디자인 및 내용 구성에 대한 의견을 들려주세요.

표지디자인: ① 매우 좋다 ② 좋다 ③ 보통이다 ④ 좋지 않다
그 이유는? ____________________

본문디자인: ① 매우 좋다 ② 좋다 ③ 보통이다 ④ 좋지 않다
그 이유는? ____________________

내용 구성: ① 매우 좋다 ② 좋다 ③ 보통이다 ④ 좋지 않다
그 이유는? ____________________

■ 교재의 세부적인 내용에 대한 의견을 들려주세요.

QA를 통한 본문 설명	내 용	① 매우 좋다	② 좋다	③ 보통이다	④ 좋지 않다
	분 량	① 많다	② 적당하다	③ 조금 부족하다	④ 부족하다
EXERCISES(유형·중단원·대단원)	분 량	① 많다	② 적당하다	③ 조금 부족하다	④ 부족하다
	난이도	① 쉽다	② 적당하다	③ 약간 어렵다	④ 어렵다
대단원 심화 학습·수학으로 보는 세상	내 용	① 매우 좋다	② 좋다	③ 보통이다	④ 좋지 않다
	분 량	① 많다	② 적당하다	③ 조금 부족하다	④ 부족하다
테스트 BOOK	내 용	① 매우 좋다	② 좋다	③ 보통이다	④ 좋지 않다
	분 량	① 많다	② 적당하다	③ 조금 부족하다	④ 부족하다
	난이도	① 쉽다	② 적당하다	③ 약간 어렵다	④ 어렵다

■ 이 책에 대해 느낀 점이나 바라는 점을 자유롭게 적어주세요.

....

....

....

....

성의껏 작성해서 보내주신 엽서는 뽑아서 선물을 보내드립니다.

튼튼한 **개념!** 흔들리지 않는 **실력!**

숨마쿰라우데 중학수학

개념기본서

테스트 BOOK

Q&A를 통한 스토리텔링
수학 학습의 결정판!

EBS 중학프리미엄 인터넷강의 교재

튼튼한 **개념!** 흔들리지 않는 **실력!**

숨마쿰라우데 중학수학

개념기본서

2-상

테스트 BOOK

해설 BOOK 057쪽
개념 BOOK 029쪽

유형 1 분모를 10의 거듭제곱으로 나타내기

01 다음은 분수 $\frac{4}{25}$를 소수로 나타내는 과정이다. 이때 a, b, c의 값을 각각 구하여라.

$$\frac{4}{25}=\frac{4}{5^2}=\frac{4\times a}{5^2\times a}=\frac{b}{100}=c$$

02 다음은 분수 $\frac{13}{40}$을 유한소수로 나타내는 과정이다. □ 안에 알맞은 수로 옳지 않은 것은?

$$\frac{13}{40}=\frac{13}{2^3\times\boxed{①}}=\frac{13\times\boxed{③}}{2^3\times 5^{\boxed{②}}}=\frac{\boxed{④}}{1000}=\boxed{⑤}$$

① 5 ② 2 ③ 5^2
④ 325 ⑤ 0.325

03 분수 $\frac{3}{2\times5^2}$을 $\frac{a}{10^n}$ 꼴로 나타낼 때, 두 자연수 a, n에 대하여 $a+n$의 최솟값을 구하여라.

유형 2 유한소수로 나타낼 수 있는 분수

04 (중요) 다음 분수를 소수로 나타낼 때, 유한소수로 나타낼 수 없는 것을 모두 고르면? (정답 2개)

① $\frac{8}{45}$ ② $\frac{6}{2^2\times3\times5}$
③ $\frac{42}{2^2\times5^2\times7}$ ④ $\frac{35}{2^2\times5^3\times7}$
⑤ $\frac{21}{2\times3^3\times5^2\times7}$

05 다음 분수를 소수로 나타낼 때, 유한소수로 나타낼 수 있는 것을 모두 고르면? (정답 2개)

① $\frac{15}{45}$ ② $\frac{27}{45}$ ③ $\frac{11}{50}$
④ $\frac{8}{70}$ ⑤ $\frac{3}{180}$

06 *up* 유리수 $\frac{1}{2}, \frac{1}{3}, \frac{1}{4}, \cdots, \frac{1}{79}, \frac{1}{80}$ 중에서 유한소수로 나타낼 수 없는 것의 개수는?

① 64 ② 65 ③ 66
④ 67 ⑤ 68

유형 3

유한소수 또는 무한소수가 되는 조건

중요

07 분수 $\frac{7}{90}$에 어떤 자연수 x를 곱하면 유한소수로 나타내어질 때, x의 값이 될 수 있는 수 중 가장 작은 자연수를 구하여라.

08 분수 $\frac{27}{45\times x}$을 소수로 나타내면 유한소수가 될 때, 다음 중 x의 값이 될 수 없는 것은?

① 3 ② 6 ③ 9
④ 12 ⑤ 15

09 다음 두 조건을 만족시키는 A의 값은?

> (가) A는 11의 배수이고 두 자리의 자연수이다.
> (나) $\frac{A}{140}$는 유한소수로 나타낼 수 있다.

① 33 ② 44 ③ 55
④ 66 ⑤ 77

10 up 두 수 $\frac{7}{30}\times x$와 $\frac{x}{35}$가 모두 유한소수로 나타내어질 때, x의 값이 될 수 있는 두 자리의 자연수 중 가장 큰 수를 a, 가장 작은 수를 b라고 하자. 이때 $a+b$의 값은?

① 21 ② 63 ③ 84
④ 105 ⑤ 126

11 두 분수 $\frac{18}{264}$과 $\frac{24}{525}$에 어떤 자연수 x를 곱하면 두 수 모두 유한소수로 나타내어진다고 한다. 다음 중 x의 값이 될 수 있는 수를 모두 고르면? (정답 2개)

① 55 ② 66 ③ 72
④ 77 ⑤ 231

중요

12 기약분수 $\frac{35}{x}$를 소수로 나타내면 유한소수가 될 때, x의 값은? (단, $100\leq x\leq 200$)

① 100 ② 125 ③ 128
④ 144 ⑤ 168

13 분수 $\frac{12}{2\times 5\times a}$를 소수로 나타내었을 때, 무한소수가 되도록 하는 모든 자연수 a의 값의 합을 구하여라.

(단, $1\leq a\leq 9$)

유형 4 순환소수의 이해

14 다음 중 순환소수와 순환마디를 바르게 짝지은 것은?

순환소수	순환마디
① 0.1666…	16
② 4.242424…	42
③ 2.312312312…	312
④ 1.115115115…	151
⑤ 3.5303030…	530

중요

15 다음 중 순환소수의 표현이 옳지 않은 것을 모두 고르면? (정답 2개)

① $1.6161\cdots=1.\dot{6}$

② $0.6333\cdots=0.6\dot{3}$

③ $0.5050\cdots=0.\dot{5}\dot{0}$

④ $0.163163\cdots=0.\dot{1}\dot{6}\dot{3}$

⑤ $1.3737\cdots=1.\dot{3}\dot{7}$

16 다음 중 두 수의 대소 관계가 옳은 것은?

① $0.\dot{4}\dot{3}<0.4\dot{3}$　　② $0.\dot{7}<0.\dot{7}\dot{5}$

③ $0.2\dot{8}>0.3$　　④ $0.\dot{2}0\dot{1}>0.2\dot{0}\dot{1}$

⑤ $0.\dot{1}\dot{0}>0.\dot{1}$

유형 5 소수점 아래 n번째 자리의 숫자

17 순환소수 $5.050505\cdots$에 대하여 다음 물음에 답하여라.

(1) 순환마디를 구하여라.

(2) 소수점 아래 53번째 자리의 숫자를 구하여라.

18 분수 $\frac{11}{54}$을 소수로 나타낼 때, 소수점 아래 50번째 자리의 숫자를 a, 소수점 아래 70번째 자리의 숫자를 b라고 한다. 이때 $a+b$의 값은?

① 0　　② 2　　③ 3

④ 7　　⑤ 10

중요

19 분수 $\frac{5}{7}$를 소수로 나타낼 때, 소수점 아래 2020번째 자리의 숫자는?

① 2　　② 4　　③ 5

④ 7　　⑤ 8

20 up $\frac{15}{22}=0.x_1+0.0x_2+0.00x_3+0.000x_4+\cdots$로 나타낼 때, x_{100}의 값은? (단, x_1, x_2, x_3, $\cdots$은 한 자리의 자연수)

① 1　　② 2　　③ 3

④ 6　　⑤ 8

유형 1 순환소수를 분수로 나타내기

01 다음은 순환소수 $1.0\dot{3}\dot{4}$를 분수로 나타내는 과정이다. (가)~(마)에 들어갈 수로 옳게 짝지어진 것을 모두 고르면? (정답 2개)

> $1.0\dot{3}\dot{4}$를 x라고 하면
> $x=1.0343434\cdots$ …… ㉠
> ㉠의 양변에 [(가)]을 곱하면
> [(가)] $x=10.343434\cdots$ …… ㉡
> 이고, ㉠의 양변에 1000을 곱하면
> $1000x=$ [(나)] …… ㉢
> 이다. ㉢－㉡을 하면
> [(다)] $x=$ [(라)]
> $\therefore x=$ [(마)]

① (가) : 10　② (나) : $1034.34\cdots$
③ (다) : 900　④ (라) : 1034
⑤ (마) : $\frac{517}{45}$

중요
02 순환소수 $0.5\dot{7}3\dot{2}$를 분수로 나타내려고 한다. $x=0.5\dot{7}3\dot{2}$라고 할 때, 다음 중 가장 편리한 식은?

① $10000x-1000x$　② $10000x-100x$
③ $10000x-10x$　④ $1000x-100x$
⑤ $1000x-10x$

03 다음 중 순환소수 $x=1.575757\cdots$에 대한 설명으로 옳지 않은 것은?

① 순환마디는 57이다.
② 무한소수이다.
③ $1.\dot{5}\dot{7}$로 나타낼 수 있다.
④ $100x-10x$를 이용하여 분수로 나타낼 수 있다.
⑤ 분수로 나타내면 $\frac{52}{33}$이다.

04 다음 중 순환소수를 분수로 나타내는 과정으로 옳은 것은?

① $1.\dot{2}\dot{0}=\frac{120}{99}$　② $0.3\dot{5}=\frac{35-3}{99}$
③ $7.\dot{0}1\dot{2}=\frac{7012-7}{900}$　④ $0.1\dot{3}\dot{4}=\frac{134-1}{990}$
⑤ $0.98\dot{7}=\frac{987-98}{9}$

05 다음 중 순환소수를 분수로 나타낸 것으로 옳지 않은 것은?

① $0.\dot{2}\dot{5}=\frac{25}{99}$　② $0.1\dot{9}=\frac{1}{5}$
③ $4.\dot{8}=\frac{16}{3}$　④ $2.5\dot{1}\dot{3}=\frac{1244}{495}$
⑤ $0.23\dot{4}=\frac{211}{900}$

06 $\frac{1}{10}+\frac{2}{100}+\frac{1}{1000}+\frac{2}{10000}+\frac{1}{100000}+\cdots$을 기약분수로 나타내어라.

유형 2 잘못 보고 계산한 경우

07 (중요) 어떤 자연수에 $4.\dot{5}$를 곱해야 할 것을 잘못하여 4.5를 곱하였더니 바르게 계산한 것보다 0.5만큼 작아졌다. 이때 어떤 자연수를 구하여라.

08 어떤 자연수에 $4.\dot{6}$을 곱해야 할 것을 잘못하여 4.6을 곱했더니 바르게 계산한 것보다 $0.\dot{3}$만큼 작았다. 이때 어떤 자연수를 구하여라.

09 기약분수 $\frac{a}{b}$를 소수로 나타내는데 지연이는 분모를 잘못 보아서 $0.\dot{3}\dot{7}$로 나타내었고, 민정이는 분자를 잘못 보아서 $0.4\dot{7}$로 나타내었다. 다음 물음에 답하여라.

(1) a, b의 값을 각각 구하여라.

(2) $\frac{b}{a}$를 순환소수로 나타내어라.

10 (중요) 어떤 기약분수를 소수로 나타내는데, 재열이는 분자를 잘못 보아서 $1.\dot{2}\dot{3}$으로 나타내었고, 슬기는 분모를 잘못 보아서 $1.1\dot{2}$로 나타내었다. 처음 기약분수를 순환소수로 나타내어라.

유형 3 순환소수를 포함한 식의 계산

11 (중요) 순환소수 $3.\dot{1}2\dot{3}$을 $312\times\square$와 같이 나타낼 때, $\square$ 안에 알맞은 수는?

① $0.\dot{0}0\dot{1}$ ② $0.\dot{0}1\dot{0}$ ③ $0.\dot{1}0\dot{1}$
④ $1.\dot{0}0\dot{1}$ ⑤ $1.\dot{0}1\dot{0}$

12 순환소수 x에 $\frac{8}{11}$을 곱하였더니 순환소수 $1.\dot{7}$이 되었다. x의 값을 구하여라.

13 $\frac{1}{2}<0.\dot{x}<0.7$을 만족시키는 모든 x의 값의 합은?
(단, x는 한 자리의 자연수)

① 11 ② 12 ③ 13
④ 14 ⑤ 15

14 기약분수 $\frac{b}{a}$에 대하여 $1.1\dot{6}\times\frac{b}{a}=0.\dot{5}$일 때, $a+b$의 값을 구하여라.

유형 4 순환소수를 자연수 또는 유한소수로 만들기

15 순환소수 $0.\dot{2}\dot{7}$에 어떤 자연수를 곱한 결과가 자연수일 때, 곱할 수 있는 가장 작은 자연수를 구하여라.

16 $0.\dot{2}\times x$가 자연수일 때, 가장 작은 두 자리의 자연수 x의 값을 구하여라.

17 순환소수 $0.32\dot{7}$에 자연수 x를 곱하면 유한소수가 된다고 한다. 다음 중 x의 값이 될 수 <u>없는</u> 것을 모두 고르면? (정답 2개)

① 9 ② 15 ③ 18
④ 21 ⑤ 27

18 순환소수 $0.\dot{4}6\dot{3}$에 x를 곱하면 유한소수가 될 때, 이를 만족하는 가장 큰 두 자리의 자연수 x의 값을 구하여라.

유형 5 유리수의 이해

19 중요 다음 중 옳은 것은?

① 0은 유리수가 아니다.
② 모든 무한소수는 순환소수이다.
③ 모든 순환소수는 분수로 나타낼 수 있다.
④ 유한소수 중에는 유리수가 아닌 수도 있다.
⑤ 유한소수 또는 무한소수는 모두 유리수이다.

20 다음 중 x의 값이 <u>아닌</u> 것을 모두 고르면? (정답 2개)

$$x=\frac{b}{a}\ (\text{단, } a, b\text{는 정수, } a\neq 0)$$

① -2 ② $\frac{7}{13}$ ③ π
④ $1.\dot{2}\dot{4}$ ⑤ $2.010010001\cdots$

21 다음 중 옳은 것을 모두 고르면? (정답 2개)

① 유한소수는 모두 유리수이다.
② 순환소수 중 유리수가 아닌 것도 있다.
③ 무한소수는 모두 유리수가 아니다.
④ 정수가 아닌 유리수를 소수로 나타내면 반드시 유한소수 또는 순환소수이다.
⑤ 분모를 소인수분해했을 때, 2 또는 5 이외의 소인수를 가진 분수는 순환소수로 나타내어진다.

01 $\frac{1}{80}=\frac{a}{10^n}$를 만족시키는 두 자연수 a, n에 대하여 $a+n$의 최솟값을 구하여라.

분모의 소인수 2와 5의 지수가 같아지도록 분모, 분자에 같은 수를 곱한다.

02 두 분수 $\frac{17}{204}$, $\frac{35}{364}$에 어떤 자연수 N을 곱하면 두 분수 모두 유한소수로 나타내어진다고 한다. 이를 만족하는 두 자리의 자연수 N은 모두 몇 개인지 구하여라.

유한소수가 되려면 분자가 분모의 소인수 중 2나 5를 제외한 수의 배수이어야 한다.

03 $\frac{1}{5}$과 $\frac{5}{7}$ 사이의 분수 중 분모가 35이면서, 순환소수로 나타내어지는 분수는 모두 몇 개인지 구하여라.

구하는 분수를 $\frac{a}{35}$라 하고 이 분수 중 유한소수가 되는 경우를 제외한다.

04 서술형 분수 $\frac{x}{120}$를 소수로 나타내면 유한소수가 되고, 기약분수로 나타내면 $\frac{11}{y}$이 된다고 할 때 자연수 x, y에 대하여 $x-y$의 값을 구하여라. (단, $60<x<70$)

답 ______________

서술 TIP

x는 분모의 소인수 중 2나 5를 제외한 수의 배수이어야 하고, 기약분수로 나타내었을 때 분자가 11이어야 한다.

05 다음 조건을 모두 만족시키는 A의 값을 구하여라.

> (가) 분수 $\frac{8}{A}$은 기약분수이다.
> (나) A는 50보다 작은 두 자리의 자연수이다.
> (다) 분수 $\frac{8}{A}\times B$가 유한소수로 나타내어질 때 가장 작은 자연수 B의 값은 9이다.

조건 (다)에서 A는 9의 배수임을 알 수 있다.
A의 값을 구한 후, 세 조건을 모두 만족하는지 확인하도록 한다.

서술형

06 순환소수 $1.8\dot{7}5\dot{6}$의 소수점 아래 첫 번째 자리부터 101번째 자리까지 모든 숫자의 합을 a, 분수 $\frac{7}{13}$을 소수로 나타내었을 때 순환마디의 모든 숫자의 합을 b라고 하자. 이때 $a-b$의 값을 구하여라.

답 ______________

서술 TIP
$1.8\dot{7}5\dot{6}$에서 소수점 아래 첫 번째 자리는 순환하지 않는다는 것에 주의해야 한다.

07 분수 $\frac{27}{110}$을 소수로 나타낼 때, 소수점 아래 n번째 자리의 숫자를 $f(n)$이라고 하자. 이때 다음 식의 값을 구하여라.

$$f(1)+f(2)+f(3)+\cdots+f(29)+f(30)$$

$\frac{27}{110}=0.2454545\cdots$이므로
$f(1)=2,\ f(2)=4,\ f(3)=5,\ \cdots$

●●○

08 $\frac{3}{7}=\frac{a_1}{10}+\frac{a_2}{10^2}+\frac{a_3}{10^3}+\cdots+\frac{a_n}{10^n}+\cdots$일 때, $a_1+a_2+a_3+\cdots+a_{30}$의 값을 구하여라. (단, a_1, a_2, a_3, $\cdots$, a_n, $\cdots$은 한 자리의 자연수)

a_1, a_2, a_3, $\cdots$은 순환마디와 어떤 관련이 있는지 알아보자.

●●○

09 순환소수 $0.x\dot{y}$를 분수로 나타내면 $\frac{4}{15}$이고, 순환소수 $0.y\dot{x}$를 분수로 나타내면 $\frac{z}{45}$일 때, $x+y+z$의 값을 구하여라. (단, x, y는 한 자리의 자연수)

$\frac{4}{15}$를 소수로 나타내어 x, y의 값을 먼저 구한다.

●●● 서술형

10 서로소인 두 자연수 m, n에 대하여 $1.3\dot{4}\times m=0.1\dot{4}\times n$일 때, $m-n$의 값을 구하여라.

답 ________________

서술 TIP
$1.3\dot{4}$와 $0.1\dot{4}$를 각각 분수로 나타내어 보자.

●●○

11 $\frac{1}{3}\times\left(\frac{1}{10}+\frac{6}{10^3}+\frac{6}{10^5}+\frac{6}{10^7}+\cdots\right)$을 기약분수로 나타내어라.

괄호 안의 식을 소수로 나타내어 보자.

●●○ 서술형

12 두 순환소수 $0.2\dot{7}$과 $0.\dot{3}\dot{6}$에 각각 a를 곱하면 결과가 모두 자연수가 된다고 할 때, 이를 만족시키는 자연수 a의 값을 모두 구하여라. (단, $a<400$)

답 ______________________

서술 **TIP**
$0.2\dot{7}$과 $0.\dot{3}\dot{6}$을 각각 분수로 나타내어 보자.

●●○

13 순환소수 $0.4\dot{6}$에 자연수 a를 곱하여 어떤 자연수의 제곱이 되도록 하려고 한다. a의 값 중에서 가장 큰 세 자리의 자연수를 구하여라.

어떤 자연수의 제곱이 되려면 소인수의 지수가 모두 짝수가 되어야 한다.

●●○

14 $\left(\frac{5}{10}+\frac{5}{10^3}+\frac{5}{10^5}+\cdots\right)+\left(\frac{1}{10^2}+\frac{1}{10^4}+\frac{1}{10^6}+\cdots\right)$을 기약분수로 나타내어라.

괄호를 풀고 분모가 10, 10^2, 10^3, …의 순서가 되도록 식을 다시 써 보자.

●●○

15 $1+\frac{1}{5}+\frac{1}{2\times5^2}+\frac{1}{2^2\times5^3}+\frac{1}{2^3\times5^4}+\cdots$을 간단히 하면 기약분수 $\frac{a}{b}$가 된다. 이때 $a+b$의 값을 구하여라.

분모를 10의 거듭제곱의 꼴이 되도록 만든다.

해설 BOOK 062쪽
개념 BOOK 044쪽

01 다음 중 정수가 아닌 유리수를 모두 고르면? (정답 2개)

① $0.\dot{9}$　② -2.7　③ π
④ $8.\dot{0}\dot{8}$　⑤ $\frac{35}{7}$

02 분수 $\frac{28}{16\times n}$을 소수로 나타내면 유한소수가 된다. 다음 중 n의 값이 될 수 없는 것은?

① 3　② 4　③ 5
④ 7　⑤ 8

03 두 분수 $\frac{13}{42}$, $\frac{49}{60}$에 자연수 a를 각각 곱하면 두 수 모두 유한소수가 된다고 한다. 이를 만족하는 a의 값 중 가장 작은 세 자리의 자연수는?

① 102　② 105　③ 108
④ 112　⑤ 126

04 분수 $\frac{x}{140}$를 소수로 나타내면 유한소수이고, 기약분수로 나타내면 $\frac{3}{y}$이 된다. 이때 x, y의 값은?

(단, x는 30보다 작은 자연수)

① $x=14$, $y=40$　② $x=20$, $y=32$
③ $x=21$, $y=20$　④ $x=24$, $y=16$
⑤ $x=28$, $y=10$

05 다음 중 분수를 소수로 나타내었을 때, 순환마디가 나머지 넷과 다른 하나는?

① $\frac{1}{3}$　② $\frac{1}{30}$　③ $\frac{1}{33}$
④ $\frac{8}{15}$　⑤ $\frac{10}{3}$

06 다음 중 옳은 것은?

① $\frac{17}{510}$은 유한소수로 나타낼 수 있다.
② $\frac{21}{60}$은 유한소수로 나타낼 수 없다.
③ 순환소수 $0.2\dot{1}\dot{3}$을 분수로 나타내면 $\frac{11}{900}$이다.
④ 순환소수 $x=1.7\dot{8}2\dot{0}$에서
$10000x-10x=17803$이다.
⑤ 순환소수 $0.032032032\cdots$의 순환마디는 320이다.

07 두 분수 $\frac{1}{5}$과 $0.\dot{8}\dot{1}$ 사이에 있는 분모가 55인 분수 중에서 유한소수로 나타낼 수 <u>없는</u> 분수의 개수는?

① 29 ② 30 ③ 31
④ 32 ⑤ 33

서술형
08 $\frac{11}{7}=1.\dot{5}7142\dot{8}$에서 소수점 아래 35번째 숫자부터 78번째 숫자까지의 합을 구하려고 한다. 다음 물음에 답하여라.

(1) 35번째 숫자와 78번째 숫자를 각각 구하여라.
(2) 소수점 아래 35번째 숫자부터 78번째 숫자까지의 합을 구하여라.

09 순환소수 $2.4\dot{7}\dot{5}$를 분수로 나타내려고 한다.
$x=2.4\dot{7}\dot{5}$라고 할 때, 다음 중 가장 편리한 식은?

① $100x-x$ ② $100x-10x$
③ $1000x-x$ ④ $1000x-10x$
⑤ $1000x-100x$

10 다음 순환소수를 분수로 나티낸 것 중 옳지 <u>않은</u> 것은?

① $0.\dot{3}\dot{5}=\frac{35}{99}$ ② $1.\dot{0}\dot{4}=\frac{104}{99}$
③ $0.2\dot{2}\dot{7}=\frac{5}{22}$ ④ $0.\dot{0}\dot{7}=\frac{7}{99}$
⑤ $1.2\dot{8}=\frac{58}{45}$

11 어떤 기약분수를 소수로 나타내는데 영미는 분모를 잘못 보아서 $0.2\dot{3}$으로 나타내었고, 범수는 분자를 잘못 보아서 $3.1\dot{2}\dot{4}$로 나타내었다. 처음 기약분수를 소수로 나타내어라.

서술형
12 어떤 자연수 A에 $2.\dot{7}$을 곱해야 할 것을 잘못하여 2.7을 곱하였더니 그 계산 결과가 정답보다 $0.4\dot{6}$만큼 작아졌다. 자연수 A의 값을 구하여라.

13 $\frac{2}{3}<0.\dot{x}<0.9\dot{8}$을 만족시키는 한 자리의 자연수 x의 값을 모두 구하여라.

서술형
14 $a=0.\dot{2}\dot{4}$, $b=1.0\dot{6}$일 때, $\frac{b}{a}$의 값을 구하여라.

15 $\frac{5}{13}=\frac{x_1}{10}+\frac{x_2}{10^2}+\frac{x_3}{10^3}+\cdots$이라고 할 때,
$x_7+x_8+x_9+x_{10}+x_{11}+x_{12}$의 값을 구하여라.
(단, x_1, x_2, x_3, $\cdots$은 한 자리의 자연수)

16 $0.\dot{3}\dot{1}=31\times x$일 때, x의 값은?

① $0.\dot{1}$ ② $0.0\dot{1}$ ③ $0.\dot{0}\dot{1}$
④ $0.0\dot{0}\dot{1}$ ⑤ $0.\dot{1}\dot{1}$

17 $x=2.\dot{0}2\dot{1}$이라고 할 때, $x\times(999.\dot{9}-1)$의 값은?

① 19 ② 1002 ③ 1010
④ 2010 ⑤ 2019

18 등식 $1-2a=0.1\dot{3}$을 만족시키는 a의 값을 순환소수로 나타내어라.

19 어떤 수 x에 $1.\dot{5}$를 곱한 것은 x에 1.5를 곱한 것보다 $0.\dot{3}$이 크다고 한다. 이때 어떤 수 x를 구하여라.

20 다음 식의 계산 결과는 자연수가 된다. (가)에 들어갈 수 있는 가장 작은 자연수는?

$1.\dot{4}\times$ (가)

① 2 ② 3 ③ 5
④ 9 ⑤ 18

21 순환소수 $1.0\dot{1}\dot{2}$에 자연수 x를 곱하면 유한소수가 된다고 한다. 이때 두 자리의 자연수 x의 개수는?

① 1 ② 2 ③ 3
④ 4 ⑤ 5

22 다음 중 옳은 것은?

① 유한소수와 무한소수는 모두 유리수이다.
② 유한소수 중에는 유리수가 아닌 것도 있다.
③ 유한소수로 나타낼 수 없는 기약분수는 모두 순환소수로 나타낼 수 있다.
④ 무한소수는 순환소수이다.
⑤ 순환소수 중에는 분수로 나타낼 수 없는 수가 있다.

해설 BOOK 064쪽

01

두 자연수 a, b에 대하여

$$a * b = \begin{cases} -1 \left(\dfrac{a}{b}\text{를 유한소수로 나타낼 수 있을 때}\right) \\ 1 \left(\dfrac{a}{b}\text{를 유한소수로 나타낼 수 없을 때}\right) \end{cases}$$

이라고 할 때, $(3 * 24) - (18 * 108) + (65 * 169)$의 값을 구하여라.

① $\triangle * \square$ 꼴을 분수 $\dfrac{\triangle}{\square}$로 고쳤을 때, 각각의 분수를 유한소수로 나타낼 수 있는가?
② ①의 값을 구하면?
③ 주어진 식의 값은?

02

분수 $\dfrac{a}{140}$를 소수로 나타내면 유한소수이고, 분수 $\dfrac{a+b}{140}$를 소수로 나타내면 순환마디가 소수점 아래 첫 번째 자리부터 시작되는 순환소수이다. a, b가 30보다 작은 자연수일 때, 가능한 순서쌍 (a, b)의 개수를 구하여라.

① a의 조건은?
② 순환마디가 소수점 아래 첫 번째 자리부터 시작되는 순환소수의 분모는 어떤 수?
③ 조건을 만족하는 (a, b)는?

03

$S = \dfrac{3}{10} + \dfrac{5}{100} + \dfrac{7}{1000} + \dfrac{9}{10000} + \dfrac{11}{100000} + \cdots$일 때, S의 값을 기약분수로 나타내어라.

① 각 분수의 분자를 같은 값이 나오도록 하려면?
② ①의 값을 순환소수로 나타내면?
③ ②의 순환소수를 기약분수로 나타내면?

해설 BOOK 065쪽
개념 BOOK 064쪽

유형 1 지수법칙 1 (지수의 합)

01 $3^3\times81=3^{\square}$일 때, □ 안에 알맞은 수는?

① 5 ② 6 ③ 7
④ 8 ⑤ 9

중요
02 다음 중 옳지 않은 것을 모두 고르면? (정답 2개)

① $a^2\times a\times a=a^4$
② $a^2\times a^3=a^7$
③ $a^4\times a^3\times a=a^8$
④ $a^3\times b\times a^3\times b^2=a^6b^3$
⑤ $a^7\times a=a^7$

03 다음 □ 안에 알맞은 수 중 가장 큰 것은?

① $x^{\square}\times x^2=x^6$
② $2^2\times2^{\square}=32$
③ $x\times x^2\times x^3=x^{\square}$
④ $x^2\times y^2\times y^3=x^2y^{\square}$
⑤ $a^4\times a^{\square}\times a=a^9$

up
04 $3\times4\times5\times6=2^x\times3^y\times5^z$일 때, $x+y+z$의 값을 구하여라.

유형 2 지수법칙 2 (지수의 곱)

05 $(a^3)^2\times b^3\times a\times(b^4)^3$을 간단히 하면?

① a^5b^{10} ② a^6b^{10} ③ a^7b^{10}
④ a^6b^{15} ⑤ a^7b^{15}

중요
06 다음 중 옳지 않은 것은?

① $x^2\times x^2\times x^2=(x^2)^3$
② $(y^4)^5=y^{20}$
③ $(x^3)^5\times x=x^{15}$
④ $(x^2)^3\times(y^3)^2=x^6y^6$
⑤ $(x^2)^5\times(x^5)^2=x^{20}$

07 $8^x\times32=16^5$일 때 x의 값을 구하여라.

up
08 다음을 만족시키는 두 자연수 m, n에 대하여 $m+n$의 값을 구하여라.

> (가) $(7^2)^3\times(7^m)^2=7^{14}$
> (나) $(a^n)^3\times(a^3)^5\times a^4=(a^5)^5$

유형 3 지수법칙 3 (지수의 차)

09 다음 중 옳은 것은?

① $a^6 \div a^3 = a^2$
② $a^2 \div a^2 = 0$
③ $a^3 \div a^8 = a^5$
④ $a^{11} \div a^6 \div a = a^5$
⑤ $(a^4)^2 \div (a^3)^2 = a^2$

10 다음을 만족시키는 상수 a, b에 대하여 $a-b$의 값은?

$$5^a \div 5^2 = 125, \quad 7^2 \div 7^b = \frac{1}{49}$$

① 1 ② 2 ③ 3
④ 4 ⑤ 5

중요

11 다음 중 옳지 않은 것은?

① $x^2 \times x \div x^3 = 1$
② $x^4 \div x^2 \times x^5 = x^7$
③ $x^5 \div (x^3)^2 = \frac{1}{x}$
④ $(x^2)^2 \div x^6 = \frac{1}{x^2}$
⑤ $(x^3)^4 \div (x^4)^2 = x$

12 $2^7 \div 2^{2x} \div 2 = 4$일 때, x의 값을 구하여라.

유형 4 지수법칙 4 (지수의 분배)

13 $(5x^a)^b = 125x^{12}$일 때, 상수 a, b에 대하여 $a+b$의 값은?

① 5 ② 6 ③ 7
④ 8 ⑤ 9

14 $\left(\frac{x^b}{3y^3}\right)^3 = \frac{x^{12}}{ay^c}$일 때, 상수 a, b, c에 대하여 $a+2b-c$의 값을 구하여라.

중요

15 다음 중 옳은 것을 모두 고르면? (정답 2개)

① $(a^3b^2)^3 = a^6b^5$
② $(-2ab^2)^3 = 8a^3b^6$
③ $\left(\frac{x}{y}\right)^3 = \frac{x^3}{y^3}$
④ $\left(\frac{x^2}{y}\right)^2 = \frac{x^4}{y^3}$
⑤ $\left(-\frac{1}{2}x^2y^3\right)^3 = -\frac{1}{8}x^6y^9$

up

16 $96^2 = (2^a \times 3^b)^2 = 2^c \times 3^d$일 때, 상수 a, b, c, d에 대하여 $a+b+c+d$의 값을 구하여라.

유형 5 지수법칙의 응용 (1)

17 $3^4\times3^4\times3^4=3^x$, $3^5+3^5+3^5=3^y$일 때, 상수 x, y에 대하여 $x-y$의 값은?

① 4　② 5　③ 6
④ 7　⑤ 8

18 $\dfrac{3^4+3^4+3^4}{8^2+8^2}\times\dfrac{2^7+2^7}{9^2+9^2+9^2}$을 계산하여라.

유형 6 지수법칙의 응용 (2)

19 $2^2=A$, $3^3=B$라고 할 때, 432를 A와 B를 사용하여 나타내면?

① A^4　② B^2　③ AB
④ A^2B　⑤ A^2B^2

20 $a=2^{x-1}$일 때, 8^x을 a를 사용하여 나타내면?
(단, x는 3 이상의 자연수이다.)

① $8a^3$　② a^3　③ $8a$
④ $3a$　⑤ 8^{a-1}

21 중요 $2^5=A$라고 할 때, $8^5\div8^{10}$을 A를 사용하여 나타내면?

① $\dfrac{1}{3A}$　② $\dfrac{1}{A^3}$　③ $-3A$
④ $3A$　⑤ A^3

유형 7 자릿수 구하기

22 $2^{16}\times5^{20}$은 n자리의 자연수일 때, n의 값은?

① 17　② 18　③ 19
④ 20　⑤ 21

23 $A=\dfrac{2^7\times5^8}{10}$일 때, A는 몇 자리의 자연수인지 구하여라.

24 up $4^6\times25^4\times30$이 x자리의 자연수이고, 각 자리의 숫자의 합이 y일 때, $x+y$의 값을 구하여라.

해설 BOOK 066쪽
개념 BOOK 071쪽

유형 1 단항식의 곱셈

중요
01 다음 식을 간단히 하여라.

(1) $(-a^2b)^2 \times 2ab$

(2) $(4x^5y)^3 \times \left(-\frac{3}{4}xy^3\right)^2$

02 다음 중 옳은 것은?

① $2a^2 \times 4a^3 = 8a^6$

② $3x^2y \times 5xy = 15x^3y^2$

③ $(-6xy)^2 \times \frac{1}{3}xy^2 = 18x^2y^2$

④ $(3x)^2 \times (-4x^4) = -36x^8$

⑤ $15m^{12} \times (-5m^2) = 75m^{14}$

03 $(-x)^3 \times 3xy \times (-6y)^2 = ax^by^c$일 때, 상수 a, b, c에 대하여 $-a+b+c$의 값을 구하여라.

04 $(-5xy^a)^2 \times (x^2y)^b = cx^8y^7$일 때, 상수 a, b, c에 대하여 $a+b+c$의 값을 구하여라.

유형 2 단항식의 나눗셈

05 다음 중 옳지 않은 것은?

① $16x^7 \div 2x^3 = 8x^4$

② $(-6a)^2 \div (-4a) = -9a$

③ $(-20x^2y) \div 5xy^2 = -\frac{4x}{y}$

④ $\left(\frac{x^2}{y}\right)^3 \div x^2y^3 = \frac{x^4}{y^6}$

⑤ $(-8a^4b^3) \div \left(-\frac{1}{2}a\right)^2 = -2a^2b^3$

중요
06 $(9x^5y^3)^2 \div (-2xy^2)^2 \div \left(\frac{3}{2}x^2y\right)^3 = \frac{ax^b}{y^c}$일 때, 상수 a, b, c에 대하여 $a+b+c$의 값을 구하여라.

07 $(-x^2y) \div \{(-xy)^3 \div 3x^3y^2\}$을 간단히 하면?

① $\frac{1}{3x^2}$　② $-\frac{1}{3x^4y^4}$　③ $3x^2$

④ $-3x^2$　⑤ $3x^3y^2$

08 $(-2xy^a)^4 \div (-x^by)^3 = \frac{cy^5}{x^5}$일 때, 상수 a, b, c에 대하여 $a+b+c$의 값을 구하여라.

유형 3 단항식의 곱셈과 나눗셈의 혼합 계산

09 (중요) $(a^2b^3)^2\times\left(\frac{a^2}{b}\right)^3\div a^4b$를 간단히 하면?

① a^5b ② a^5b^2 ③ a^5b^3
④ a^6b^2 ⑤ a^6b^4

10 $16a^3b^8\times(-4a^3b^2)^3\div(4ab)^3$을 간단히 하면?

① $4a^9b^{10}$ ② $-64a^9b^{10}$ ③ $16a^9b^{11}$
④ $-16a^9b^{11}$ ⑤ $-\frac{a^9b^{11}}{16}$

11 다음 계산 과정에서 (가)에 $(-2a^2b^3)^2$을 넣었을 때, (다)에 알맞은 식을 구하여라.

$$\boxed{(가)}\xrightarrow{\div\left(\frac{3}{2}ab^2\right)^2}\boxed{(나)}\xrightarrow{\times\left(\frac{3}{a^3b}\right)^2}\boxed{(다)}$$

12 $49x^2y^3\div7x^3y\times(3x^2y^3)^2=ax^by^c$일 때, 상수 a, b, c에 대하여 $a+b+c$의 값을 구하여라.

유형 4 □ 안에 알맞은 식 구하기

13 (중요) $12a^2b\div\square\times3b=9b^2$일 때, □ 안에 알맞은 식을 구하여라.

14 (중요) $4x^3y\div3x^2y^2\times\square=xy^2$일 때, □ 안에 알맞은 식은?

① $\frac{3}{4}xy^2$ ② $\frac{3}{4}x^2y^2$ ③ $\frac{3}{4}y^3$
④ $\frac{4}{3}y^3$ ⑤ $\frac{4}{3}xy^2$

15 $(-x^6y^3)\times xy^4\div\square=-xy^2$일 때, □ 안에 알맞은 식은?

① x^6y^5 ② $-x^6y^5$ ③ x^5y^6
④ $-x^5y^6$ ⑤ x^5y^5

16 (up) $\frac{1}{3}a^2b^4c\div\square\times\left(-\frac{1}{2}ab^2c^3\right)^2=-\frac{1}{2}a^3b^5c^2$일 때, □ 안에 알맞은 식을 구하여라.

유형 5 바르게 계산한 식 구하기

17 어떤 식에 $\frac{2b}{a}$를 곱해야 할 것을 잘못하여 나누었더니 $4a^2b^3$이 되었다. 바르게 계산한 결과를 구하여라.

18 어떤 식을 $3ab^3$으로 나누어야 할 것을 잘못하여 곱하였더니 $-12a^4b^5$이 되었다. 바르게 계산한 결과는?

① $\frac{4a^2}{b}$ ② $\frac{a^2}{3b}$ ③ $-\frac{4a^2}{3b}$
④ $-\frac{3b^2}{4a}$ ⑤ $-\frac{a^2}{9b}$

19 단항식 $15x^4y^3$을 어떤 식으로 나누어야 할 것을 잘못하여 곱했더니 $-5x^3y^5$이 되었다. 바르게 계산한 결과를 구하여라.

20 단항식 $-9x^2y^5z$에 어떤 식을 곱해야 할 것을 잘못하여 나누었더니 $\frac{3y^3}{xz}$이 되었다. 바르게 계산한 결과를 구하여라.

유형 6 단항식의 곱셈과 나눗셈의 활용

21 오른쪽 그림과 같은 삼각형의 넓이를 구하여라.

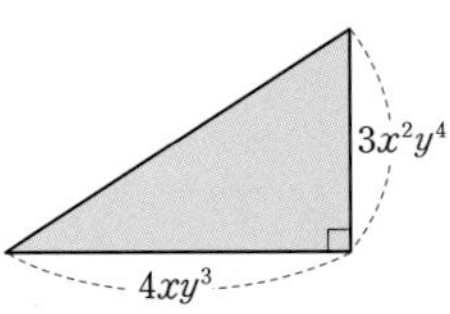

22 up 오른쪽 그림과 같이 $\overline{AB}=\frac{2}{3}x$, $\overline{BC}=\frac{3}{2}x$인 직각삼각형이 있다. $\overline{AB}$를 축으로 하여 1회전시켰을 때, 생기는 회전체의 부피를 구하여라.

23 오른쪽 그림과 같이 밑면의 가로의 길이가 $8a^2$, 세로의 길이가 $12b$인 직육면체의 부피가 $192a^4b^2$일 때, 이 직육면체의 높이를 구하여라.

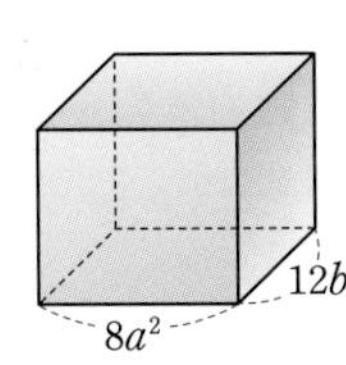

24 오른쪽 그림과 같이 밑면은 한 변의 길이가 $2a^2b$인 정사각형이고, 부피가 $10a^5b^4$인 정사각뿔이 있다. 이 정사각뿔의 높이를 구하여라.

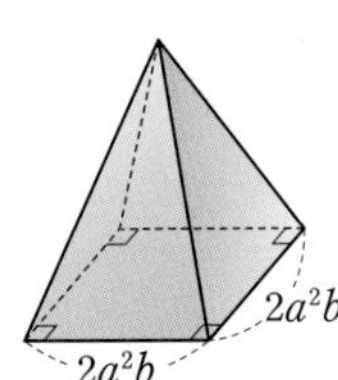

해설 BOOK 068쪽
개념 BOOK 073쪽

01 다음 중 □ 안에 들어갈 수가 가장 큰 것은?

① $a^{\square}\times a^4=a^7$　② $x^4\div x^{\square}=1$　③ $(y^4)^2\div y^{\square}=y^3$
④ $(x^2y^{\square})^3=x^6y^{18}$　⑤ $(b^2)^3\times b\div b^{\square}=b^3$

지수법칙을 이용하여 □ 안의 수를 구해 본다.

02 $25^{2x-3}=5^{x+6}$일 때, x의 값은?

① 1　② 2　③ 3　④ 4　⑤ 5

밑을 같게 한 다음 지수를 비교한다.

03 자연수 x, y, z, w에 대하여 $(a^xb^yc^z)^w=a^{24}b^{12}c^{18}$이 성립하는 가장 큰 w에 대하여 $x+y+z+w$의 값을 구하여라.

가장 큰 w는 24, 12, 18의 최대공약수이다.

04 $a=2^{x+2}$, $b=3^{x-1}$일 때, 6^x을 a, b를 사용하여 나타내면?

① $6ab$　② $4ab$　③ $3ab$
④ $\frac{4}{3}ab$　⑤ $\frac{3}{4}ab$

$6^x=(2\times3)^x=2^x\times3^x$

05 컴퓨터에서 데이터의 양을 나타내는 단위로 B(바이트), KB(킬로바이트), MB(메가바이트), GB(기가바이트) 등을 사용한다. $1\,\text{KB}=2^{10}\,\text{B}$, $1\,\text{MB}=2^{10}\,\text{KB}$, $1\text{GB}=2^{10}\,\text{MB}$일 때, 용량이 16 GB인 저장 공간에 용량이 1024 KB인 파일을 최대 몇 개까지 저장할 수 있는지 구하여라.

단위를 변환할 때 지수법칙을 사용한다.

06 n이 자연수일 때, 다음을 간단히 하여라.

$$(-x)^n\times(-x)^{n+2}-(-1)^n\times(-1)^{n+1}-x^n\times x^{n+2}$$

지수법칙을 이용하여 식을 정리해 본다.

07 $(-2x^a)^b=-8x^{15}$을 만족시키는 상수 a, b에 대하여 $(-8a^3b^2)^2\div4a^2b^3\div(-2a)^3$의 값을 구하여라.

식을 간단히 한 후 a, b의 값을 대입한다.

서술형

08 $\left(-\frac{x^3}{y^2}\right)^p\times\left(-\frac{y}{x}\right)^2\div\left(-\frac{y}{2x^2}\right)^3=-\frac{8x^q}{y^r}$일 때, 자연수 p, q, r에 대하여 $p+q+r$의 값을 구하여라. (단, $3<p\leq4$)

답 ______________

서술 TIP

p의 값의 범위를 이용하여 p의 값을 먼저 구한다.

●●○ 서술형

09 다음 두 도형의 넓이가 같을 때, 삼각형의 높이 h를 구하여라.

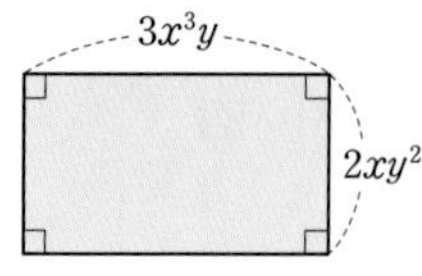

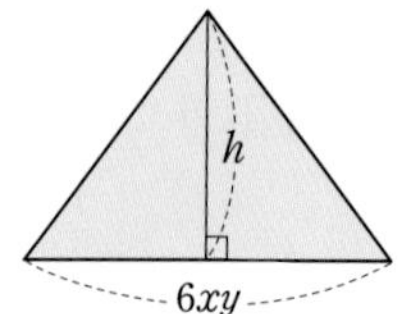

답 ______________

서술 TIP
직사각형의 넓이와 삼각형의 넓이를 구하는 식을 각각 세운다.

●●○

10 오른쪽 그림과 같은 직육면체 모양의 어항에 물이 들어 있다. 어항의 밑면의 가로의 길이는 $5x^2y$, 세로의 길이는 $9xy^3$이고 들어 있는 물의 부피가 $\frac{5}{3}x^{12}y^8$일 때, 물의 높이를 구하여라.
(단, 어항의 두께는 생각하지 않는다.)

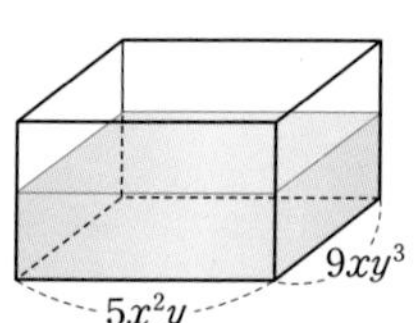

물의 높이를 h라 하고 식을 세운다.

●●●

11 다음 □ 안에 알맞은 두 식 ㉠, ㉡에 대하여 ㉠÷㉡을 간단히 하여라.

$$(-4x^3y^2)\times \boxed{㉠} \div(-2xy)^2=-3x^3y$$
$$(xy^2)^2\div x^3y\times(-4xy)^3\div \boxed{㉡} =-8xy^5$$

각각의 식을 등식의 성질을 이용하여 □=(식) 꼴로 고친다.

유형 TEST

01. 다항식의 덧셈과 뺄셈
02. 다항식의 곱셈과 나눗셈

SUMMA CUM LAUDE

해설 BOOK 069쪽
개념 BOOK 086쪽

유형 1 다항식의 덧셈과 뺄셈

중요
01 다음 식을 간단히 하여라.

(1) $(4a-3b+1)+(-2a+5b-3)$

(2) $2(3x+2y-1)-4(2x-3y+1)$

02 $\dfrac{x+4y}{3}-\dfrac{2x-y}{5}=ax+by$일 때, 상수 a, b에 대하여 $a+b$의 값은?

① $\dfrac{4}{15}$ ② $\dfrac{16}{15}$ ③ $\dfrac{22}{15}$

④ 16 ⑤ 22

03 $\left(\dfrac{3}{2}x-\dfrac{2}{3}y\right)-\left(\dfrac{5}{6}x-\dfrac{3}{4}y\right)$를 간단히 하여라.

04 어떤 식에서 $3x-2y+1$을 뺐더니 $-4x-3y-2$가 되었다. 이때 어떤 식을 구하여라.

유형 2 이차식의 덧셈과 뺄셈

중요
05 다음 식을 간단히 하여라.

(1) $(-2x^2+2x-5)+(x^2+3x-11)$

(2) $(5x^2+2x-4)-(3x^2-3)$

06 $5x^2-(5x-1+x^2)-(2x^2-6x)$를 간단히 하여라.

07 다음 등식을 만족하는 상수 a, b, c에 대하여 $a+b+c$의 값을 구하여라.

$$\frac{x^2+3x-1}{2}-\frac{x^2-x+1}{3}=ax^2+bx+c$$

08 $(x^2-3x+2)+\square=4x^2+x+3$일 때, □ 안에 알맞은 식을 구하여라.

유형 3 여러 가지 괄호가 있는 식의 계산

09 다음 식을 간단히 하면 $ax+by$가 될 때, 상수 a, b에 대하여 $a+b$의 값은?

$$5x+2y-[x-y+\{7x-(-2x+5y)\}]$$

① -1　② 2　③ 3　④ 5　⑤ 6

10 다음 식을 간단히 하면 ax^2+bx+c일 때, 상수 a, b, c에 대하여 $a+b-c$의 값을 구하여라.

$$5x-[6x-2x^2-\{8x-2x^2-(x^2-3x+4)\}]$$

유형 4 잘못 계산한 식에서 바른 답 구하기

11 어떤 식에서 $2x^2-x+1$을 빼야 할 것을 잘못해서 더했더니 $5x^2+x+1$이 되었다. 이때 바르게 계산한 식을 구하여라.

12 어떤 식에 x^2-x+2를 더해야 할 것을 잘못하여 뺐더니 $2x^2+5x-7$이 되었다. 이때 바르게 계산한 식을 구하여라.

유형 5 단항식과 다항식의 곱셈과 나눗셈

13 중요 $-3x(2x-1)-(-7x^2+x-1)=ax^2+bx+c$일 때, 상수 a, b, c에 대하여 $a+b+c$의 값을 구하여라.

14 다음 중 옳지 않은 것은?

① $(2x^2-4x)\times(-3x)=-6x^3+12x^2$
② $(6x^2y+3xy^2)\div 3xy=2x+y$
③ $-2x(x^2-3y^2)=-2x^3+6xy^2$
④ $(12xy^2-8xy)\div\dfrac{4x}{3y}=16xy-\dfrac{32x^2}{3}$
⑤ $(3x^2y+2xy^2-4xy)\div xy=3x+2y-4$

15 윗변의 길이가 $6xy^2$, 아랫변의 길이가 $10x^2y$, 높이가 $3xy$인 사다리꼴의 넓이를 구하여라.

16 다음 그림에서 색칠한 부분의 넓이를 구하여라.

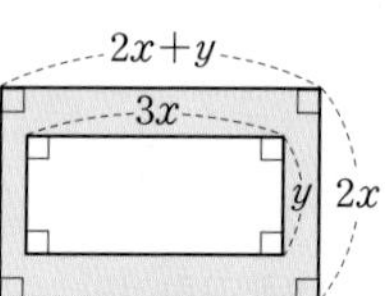

유형 6 어떤 식 구하기

17 $\square \times (-5xy) = 10x^2y - 5xy^2 + 15xy$일 때, $\square$ 안에 알맞은 식을 구하여라.

18 $\square \div \left(-\dfrac{3}{2x}\right) = 2x^3 + 4x^2 - 6x$일 때, $\square$ 안에 알맞은 식을 구하여라.

19 up 어떤 식에 $\dfrac{2}{3}p^2q$를 곱했더니 $10p^4q^2 - 4p^3q + 2p^2q$가 되었을 때, 어떤 식을 구하여라.

20 $a^2 - 6ab - 8ab^2$을 어떤 식으로 나누었더니 $\dfrac{a}{2b}$가 되었다. 이때 어떤 식을 구하여라.

유형 7 사칙계산이 혼합된 식의 계산

21 $\dfrac{2xy + y^2}{y} - \dfrac{4x^2 - 6xy}{2x}$를 간단히 하여라.

22 중요 $2x(2x-3) - (4x^3 - 6x^2) \div 2x$를 간단히 하여라.

23 $(x^3y - 2x^2y) \times \dfrac{1}{xy} - (6x^3 - 15x^2) \div (-3x)$를 간단히 한 식에서 x^2의 계수를 a, x의 계수를 b라고 할 때, $a+b$의 값은?

① 6　② 2　③ 0　④ -4　⑤ -8

24 다음 그림과 같이 세로의 길이가 $3y$인 직사각형의 넓이가 $2xy + 6y^2$일 때, 이 직사각형의 둘레의 길이를 구하여라.

해설 BOOK 070쪽
개념 BOOK 088쪽

●●○

01 $3x-2y$의 2배에서 어떤 식 A를 빼면 $-x+3y$의 3배가 된다고 할 때, 어떤 식 A를 구하여라.

주어진 조건에 맞게 식을 세운다.

●●○

02 오른쪽 그림과 같은 전개도로 직육면체를 만들었을 때, 마주 보는 면에 적힌 두 식의 합이 모두 같다고 한다. 이때 다항식 A를 구하여라.

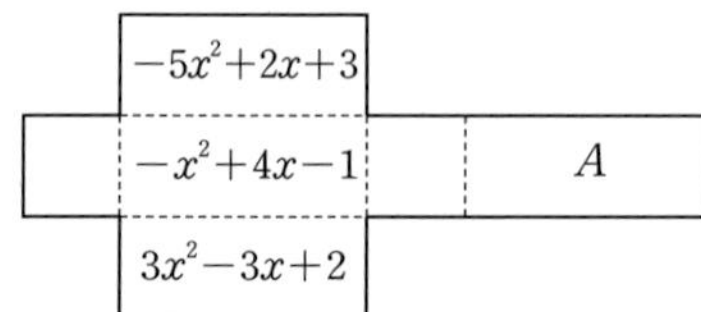

직육면체의 모양의 전개도를 접었을 때 서로 마주 보는 면을 알아본다.

●●○

03 $7x^2-3-[2x-2\{x^2-3x+1-(\square+3)\}]=9x^2-16x-7$일 때, $\square$ 안에 알맞은 식을 구하여라.

( ) → { } → [ ]의 순으로 괄호를 푼다.

●●○

04 $(9x^4y^7-27x^5y^6)\div(-3x^4y^5)-(2x-y)(-y)$를 간단히 하였을 때, xy의 계수를 구하여라.

사칙계산이 섞여 있을 때는 ×, ÷를 먼저 계산한다.

05 $\dfrac{6x^3y+Ax^2y-3xy^2}{3xy}-\dfrac{1}{2x}(2x^3+4xy)$를 간단히 하였을 때, x의 계수와 y의 계수의 곱이 -9이다. 상수 A의 값을 구하여라.

주어진 식을 전개하여 x의 계수와 y의 계수를 구한다.

서술형

06 다음 그림에서 삼각기둥의 겉넓이는 삼각형의 넓이의 몇 배인지 구하여라.

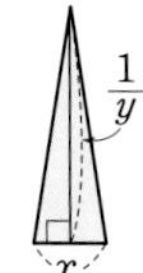

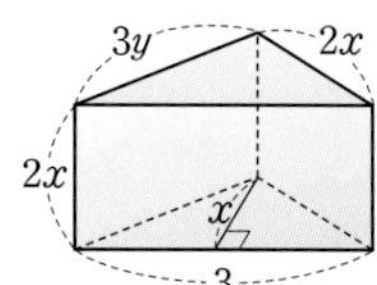

답 ____________

서술 TIP
삼각형의 넓이와 삼각기둥의 겉넓이를 각각 구한다.

서술형

07 어떤 식을 $\frac{2}{3}ab$로 나누어야 하는데 잘못하여 곱하였더니 $8a^3b-4a^2b^2-12a^2b^3$이 되었다. 바르게 계산한 답을 구하여라.

답 ____________

서술 TIP
어떤 식을 A로 놓고 잘못 세운 식을 통해 A를 먼저 구한다.

해설 BOOK 071쪽
개념 BOOK 092쪽

01 다음 중 옳은 것을 모두 고르면? (정답 2개)

① $a\div a^3\times a^2=\frac{1}{a^4}$
② $(x^3)^4\times(x^2)^3=x^{12}$
③ $(a^3b)^2\times\left(\frac{a}{b^2}\right)^3=\frac{a^9}{b^4}$
④ $x^3\div x^3=0$
⑤ $(a^2b^4)^2\div(ab)^3=ab^5$

02 $(a^xb^yc^z)^2=a^{20}b^{12}c^{18}$일 때, 상수 x, y, z에 대하여 $x+y+z$의 값은?

① 21 ② 22 ③ 23
④ 24 ⑤ 25

03 $3^3=A$라 할 때, $3^8+3^8+3^8$을 A를 사용하여 나타내면?

① A^2 ② A^3 ③ A^4
④ A^5 ⑤ A^6

04 $a=2^{x+1}$일 때, 16^x을 a를 사용하여 나타내어라.

05 $2^9\times5^7\times7^a$이 10자리의 자연수라고 할 때, 자연수 a의 값을 구하여라.

06 공기 중에서의 빛은 1초에 약 3×10^5 km를 이동한다고 한다. 지구의 둘레가 약 4×10^4 km일 때, 빛은 1초에 지구를 몇 바퀴 돌 수 있는지 구하여라.

07 $(-4x^3y^b)^2\div ax^2y=8x^4y^7$일 때, 상수 a, b에 대하여 $a+b$의 값을 구하여라.

08 $12a^4b^3\times(-2b)^2\div(-6a^3b^2)$을 간단히 하면?

① $-16ab$ ② $-8ab^3$ ③ $-4a^2b^2$
④ $4a^2b^2$ ⑤ $8ab^3$

09 다음 그림에서 □ 안의 식은 바로 아래의 색칠한 사각형의 양 옆에 있는 두 식을 곱한 것이다. A에 들어갈 식은?

<table>
<tr><td></td><td></td><td>$6x^5y^7$</td><td></td><td></td></tr>
<tr><td></td><td>$-3x^2y^3$</td><td></td><td>C</td><td></td></tr>
<tr><td>$\frac{3}{2}xy$</td><td></td><td>B</td><td></td><td>A</td></tr>
</table>

① x^2y^2 ② $-x^2y^2$ ③ $-xy$
④ $-\frac{1}{2}xy$ ⑤ $\frac{1}{2}x^2y^2$

10 $\frac{5a^2}{b^3} \times \square \div \frac{b}{4a^3} = \left(-\frac{2a^2}{b}\right)^3$일 때, □ 안에 알맞은 식은?

① $-\frac{5}{2}ab$ ② $-\frac{2}{5}ab$ ③ $\frac{2}{5}ab$
④ $\frac{4}{5}a^2b$ ⑤ $-\frac{4}{5}a^2$

서술형
11 다음 그림과 같이 높이가 h이고, 반지름의 길이가 r인 원기둥 A와 높이가 $2h$이고 반지름의 길이가 $\frac{2}{3}r$인 원기둥 B가 있다. 원기둥 B의 부피는 원기둥 A의 부피의 몇 배인지 구하여라.

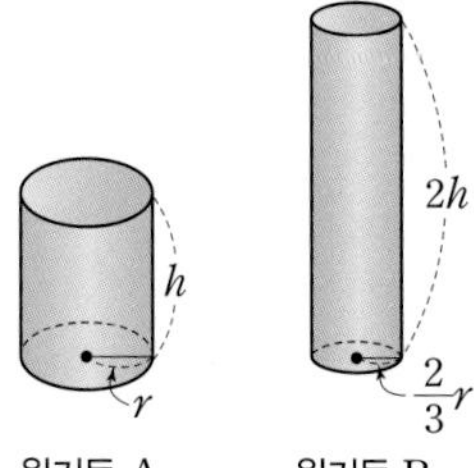

12 은수는 어떤 식을 $-\frac{2}{3}x^3y$로 나누어야 할 것을 잘못하여 곱했더니 $4x^7y^3$이 되었다. 이때 바르게 계산한 결과를 구하여라.

13 $(3a-2b-7)-(-3a+2b+3)$을 간단히 하면?

① $6a-4b+10$ ② $6a-4b-10$
③ $-6a-4b+10$ ④ $-6a+6b-10$
⑤ $6a-2b-4$

14 $\frac{x-y}{4}-\frac{2x-y}{3}=ax+by$일 때, 상수 a, b에 대하여 $b-a$의 값을 구하여라.

15 다음 보기에서 이차식은 모두 몇 개인가?

보 기

ㄱ. $2x-3y+1$ ㄴ. x^2-4x+1
ㄷ. $1-x^2$ ㄹ. $\frac{1}{x^2}$
ㅁ. x^2-3x^3 ㅂ. $2x^2+x-2x^2$

① 1개 ② 2개 ③ 3개
④ 4개 ⑤ 5개

16 $(-3a^2+2a+5)+2(4a^2-6a-7)$을 간단히 할 때, a^2의 계수와 상수항의 합은?

① -5 ② -4 ③ 0
④ 2 ⑤ 4

17 $10a-[5a-3b-\{a-4(a+b)\}]$를 간단히 하면?

① $4a+2b$ ② $4a+3b$ ③ $-4a-b$
④ $2a-b$ ⑤ $2a+b$

18 다음 중 옳은 것은?

① $(-4xy)\times 2xy^2=8x^2y^3$
② $3x(x-y+3)=3x^2-3xy+9$
③ $(x-6y)(-x)=-x^2-6y$
④ $(-15x^3y^2)\div(-5x^2y)=3x$
⑤ $(4x^2-6xy)\div\frac{1}{2}x=8x-12y$

19 $(-16x^2y+4y)\div(-4y)-\frac{9x^4-6x^2}{3x^2}$을 간단히 하여라.

20 어떤 식에 $-2xy$를 곱한 후 $-3x^2y+2xy$를 뺐더니 x^2y+2xy가 되었다. 이때 어떤 식을 구하여라.

서술형

21 $4x^2-x+3$에서 어떤 식을 빼야 할 것을 잘못하여 더했더니 $3x^2+2x-4$가 되었다. 이때 바르게 계산한 결과를 구하여라.

22 다음 그림은 어느 집 거실을 나타낸 도면이다. 이 집의 거실의 넓이를 구하여라.

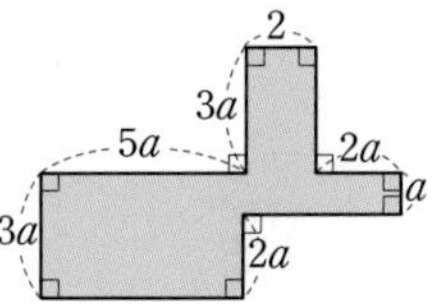

해설 BOOK 073쪽

01

3^{2019}의 일의 자리의 숫자를 a라 하고 9×3^{23}의 일의 자리의 숫자를 b라고 하자. 이때 $a+b$의 값을 구하여라.

① a의 값은?
② b의 값은?
③ $a+b$의 값은?

02

오른쪽 그림과 같은 직육면체 모양의 찰흙이 있다. 이 찰흙으로 반지름의 길이가 $\frac{1}{2}x^2y$인 구를 몇 개 만들 수 있는지 구하여라.

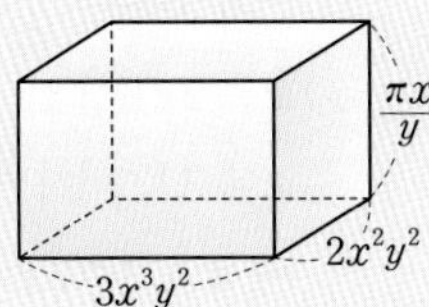

① 직육면체의 부피는?
② 구의 부피는?
③ 구는 몇 개 만들 수 있을까?

03

가로의 길이가 x, 세로의 길이가 y인 직사각형 모양의 종이 ABCD를 오른쪽 그림과 같이 $\overline{AB}$가 $\overline{BF}$에, $\overline{ED}$가 $\overline{EH}$에, $\overline{GC}$가 $\overline{GJ}$에 완전히 닿도록 접었다. 직사각형 HFIJ의 둘레의 길이를 구하여라.

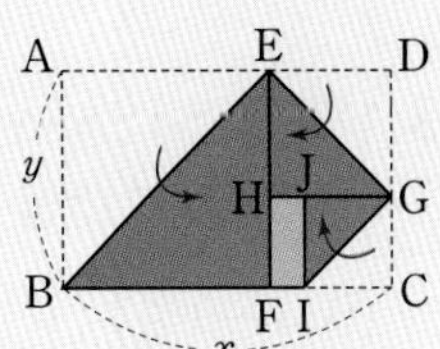

① $\overline{JI}$의 길이는?
② $\overline{FI}$의 길이는?
③ 직사각형의 둘레의 길이는?

유형 TEST 01. 부등식의 뜻과 성질~03. 일차부등식의 활용

SUMMA CUM LAUDE

해설 BOOK 074쪽
개념 BOOK 122쪽

유형 1 부등식의 뜻과 해

01 다음 중 부등식이 아닌 것을 모두 고르면? (정답 2개)

① $x+2\geq 6$　② $2x+1\leq 2(x-3)$
③ $10-x=4$　④ $3x-2(x-3)$
⑤ $3-6\geq 0$

02 (중요) 다음 중 문장을 부등식으로 바르게 나타낸 것은?

① x의 3배는 12보다 작다. ➡ $3x>12$
② x는 2 이상 10 미만이다. ➡ $2\leq x\leq 10$
③ x에 3을 더하면 x의 2배보다 크다.
➡ $x+3<2x$
④ x의 2배에서 4를 뺀 수는 x 초과이다.
➡ $2(x-4)>x$
⑤ x의 3배에서 5를 뺀 수는 -2 이상이다.
➡ $3x-5\geq -2$

03 다음 중 [ ] 안의 수가 주어진 부등식의 해가 아닌 것을 모두 고르면? (정답 2개)

① $5x-1\leq 4$ [0]　② $-x\geq 2x$ [2]
③ $3x<x+2$ [-1]　④ $x+7<7$ [1]
⑤ $\frac{x-1}{4}-\frac{x}{2}\leq 1$ [2]

유형 2 부등식의 성질

04 (중요) $a<b$일 때, 다음 중 옳지 않은 것은?

① $a+3<b+3$　② $-2a-7<-2b-7$
③ $-\frac{a}{6}+3>-\frac{b}{6}+3$　④ $5a-3<5b-3$
⑤ $\frac{a-3}{4}<\frac{b-3}{4}$

05 $-3a+4<-3b+4$일 때, 다음 중 옳은 것은?

① $\frac{1}{4}a<\frac{1}{4}b$　② $-a>-b$
③ $6a+1>6b+1$　④ $-5a+2>-5b+2$
⑤ $3-\frac{1}{2}a>3-\frac{1}{2}b$

06 $-1<x\leq 3$일 때, $A=-3x+4$의 값의 범위를 구하여라.

07 $-4<x\leq 6$이고 $A=\frac{1}{2}x+1$일 때, 모든 정수 A의 값의 합을 구하여라.

유형 3 일차부등식의 뜻

08 다음 중 일차부등식인 것을 모두 고르면? (정답 2개)

① $x-3<x^2+x$ ② $-6(x-3)\geq 18$
③ $x(x+3)>x^2-9$ ④ $3x-5<3x+5$
⑤ $\frac{1}{x}+2\leq\frac{2}{x}$

09 다음 문장을 식으로 나타낼 때, 일차부등식이 아닌 것은?

① x의 2배는 10보다 크지 않다.
② x의 3배는 x의 5배보다 크다.
③ x보다 3 작은 수의 2배는 x보다 작다.
④ x km를 시속 50 km로 가면 1시간 이상 걸린다.
⑤ 한 변의 길이가 x인 정사각형의 넓이는 12 이하이다.

유형 4 일차부등식의 풀이

10 다음은 일차부등식 $-7x+5\leq 30-2x$를 푸는 과정이다. ㉠~㉣ 중 처음으로 틀린 과정을 고르고 부등식의 성질 중에서 어떤 성질을 잘못 적용했는지 써라.

$$-7x+5\leq 30-2x$$
㉠
$$-7x+2x\leq 30-5$$
㉡
$$-5x\leq 25$$
㉢
$$\frac{-5x}{-5}\leq\frac{25}{-5}$$
㉣
$$x\leq -5$$

11 다음 부등식 중 해가 $x\geq -2$인 것은?

① $2x-3\leq x-5$
② $-x+2\leq 2x-4$
③ $2x+5\geq 4x+1$
④ $3x-10\leq 7x-2$
⑤ $4x+6\leq 4+3x$

중요
12 다음 일차부등식을 풀어라.

(1) $2x-3>5x+6$

(2) $3x+2\leq 8(x+4)$

13 다음 일차부등식 중 해를 수직선 위에 나타내었을 때, 오른쪽 그림과 같은 것은?

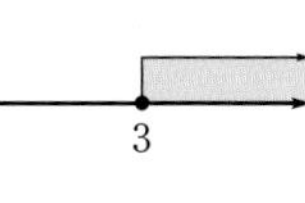

① $3x-2>7$ ② $x-5>2x-8$
③ $3x+3\geq x-3$ ④ $3x+1\geq 2x+4$
⑤ $2(x+2)\geq 5(x-1)$

14 부등식 $3x-4>5x-9$를 만족시키는 모든 자연수 x의 값의 합을 구하여라.

유형 5 계수가 분수 또는 소수인 일차부등식의 풀이

15 일차부등식 $0.5(x-3)>-0.5+0.3x$의 해는?

① $x>-4$　② $x<-4$　③ $x>4$
④ $x>5$　⑤ $x<5$

16 일차부등식 $\frac{x-1}{2}+\frac{1}{3}<1+\frac{x}{6}$를 만족시키는 자연수 x의 개수를 구하여라.

17 일차부등식 $-0.3(x-4)<\frac{x-3}{2}-\frac{4}{5}$를 만족시키는 가장 작은 정수 x의 값을 구하여라.

18 부등식 $\frac{x}{4}<\frac{5}{12}x-\frac{1}{6}$의 해를 $x>a$,
부등식 $0.4(x+5)\geq 0.6x+1.4$의 해를 $x\leq b$라고 할 때, $2a+3b$의 값을 구하여라.

유형 6 미지수가 포함된 일차부등식

19 일차부등식 $0.3x-a\leq 0.7x+2$의 해가 오른쪽 그림과 같을 때, 상수 a의 값은?

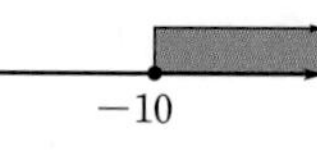

① 1　② 2　③ 3
④ 4　⑤ 5

20 일차부등식 $\frac{1}{3}\left(5x+\frac{1}{2}\right)\leq x+\frac{a}{4}$를 만족시키는 가장 큰 수가 2일 때, 상수 a의 값을 구하여라.

21 두 일차부등식 $\frac{5x-1}{2}-a\leq x+3$, $2(x+3)\geq 5x-3$의 해가 서로 같을 때, 상수 a의 값을 구하여라.

22 up $a<1$일 때, 일차부등식 $2a(x+3)-1\leq 5+2x$를 풀어라. (단, a는 상수)

유형 7 일차부등식의 활용

중요
23 연속하는 세 짝수의 합이 25보다 클 때, 이를 만족하는 세 짝수 중 가장 작은 세 수를 구하여라.

24 지현이는 두 번의 수학 시험에서 82점, 74점을 얻었고, 세 번까지의 평균 점수가 80점 이상이 되면 부모님과 놀이 공원을 가기로 약속하였다. 지현이는 세 번째 수학 시험에서 최소 몇 점을 얻어야 놀이 공원에 갈 수 있는지 구하여라.

25 슈퍼에서 과자와 음료수를 합하여 28개를 사려고 한다. 과자 1개의 가격은 1200원, 음료수 1개의 가격은 1000원일 때, 총 가격이 30000원을 넘지 않으려면 과자는 최대 몇 개까지 살 수 있는지 구하여라.

26 현재 연아는 60000원, 연재는 10000원을 은행에 예금하고 있다. 다음 달부터 연아는 매월 1000원, 연재는 매월 4000원씩 예금을 한다면 연재의 예금액이 연아의 예금액보다 많아지는 것은 지금부터 몇 개월 후부터인지 구하여라.

27 가로의 길이가 18 cm인 직사각형이 있다. 이 직사각형의 둘레의 길이가 68 cm 이상이 되도록 하려면 세로의 길이는 몇 cm 이상이어야 하는지 구하여라.

28 *up* 어떤 신발의 원가에 35 %의 이익을 붙여서 정가를 정하였다. 세일 기간에 20 %를 할인하여 판매하여도 1000원 이상의 이익이 생기려면 이 신발의 원가는 최소 얼마이어야 하는지 구하여라.

29 역에서 기차를 기다리는데 출발 시각까지 1시간의 여유가 있다. 이 시간을 이용하여 시속 5 km로 걸어서 물건을 사오려고 한다. 물건을 사는 데 12분이 걸린다면 역에서 몇 km 이내의 상점을 이용할 수 있는지 구하여라.

30 12 %의 소금물 500 g에 물을 더 넣어 4 % 이하의 소금물을 만들려고 한다. 이때 더 넣어야 하는 물의 양은 최소 몇 g인지 구하여라.

해설 BOOK 076쪽
개념 BOOK 126쪽

●○○
01 다음 중 $\square$ 안에 들어갈 부등호의 방향이 나머지 넷과 다른 하나는?

① $-1+\frac{a}{5}>-1+\frac{b}{5}$이면 $a\square b$

② $-2a+5<-2b+5$ 이면 $a\square b$

③ $a-(-5)>b-(-5)$이면 $a\square b$

④ $a\div\left(-\frac{2}{3}\right)<b\div\left(-\frac{2}{3}\right)$이면 $a\square b$

⑤ $a\times\left(-\frac{1}{4}\right)-2>b\times\left(-\frac{1}{4}\right)-2$이면 $a\square b$

> 각각의 부등식을 부등호의 성질을 이용하여 $a\square b$ 꼴로 정리해 보자.

●●○
02 $a<0$일 때, x에 대한 일차부등식 $4a+2ax\geq 0$을 만족시키는 가장 큰 정수 x의 값을 구하여라.

> x의 계수가 양수인지 음수인지 판단한다.

●●○
03 $-2\leq x\leq 5$, $-1\leq y\leq 2$일 때 $3x-2y$의 값 중 가장 큰 정수를 구하여라.

> $a\leq x\leq b$, $c\leq y\leq d$일 때
> $-d\leq -y\leq -c$이므로
> $a-d\leq x-y\leq b-c$

●●○
04 $x=-2$가 일차부등식 $\frac{5-ax}{3}<a+\frac{x}{2}$의 해가 아닐 때, 상수 a의 값의 범위를 구하여라.

> $x=-2$가 $mx+n<0$의 해가 아니면 $x=-2$는 $mx+n\geq 0$의 해이다.

●●● 서술형

05 일차부등식 $1+4x<\frac{a+5x}{2}$를 만족시키는 자연수 x의 최댓값이 4일 때, 자연수 a의 값을 모두 구하여라.

답 ______________

서술 TIP
부등식의 해를 구하고, 주어진 조건을 이용하여 a의 값의 범위를 구한다.

●●○

06 일차부등식 $3x-1\leq x-k$를 만족하는 자연수 x의 개수가 4일 때, 상수 k의 값의 범위를 구하여라.

부등식을 만족하는 자연수 x의 개수가 4가 되기 위한 경계인 값의 조건을 생각한다.

●●○ 서술형

07 집 앞의 A 슈퍼에서 한 개에 1200원인 물건을 지하철을 타고 가야 하는 B 슈퍼에 가면 30 % 싸게 살 수 있다고 한다. 집에서 B 슈퍼까지 갔다 오려면 교통비가 2400원이 든다고 할 때, 최소한 몇 개 이상을 사면 B 슈퍼에서 사는 것이 유리한지 구하여라.

답 ______________

서술 TIP
유리하다는 것은 구입하는 데 든 비용이 적음을 뜻한다.

●●○

08 어느 통신사의 할인요금제를 사용하면 100분 무료 통화를 할 수 있고 100분을 넘기면 1초당 8원의 요금이 부과된다. 이 요금제의 기본 요금이 15000원일 때, 총 요금이 27000원 이하가 되게 하려면 통화를 최대 몇 분까지 할 수 있는가?

① 25분 ② 50분 ③ 75분
④ 100분 ⑤ 125분

100분을 넘겨 통화한 시간을 x분이라 하고 부등식을 세운다.

유형 TEST 01. 연립방정식~03. 연립방정식의 활용

SUMMA CUM LAUDE

해설 BOOK 077쪽
개념 BOOK 148쪽

유형 1 미지수가 2개인 일차방정식과 그 해

01 다음 중 미지수가 2개인 일차방정식이 아닌 것을 모두 고르면? (정답 2개)

① $2x+y-10$　② $x+y=20$
③ $x+3y-2=0$　④ $2x-y=2(x-7)$
⑤ $2x+3y^2=3(x+y^2-y)$

02 다음 중 일차방정식 $2x+y=9$를 만족하는 x, y의 순서쌍이 아닌 것은?

① $(0, 9)$　② $(1, 7)$　③ $(2, 5)$
④ $(3, 4)$　⑤ $(4, 1)$

03 x, y가 자연수일 때, 일차방정식 $2x+y=10$의 해를 구하여라.

중요
04 x, y가 자연수일 때, 일차방정식 $x+4y=25$의 해의 개수를 구하여라.

유형 2 일차방정식의 해가 주어질 때, 미지수 구하기

05 x, y의 순서쌍 $(a, 1)$이 일차방정식 $2x-3y=9$의 해일 때, 상수 a의 값을 구하여라.

06 x, y의 순서쌍 $(2, -4)$가 일차방정식 $5x+ay=2$의 해일 때, 상수 a의 값을 구하여라.

07 x, y의 순서쌍 $(1, -2)$가 일차방정식 $ax+3y+2=0$의 해이다. $y=2$일 때, x의 값은? (단, a는 상수)

① -3　② -2　③ -1
④ 2　⑤ 3

08 x, y의 순서쌍 $(1, a)$, $(2b, b)$가 일차방정식 $2x+y=10$의 해일 때, $a+b$의 값을 구하여라.

유형 3 연립방정식과 그 해

09 x, y가 자연수일 때, 일차방정식 $x+y=7$의 해의 개수를 a, 일차방정식 $3x+y=13$의 해의 개수를 b, 연립방정식 $\begin{cases} x+y=7 \\ 3x+y=13 \end{cases}$의 해의 개수를 c라고 하자.
이때 $a+b+c$의 값을 구하여라.

10 다음 연립방정식 중 x, y의 순서쌍 $(3,\ 2)$를 해로 갖는 것은?

① $\begin{cases} x+3y=5 \\ 2x+3y=7 \end{cases}$ ② $\begin{cases} -2x+y=3 \\ 2x-5y=3 \end{cases}$

③ $\begin{cases} 2x-4y=-2 \\ x+2y=6 \end{cases}$ ④ $\begin{cases} x-y=1 \\ 2x-2y=1 \end{cases}$

⑤ $\begin{cases} 3x+y=11 \\ x-2y=-1 \end{cases}$

중요
11 x, y의 순서쌍 $(-1,\ 3)$이 연립방정식 $\begin{cases} 2x-y=a \\ bx+2y=3 \end{cases}$의 해일 때, 상수 a, b에 대하여 $a+b$의 값을 구하여라.

12 $x=m$, $y=2$가 연립방정식 $\begin{cases} 3x+2y=-5 \\ x+ny=1 \end{cases}$의 해일 때, $m+n$의 값을 구하여라. (단, n은 상수)

유형 4 연립방정식의 풀이-대입법, 가감법

13 연립방정식 $\begin{cases} y=-2x+1 \\ 3x+4y=-1 \end{cases}$의 해가 $x=a$, $y=b$일 때, $a+b$의 값을 구하여라.

14 연립방정식 $\begin{cases} x=3y-3 & \cdots ㉠ \\ 2(x-y)-3y=8 & \cdots ㉡ \end{cases}$을 풀기 위하여 ㉠을 ㉡에 대입하여 미지수 x를 소거하였더니 $ay=14$가 되었다. 이때 상수 a의 값을 구하여라.

중요
15 연립방정식 $\begin{cases} x-3y=2 \\ 2x-y=-6 \end{cases}$을 풀어라.

16 연립방정식 $\begin{cases} 2x+3y=-5 & \cdots ㉠ \\ 3x-5y=21 & \cdots ㉡ \end{cases}$에서 x 또는 y를 소거하기 위해 필요한 식을 모두 고르면? (정답 2개)

① ㉠×2+㉡ ② ㉠×3+㉡×2

③ ㉠×3−㉡×2 ④ ㉠×5+㉡×3

⑤ ㉠×5−㉡×3

유형 5 연립방정식의 해와 조건

17 연립방정식 $\begin{cases} 3x+2y=16 \\ ax-y=-6 \end{cases}$의 해가 일차방정식 $x-5y=-6$을 만족시킬 때, 상수 a의 값을 구하여라.

18 연립방정식 $\begin{cases} x-4y=6 \\ -3x+2y=k \end{cases}$를 만족시키는 x의 값이 y의 값의 2배일 때, 상수 k의 값을 구하여라.

19 두 연립방정식 $\begin{cases} ax+y=4 \\ 2x-y=4 \end{cases}$, $\begin{cases} 3x-y=2 \\ x+by=6 \end{cases}$의 해가 서로 같을 때, 상수 a, b에 대하여 $a+b$의 값을 구하여라.

20 up 연립방정식 $\begin{cases} 2x-ay=10 \\ x+by=14 \end{cases}$에서 a를 잘못 보고 구한 해는 $x=2$, $y=4$이고, b를 잘못 보고 구한 해는 $x=-1$, $y=-4$이었다. 주어진 연립방정식의 해를 구하여라.

유형 6 여러 가지 연립방정식의 풀이

21 연립방정식 $\begin{cases} x+2(y+1)=13 \\ 4(x-3)-3y=-1 \end{cases}$을 만족시키는 x, y에 대하여 $x-y$의 값을 구하여라.

22 중요 연립방정식 $\begin{cases} 0.3(x+y)-0.1y=1.9 \\ \frac{2}{3}x+\frac{3}{5}y=5 \end{cases}$를 풀어라.

23 연립방정식 $\begin{cases} \frac{x}{2}+\frac{y}{3}=\frac{1}{2} \\ 0.2x+\frac{1}{4}y=-\frac{1}{2} \end{cases}$의 해가 $x=a$, $y=b$일 때, $a+b$의 값을 구하여라.

24 연립방정식 $\begin{cases} 0.\dot{2}x+0.\dot{6}y=1.\dot{3} \\ 0.3x-0.1y=0.8 \end{cases}$을 풀어라.

25 연립방정식 $\begin{cases} (x+2):(-2-y)=1:2 \\ 4x-3y=8 \end{cases}$ 의 해가 $x=m$, $y=n$일 때, mn의 값을 구하여라.

26 방정식 $\frac{x-1}{3}=\frac{x-y+5}{6}=\frac{2x+y-6}{4}$을 풀어라.

27 방정식 $x-2y+9=3x+y+2=4x+2y+1$의 해가 $x=a$, $y=b$일 때, $b-a$의 값을 구하여라.

28 방정식 $ax-3y=x+y+8=6$의 해가 $x=-3$, $y=b$일 때, 상수 a, b에 대하여 $b-a$의 값을 구하여라.

유형 7 해가 특수한 연립방정식의 풀이

29 연립방정식 $\begin{cases} ax+y=3 \\ 4x-2y=b \end{cases}$ 의 해가 무수히 많을 때, 상수 a, b에 대하여 $a+b$의 값을 구하여라.

30 연립방정식 $\begin{cases} x-5y=-3 \\ y=2ax+1 \end{cases}$ 의 해가 없을 때, 상수 a의 값을 구하여라.

31 다음 연립방정식 중 해가 무수히 많은 것은?

① $\begin{cases} x-2y=-1 \\ 3x+2y=5 \end{cases}$　② $\begin{cases} 7x-y=6 \\ -14x-10y=12 \end{cases}$

③ $\begin{cases} x+y=2 \\ x-y=2 \end{cases}$　④ $\begin{cases} 2x-y=1 \\ 4x-2y=2 \end{cases}$

⑤ $\begin{cases} -x+2y=3 \\ 2x-4y=9 \end{cases}$

32 다음 연립방정식 중 해가 <u>없는</u> 것은?

① $\begin{cases} x+y=1 \\ -x+y=3 \end{cases}$　② $\begin{cases} 2x-3y=7 \\ -2x+3y=-7 \end{cases}$

③ $\begin{cases} 4x+y=2 \\ 4x-y=2 \end{cases}$　④ $\begin{cases} 2x+y=3 \\ x-2y=1 \end{cases}$

⑤ $\begin{cases} -2x+10y=3 \\ x-5y=1 \end{cases}$

유형 8

연립방정식의 활용

중요

33 제과점에서 한 개에 1500원인 애플파이와 800원인 크림빵을 합하여 10개를 사고 10800원을 냈다. 이때 애플파이와 크림빵은 각각 몇 개씩 샀는지 구하여라.

34 두 자연수 x, y가 있다. 두 수의 차는 13이고, x를 y로 나누었더니 몫이 4, 나머지가 1이었다. 이때 $x+y$의 값을 구하여라.

35 어느 농구 경기에서 한 농구 선수가 2점 슛과 3점 슛을 모두 합하여 7개를 성공시켜 점수는 16점을 얻었다. 이때 이 농구 선수는 2점 슛과 3점 슛을 각각 몇 개씩 성공시켰는지 구하여라.

36 길이가 50 km인 코스를 사이클과 마라톤으로 가는 경기가 있다. 한 선수가 시속 30 km로 사이클을 탄 후, 시속 15 km로 마라톤을 하여 코스를 완주하는데 2시간이 걸렸다고 한다. 마라톤을 한 거리를 구하여라.

37 민수네 학교의 작년의 전체 학생 수는 1050명이고, 올해는 작년보다 남학생 수는 4 % 증가하고, 여학생 수는 2 % 감소하여 전체적으로 15명이 증가하였다. 민수네 학교의 올해의 여학생 수를 구하여라.

38 둘레의 길이가 60 cm인 직사각형에서 가로의 길이는 10 % 줄이고 세로의 길이는 15 % 늘였더니 둘레의 길이가 5 % 늘어났다. 처음 직사각형의 넓이를 구하여라.

39 어느 동아리 학생들이 야영을 하는데 한 텐트에 6명씩 자면 마지막 텐트에는 5명이 자게 되고, 한 텐트에 5명씩 자면 2명이 텐트에서 잘 수 없게 된다. 동아리 학생들은 모두 몇 명이고, 텐트는 모두 몇 개인지 구하여라.

40 두 수도꼭지로 용량이 360리터인 물통에 물을 가득 채우려고 한다. 두 수도꼭지 중 한 수도꼭지로 물을 받는 것은 다른 수도꼭지로 받는 것에 비하여 시간이 3배 걸린다. 그리고 이 두 수도꼭지를 모두 이용하여 물을 가득 채우는 데 21분이 걸린다. 두 수도꼭지에서 1분 동안 나오는 물의 양을 각각 구하여라.

해설 BOOK 082쪽
개념 BOOK 152쪽

●●○
01 두 순서쌍 $(-2,\ 1)$, $(a,\ 4)$가 x, y에 대한 일차방정식 $3x+by=1$의 해일 때, 다음 중 가장 큰 값은? (단, a, b는 상수)

① ab ② $a+b$ ③ $a-b$
④ $b-a$ ⑤ $\frac{b}{a}$

주어진 해를 일차방정식에 대입한다.

●●○
02 어느 전시회의 입장료가 어른은 3000원, 청소년은 2000원이다. 총 입장료가 20000원일 때, 총 인원 수로 가능하지 <u>않은</u> 것은?

① 6명 ② 7명 ③ 8명
④ 9명 ⑤ 10명

주어진 문장을 일차방정식으로 나타내고, 그 해를 구한다.

●●○
03 x, y가 자연수일 때, 미지수가 2개인 일차방정식 $0.\dot{1}x+0.\dot{0}\dot{2}y=0.\dot{3}\dot{7}$을 만족하는 순서쌍 $(x,\ y)$의 개수를 구하여라.

순환소수인 계수를 분수로 나타낸 후, 다시 정수가 되도록 양변에 적당한 수를 곱한다.

●●○ 서술형
04 미지수가 2개인 일차방정식 $\frac{x}{2}-\frac{y}{5}-2=0$을 만족하는 x, y의 값의 비가 $2:3$일 때, $x+y$의 값을 구하여라.

답 ____________

서술 TIP
x, y의 값의 비를 이용하여 일차방정식을 세운다.

05 연립방정식 $\begin{cases} 2x=5y-2 \\ 2x=-3y+2 \end{cases}$의 해가 일차방정식 $4x-12y=k$를 만족할 때, 상수 k의 값을 구하여라.

연립방정식의 해를 구하여 일차방정식에 대입한다.

06 다음 두 식을 모두 만족하는 x, y에 대하여 xy의 값을 구하여라.

$$\begin{cases} (x-2):(3-y)=1:3 \\ 2x+y=3 \end{cases}$$

비례식을 일차방정식으로 바꾼다.

서술형

07 연립방정식 $\begin{cases} ax+by=10 \\ bx-ay=5 \end{cases}$에서 잘못하여 a와 b를 서로 바꾸어 놓고 풀었더니 해가 $x=5$, $y=0$이었다. 처음 연립방정식의 해를 구하여라. (단, a, b는 상수)

답 ______

서술 TIP

a와 b를 바꾼 연립방정식에 $x=5$, $y=0$을 대입하여 a, b의 값을 구한다.

08 방정식 $x+y=4x+2y+1=3x+ay$의 해가 $5x+3y=1$을 만족시킬 때, 상수 a의 값을 구하여라.

$A=B=C$ 꼴의 경우 $\begin{cases} A=B \\ A=C \end{cases}$, $\begin{cases} A=B \\ B=C \end{cases}$, $\begin{cases} A=C \\ B=C \end{cases}$ 중 어느 하나로 바꾸어 푼다.

09 해가 없는 연립방정식 $\begin{cases} 2x-3y=6 \\ ax+4y=3 \end{cases}$과 해가 무수히 많은 연립방정식 $\begin{cases} 2x-by=3 \\ cx+4y=-6 \end{cases}$ 에서 상수 a, b, c에 대하여 $3a+b+c$의 값을 구하여라.

해가 없는 경우 : x의 계수, y의 계수 중 어느 하나를 같게 하면 나머지 하나도 같아진다.

해가 무수히 많은 경우 : x의 계수, y의 계수, 상수항 중 어느 하나를 같게 하면 나머지 둘도 각각 같아진다.

서술형

10 유리네 집에서 도서관까지의 거리는 6 km이다. 유리가 집에서부터 시속 4 km의 속력으로 걸어서 도서관에 가던 중에 민호를 만나 민호의 자전거를 같이 타고 시속 12 km의 속력으로 가서 1시간 만에 도서관에 도착했다. 유리가 자전거를 타고 간 거리를 구하여라.

답 ____________

서술 TIP

걸어간 거리를 x km, 자전거를 타고 간 거리를 y km라 하고 연립방정식을 세운다.

11 8 %의 소금물과 12 %의 소금물을 섞은 후 물을 더 넣어 9 %의 소금물 600 g을 만들었다. 8 %의 소금물과 더 넣은 물의 양의 비가 3 : 2일 때, 더 넣은 물의 양은 몇 g인지 구하여라.

8 %의 소금물의 양을 x g, 12 %의 소금물의 양을 y g이라 하고, 더 넣은 물의 양을 x를 이용하여 나타낸다.

12 이룸이는 음악회에서 5분짜리 곡과 8분짜리 곡을 섞어서 연주하여 공연 시간을 모두 1시간 20분으로 계획하였다가 5분짜리 곡과 8분짜리 곡의 개수를 서로 바꾸어서 연주하여 1시간 38분이 걸렸다. 곡과 곡 사이에는 1분의 쉬는 시간이 있다고 할 때, 이룸이가 연주하는 곡은 모두 몇 곡인지 구하여라.

쉬는 횟수는 연주하는 곡의 수보다 1이 작다.

해설 BOOK 084쪽
개념 BOOK 156쪽

●○○
01 $a<b$일 때, 다음 중 옳지 않은 것은?

① $a+3<b+3$ ② $-a+7<-b+7$
③ $\frac{a}{3}<\frac{b}{3}$ ④ $\frac{2a-1}{5}<\frac{2b-1}{5}$
⑤ $-6+3a<-6+3b$

●○○
02 $-2<x<4$이고 $A=7-2x$일 때, A의 값의 범위는 $a<A<b$이다. 이때 $b-a$의 값을 구하여라.

●○○
03 다음 중 일차부등식인 것은?

① $2(x+1)>3+2x$ ② $x(2x-1)>x$
③ $1+3x<3x+4$ ④ $(x+3)x\le x^2+5$
⑤ $2x+1\ge 2(x-3)$

●○○
04 다음 부등식 중 해가 나머지 넷과 다른 하나는?

① $-3x>6-x$ ② $6x+7<5x+4$
③ $x-4>3x+2$ ④ $3(x+2)<-x-6$
⑤ $3(1-2x)>4(x-6)-3$

●●○
05 일차부등식 $0.5(x-1)+\frac{x}{3}>\frac{1}{3}$의 해를 수직선 위에 바르게 나타낸 것은?

①
1

②
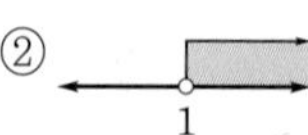

③
1

④

⑤
-1

●●○
06 부등식 $\frac{x-1}{2}-1\le\frac{x+1}{3}$을 만족하는 가장 큰 정수를 a, 부등식 $5+x<3x+1$을 만족하는 가장 작은 정수를 b라 할 때, $a+b$의 값을 구하여라.

●●○
07 $x+a<2x-3$의 해가 $x>-4$, $3x<x+b$의 해가 $x<4$일 때, 상수 a, b에 대하여 $b-a$의 값은?

① -15 ② -1 ③ 1
④ 8 ⑤ 15

08 일차부등식 $2x-a<3$을 만족하는 자연수 x의 개수가 3일 때, 상수 a의 값의 범위는?

① $-5\le a<-3$ ② $-5<a\le 3$
③ $3\le a<5$ ④ $3<a<5$
⑤ $3<a\le 5$

09 어느 아파트 단지에서 바자회를 열어 손수건은 한 장에 1200원, 양말은 한 켤레에 500원에 판매하고 있다. 5000원으로 손수건을 한 장을 사고 나면 양말은 최대 몇 켤레를 살 수 있는지 구하여라.

10 서술형
모양과 크기가 같지만 무게가 40 kg, 30 kg인 두 종류의 상자를 합하여 모두 20개를 트럭에 실으려고 한다. 트럭에 750 kg까지 실을 수 있다고 할 때, 40 kg의 상자는 최대 몇 개까지 실을 수 있는지 구하여라.

11 다음 중 미지수가 2개인 일차방정식은?

① $3x-2y$ ② $5y-5=10$
③ $\frac{1}{x}+\frac{2}{y}=4$ ④ $5x=5(x-3y)+7$
⑤ $x(y-1)=y(x-1)$

12 x, y가 자연수일 때, 다음 일차방정식 중 해가 없는 것은?

① $3x+y=13$ ② $x+4y=8$
③ $x+y=7$ ④ $5x+6y=10$
⑤ $x+7y=15$

13 연립방정식 $\begin{cases} ax+y=5 \\ x-by=-8 \end{cases}$의 해가 $x=1$, $y=3$일 때, 상수 a, b에 대하여 $a+b$의 값을 구하여라.

14 다음 방정식을 풀어라.

(1) $\begin{cases} y-2x=3(y-x)-6 \\ 3(x-2y)=x-10 \end{cases}$

(2) $2x+3y=-x+2y-4=4x-2y-3$

●●○ 서술형

15 두 순서쌍 $(1, 2)$와 $(-2, 1)$이 일차방정식 $2x+ay=b$의 해일 때, 상수 a, b에 대하여 $a-2b$의 값을 구하여라.

●●○

16 연립방정식 $\begin{cases} x+\frac{a}{3}y=\frac{1}{3} \\ \frac{b}{2}x+4y=-1 \end{cases}$ 의 해가 무수히 많을 때, 상수 a, b에 대하여 $a-b$의 값을 구하여라.

●●○

17 두 연립방정식 $\begin{cases} 2x-y=a \\ \frac{1}{2}x-\frac{1}{3}y=\frac{2}{3} \end{cases}$, $\begin{cases} x+by=4 \\ \frac{2x+2y}{3}=2 \end{cases}$ 의 해가 같을 때, 상수 a, b에 대하여 ab의 값은?

① -6 ② -1 ③ 0
④ 1 ⑤ 6

●●○ 서술형

18 8 km 떨어진 두 지점에서 이룸이와 숨마가 동시에 마주 보고 출발하여 도중에 만났다. 이룸이는 시속 5 km, 숨마는 시속 3 km로 걸었다고 할 때, 이룸이가 걸은 거리를 구하여라.

●●○

19 3 %의 설탕물과 6 %의 설탕물을 섞어서 5 %의 설탕물 270 g을 만들었다. 이때 6 %의 설탕물은 몇 g 섞은 것인가?

① 100 g ② 130 g ③ 140 g
④ 160 g ⑤ 180 g

●●○

20 하영이와 예진이가 함께 일하면 4일 만에 끝낼 수 있는 일을 하영이가 2일 한 후, 예진이가 8일 동안 일하여 끝냈다고 한다. 이 일을 하영이가 혼자서 하면 며칠 걸리겠는가?

① 4일 ② 5일 ③ 6일
④ 10일 ⑤ 12일

해설 BOOK 086쪽

01

일차부등식 $(a+b)x+2a-3b<0$의 해가 $x>-\frac{3}{4}$일 때, 일차부등식 $(a-2b)x+3a-b<0$을 풀어라. (단, a, b는 상수)

① x의 계수가 문자로 이루어진 식일 때, 계수로 각 변을 나누려면 무엇을 고려해야 할까?
② a와 b 사이의 관계는?

02

두 연립방정식 A : $\begin{cases} 4x-3y=9 \\ -2ax+y=b+12 \end{cases}$, B : $\begin{cases} 4ax+3y=1 \\ 3x-2y=-3 \end{cases}$에 대하여 A의 해에서 x의 값이 B의 해에서 y의 값과 같고, A의 해에서 y의 값이 B의 해에서 x의 값과 같다. 이때 상수 a, b에 대하여 $a-b$의 값은?

① -3　② -1　③ 0
④ 1　⑤ 5

① 두 연립방정식의 해 x, y의 값이 서로 뒤바뀌어 같다면 연립방정식의 해를 어떻게 놓으면 될까?
② 연립방정식 A, B의 해는?
③ a, b의 값은?

해설 BOOK 087쪽
개념 BOOK 185쪽

유형 1 함수와 일차함수의 뜻

중요
01 다음 중 y가 x의 함수가 아닌 것을 모두 고르면? (정답 2개)

① 자연수 x의 약수 y
② 자연수 x보다 2 이상 큰 자연수 y
③ 시속 3 km로 x시간 동안 걸은 거리 y km
④ 반지름의 길이가 x cm인 원의 넓이 y cm^2
⑤ 우유 500 mL를 x명에게 똑같이 나누어 줄 때, 한 명이 받는 양 y mL

02 다음 중 y가 x에 대한 일차함수가 아닌 것을 모두 고르면? (정답 2개)

① $y=x$　　② $y=-\frac{x}{4}$
③ $y=0\cdot x+2$　　④ $y=5-x$
⑤ $y=x(x-2)$

03 다음 중 y가 x에 대한 일차함수가 아닌 것은?

① 20 %의 소금물 x g 속에 들어 있는 소금의 양 y g
② 가로, 세로의 길이가 각각 5 cm, x cm인 직사각형의 둘레의 길이 y cm
③ 500원짜리 껌 1개와 x원짜리 사탕 3개의 값 y원
④ 시속 x km로 50 km를 달린 시간 y시간
⑤ 길이가 20 cm인 양초가 1분에 0.5 cm씩 x분 동안 타고 남은 양초의 길이 y cm

유형 2 함숫값

중요
04 함수 $f(x)=2x-3$에 대하여 $f(1)-f(-1)$의 값은?

① -6　　② -2　　③ 1
④ 4　　⑤ 6

05 x가 자연수일 때, 함수

$f(x)=(x$의 서로 다른 소인수의 개수$)$

에 대하여 $f(18)+f(30)+f(60)$의 값을 구하여라.

06 함수 $f(x)=2x+b$에 대하여 $f(5)=9$일 때, $f(-1)$의 값을 구하여라. (단, b는 상수)

07 함수 $f(x)=ax+6$에 대하여 $f(1)=3$, $f(b)=-6$일 때, 상수 a, b에 대하여 $a+b$의 값을 구하여라.

유형 3 일차함수의 그래프 위의 점

08 다음 중 일차함수 $y=-4x+3$의 그래프 위의 점이 아닌 것은?

① $(-1, 7)$　② $\left(-\frac{1}{2}, 1\right)$
③ $\left(\frac{1}{4}, 2\right)$　④ $\left(\frac{3}{2}, -3\right)$
⑤ $(2, -5)$

09 일차함수 $y=-\frac{1}{2}x+a$의 그래프가 두 점 $(2, 3)$, $(b, -1)$을 지날 때, $a+b$의 값을 구하여라. (단, a는 상수)

유형 4 일차함수의 그래프의 평행이동

중요
10 일차함수 $y=-3x+b$의 그래프를 y축의 방향으로 3만큼 평행이동하였더니 $y=ax+2$의 그래프가 되었다. 이때 상수 a, b에 대하여 $a+b$의 값을 구하여라.

11 일차함수 $y=-\frac{5}{3}x$의 그래프를 y축의 방향으로 -2만큼 평행이동한 그래프가 점 $(-3, p)$를 지날 때, p의 값을 구하여라.

유형 5 일차함수의 그래프의 x절편, y절편

중요
12 일차함수 $y=-\frac{1}{3}x+2$의 x절편을 m, y절편을 n이라고 할 때, $m-n$의 값을 구하여라.

13 일차함수 $y=-\frac{1}{2}x+b$의 그래프가 오른쪽 그림과 같을 때, 점 A의 좌표를 구하여라. (단, b는 상수)

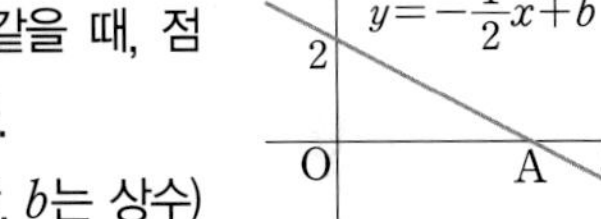

14 일차함수 $y=\frac{3}{2}x+b$의 그래프의 x절편이 -2일 때, y절편을 구하여라. (단, b는 상수)

15 일차함수 $y=ax-2$의 그래프를 y축의 방향으로 3만큼 평행이동한 그래프가 점 $(1, -2)$를 지날 때, 이 그래프의 x절편을 구하여라. (단, a는 상수)

유형 6 일차함수의 그래프의 기울기

16 일차함수 $y=ax+2$에서 x의 값이 3만큼 증가할 때 y의 값이 6만큼 감소한다. 이때 상수 a의 값을 구하여라.

17 일차함수 $y=\frac{2}{5}x+2$에서 x의 값이 10만큼 증가할 때, y의 값은 1에서 k까지 증가한다. 이때 k의 값은?

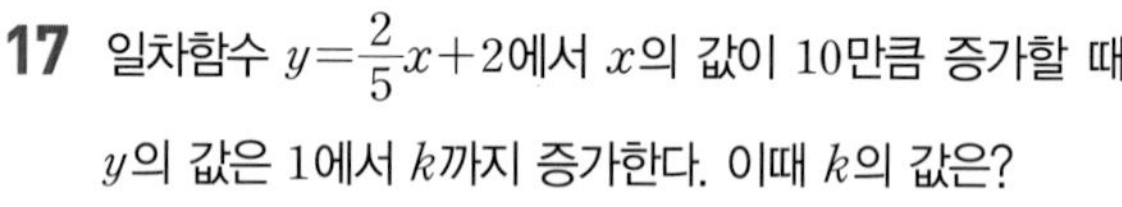

① 2 ② 3 ③ 4
④ 5 ⑤ 6

18 다음 두 점을 지나는 일차함수의 그래프의 기울기를 구하여라.

(1) $(-3, 2)$, $(3, -3)$
(2) $(2, 4)$, $(-2, -1)$

19 두 점 $(k, 2)$, $(3, -7)$을 지나는 일차함수의 그래프의 기울기가 $-\frac{3}{2}$일 때, k의 값을 구하여라.

유형 7 x절편, y절편을 이용하여 넓이 구하기

20 오른쪽 그림과 같이 일차함수 $y=-2x+4$의 그래프가 x축, y축과 만나는 점을 각각 A, B라고 할 때, 삼각형 AOB의 넓이를 구하여라.

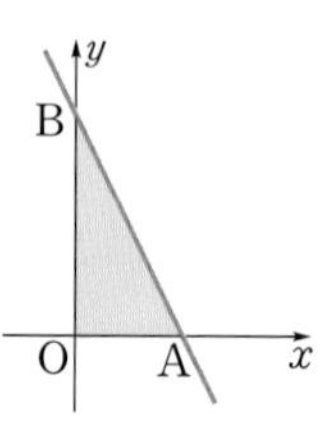

중요
21 일차함수 $y=-\frac{1}{2}x+4$의 그래프와 x축 및 y축으로 둘러싸인 도형의 넓이를 구하여라.

22 두 일차함수 $y=-2x+4$, $y=x+4$의 그래프와 x축으로 둘러싸인 도형의 넓이를 구하여라.

23 up 일차함수 $y=-3ax+12$의 그래프와 x축, y축의 양의 부분으로 둘러싸인 도형의 넓이가 8일 때, 상수 a의 값을 구하여라.

해설 BOOK 089쪽
개념 BOOK 200쪽

유형 1 일차함수의 그래프의 성질

01 일차함수 $y=-\frac{1}{3}x$의 그래프를 y축의 방향으로 2만큼 평행이동한 그래프가 지나지 않는 사분면을 말하여라.

02 중요 다음 중 일차함수 $y=2x+6$의 그래프에 대한 설명으로 옳지 않은 것을 모두 고르면? (정답 2개)

① 오른쪽 아래로 향하는 직선이다.
② y축과 음의 부분에서 만난다.
③ 제4사분면을 지나지 않는다.
④ 점 $(-3, 0)$을 지나는 직선이다.
⑤ x의 값이 증가하면 y의 값도 증가한다.

03 다음 보기의 일차함수의 그래프 중 x의 값이 증가할 때 y의 값은 감소하고, 동시에 y축과 음의 부분에서 만나는 것을 모두 골라라.

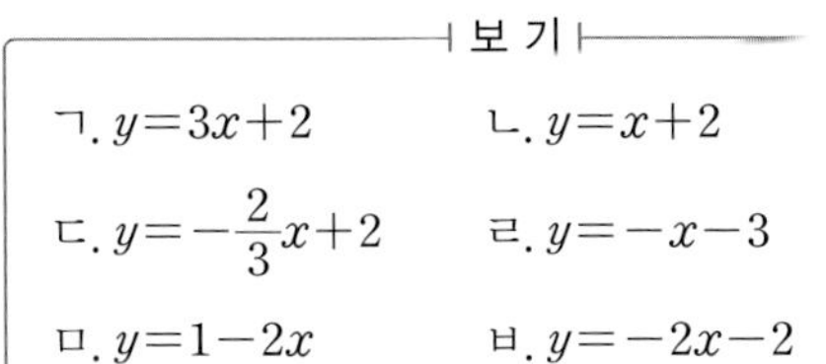

보기

ㄱ. $y=3x+2$	ㄴ. $y=x+2$
ㄷ. $y=-\frac{2}{3}x+2$	ㄹ. $y=-x-3$
ㅁ. $y=1-2x$	ㅂ. $y=-2x-2$

유형 2 그래프를 보고 부호 판단하기

04 일차함수 $y=ax-b$의 그래프가 오른쪽 그림과 같을 때, 상수 a, b의 부호를 정하여라.

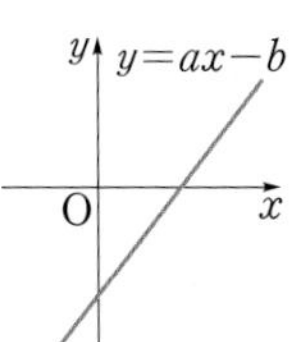

05 일차함수 $y=-bx-a$의 그래프가 오른쪽 그림과 같을 때, 다음 중 옳은 것은? (단, a, b는 상수)

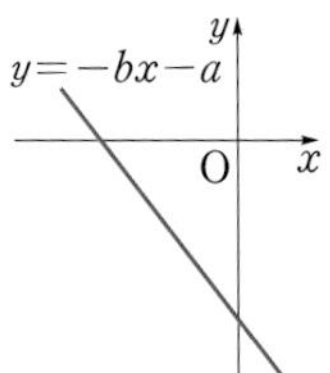

① $a>0,\ b>0$
② $a>0,\ b<0$
③ $a<0,\ b>0$
④ $a<0,\ b<0$
⑤ $a=0,\ b<0$

06 up 일차함수 $y=ax+b$의 그래프가 오른쪽 그림과 같을 때, 다음 중 옳은 것은? (단, a, b는 상수)

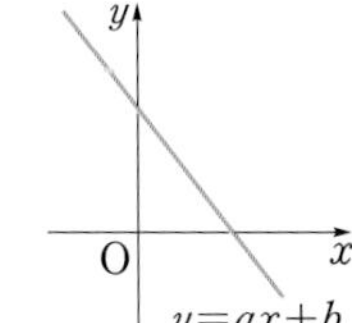

① $ab>0$　② $-\frac{b}{a}<0$
③ $a+b>0$　④ $a^2+b<0$
⑤ $b-a>0$

유형 3 일차함수의 그래프의 평행과 일치

07 오른쪽 그림은 일차함수 $y=ax+b$의 그래프이다. 그래프가 다음을 만족하는 일차함수를 보기에서 모두 골라라. (단, a, b는 상수)

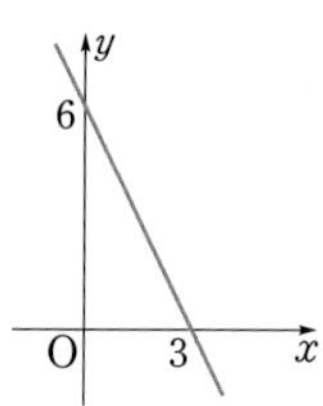

보기	
ㄱ. $y=-2x+3$	ㄴ. $y=-2x+4$
ㄷ. $y=2x+4$	ㄹ. $y=-2x+6$

(1) $y=ax+b$의 그래프와 평행한 직선

(2) $y=ax+b$의 그래프와 일치하는 직선

중요

08 일차함수 $y=ax+4$의 그래프는 $y=-x-3$의 그래프와 서로 평행하고, 점 $(b, -2)$를 지난다. 이때 $a+b$의 값을 구하여라. (단, a는 상수)

09 일차함수 $y=ax-3$의 그래프가 $y=-4x+a+2b$의 그래프와 일치할 때, 상수 a, b에 대하여 ab의 값을 구하여라.

10 일차함수 $y=-3x+8$의 그래프를 y축의 방향으로 p만큼 평행이동하였더니 일차함수 $y=3ax-6$의 그래프와 일치하였다. 이때 a, p의 값을 각각 구하여라.

(단, a는 상수)

유형 4 일차함수의 식 구하기

11 직선 $y=5x-1$과 평행하고 y절편이 3인 직선이 점 $(1, k)$를 지날 때, k의 값을 구하여라.

중요

12 오른쪽 그림과 같은 일차함수의 그래프와 평행하고, 점 $(3, -5)$를 지나는 직선을 그래프로 하는 일차함수의 식을 구하여라.

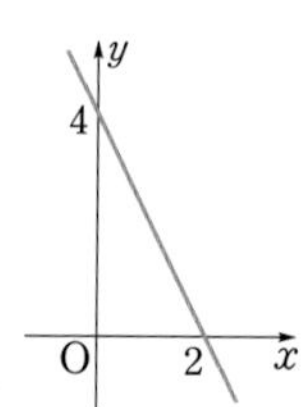

13 x의 값이 3만큼 증가할 때 y의 값이 1만큼 증가하고, 점 $(3, 2)$를 지나는 직선을 그래프로 하는 일차함수의 식을 구하여라.

14 두 점 $(1, 2)$, $(3, -2)$를 지나는 직선을 그래프로 하는 일차함수의 식을 구하여라.

15 두 점 $(1,\ -1)$, $(-2,\ 8)$을 지나는 직선을 y축의 방향으로 2만큼 평행이동한 직선은 점 $(-1,\ k)$를 지난다. 이때 k의 값을 구하여라.

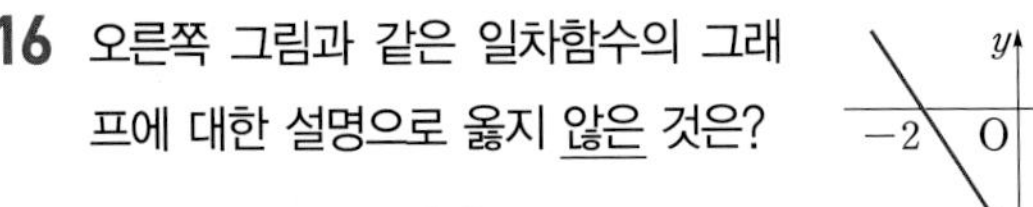

16 오른쪽 그림과 같은 일차함수의 그래프에 대한 설명으로 옳지 <u>않은</u> 것은?

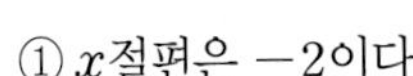

① x절편은 -2이다.

② y절편은 -3이다.

③ 일차함수 $y=-\frac{3}{2}x+1$의 그래프와 평행하다.

④ 일차함수의 식은 $y=-\frac{3}{2}x-3$이다.

⑤ 점 $(2,\ -4)$를 지난다.

17 직선 $y=2x-8$과 y축에서 만나고, 직선 $y=\frac{1}{4}x+1$과 x축에서 만나는 일차함수의 식을 구하여라.

18 오른쪽 그림과 같은 일차함수의 그래프 위의 점이 <u>아닌</u> 것은?

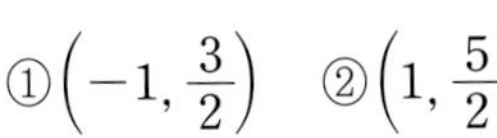

① $\left(-1,\ \frac{3}{2}\right)$ ② $\left(1,\ \frac{5}{2}\right)$

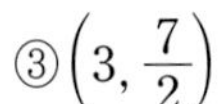

③ $\left(3,\ \frac{7}{2}\right)$ ④ $(4,\ 5)$

⑤ $(8,\ 6)$

유형 5 일차함수의 활용

19 높이가 40 cm인 원통 모양의 물통에 오른쪽 그림과 같이 물이 담겨 있다. 이 물통에 물의 높이가 매분 2 cm씩 높아지도록 물을 붓는다고 하자. 물을 붓는 시간을 x분, 바닥으로부터의 물의 높이를 y cm라고 할 때, y를 x에 대한 식으로 나타내어라.

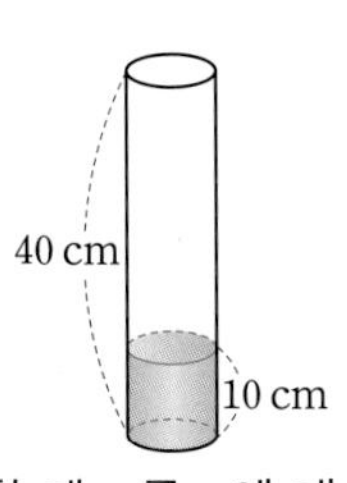

20 (중요) 소리의 속력은 기온이 0 ℃일 때, 초속 331 m이고, 온도가 5 ℃씩 오를 때마다 초속 3 m씩 증가한다고 한다. 기온이 25 ℃일 때의 소리의 속력을 구하여라.

21 높이가 45 m인 15층짜리 빌딩이 있다. 이 빌딩의 엘리베이터가 중간에 서지 않고 15층에서 매초 3 m의 빠르기로 내려온다고 한다. 출발한 지 x초 후에 지면으로부터 엘리베이터의 천장까지의 높이를 y m라고 할 때, 이 엘리베이터의 높이가 21 m일 때는 출발한 지 몇 초 후인지 구하여라.

22 기차가 A역을 출발하여 300 km 떨어진 B역을 향하여 시속 120 km의 속력으로 달리고 있다. 기차가 A역을 출발한 지 x시간 후 기차와 B역 사이의 거리를 y km라고 할 때, 다음 물음에 답하여라.

(1) x와 y 사이의 관계식을 구하여라.

(2) 기차가 A역을 출발한 지 2시간 후 기차와 B역 사이의 거리를 구하여라.

해설 BOOK 091쪽
개념 BOOK 202쪽

01 일차함수 $y=\frac{3}{2}x-5$의 그래프가 점 $(p,\ -p)$를 지난다고 할 때, 이 일차함수의 그래프를 y축의 방향으로 p만큼 평행이동한 그래프의 식을 구하여라.

$y=ax+b$의 그래프를 y축의 방향으로 p만큼 평행이동한 그래프의 식은 $y=ax+b+p$

서술형

02 일차함수 $y=ax+b$의 그래프는 $y=\frac{3}{2}x-3$의 그래프와 y절편이 같고, $y=-\frac{1}{3}x+1$의 그래프와 x절편이 같다. 이때 두 점 $(a,\ b)$, $(a+b,\ 3ab)$를 지나는 일차함수의 그래프의 기울기를 구하여라. (단, a, b는 상수)

답 __________

서술 TIP
x절편 : $y=0$일 때 x의 값
y절편 : $x=0$일 때 y의 값

03 일차함수 $f(x)=-\frac{5}{3}x+6$에 대하여 $\frac{f(-2)-f(-5)}{-2-(-5)}$의 값을 구하여라.

일차함수 $y=f(x)$에서 $x=a$일 때 $y=f(a)$, $x=b$일 때 $y=f(b)$이므로 두 점 $(a, f(a))$, $(b, f(b))$를 지나는 직선의 기울기는 $\frac{f(b)-f(a)}{b-a}$이다.

04 세 점 $\mathrm{A}(-2,\ 2)$, $\mathrm{B}\left(-\frac{1}{2}a,\ 4\right)$, $\mathrm{C}(a,\ -1)$이 한 직선 위에 있을 때, a의 값을 구하여라.

세 점이 한 직선 위에 있다.
⇨ 세 점 중 어느 두 점을 지나는 일차함수의 그래프의 기울기가 모두 같다.

05 서로 평행한 두 일차함수 $y=3x+6$, $y=mx+n$의 그래프가 x축과 만나는 점을 각각 A, B라고 할 때, $\overline{AB}=4$이다. 이때 상수 m, n에 대하여 $m-n$의 값을 구하여라. (단, $n<0$)

서로 평행한 두 일차함수의 그래프의 기울기는 같다.

서술형

06 오른쪽 그림과 같이 두 일차함수 $y=ax+b$와 $y=2x-4$의 그래프가 y축 위에서 만나고, x축과 각각 점 A, B에서 만날 때, $\overline{OA}=\overline{OB}$이다. 이때 상수 a, b에 대하여 $a-b$의 값을 구하여라.

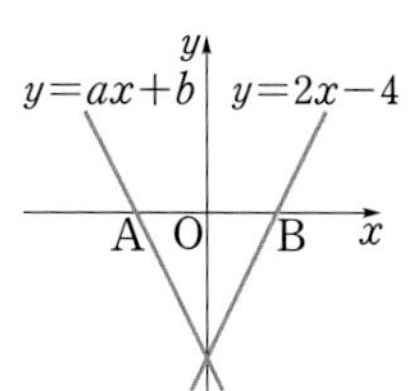

답 ______________

서술 TIP

$y=2x-4$의 그래프의 x절편과 y절편을 이용하여 a, b의 값을 구한다.

07 일차함수 $y=(k-3)x+2k$의 그래프가 제 2, 3, 4 사분면만을 지나도록 하는 상수 k의 값의 범위를 구하여라.

제 2, 3, 4 사분면만을 지나도록 일차함수의 그래프를 그려 본다.

08 일차함수 $y=ax-2$의 그래프와 x축 및 y축으로 둘러싸인 삼각형의 넓이가 4일 때, 가능한 상수 a의 값을 모두 구하여라.

기울기가 양수일 경우와 음수일 경우 둘다 생각해야 한다.

09 두 점 $(-1,\ 8)$, $(6,\ -6)$을 지나는 일차함수의 그래프를 y축의 방향으로 -4만큼 평행이동한 그래프가 점 $(-2,\ k)$를 지날 때, k의 값을 구하여라.

두 점 $(-1,\ 8)$, $(6,\ -6)$을 지나는 직선을 그래프로 하는 일차함수의 식을 먼저 구한다.

10 오른쪽 그림과 같은 직각삼각형 ABC에서 점 P가 $\overline{AB}$ 위를 점 B에서 점 A쪽으로 움직인다. 삼각형 APC의 넓이가 $8\ cm^2$가 될 때, $\overline{PB}$의 길이를 구하여라.

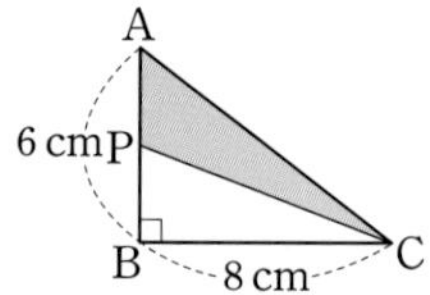

$\overline{PB}$의 길이를 x cm, $\triangle$APC의 넓이를 $y\ cm^2$라 하고 식을 세워 본다.

01. 일차함수와 일차방정식의 관계
02. 연립방정식의 해와 그래프

SUMMA CUM LAUDE

해설 BOOK 092쪽
개념 BOOK 214쪽

유형 1 일차함수와 일차방정식의 관계

01 일차방정식 $2x-3y+6=0$의 그래프와 같은 일차함수의 식은?

① $y=2x+6$　② $y=-2x-6$
③ $y=\frac{2}{3}x+2$　④ $y=-\frac{2}{3}x+2$
⑤ $y=-\frac{2}{3}x-2$

02 일차방정식 $4x+3y-6=0$의 그래프의 기울기를 a, y절편을 b라고 할 때, $a+b$의 값은?

① $\frac{2}{3}$　② $\frac{3}{4}$　③ $\frac{3}{2}$
④ 2　⑤ 3

03 다음 중 일차방정식 $3x-4y=12$의 그래프에 대한 설명으로 옳지 않은 것을 모두 고르면? (정답 2개)

① x절편은 4이다.
② y절편은 -3이다.
③ 점 $(8, 3)$을 지난다.
④ 제2사분면을 지난다.
⑤ $y=-\frac{3}{4}x+1$의 그래프와 평행하다.

04 일차방정식 $3x+y-2=0$의 그래프와 평행하고 x절편이 $-\frac{1}{3}$인 그래프의 식을 $y=ax+b$라고 할 때, 상수 a, b에 대하여 $a+b$의 값을 구하여라.

유형 2 일차방정식의 미지수의 값 구하기

05 일차방정식 $ax+2y-2=0$의 그래프가 점 $(2, -2)$를 지날 때, 이 그래프의 기울기를 구하여라.
(단, a는 상수)

06 일차방정식 $ax+by-3=0$의 그래프의 기울기가 -2이고 y절편이 3일 때, $a+b$의 값은?

① -2　② -1　③ 1
④ 2　⑤ 3

07 두 점 $(-2, 2)$, $(2, 4)$를 지나는 직선과 일차방정식 $ax-4y+8=0$의 그래프가 서로 평행할 때, 상수 a의 값은?

① -2　② -1　③ 2
④ 3　⑤ 4

08 중요 일차방정식 $ax+by-6=0$의 그래프가 오른쪽 그림과 같을 때, 상수 a, b에 대하여 $a+b$의 값을 구하여라.

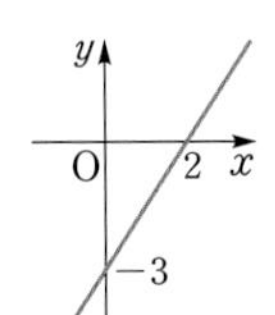

유형 3 일차방정식 $ax+by+c=0$의 그래프와 a, b, c의 부호

09 일차방정식 $x+ay+b=0$의 그래프가 오른쪽 그림과 같을 때, 상수 a, b의 부호를 정하여라.

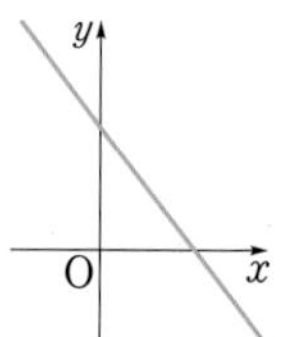

10 $a>0$, $b<0$, $c>0$일 때, 일차방정식 $ax+by+c=0$의 그래프가 지나지 <u>않는</u> 사분면은?

① 제1사분면 ② 제2사분면
③ 제3사분면 ④ 제4사분면
⑤ 제1사분면과 제3사분면

11 up 일차방정식 $ax-by+c=0$의 그래프가 오른쪽 그림과 같을 때, 다음 중 함수 $y=-\frac{b}{c}x+\frac{a}{b}$의 그래프로 알맞은 것은? (단, a, b, c는 상수)

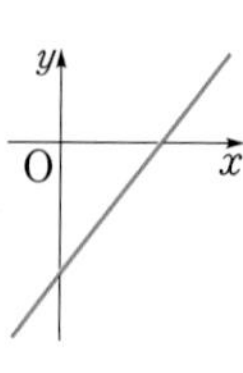

①

②
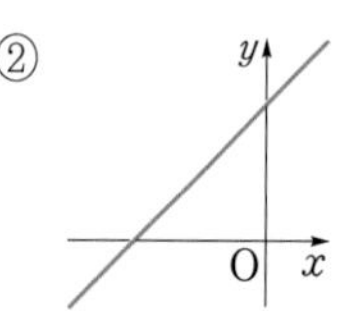

③

④
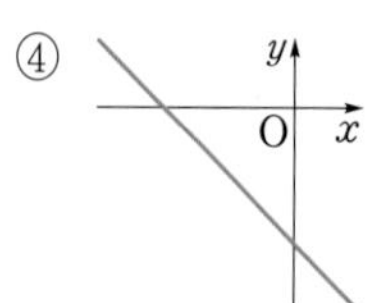

⑤

유형 4 축에 평행한 직선

12 두 점 $(a, 5)$, $(-3, 1)$을 지나는 직선이 y축에 평행할 때, a의 값을 구하여라.

13 중요 직선 $3x-3=0$에 수직이고, 점 $(-4, 2)$를 지나는 직선의 방정식을 구하여라.

14 일차방정식 $ax+by=1$의 그래프가 오른쪽 그림과 같을 때, 상수 a, b에 대하여 $a+b$의 값을 구하여라.

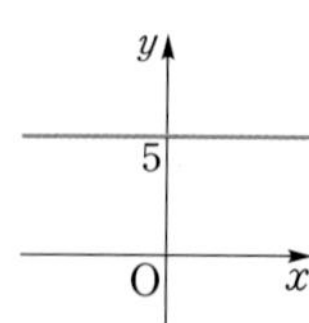

15 네 직선 $4x-8=0$, $x+3=0$, $2y=6$, $y+1=0$으로 둘러싸인 도형의 넓이를 구하여라.

유형 5 연립방정식의 해와 그래프

16 오른쪽 그림을 이용하여 연립방정식 $\begin{cases} x-2y=0 \\ ax+by=6 \end{cases}$의 해를 구하여라. (단, a, b는 상수)

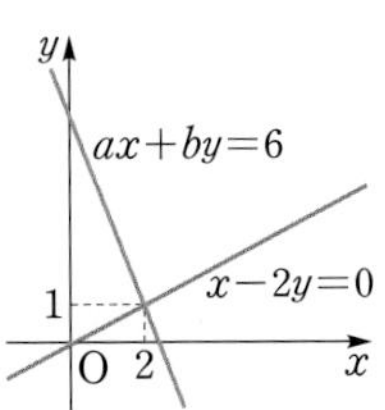

17 두 일차방정식 $3x+y=2$, $2x-y=3$의 그래프가 한 점 A에서 만난다고 할 때, 점 A의 좌표를 구하여라.

18 (중요) 연립방정식 $\begin{cases} ax+y=4 \\ x+by=-2 \end{cases}$에서 두 일차방정식의 그래프가 오른쪽 그림과 같을 때, 상수 a, b에 대하여 $a+b$의 값을 구하여라.

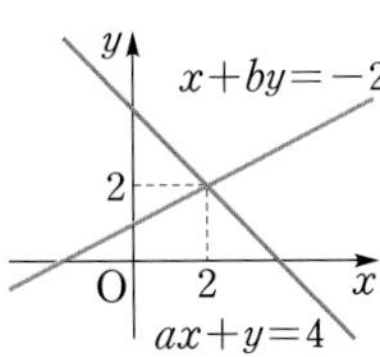

19 (up) 오른쪽 그림의 두 직선 l, m의 교점의 좌표를 (a, b)라고 할 때, ab의 값을 구하여라.

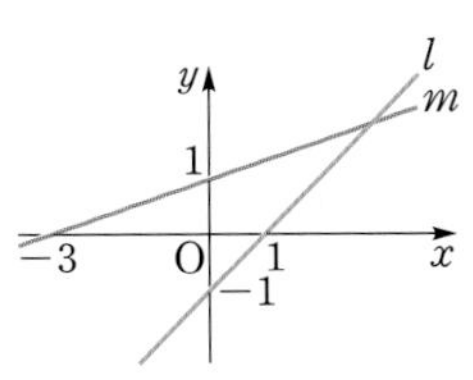

유형 6 연립방정식의 해의 개수

20 두 직선 $2x+2y=b$, $3ax-y=4$의 교점이 무수히 많을 때, 상수 a, b에 대하여 ab의 값을 구하여라.

21 (중요) 연립방정식 $\begin{cases} ax-y=-2 \\ 4x+2y=1 \end{cases}$이 오직 한 쌍의 해를 갖도록 하는 상수 a의 조건을 구하여라.

22 연립방정식 $\begin{cases} x+2y=-1 \\ ax-4y=3 \end{cases}$의 해가 없을 때, 상수 a의 값을 구하여라.

23 두 직선 $x-2y=1$, $ax+8y=b$의 교점이 존재하지 않을 때, 상수 a, b의 조건을 구하여라.

해설 BOOK 094쪽
개념 BOOK 217쪽

●●○
01 일차방정식 $(3a-1)x-y+2+a=0$의 그래프가 제3사분면을 지나지 않도록 하는 상수 a의 값의 범위를 구하여라. $\left(\text{단, } a\neq\frac{1}{3}\right)$

그래프가 제3사분면을 지나지 않으려면 기울기와 y절편이 이떤 조건을 만족시켜야 하는지 생각해 본다.

●●○
02 일차방정식 $ax+by-3=0$의 그래프를 y축의 방향으로 -3만큼 평행이동하였더니 두 점 $(3,\ -3)$, $(-2,\ 7)$을 지나는 직선과 일치하였다. 이때 $a+b$의 값을 구하여라.
(단, a, b는 상수, $a\neq0$, $b\neq0$)

평행이동한 그래프의 식을 나타내고, 지나는 점의 좌표를 대입하여 상수 a, b의 값을 구한다.

●●○
03 점 $(-3,\ 1)$을 지나고 일차방정식 $2x-3y+1=0$의 그래프와 평행한 직선의 방정식이 $ax+by+9=0$일 때, 상수 a, b에 대하여 $a+b$의 값을 구하여라.

두 직선이 평행하면 기울기가 서로 같다.

●●○
04 오른쪽 그림과 같이 일차방정식 $ax+3y=6$의 그래프와 x축, y축으로 둘러싸인 삼각형의 넓이가 8일 때, 상수 a의 값을 구하여라.

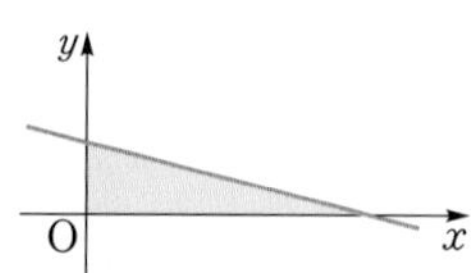

일차방정식의 그래프의 x절편과 y절편을 구하고, 그래프를 이용하여 x절편의 부호를 알아낸다.

●●○ 서술형

05 연립방정식 $\begin{cases} x-2y+a=0 \\ 2x+3y+b=0 \end{cases}$의 해를 구하기 위해 두 일차방정식의 그래프를 그렸더니 오른쪽 그림과 같이 한 점에서 만났다. 이때 선분 AB의 길이를 구하여라.

(단, a, b는 상수)

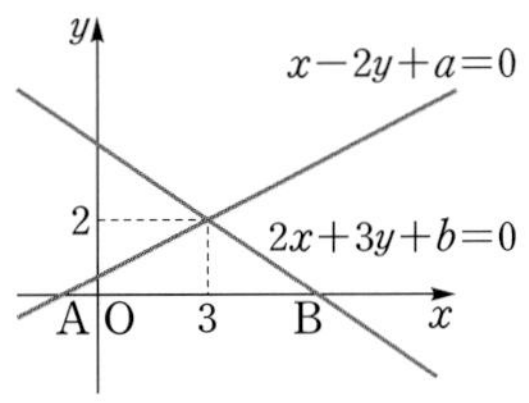

답 ________________

서술 TIP
두 직선의 교점의 좌표는 연립방정식의 해이므로 대입하여 a, b의 값을 구한다.

●●○

06 세 직선 $x+3y=6$, $2x-y=5$, $ax+y=4a-1$이 한 점에서 만날 때, 상수 a의 값을 구하여라.

세 직선이 한 점에서 만나려면 두 직선의 교점을 나머지 한 직선도 지나야 한다.

●●● 서술형

07 오른쪽 그림은 두 일차방정식 $x-y+2=0$, $x+y-4=0$의 그래프이다. 이때 삼각형 OAB의 넓이와 삼각형 BCD의 넓이의 비를 구하여라.

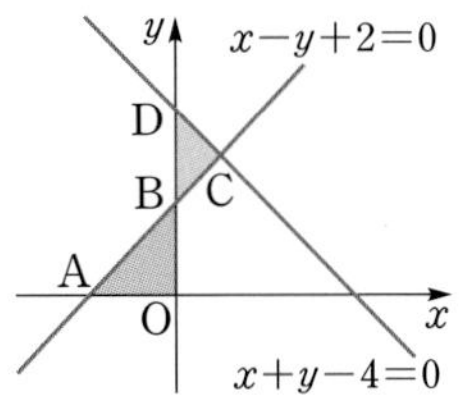

답 ________________

서술 TIP
세 점 A, B, D의 좌표는 그래프의 x절편 또는 y절편을 이용하여 구하고, 점 C의 좌표는 연립방정식을 세우고 풀어 구한다.

해설 BOOK 096쪽
개념 BOOK 222쪽

01 다음 중 y가 x의 함수가 아닌 것은?

① 병아리 x마리의 다리 수 y개
② 키가 x cm인 사람의 몸무게 y kg
③ 100 mL짜리 물통에 매분 x mL씩 물을 부을 때 걸리는 시간 y분
④ 길이가 30 cm인 끈을 x개로 똑같이 나누었을 때, 끈 한 개의 길이 y cm
⑤ 머리카락이 하루에 0.3 mm씩 자랄 때, x일 동안 자란 머리카락의 길이 y mm

02 다음 중 y가 x에 대한 일차함수인 것은?

① $y=-2$　② $y=\frac{1}{x}$
③ $y=\frac{x}{3}-2$　④ $y=x(x-1)-3$
⑤ $y=x^2+4x-4$

03 일차함수 $f(x)=\frac{3}{4}x-2$에 대하여 $f(-4)+2f(8)$의 값을 구하여라.

04 다음 중 일차함수 $y=-\frac{1}{2}x$의 그래프를 y축의 방향으로 3만큼 평행이동한 그래프 위의 점이 아닌 것은?

① $(-4, 5)$　② $(-2, 4)$　③ $(2, 2)$
④ $(4, 4)$　⑤ $(6, 0)$

05 다음 일차함수 중 그 그래프를 그렸을 때, x축과 만나는 점의 좌표가 나머지 넷과 다른 것은?

① $y=x-3$　② $y=-\frac{1}{3}x+1$
③ $y=\frac{2}{3}x-2$　④ $y=\frac{1}{6}x-\frac{1}{2}$
⑤ $y=\frac{7}{12}x+\frac{7}{4}$

06 세 점 $A(-2, 4)$, $B(2, -2)$, $C(a, -5)$가 한 직선 위에 있다고 할 때, a의 값을 구하여라.

07 일차함수 $y=ax+4$의 그래프와 x축, y축으로 둘러싸인 도형의 넓이가 4일 때, 상수 a의 값을 구하여라. (단, $a<0$)

08 다음 중 일차함수 $y=\frac{1}{3}x+4$의 그래프에 대한 설명으로 옳지 않은 것은?

① 점 $(-3, 3)$을 지난다.
② y절편은 4이다.
③ 오른쪽 위로 향하는 직선이다.
④ x절편은 $-\frac{1}{3}$이다.
⑤ 제1, 2, 3사분면을 지난다.

09 $ab<0$, $b-a>0$일 때, 일차함수 $y=ax-b$의 그래프가 지나지 않는 사분면을 구하여라.

10 두 점 $(1,\ -2)$, $(k,\ -4)$를 지나는 직선이 일차함수 $y=-\frac{2}{3}x+1$의 그래프와 평행할 때, k의 값을 구하여라.

11 x의 값이 2만큼 증가할 때 y의 값이 3만큼 증가하고, 점 $(2,\ 4)$를 지나는 직선을 그래프로 하는 일차함수의 식을 구하여라.

12 두 점 $(-1,\ -3)$, $(2,\ 3)$을 지나는 직선을 그래프로 하는 일차함수의 식을 구하여라.

13 오른쪽 그림과 같은 직선을 그래프로 하는 일차함수의 식은?

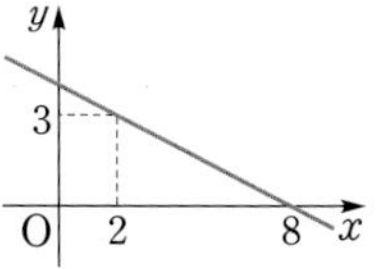

① $y=3x+8$

② $y=-3x+2$

③ $y=-\frac{1}{2}x+4$

④ $y=-\frac{3}{2}x+8$

⑤ $y=4x+3$

14 오른쪽 그림과 같이 길이가 같은 성냥개비를 사용하여 정삼각형을 만들려고 한다. x개의 정삼각형을 만들기 위해 필요한 성냥개비의 개수를 y라고 할 때, 다음 물음에 답하여라.

(1) x와 y 사이의 관계식을 구하여라.

(2) 성냥개비 43개로 만들 수 있는 정삼각형의 개수를 구하여라.

서술형

15 가스렌지를 이용하여 물을 데울 때는 5분에 30 ℃씩 올리가고, 불을 끄면 2분에 4 ℃씩 내려간다고 한다. 40 ℃의 물을 82 ℃까지 데웠다가 불을 껐더니 몇 분 후에 60 ℃가 되었다. 이때, 데우고 식히는데 소요된 시간은 몇 분인지 구하여라.

●●○

16 일차방정식 $ax-y-b=0$의 그래프가 오른쪽 그림과 같을 때, 일차함수 $y=abx-a$의 그래프가 지나지 않는 사분면을 구하여라.

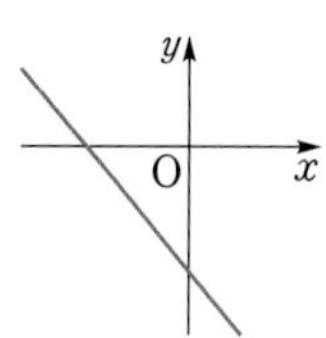

●●○

17 직선 $ax+by-6=0$의 그래프가 오른쪽 그림과 같을 때, 상수 a, b의 값을 각각 구하여라.

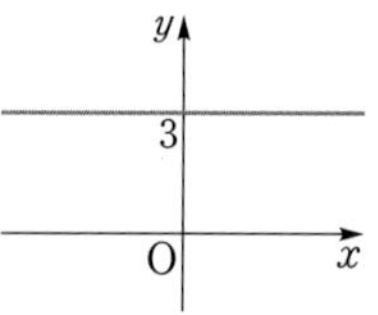

●●○

18 일차방정식 $ax+2y+4b=0$의 그래프가 오른쪽 그림과 같을 때, 상수 a, b에 대하여 $a-b$의 값을 구하여라.

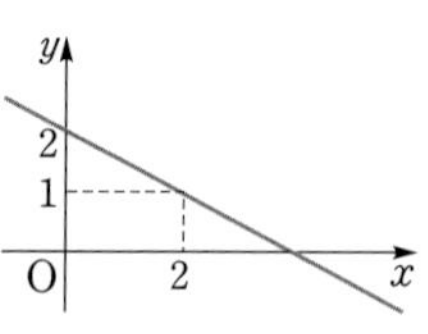

●●○

19 오른쪽 그림은 연립방정식 $\begin{cases} x-y=a \\ x+y=6 \end{cases}$의 해를 구하기 위해 두 일차방정식의 그래프를 그린 것이다. 이때 상수 a의 값을 구하여라.

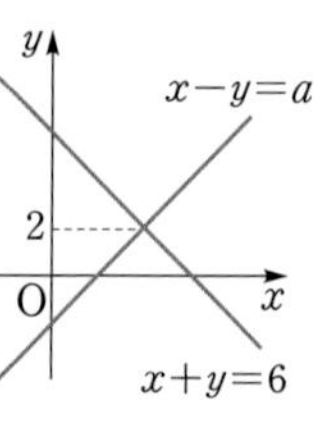

●●○

20 연립방정식 $\begin{cases} ax-2y=4 \\ 2x+y=b \end{cases}$의 해가 무수히 많을 때, 상수 a, b에 대하여 $a+b$의 값을 구하여라.

●●○

21 두 직선 $3x+y=4$, $ax-2y=3$의 교점이 존재하지 않을 때, 상수 a의 값을 구하여라.

●●● 서술형

22 오른쪽 그림에서 점 A는 두 직선 $x-y=1$과 $2x+y=14$의 교점이고, 점 B와 C는 각각 두 직선의 x절편이다. 이때 $\triangle ABC$의 넓이를 구하여라.

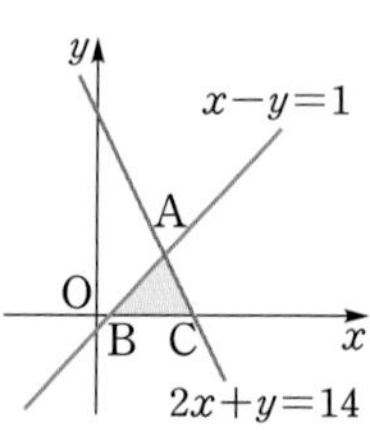

해설 BOOK 098쪽

01

오른쪽 그림은 평행한 두 일차함수 $y=\frac{a}{3}x+b$와 $y=(a+4)x+b-4$의 그래프이다. 두 그래프에서 $y=3$일 때의 그래프 위의 점을 각각 $\mathrm{A}(m,\ 3)$, $\mathrm{B}(n,\ 3)$이라고 하자. 이때 두 점 A, B 사이의 거리를 구하여라.

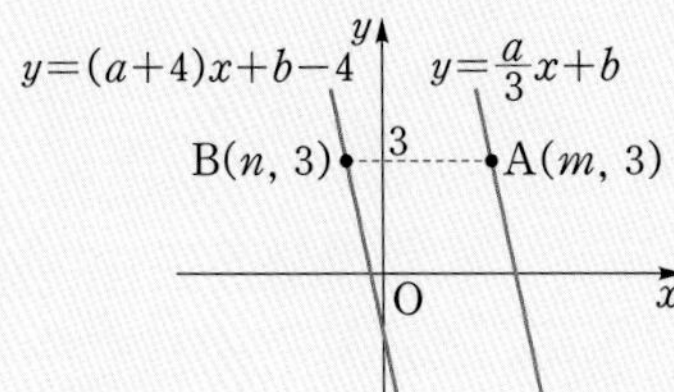

① 두 일차함수의 그래프가 평행하면 무엇이 서로 같을까?
② y좌표가 같은 두 점 사이의 거리를 쉽게 구하려면?

02

오른쪽 그림과 같이 제4사분면 위에 두 점 $\mathrm{A}(1,\ -5)$, $\mathrm{B}(6,\ -4)$가 있다. x축 위의 한 점 P에 대하여 $\overline{\mathrm{AP}}+\overline{\mathrm{BP}}$가 최소가 되게 할 때, 점 P의 좌표를 구하여라.

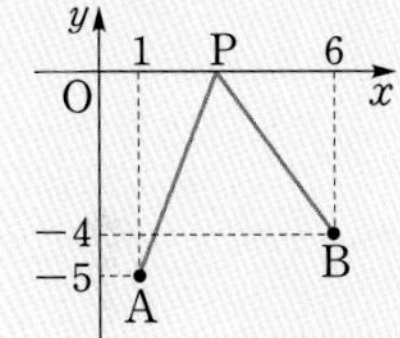

① 점 P가 어디에 위치할 때 $\overline{\mathrm{AP}}+\overline{\mathrm{BP}}$가 최소가 될까?
② 점 P는 x축 위의 점이므로 좌표를 구할 때, 무엇만 알면 될까?

03

오른쪽 그림과 같이 네 직선 $x=-1$, $x=3$, $y=2$, $y=4$로 둘러싸인 사각형과 일차함수 $y=ax-4$의 그래프가 만나지 않도록 하는 상수 a의 값의 범위를 구하여라.

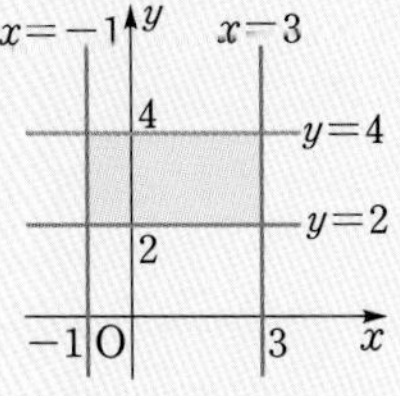

① 일차함수의 기울기가 어떻게 될 때, 사각형과 만나지 않을까?
② 기울기를 두 가지 경우로 나누어 생각하면?

SUMMA CUM LAUDE
MIDDLE SCHOOL MATHEMATICS

튼튼한 개념! 흔들리지 않는 실력!
숨마쿰라우데 중학수학 2-상 개념기본서

숨마쿰라우데란 최고의 영예를 뜻하는 말입니다

숨마쿰라우데라는 말은 라틴어로 SUMMA CUM LAUDE라고 씁니다. 이는 최고의 영예를 뜻하는 말인데요. 보통 미국 아이비리그 명문 대학들의 최우수 졸업자에게 부여되는 칭호입니다. 우리나라로 치면 '수석 졸업'이라는 뜻이지요. 그러나 모든 일에 있어서 그렇듯 공부에 있어서도 결과 뿐 아니라 과정이 중요합니다. 최선을 다하는 과정이 있으면 좋은 결과가 따라올 뿐 아니라, 그 과정을 통해 얻어진 깨달음이 평생을 함께하기 때문입니다. 이룸이앤비 숨마쿰라우데는 바로 최선을 다하는 사람 모두에게 최고의 영예를 선사합니다.

개념을 확실히 잡으면 어떤 문제도 두렵지 않다!

수학 공부 도대체 어떻게 해야 할까요? 수많은 공부법과 요령들이 난무하지만 어떤 주장에도 빠지지 않는 내용이 바로 개념 이해의 필요성입니다. 덧셈을 배우면 덧셈을 통해 뺄셈을 배우고, 곱셈을 배우면 곱셈을 통해 나눗셈을 배웁니다. 역사 이야기처럼 수학 개념도 꼬리에 꼬리를 무는 연속성이 있는 것이므로 중간에 하나라도 빠진다면 그 다음 개념을 완벽히 이해할 수 없게 됩니다. 단계적 연계 학습을 하는 숨마쿰라우데로 흔들리지 않는 개념을 잡으세요. 수학의 참 재미를 발견하고, 어떤 문제가 나와도 두렵지 않을 것입니다.

스토리텔링 수학 학습의 결정판!

스토리텔링 학습이란 다양한 예나 이야기를 접목하여 개념과 원리를 쉽고 재미있게 설명하는 학습 방법입니다. "숨마쿰라우데 중학 수학"은 스토리텔링 방식으로 수학을 재미있게 설명해 놓은 최고의 스토리텔링 수학 학습서입니다. QA를 통해 개념을 스스로 묻고 답하면서 공부해 보세요. 수학이 쉽고 재미있게 다가올 것입니다.

학습 교재의 새로운 신화! 이룸이앤비가 만듭니다!

신간

Q&A를 통한 스토리텔링식 수학 기본서의 결정판!

튼튼한 **개념!** 흔들리지 않는 **실력!**

숨마쿰라우데 중학수학

개념기본서

튼튼한 개념! 흔들리지 않는 실력!
숨마쿰라우데 중학수학
개념기본서
Q&A를 통한 스토리텔링
수학 학습의 결정판!
SUMMA CUM LAUDE
MATHEMATICS
새교육과정
1-상
새교육과정에
맞춘 최고의
개념기본서
1-상 1-하
2-상 2-하
3-상 3-하

Why **왜! 수학 개념이 중요하지? 문제만 많이 풀면 되잖아**

모든 수학 문제는 수학 개념을 잘 이해하고 있는지를 측정합니다.
같은 개념이라도 다양한 형태의 문제로 출제되지요.
개념을 정확히 이해하고 있다면 이들 다양한 문제들을 쉽게 해결할 수 있습니다.
개념 하나를 제대로 공부하는 것이 열 문제를 푸는 것보다 더 중요한 이유입니다!

How **어떻게 개념 학습을 해야 재미있고, 기억에 오래 남을까?**

수학도 이야기입니다. 흐름을 이해하며 개념을 공부하면 이야기처럼
머릿속에 차근차근 기억이 됩니다.
『숨마쿰라우데 개념기본서』는 묻고 답하는 형식으로 개념을
설명하였습니다. 대화를 나누듯 공부할 수 있어 재미있고
쉽게 이해가 됩니다.

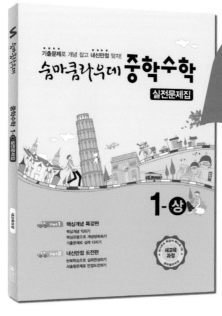

THINK MORE ABOUT YOUR FUTURE

튼튼한 개념! 흔들리지 않는 실력!

숨마쿰라우데 중학수학

개념기본서

해설 BOOK

Q&A를 통한 스토리텔링
수학 학습의 결정판!

EBS 중학프리미엄 인터넷강의 교재

튼튼한 **개념!** 흔들리지 않는 **실력!**

숨마쿰라우데 중학수학

개념기본서

2-상

해설 BOOK

I 유리수와 순환소수

1. 유리수와 순환소수

개념 CHECK 01. 유리수와 소수  022쪽

개념 확인 (1) 유한, 무한 (2) 2, 5, 유한

01 ③, ⑤ 02 (1) 2, 2, 6, 0.6 (2) 5, 5, 35, 0.35

03 ⑤ 04 ②

01 ③ π, ⑤ 0.010010001⋯은 분수로 나타낼 수 없으므로 유리수가 아니다.

03 분수를 기약분수로 나타내었을 때, 분모의 소인수에 2나 5 이외의 수가 있는 것을 찾는다.

③ $\dfrac{3}{24}=\dfrac{1}{8}=\dfrac{1}{2^3}$ (유한소수)

⑤ $\dfrac{1}{2\times5\times7}$ (무한소수)

04 $\dfrac{11}{60}=\dfrac{1}{2^2\times3\times5}$ 이므로 x는 3의 배수이어야 한다.
따라서 가장 작은 자연수 x는 3이다.

개념 CHECK 02. 순환소수  028쪽

개념 확인 (1) 순환소수, 순환마디

01 ③ 02 ⑤

03 $\dfrac{2}{3}$, $\dfrac{3}{5^2\times11}$, $\dfrac{5}{7}$ 04 예진

01 ③ 순환마디 : 423

02 ① $0.331331331\cdots=0.\dot{3}3\dot{1}$
② $3.828282\cdots=3.\dot{8}\dot{2}$
③ $0.234234\cdots=0.\dot{2}3\dot{4}$
④ $1.7366366366\cdots=1.7\dot{3}6\dot{6}$

03 $\dfrac{7}{140}=\dfrac{1}{20}=\dfrac{1}{2^2\times5}$ 이므로 $\dfrac{7}{140}$은 유한소수가 된다.

04 $\dfrac{1}{37}=0.027027\cdots$
순환마디는 027이고, $20=3\times6+2$이므로 소수점 아래 20번째 자리의 숫자는 순환마디의 2번째 숫자인 2이다.
따라서 틀리게 설명한 사람은 예진이다.

유형 EXERCISES 029~030쪽

유형 ❶ ④ 1-1 ③ 1-2 $\dfrac{5}{75}$, $\dfrac{52}{140}$

1-3 $\dfrac{6}{15}$, $\dfrac{9}{15}$

유형 ❷ 3 2-1 ⑤ 2-2 33, 66, 99

2-3 10

유형 ❸ ⑤ 3-1 ③ 3-2 ② 3-3 ㄱ, ㄷ

유형 ❹ 4 4-1 7 4-2 9 4-3 101

유형 ❶

① $\dfrac{3}{2\times3^2}=\dfrac{1}{2\times3}$ (무한소수)

② $\dfrac{1}{140}=\dfrac{1}{2^2\times5\times7}$ (무한소수)

③ $\dfrac{2}{24}=\dfrac{1}{12}=\dfrac{1}{2^2\times3}$ (무한소수)

④ $\dfrac{14}{2^2\times5\times7}=\dfrac{1}{2\times5}$ (유한소수)

⑤ $\dfrac{15}{18}=\dfrac{5}{6}=\dfrac{5}{2\times3}$ (무한소수)

1-1 ① $\dfrac{3}{8}=\dfrac{3}{2^3}$ (유한소수)

② $\dfrac{3}{10}=\dfrac{3}{2\times5}$ (유한소수)

③ $\dfrac{4}{12}=\dfrac{1}{3}$ (무한소수)

④ $\dfrac{11}{20}=\dfrac{11}{2^2\times5}$ (유한소수)

⑤ $\frac{13}{32}=\frac{13}{2^5}$ (유한소수)

1-2 $\frac{9}{5^4\times6}=\frac{3}{5^4\times2}$ (유한소수)

$\frac{5}{75}=\frac{1}{15}=\frac{1}{3\times5}$ (무한소수)

$\frac{21}{2^3\times5\times7}=\frac{3}{2^3\times5}$ (유한소수)

$\frac{9}{36}=\frac{1}{4}=\frac{1}{2^2}$ (유한소수)

$\frac{52}{140}=\frac{13}{35}=\frac{13}{5\times7}$ (무한소수)

따라서 이 중에서 무한소수로 나타내어지는 것은

$\frac{5}{75}$, $\frac{52}{140}$이다.

1-3 구하는 분수를 $\frac{a}{15}$라고 할 때, $15=3\times5$이므로 $\frac{a}{15}$가 유한소수로 나타내어지려면 a는 3의 배수이어야 한다.

이때 $\frac{1}{3}=\frac{5}{15}$, $\frac{4}{5}=\frac{12}{15}$이므로 5와 12 사이에 있는 3의 배수는 6, 9이다. 따라서 유한소수로 나타낼 수 있는 분수는 $\frac{6}{15}$, $\frac{9}{15}$이다.

유형 2

$\frac{5}{24}\times a=\frac{5}{2^3\times3}\times a$가 유한소수가 되려면 a는 3의 배수이어야 한다. 3의 배수 중 가장 자연수는 3이므로 $a=3$

2-1 $\frac{21}{35\times a}=\frac{3}{5\times a}$ 이 유한소수가 되려면 분모의 소인수가 2나 5뿐이어야 한다.

따라서 a의 값이 될 수 없는 것은 ⑤ 7이다.

2-2 $\frac{x}{2^2\times3\times11}$가 유한소수로 나타내어지려면 x는 $3\times11=33$의 배수이어야 한다. 따라서 두 자리의 자연수 중 33의 배수는 33, 66, 99이다.

2-3 $\frac{a}{28}=\frac{a}{2^2\times7}$가 유한소수로 나타내어지므로 a는 7의 배수이고 $10\le a<20$이므로 $a=14$

$\frac{14}{28}=\frac{1}{2}$이므로 $b=2$

$\therefore a-2b=14-2\times2=10$

유형 3

⑤ $0.58383\cdots \Rightarrow 0.5\dot{8}\dot{3}$

3-1 ① 72 ② 351 ④ 321 ⑤ 213

3-2 ① $\frac{1}{3}=0.33\cdots$ ➡ 순환마디 : 3

② $\frac{1}{7}=0.1428571\cdots$ ➡ 순환마디 : 142857

③ $\frac{5}{9}=0.55\cdots$ ➡ 순환마디 : 5

④ $\frac{19}{12}=1.5833\cdots$ ➡ 순환마디 : 3

⑤ $\frac{3}{11}=0.2727\cdots$ ➡ 순환마디 : 27

3-3 ㄴ. $\frac{10}{33}=0.\dot{3}\dot{0}$

따라서 바르게 나타낸 것은 ㄱ, ㄷ이다.

유형 4

$\frac{1}{7}=0.\dot{1}4285\dot{7}$이고, $50=6\times8+2$이므로 $0.\dot{1}4285\dot{7}$의 소수점 아래 50번째 자리의 숫자는 순환마디 142857의 두 번째 숫자인 4이다.

4-1 $100=3\times33+1$이므로 $1.\dot{7}0\dot{9}$의 소수점 아래 100번째 자리의 숫자는 순환마디 709의 첫 번째 숫자인 7이다.

4-2 $\frac{3}{11}=0.\dot{2}\dot{7}$이고, $50=2\times25$이므로 $a=7$

$75=2\times37+1$이므로 $b=2$

$\therefore a+b=7+2=9$

4-3 $\frac{27}{110}=0.2\dot{4}\dot{5}$이고, $23=1+2\times11$이므로 소수점 아래 23번째 자리의 숫자는 5이다.

$$\therefore (\text{구하는 합})=\overbrace{2+\underbrace{4+5+4+5+\cdots+4+5}_{22\text{개}}}^{23\text{개}}$$

$$=2+9\times11$$

$$=101$$

개념 BOOK

개념 CHECK
03. 순환소수의 분수 표현 036쪽

개념 확인 (1) 10 (2) 100 (3) 유리수

01 (1) $\frac{5}{9}$ (2) $\frac{13}{99}$

02 (가) : 100, (나) : 10, (다) : 90, (라) : 68, (마) : $\frac{34}{45}$

03 (1) $\frac{4}{15}$ (2) $\frac{311}{990}$　　04 ①

04 ② 무한소수 $\begin{cases}\text{순환소수} \Rightarrow \text{유리수} \\ \text{순환하지 않는 무한소수}\end{cases}$
➡ 유리수가 아니다.

③ 분수 중 기약분수로 나타내었을 때, 분모에 2, 5 이외의 소인수가 있으면 유한소수로 나타낼 수 없다.

④ 유한소수는 분수로 나타낼 수 있으므로 유리수이다.

⑤ 분모의 소인수가 2나 5뿐인 기약분수는 유한소수로 나타낼 수 있다.

유형 EXERCISES
037~039쪽

유형 ❶ ①	1-1 (가) 1000, (나) 999, (다) 123, (라) $\frac{41}{333}$		
	1-2 ②		
유형 ❷ 23	2-1 ②, ④	2-2 18	2-3 58
유형 ❸ $\frac{14}{9}$	3-1 $\frac{2}{9}$	3-2 $\frac{1}{3}$	3-3 6
유형 ❹ 90	4-1 4	4-2 ②	4-3 $0.\dot{6}\dot{3}$
유형 ❺ $0.1\dot{2}$	5-1 $\frac{54}{17}$	5-2 3, 4, 5, 6, 7	
	5-3 $0.3\dot{5}$	5-4 9	
유형 ❻ ①, ③	6-1 ④	6-2 ①, ④	

유형 ❶
$x=2.\dot{8}=2.888\cdots$이므로 $10x=28.88\cdots$

$10x-x$를 하면 $9x=26$　　$\therefore x=\frac{26}{9}$

따라서 가장 편리한 식은 ①이다.

1-2 $x=0.1\dot{7}\dot{2}=0.17272\cdots$이므로

$1000x=172.7272\cdots$　　$\cdots\cdots$ ㉠

$10x=1.7272\cdots$　　$\cdots\cdots$ ㉡

㉠－㉡을 하면

$1000x-10x=171$ (정수)

유형 ❷
$0.4\dot{8}=\frac{48-4}{90}=\frac{44}{90}=\frac{22}{45}=\frac{b}{a}$

따라서 $a=45$, $b=22$이므로

$a-b=45-22=23$

2-1 ① $1.1\dot{4}\dot{7}=\frac{1147-11}{990}=\frac{1136}{990}=\frac{568}{495}$

② $0.2\dot{3}\dot{4}=\frac{234-2}{990}=\frac{232}{990}=\frac{116}{495}$

③ $0.\dot{3}5\dot{4}=\frac{354}{999}=\frac{118}{333}$

④ $-0.\dot{2}\dot{1}=-\frac{21}{99}=-\frac{7}{33}$

⑤ $0.333=\frac{333}{1000}$

2-2 $0.\dot{6}\dot{3}=\frac{63}{99}=\frac{7}{11}=\frac{b}{a}$이므로 $a=11$, $b=7$

$\therefore a+b=18$

2-3 $0.25\dot{7}=\frac{257-25}{900}=\frac{232}{900}=\frac{58}{225}$

따라서 자연수 a의 값은 58이다.

유형 ❸
$1+\frac{5}{10}+\frac{5}{10^2}+\frac{5}{10^3}+\cdots$

$=1+0.5+0.05+0.005+\cdots$

$=1.555\cdots=1.\dot{5}=\frac{14}{9}$

3-1 $\frac{2}{10}+\frac{2}{100}+\frac{2}{1000}+\frac{2}{10000}+\cdots$

$=0.2+0.02+0.002+0.0002+\cdots$

$=0.2222\cdots=0.\dot{2}=\frac{2}{9}$

3-2 $\frac{3}{10}+\frac{3}{10^2}+\frac{3}{10^3}+\frac{3}{10^4}+\cdots$

$=0.3+0.03+0.003+0.0003+\cdots$

$=0.3333\cdots=0.\dot{3}=\frac{1}{3}$

3-3 $\frac{4}{11}=0.3636\cdots$

$=0.3+0.06+0.003+0.0006+\cdots$

$=\frac{3}{10}+\frac{6}{100}+\frac{3}{1000}+\frac{6}{10000}+\cdots$

$=\frac{3}{10}+\frac{6}{10^2}+\frac{3}{10^3}+\frac{6}{10^4}+\cdots$

즉, $x_1=3$, $x_2=6$, $x_3=3$, $x_4=6$, $\cdots$이므로

$x_{100}=6$

유형 4

어떤 자연수를 n이라고 하면

$n\times0.\dot{4}-n\times0.4=4$

$\frac{4}{9}n-\frac{4}{10}n=4$, $\frac{4}{90}n=4$

$\therefore n=90$

4-1 어떤 자연수를 n이라고 하면

$n\times0.\dot{5}-n\times0.5=0.\dot{2}$

$\frac{5}{9}n-\frac{1}{2}n=\frac{2}{9}$, $\frac{1}{18}n=\frac{2}{9}$

$\therefore n=4$

4-2 영미는 분자를 바르게 보았으므로

$1.1\dot{3}=\frac{113-11}{90}=\frac{17}{15}$에서 처음 기약분수의 분자는 17이다. 우성이는 분모를 바르게 보았으므로

$0.\dot{1}\dot{2}=\frac{12}{99}=\frac{4}{33}$에서 처음 기약분수의 분모는 33이다.

따라서 처음 기약분수는 $\frac{17}{33}$이므로 순환소수로 나타내면 $0.\dot{5}\dot{1}$이다.

4-3 민정이는 분자를 바르게 보았으므로

$0.3\dot{8}=\frac{38-3}{90}=\frac{35}{90}=\frac{7}{18}$에서 처음 기약분수의 분자는 7이다.

예진이는 분모를 바르게 보았으므로 $0.\dot{2}\dot{7}=\frac{27}{99}=\frac{3}{11}$에서 처음 기약분수의 분모는 11이다.

따라서 처음 기약분수는 $\frac{7}{11}$이므로 순환소수로 나타내면 $0.\dot{6}\dot{3}$이다.

유형 5

$0.\dot{7}=\frac{7}{9}$이므로 $7\times a=\frac{7}{9}$　　$\therefore a=\frac{1}{9}$

$0.2\dot{3}=\frac{23-2}{90}=\frac{21}{90}$이므로 $21\times b=\frac{21}{90}$　　$\therefore b=\frac{1}{90}$

$\therefore a+b=\frac{1}{9}+\frac{1}{90}=\frac{10}{90}+\frac{1}{90}=\frac{11}{90}=0.1\dot{2}$

5-1 $0.\dot{5}=\frac{5}{9}$이므로 $a=\frac{9}{5}$

$0.5\dot{6}=\frac{56-5}{90}=\frac{51}{90}=\frac{17}{30}$이므로 $b=\frac{30}{17}$

$\therefore ab=\frac{9}{5}\times\frac{30}{17}=\frac{54}{17}$

5-2 x가 한 자리의 자연수이므로 $0.\dot{x}=\frac{x}{9}$

즉, $\frac{1}{4}<\frac{x}{9}<\frac{5}{6}$이므로 $\frac{9}{36}<\frac{4x}{36}<\frac{30}{36}$

$\therefore 9<4x<30$

따라서 이를 만족하는 한 자리의 자연수 x의 값은 3, 4, 5, 6, 7이다.

5-3 $\frac{11}{30}=x+0.0\dot{1}$

$\therefore x=\frac{11}{30}-0.0\dot{1}=\frac{11}{30}-\frac{1}{90}$

$=\frac{32}{90}=0.3\dot{5}$

5-4 $0.2\dot{7}=\frac{27-2}{90}=\frac{5}{18}=\frac{5}{2\times3^2}$

$0.2\dot{7}\times n=\frac{5}{2\times3^2}\times n$이 유한소수가 되려면 n은 9의 배수이어야 한다.

따라서 가장 작은 자연수 n은 9이다.

유형 6

② 무한소수 중에는 순환하지 않는 무한소수도 있다.

④ 유리수 중에는 유한소수가 아닌 순환소수로 나타내어지는 수가 있다.

⑤ 순환하지 않는 무한소수는 분수로 나타낼 수 없다.

6-1 ① 정수는 분수로 나타낼 수 있으므로 유리수이다.

② 순환소수는 유리수이다.

③ 무한소수 중 순환소수는 분수로 나타낼 수 있으므로 유리수이다.

⑤ 기약분수의 분모의 소인수가 2나 5뿐인 분수만 유한소수로 나타낼 수 있다.

6-2 ① 0은 $\frac{0}{1}$, $\frac{0}{2}$과 같이 분수로 나타낼 수 있다.

④ 정수가 아닌 유리수는 유한소수나 순환소수로 나타낼 수 없다.

중단원 EXERCISES

040~042쪽

01 ④ 02 ③ 03 ⑤
04 (1) $0.\dot{2}8571\dot{4}$ (2) 7 05 레파라 06 ④
07 종영, 준수, 경호 08 5 09 180
10 ⑤ 11 ③ 12 293
13 정칠각형, 정구각형 14 5 15 $0.0\dot{9}\dot{9}$
16 3개 17 ② 18 ②

01 $\frac{7}{250}=\frac{7}{2\times5^3}=\frac{7\times2^2}{2\times5^3\times2^2}=\frac{28}{1000}=\frac{28}{10^3}$

$a+n$의 값이 최소가 되는 것은 $a=28$, $n=3$일 때이므로

$a+n=31$

■ 참고 ■

$\frac{7}{2\times5^3}$을 $\frac{a}{10^n}$ 꼴로 고치는 방법은 다음과 같이 여러 가지이다.

$\frac{7}{2\times5^3}=\frac{7\times2^2}{2\times5^3\times2^2}=\frac{7\times2^3\times5}{2\times5^3\times2^3\times5}$

$=\frac{7\times2^4\times5^2}{2\times5^3\times2^4\times5^2}=\cdots$

02 ① $\frac{21}{2^2\times7}=\frac{3}{2^2}$ (유한소수)

② $\frac{3}{60}=\frac{1}{20}=\frac{1}{2^2\times5}$ (유한소수)

③ $\frac{8}{2\times11}=\frac{4}{11}$ (무한소수)

④ $\frac{21}{140}=\frac{3}{20}=\frac{3}{2^2\times5}$ (유한소수)

⑤ $\frac{81}{2^2\times3^2\times5^2}=\frac{9}{2^2\times5^2}$ (유한소수)

03 $\frac{18}{2^2\times3\times5^2\times x}=\frac{3}{2\times5^2\times x}$

① $\frac{3}{2\times5^2\times3}=\frac{1}{2\times5^2}$ (유한소수)

② $\frac{3}{2\times5^2\times4}=\frac{3}{2^3\times5^2}$ (유한소수)

③ $\frac{3}{2\times5^2\times5}=\frac{3}{2\times5^3}$ (유한소수)

④ $\frac{3}{2\times5^2\times6}=\frac{1}{2^2\times5^2}$ (유한소수)

⑤ $\frac{3}{2\times5^2\times7}$ (무한소수)

04 (1) $\frac{2}{7}=0.\dot{2}8571\dot{4}$

(2) $1000=6\times166+4$이므로 소수점 아래 1000번째 자리의 숫자는 순환마디의 4번째 숫자인 7이다.

05 $\frac{15}{111}=0.\dot{1}3\dot{5}$이므로 1, 3, 5에 대응하는 '레파라'의 음이 반복된다.

06 $x=2.34\dot{5}\dot{6}$이므로

$10000x=23456.5656\cdots$ ...... ㉠

$100x=234.5656\cdots$ ...... ㉡

㉠－㉡을 하면 $9900x=23222$

$\therefore x=\frac{23222}{9900}=\frac{11611}{4950}$

따라서 가장 편리한 식은 ④이다.

07 종영 : $1.\dot{3}2\dot{0}=\frac{1320-1}{999}=\frac{1319}{999}$

준수 : $3.\dot{5}=\frac{35-3}{9}=\frac{32}{9}$

경호 : $2.4\dot{9}=\frac{249-24}{90}=\frac{225}{90}=\frac{5}{2}$

08 $0.2\dot{7}=\frac{27-2}{90}=\frac{25}{90}=\frac{5}{18}$ $\therefore a=\frac{18}{5}$

$1.3\dot{8}=\frac{138-13}{90}=\frac{125}{90}=\frac{25}{18}$ $\therefore b=\frac{18}{25}$

$\therefore \frac{a}{b}=\frac{18}{5}\times\frac{25}{18}=5$

09 $\frac{1}{20}\times\left(\frac{1}{10}+\frac{1}{100}+\frac{1}{1000}+\cdots\right)$

$=\frac{1}{20}\times(0.1+0.01+0.001+\cdots)$

$=\frac{1}{20}\times0.111\cdots=\frac{1}{20}\times0.\dot{1}$

$=\frac{1}{20}\times\frac{1}{9}=\frac{1}{180}$

$\therefore a=180$

10 기약분수의 분모의 소인수가 2나 5뿐일 때 유한소수로 나타낼 수 있으므로 이를 만족하는 것을 모두 고르면

$\frac{1}{2}, \frac{1}{2^2}, \frac{1}{2^3}, \frac{1}{2^4}, \frac{1}{2^5}, \frac{1}{2^6}, \frac{1}{2^7}, \frac{1}{5}, \frac{1}{5^2}, \frac{1}{5^3},$

$\frac{1}{2\times5}, \frac{1}{2^2\times5}, \frac{1}{2^3\times5}, \frac{1}{2^4\times5}, \frac{1}{2\times5^2}, \frac{1}{2^2\times5^2}$

따라서 모두 16개이다.

11 $\dfrac{x}{120}=\dfrac{x}{2^3\times3\times5}$가 유한소수로 나타내어지려면 x는 3의 배수이어야 한다.

이때 $20<x<25$이므로 $x=21$ 또는 $x=24$

또 $\dfrac{x}{2^3\times3\times5}=\dfrac{1}{y}$이므로 x는 $2^3\times3\times5$의 약수이어야 한다.

따라서 $x=24$이고 $\dfrac{24}{2^3\times3\times5}=\dfrac{1}{5}$이므로 $y=5$이다.

$\therefore x+y=24+5=29$

12 $50=1+4\times12+1$이므로

(구하는 합)$=2+(3+5+7+9)\times12+3=293$

13 현수가 만든 정다각형의 한 변의 길이를 각각 구하면 다음과 같다.

정육각형 : $\dfrac{3}{6}=\dfrac{1}{2}$(m), 정칠각형 : $\dfrac{3}{7}$(m),

정구각형 : $\dfrac{3}{9}=\dfrac{1}{3}$(m), 정십이각형 : $\dfrac{3}{12}=\dfrac{1}{4}$(m),

정십오각형 : $\dfrac{3}{15}=\dfrac{1}{5}$(m)

따라서 이 중에서 한 변의 길이를 순환소수로 나타낼 수 있는 것은 정칠각형, 정구각형이다.

14 어떤 자연수를 x라고 하면 $5.\dot{8}x-5.8x=0.\dot{4}$

$\dfrac{53}{9}x-\dfrac{58}{10}x=\dfrac{4}{9}$, $\dfrac{8}{90}x=\dfrac{4}{9}$

$\therefore x=5$

15 $0.\dot{1}\dot{7}=\dfrac{17}{99}=17\times\dfrac{1}{99}$이므로 $a=99$

$0.\dot{1}0\dot{7}=\dfrac{107}{999}=107\times\dfrac{1}{999}$이므로 $b=999$

$\therefore \dfrac{a}{b}=\dfrac{99}{999}=0.\dot{0}9\dot{9}$

16 $0.\dot{3}=\dfrac{3}{9}=\dfrac{1}{3}$

$\dfrac{1}{3}\times x$가 자연수가 되려면 x는 3의 배수이어야 한다.

따라서 3의 배수 중 한 자리의 자연수 x는 3, 6, 9이므로 3개이다.

17 $\dfrac{9}{14}=0.6\dot{4}2857\dot{1}$

$$=\frac{6}{10}+\frac{4}{10^2}+\frac{2}{10^3}+\frac{8}{10^4}+\frac{5}{10^5}+\frac{7}{10^6}+\frac{1}{10^7}+\cdots$$

즉, $x_1=6$, $x_2=4$, $x_3=2$, $x_4=8$, $x_5=5$, $x_6=7$, $x_7=1$, $\cdots$

$\therefore x_1+x_2+\cdots+x_{60}$

$=6+(4+2+8+5+7+1)\times9+(4+2+8+5+7)$

$=275$

18 ㄱ. 무한소수에는 순환소수와 순환하지 않는 무한소수가 있다.

ㄴ. 소수 중 순환하지 않는 무한소수는 분수로 나타낼 수 없다.

ㄹ. 분수를 소수로 나타내면 유한소수 또는 순환소수가 된다.

ㅂ. 순환소수는 모두 분수로 나타낼 수 있다.

따라서 옳은 것은 ㄷ, ㅁ의 2개이다.

대단원 EXERCISES

044~047쪽

01 ③	02 ④	03 2개	04 ④
05 ③	06 (7, 10), (14, 5), (35, 2)		
07 3	08 ⑤	09 ④	10 ④
11 ④	12 ④	13 31	14 ②
15 ④	16 78	17 $5.\dot{3}$	18 ②
19 $0.\dot{7}$	20 ②	21 9	22 ①, ③
23 (1) $0.\dot{1}6\dot{2}$ (2) 151 (3) 1 (4) 150			24 $1.\dot{2}$

01 ③ 원주율 π는 순환하지 않는 무한소수이므로 유리수가 아니다.

02 기약분수로 나타내었을 때, 분모의 소인수가 2나 5뿐인 분수는 유한소수로 나타낼 수 있다.

① $\dfrac{3}{4}=\dfrac{3}{2^2}$ (유한소수)

② $\dfrac{6}{15}=\dfrac{2}{5}$ (유한소수)

③ $\dfrac{14}{2^3\times7}=\dfrac{1}{2^2}$ (유한소수)

④ $\dfrac{45}{2^2\times3^3\times5}=\dfrac{1}{2^2\times3}$ (무한소수)

⑤ $\dfrac{33}{2\times5^2\times11}=\dfrac{3}{2\times5^2}$ (유한소수)

03 구하는 분수를 $\dfrac{a}{35}$라고 할 때, $35=5\times7$이므로 $\dfrac{a}{35}$가 유한소수로 나타내어지려면 a는 7의 배수이어야 한다.

이때 $\frac{2}{7}=\frac{10}{35}$, $\frac{4}{5}=\frac{28}{35}$이므로 10과 28 사이에 있는 7의 배수는 14, 21이다. 따라서 유한소수로 나타낼 수 있는 분수는 $\frac{14}{35}$, $\frac{21}{35}$의 2개이다.

04 $\frac{49}{105}=\frac{7}{15}=\frac{7}{3\times5}$이므로 $\frac{7}{3\times5}\times a$가 유한소수로 나타내어지려면 a는 3의 배수이어야 한다. …… ㉠

$\frac{15}{66}=\frac{5}{22}=\frac{5}{2\times11}$이므로 $\frac{5}{2\times11}\times a$가 유한소수로 나타내어지려면 a는 11의 배수이어야 한다. …… ㉡

㉠, ㉡에 의해 a는 3과 11의 공배수이므로 이를 만족하는 가장 작은 자연수는 33이다.

05 $\frac{18}{75\times x}=\frac{6}{25\times x}=\frac{6}{5^2\times x}$이 유한소수가 되려면 x는 소인수가 2나 5로만 이루어진 수 또는 6의 약수 또는 이들의 곱으로 이루어진 수이다.

이를 만족하는 20 미만의 자연수 x는

1, 2, 3, 4, 5, 6, 8, 10, 12, 15, 16

따라서 x의 개수는 11이다.

06 $\frac{a}{70}=\frac{a}{2\times5\times7}$가 유한소수로 나타내어지므로 a는 7의 배수이다.

$\frac{a}{2\times5\times7}=\frac{1}{b}$을 만족하는 a, b의 값을 순서쌍으로 나타내면 $(7, 10)$, $(14, 5)$, $(35, 2)$

07 $\frac{7}{11}=0.\dot{6}\dot{3}$이므로 $a=2$

$\frac{14}{9}=1.\dot{5}$이므로 $b=1$

$\therefore a+b=2+1=3$

08 ① $0.333\cdots=0.\dot{3}$

② $3.1424242\cdots=3.1\dot{4}\dot{2}$

③ $0.00454545\cdots=0.00\dot{4}\dot{5}$

④ $2.3067067\cdots=2.3\dot{0}6\dot{7}$

09 $\frac{2}{15}=0.1333\cdots=0.1\dot{3}$

즉, $x_1=1$, $x_2=x_3=\cdots=x_{100}=3$

$\therefore x_1+x_2+\cdots+x_{100}=1+3\times99=298$

10 ① $1.2787878\cdots$은 무한소수이다.

② 순환마디는 78이다.

③ $1.2787878\cdots=1.2\dot{7}\dot{8}$

④ $1000x=1278.7878\cdots$, $10x=12.7878\cdots$

$1000x-10x=1266 \qquad \therefore x=\frac{1266}{990}=\frac{211}{165}$

11 $x=1.6\dot{8}\dot{9}=1.68989\cdots$이므로

$1000x=1689.8989\cdots$ …… ㉠

$10x=16.8989\cdots$ …… ㉡

㉠－㉡을 하면 $990x=1673$

$\therefore x=\frac{1673}{990}$

따라서 $x=1.6\dot{8}\dot{9}$를 분수로 나타낼 때, 가장 편리한 식은 그 결과가 정수로 나오는 ④ $1000x-10x$이다.

12 ① $0.\dot{2}\dot{3}=\frac{23}{99}$

② $1.\dot{2}3\dot{4}=\frac{1234-1}{999}=\frac{1233}{999}=\frac{137}{111}$

③ $1.\dot{6}=\frac{16-1}{9}=\frac{15}{9}=\frac{5}{3}$

⑤ $0.\dot{9}=\frac{9}{9}=1$

13 $2.0666\cdots=2.0\dot{6}=\frac{206-20}{90}=\frac{186}{90}=\frac{31}{15}$

$\therefore x=31$

14 주어진 순환소수를 분수로 고치면 $\frac{abcd}{9999}$ 꼴이다.

(단, a, b, c, d는 0 또는 한 자리의 자연수)

따라서 분모가 될 수 있는 수는 9999의 약수 중 네 자리의 자연수인 9999, 3333, 1111의 3개이다.

15 $0.5\dot{3}=\frac{53-5}{90}=\frac{48}{90}=\frac{8}{15}$에서 분모를 잘못 보았으므로 이 기약분수의 분자는 8이다.

$0.\dot{3}\dot{6}=\frac{36}{99}=\frac{4}{11}$에서 분자를 잘못 보았으므로 이 기약분수의 분모는 11이다.

따라서 이 기약분수는 $\frac{8}{11}$이고 이를 소수로 나타내면 $0.\dot{7}\dot{2}$이다.

16 $2.1\dot{6}=\frac{216-21}{90}=\frac{195}{90}=\frac{13}{6}$이므로 이 수에 곱하여 어떤 자연수의 제곱이 되게 하려면 $6\times13=78$을 곱해야 한다.

■ **참고** ■

$\frac{13}{6}\times78=13^2$

17 순환소수인 계수를 분수로 고치면 $\frac{3}{9}x+3=\frac{43}{9}$

$3x+27=43 \qquad \therefore x=\frac{16}{3}=5.\dot{3}$

18 $\frac{1}{20}\times\left(\frac{3}{10}+\frac{3}{10^2}+\frac{3}{10^3}+\cdots\right)$

$=\frac{1}{20}\times(0.3+0.03+0.003+\cdots)$

$=\frac{1}{20}\times0.\dot{3}$

$=\frac{1}{20}\times\frac{1}{3}=\frac{1}{60}$

$\therefore a=60$

19 $1.\dot{5}-0.\dot{7}=\frac{14}{9}-\frac{7}{9}=\frac{7}{9}=0.\dot{7}$

20 $0.\dot{a}-0.0\dot{a}=\frac{a}{9}-\frac{a}{90}=\frac{9a}{90}=\frac{a}{10}$이므로

$\frac{1}{6}<\frac{a}{10}<\frac{1}{4}$, $\frac{10}{60}<\frac{6a}{60}<\frac{15}{60}$

즉, $10<6a<15$이므로 한 자리의 자연수 a는 2이다.

21 $0.\dot{7}\dot{2}=\frac{72}{99}=\frac{8}{11}$

$1-\frac{1}{x}=\frac{8}{11}$, $\frac{1}{x}=1-\frac{8}{11}=\frac{3}{11}$

$\therefore x=\frac{11}{3}=3.\dot{6}$

따라서 $a=3$, $b=6$이므로

$a+b=3+6=9$

22 ② 유리수 중에는 순환소수도 있다.

④ 무한소수에는 순환소수와 순환하지 않는 무한소수가 있다.

⑤ 소수는 유한소수 또는 무한소수이다.

23 (1) $\frac{6}{37}=0.\dot{1}6\dot{2}$ ······ ❶

(2) $A_1=1$, $A_2=6$, $A_3=2$, $A_4=1$, $\cdots$이고

$50=3\times16+2$이므로

$A_1+A_2+\cdots+A_{50}$

$=(1+6+2)\times16+1+6=151$ ······ ❷

(3) $100=3\times33+1$이므로 $A_{100}=1$ ······ ❸

(4) $S=A_1+A_2+\cdots+A_{50}-A_{100}$

$=151-1=150$ ······ ❹

채점 기준	배점
❶ $\frac{6}{37}$을 순환소수로 나타내기	20 %
❷ $A_1+A_2+\cdots+A_{50}$의 값 구하기	40 %
❸ A_{100}의 값 구하기	30 %
❹ S의 값 구하기	10 %

24 $\frac{3\times x}{132}=\frac{x}{44}=\frac{x}{2^2\times11}$가 유한소수로 나타내어지려면 x는 11의 배수이어야 한다.

이를 만족하는 가장 작은 자연수 x의 값은 11이므로

$a=11$ ······ ❶

$\frac{21}{20\times y}=\frac{3\times7}{2^2\times5\times y}$이 순환소수가 되도록 하는 한 자리의 자연수 y의 값은 9이므로 $b=9$ ······ ❷

$\therefore \frac{a}{b}=\frac{11}{9}=1.\dot{2}$ ······ ❸

채점 기준	배점
❶ a의 값 구하기	40 %
❷ b의 값 구하기	40 %
❸ $\frac{a}{b}$를 순환소수로 나타내기	20 %

Advanced Lecture

048~049쪽

[유제] **01** (1) $\frac{1}{4}$ (2) $\frac{1}{2}$

01 (1) $x=\frac{1}{5}+\frac{1}{5^2}+\frac{1}{5^3}+\frac{1}{5^4}+\frac{1}{5^5}+\cdots$이라고 하면

$$x=\frac{1}{5}+\frac{1}{5^2}+\frac{1}{5^3}+\frac{1}{5^4}+\frac{1}{5^5}+\cdots$$
$$-)\ \frac{1}{5}x=\qquad\frac{1}{5^2}+\frac{1}{5^3}+\frac{1}{5^4}+\frac{1}{5^5}+\cdots$$
$$x-\frac{1}{5}x=\frac{1}{5} \Rightarrow \frac{4}{5}x=\frac{1}{5}$$

$\therefore x=\frac{1}{4}$

(2) $x=\frac{3}{7}+\frac{3}{7^2}+\frac{3}{7^3}+\frac{3}{7^4}+\frac{3}{7^5}+\cdots$이라고 하면

$$x=\frac{3}{7}+\frac{3}{7^2}+\frac{3}{7^3}+\frac{3}{7^4}+\frac{3}{7^5}+\cdots$$
$$-)\ \frac{1}{7}x=\qquad\frac{3}{7^2}+\frac{3}{7^3}+\frac{3}{7^4}+\frac{3}{7^5}+\cdots$$
$$x-\frac{1}{7}x=\frac{3}{7} \Rightarrow \frac{6}{7}x=\frac{3}{7}$$

$\therefore x=\frac{1}{2}$

■ 다른 풀이 ■

공식을 이용하여 풀 수도 있다.

(1) $\dfrac{\frac{1}{5}}{1-\frac{1}{5}}=\dfrac{\frac{1}{5}}{\frac{4}{5}}=\dfrac{1}{4}$

(2) $\dfrac{\frac{3}{7}}{1-\frac{1}{7}}=\dfrac{\frac{3}{7}}{\frac{6}{7}}=\dfrac{1}{2}$

II 식의 계산

1. 단항식의 계산

개념 CHECK

01. 지수법칙 063쪽

개념 확인 (1) $m+n$ (2) mn (3) $m-n$ (4) n, n (5) n, n

01 (1) a^9 (2) x^7 (3) a^{20} (4) x^{20} (5) $x^{11}y^7$

02 (1) 1 (2) x^3 (3) $\frac{1}{x^4}$ (4) a^7

03 (1) $\frac{a^9}{b^6}$ (2) $\frac{y^{12}}{8}$ (3) $-27x^{12}$ (4) x^7y^5

04 (1) 5 (2) 10 (3) 5, 4 (4) 2, 4

05 10자리

01 (4) $(x^2)^3\times(x^3)^4\times x^2=x^6\times x^{12}\times x^2$
$=x^{6+12+2}=x^{20}$

(5) $(x^5)^2\times y^3\times x\times(y^2)^2=x^{10}\times y^3\times x\times y^4=x^{11}y^7$

02 (3) $(x^2)^4\div(x^4)^3=x^8\div x^{12}=\frac{1}{x^{12-8}}=\frac{1}{x^4}$

(4) $(a^2)^5\div a^4\times a=a^{10}\div a^4\times a=a^{10-4+1}=a^7$

03 (4) $xy^2\times(x^2y)^3=xy^2\times x^6y^3=x^{1+6}y^{2+3}=x^7y^5$

04 (1) $(x^{\square})^2\times x^4=x^{14}$이므로 $x^{2\square+4}=x^{14}$

즉, $2\square+4=14$이므로 $\square=5$

(2) $x^{\square}\div x^4=x^6$이므로 $x^{\square-4}=x^6$

즉, $\square-4=6$이므로 $\square=10$

(3) $(-2x^3y^{㉠})^2=㉡x^6y^{10}$에서

$4x^6y^{2㉠}=㉡x^6y^{10}$이므로

㉡$=4$, 2㉠$=10$ $\therefore$ ㉠$=5$

(4) $\left(\frac{y}{x^{㉠}}\right)^4=\frac{y^{㉡}}{x^8}$에서 $\frac{y^4}{x^{4㉠}}=\frac{y^{㉡}}{x^8}$이므로

㉡$=4$, 4㉠$=8$ $\therefore$ ㉠$=2$

05 $A=2^7\times25^5=2^7\times(5^2)^5=2^7\times5^{10}$
$=5^3\times(2\times5)^7=5^3\times10^7=125\times10^7$

따라서 A는 10자리의 자연수이다.

유형 EXERCISES

064~065쪽

유형 ❶ ④	1-1 (1) 2, 5 (2) 4, 5			
	1-2 ④	1-3 ③		
유형 ❷ ②	2-1 ③	2-2 10	2-3 ①, ②	
유형 ❸ (1) $\frac{1}{x^5}$ (2) a^5				
	3-1 ②	3-2 ②	3-3 ③	
유형 ❹ ⑤	4-1 (1) 2, 15 (2) 4, 4			
	4-2 ④	4-3 ④		

유형 ❶

$a^6\times b\times a^2\times b^8=a^{6+2}\times b^{1+8}=a^8b^9$

1-1 (1) $a^{㉠}\times a^3\times b\times b^4=a^5b^{㉡}$에서

$a^{㉠+3}b^{1+4}=a^5b^{㉡}$

즉, ㉠$+3=5$이므로 ㉠$=2$, ㉡$=1+4=5$

(2) $x^3\times y^2\times x^{㉠}\times y^3=x^7y^{㉡}$에서

$x^{3+㉠}y^{2+3}=x^7y^{㉡}$

즉, $3+$㉠$=7$이므로 ㉠$=4$, ㉡$=5$

1-2 $2^{x+4}=2^x\times 2^4$ $\therefore$ $\square=2^4=16$

1-3 $512=2^9$이므로 $2^2\times 2^a\times 2^4=2^{6+a}=2^9$

$6+a=9$ $\therefore a=3$

유형 ❷

$(a^2)^3\times a^3=a^6\times a^3=a^9=a^{3k}$에서

$3k=9$ $\therefore k=3$

2-1 $(a^2)^4\times b\times a^4\times(b^3)^4=a^8\times b\times a^4\times b^{12}=a^{12}b^{13}$

2-2 $(x^a)^3\times(y^3)^b=x^{3a}y^{3b}=x^{12}y^{18}$에서

$3a=12$, $3b=18$이므로 $a=4$, $b=6$

$\therefore a+b=4+6=10$

2-3 ③ $(-x^2)^3=-x^6$

④ $(-x^3)^4=x^{12}$

⑤ $(-x^3)^3=-x^9$

유형 ❸

(1) $x^4\div(x^3)^3=x^4\div x^9=\frac{1}{x^{9-4}}=\frac{1}{x^5}$

(2) $a^{10}\div a^3\div a^2=a^{10-3-2}=a^5$

■ 다른 풀이 ■

$a^{10}\div a^3\div a^2=a^{10}\times\frac{1}{a^3}\times\frac{1}{a^2}=a^5$

3-1 $\frac{1}{9^2}=\frac{1}{3^4}$이므로

$3^{\square}\div 3^6=\frac{1}{3^{6-\square}}=\frac{1}{3^4}$

즉, $6-\square=4$이므로 $\square=2$

3-2 $3\times 3^5\div 3^{2\times\square}=3^6\div 3^{2\times\square}=1$에서

$2\times\square=6$ $\therefore\square=3$

3-3 ① $a^5\div a^3=a^{5-3}=a^2$

② $a^{10}\div a^6\div a^2=a^{10-6-2}=a^2$

③ $a^6\div a^2\times a^4=a^{6-2+4}=a^8$

④ $(-a)^4\div(-a)^2=a^4\div a^2=a^{4-2}=a^2$

⑤ $a\times a^3\div a^2=a^{1+3-2}=a^2$

유형 ❹

⑤ $\left(\frac{b^2}{3a}\right)^3=\frac{b^6}{27a^3}$

4-1 (1) $(a^{㉠}b^3)^5=a^{5㉠}\times b^{15}=a^{10}b^{㉡}$에서

5㉠$=10$이므로 ㉠$=2$, ㉡$=15$

(2) $\left(\frac{y^{㉠}}{x}\right)^4=\frac{y^{16}}{x^{㉡}}$에서 $\frac{y^{4㉠}}{x^4}=\frac{y^{16}}{x^{㉡}}$

4㉠$=16$이므로 ㉠$=4$, ㉡$=4$

4-2 $(ax^3y^bz^2)^5=a^5x^{15}y^{5b}z^{10}=-32x^cy^{10}z^d$에서

$a^5=-32$, $c=15$, $5b=10$, $d=10$이므로

$a=-2$, $b=2$

$\therefore a+b+c+d=(-2)+2+15+10=25$

4-3 $\left(\frac{2x^a}{y^4}\right)^b=\frac{2^bx^{ab}}{y^{4b}}=\frac{cx^{15}}{y^{12}}$에서 $4b=12$ $\therefore b=3$

$c=2^b=2^3=8$

$ab=3a=15$ $\therefore a=5$

$\therefore a+b+c=5+3+8=16$

개념 BOOK

개념 CHECK 02. 단항식의 곱셈과 나눗셈 070쪽

개념 확인 (1) 계수, 문자 (2) 역수, 곱셈

01 (1) $10a^3b^4$ (2) x^6y^{11} (3) $-\frac{3a}{b}$ (4) $15ab$

02 (1) $-6xy$ (2) $-2a^4b$ 03 $\frac{y}{x^2}$

04 $-\frac{3}{4}x^3y$ 05 7

01 (2) $(-xy^2)^4\times x^2y^3=x^4y^8\times x^2y^3=x^6y^{11}$

(3) $(-6a^2b)\div 2ab^2=\frac{-6a^2b}{2ab^2}=\frac{-3a}{b}$

(4) $(-9a^2b^2)\div\left(-\frac{3}{5}ab\right)=(-9a^2b^2)\times\left(-\frac{5}{3ab}\right)$

$=15ab$

02 (1) $(-12x^2y)\times 3y\div 6xy$

$=(-12x^2y)\times 3y\times\frac{1}{6xy}=-6xy$

(2) $4a\div 8b^2\times(-4a^3b^3)$

$=4a\times\frac{1}{8b^2}\times(-4a^3b^3)=-2a^4b$

03 (나)$=x^2y^2\div(-3y)^2=x^2y^2\times\frac{1}{9y^2}=\frac{1}{9}x^2$

(다)$=\frac{1}{9}x^2\times\frac{9y}{x^4}=\frac{y}{x^2}$

04 $(-3x^3y)^3\div\square=(6x^3y)^2$에서

$(-27x^9y^3)\times\frac{1}{\square}=36x^6y^2$

$\square=\frac{(-3x^3y)^3}{(6x^3y)^2}=\frac{-27x^9y^3}{36x^6y^2}=-\frac{3}{4}x^3y$

05 (좌변)$=\frac{1}{16}x^3y^2\times 6y^2\div\frac{3}{4}x^5y$

$=\frac{x^3y^2}{16}\times 6y^2\times\frac{4}{3x^5y}=\frac{y^3}{2x^2}$

즉, $\frac{y^3}{2x^2}=\frac{y^a}{bx^c}$이므로 $a=3$, $b=2$, $c=2$

$\therefore a+b+c=3+2+2=7$

유형 EXERCISES 071~072쪽

유형 1 (1) $4a^{10}b^{10}$ (2) b^{10}

1-1 (1) $-18a^2b^3$ (2) $\frac{9}{2}x^5y^5$

1-2 ② 1-3 ②

유형 2 $\frac{9}{2x^3y^3}$ 2-1 (1) $-6xy^2$ (2) $\frac{8a^2}{b^2}$

2-2 8 2-3 ②

유형 3 ① 3-1 (1) $\frac{12y^2}{x}$ (2) $-12ab^7$ (3) $\frac{6y^3}{x^3}$

3-2 ③ 3-3 1

유형 4 ④ 4-1 $-6x^3y^2$ 4-2 $-6x^3y$

4-3 ①

유형 1

(1) $(2a^3b)^2\times(-ab^2)^4=4a^6b^2\times a^4b^8=4a^{10}b^{10}$

(2) $(-ab)^2\times\left(-\frac{a}{b^2}\right)^2\times\left(-\frac{b^3}{a}\right)^4=a^2b^2\times\frac{a^2}{b^4}\times\frac{b^{12}}{a^4}=b^{10}$

1-1 (1) $3ab\times(-2a)\times 3b^2=-18a^2b^3$

(2) $(3xy)^4\times\left(\frac{x}{2y}\right)^3\times\left(\frac{2y^2}{3x}\right)^2=81x^4y^4\times\frac{x^3}{8y^3}\times\frac{4y^4}{9x^2}$

$=\frac{9}{2}x^5y^5$

1-2 $3xy\times(-x^2y)^3\times 4x^2=ax^by^c$에서

(좌변)$=3xy\times(-x^6y^3)\times 4x^2=-12x^9y^4$이므로

$a=-12$, $b=9$, $c=4$

$\therefore a+b+c=(-12)+9+4=1$

1-3 $ax^2y\times(-xy)^b=-3x^cy^5$에서

$ax^2y\times(-1)^bx^by^b=-3x^cy^5$

$a\times(-1)^bx^{2+b}y^{1+b}=-3x^cy^5$

$a\times(-1)^b=-3$, $2+b=c$, $1+b=5$

따라서 $b=4$, $a=-3$, $c=6$이므로

$c-a+b=6+3+4=13$

유형 2

$4xy^3\div\frac{1}{2}x^2y^4\div\left(-\frac{4}{3}xy\right)^2=4xy^3\div\frac{1}{2}x^2y^4\div\frac{16}{9}x^2y^2$

$=4xy^3\times\frac{2}{x^2y^4}\times\frac{9}{16x^2y^2}$

$=\frac{9}{2x^3y^3}$

2-1 (1) $(-3xy)^2\div\left(-\frac{3}{2}x\right)=9x^2y^2\times\left(-\frac{2}{3x}\right)=-6xy^2$

(2) $(-2a^2b)^2\div(ab)^3\div\frac{b}{2a}=4a^4b^2\times\frac{1}{a^3b^3}\times\frac{2a}{b}$

$=\frac{8a^2}{b^2}$

2-2 $ax^2y\div(-2x^6y^4)\div\frac{1}{3}x^3y^2=-\frac{9}{x^by^c}$에서

(좌변)$=ax^2y\times\frac{1}{-2x^6y^4}\times\frac{3}{x^3y^2}=-\frac{3a}{2x^7y^5}$

따라서 $a=6$, $b=7$, $c=5$이므로

$a+b-c=6+7-5=8$

2-3 $(-2xy)^3\div\frac{x^2}{3y}\div\left(\frac{y^3}{x}\right)^a=-\frac{24x^3}{y^2}$에서

(좌변)$=(-8x^3y^3)\div\frac{x^2}{3y}\div\frac{y^{3a}}{x^a}$

$=(-8x^3y^3)\times\frac{3y}{x^2}\times\frac{x^a}{y^{3a}}$

$=(-24)\times\frac{x^{a+1}}{y^{3a-4}}=-\frac{24x^3}{y^2}$

따라서 $3a-4=2$이므로 $a=2$

유형 3

$4xy^3\div\frac{1}{2}x^2y\times\left(-\frac{3}{4}xy\right)^2=4xy^3\times\frac{2}{x^2y}\times\frac{9x^2y^2}{16}=\frac{9}{2}xy^4$

3-1 (1) $12x^2y^2\times(-2y)^2\div4x^3y^2=12x^2y^2\times4y^2\times\frac{1}{4x^3y^2}$

$=\frac{12y^2}{x}$

(2) $(-ab^2)\div3a^4b\times(6a^2b^3)^2$

$=(-ab^2)\div3a^4b\times36a^4b^6$

$=(-ab^2)\times\frac{1}{3a^4b}\times36a^4b^6=-12ab^7$

(3) $-\frac{4}{9}xy^2\div\left(\frac{1}{2}x^2y\right)^2\times\left(-\frac{3}{2}y\right)^3$

$=\left(-\frac{4}{9}xy^2\right)\div\frac{1}{4}x^4y^2\times\left(-\frac{27}{8}y^3\right)$

$=\left(-\frac{4xy^2}{9}\right)\times\frac{4}{x^4y^2}\times\left(-\frac{27y^3}{8}\right)=\frac{6y^3}{x^3}$

3-2 $(-ab^2)^3\times\left(-\frac{a}{b^2}\right)^2\div(-a^2b)=a^xb^y$에서

(좌변)$=(-a^3b^6)\times\frac{a^2}{b^4}\times\left(-\frac{1}{a^2b}\right)=a^3b$

따라서 $x=3$, $y=1$이므로

$x+y=3+1=4$

3-3 $(2x^3y)^a\div4x^by^3\times2xy^2=cx^2y^3$에서

(좌변)$=2^ax^{3a}y^a\times\frac{1}{4x^by^3}\times2xy^2$

$=2^{a-1}x^{3a-b+1}y^{a-1}=cx^2y^3$

따라서 $2^{a-1}=c$, $3a-b+1=2$, $a-1=3$이므로

$a=4$, $c=8$, $b=11$

$\therefore a-b+c=4-11+8=1$

유형 4

$(-3a^3b)^2\div\frac{1}{2}ab^2\times\square=18a^8b^6$에서

$9a^6b^2\times\frac{2}{ab^2}\times\square=18a^8b^6$

$\therefore \square=18a^8b^6\times\frac{1}{9a^6b^2}\times\frac{ab^2}{2}=a^3b^6$

4-1 $24x^2y\times\frac{1}{\square}\times(-y^3)=\frac{4y^2}{x}$

$\therefore \square=24x^2y\times(-y^3)\times\frac{x}{4y^2}=-6x^3y^2$

4-2 $x^2y\times\square\times\frac{1}{9x^2y^2}=-\frac{2}{3}x^3$

$\therefore \square=\left(-\frac{2}{3}x^3\right)\times9x^2y^2\times\frac{1}{x^2y}=-6x^3y$

4-3 $10x^3y^7=2xy^5\times$(세로의 길이)이므로

(세로의 길이)$=10x^3y^7\times\frac{1}{2xy^5}=5x^2y^2$

개념 BOOK

중단원 EXERCISES

073~075쪽

01 ③	02 ②	03 ③, ⑤	04 ①
05 ⑤	06 ③	07 ②	08 ②
09 ⑤	10 ②	11 ④	12 $-15p^3q^5$
13 ⑤	14 $10ab$	15 ③	16 ①
17 500초	18 11자리	19 ⑤	20 $8a^2b^2$

01 ③ $x^5 \div x^5 = 1$

02 $(-x^2)^3 \times \{-(-x^2)^3\}^2 = -x^6 \times \{-(-x^6)\}^2$
$= -x^6 \times x^{12} = -x^{18}$

03 ① $(a^3)^3 = a^9$ ② $(-a^2)^3 = -a^6$
④ $a^8 \div a^4 = a^4$

04 $a^3 \div (-a^2)^{\square} = \frac{1}{a}$에서
$(-a^2)^{\square} = a^3 \times a = a^4$
즉, $2\square = 4$이므로 $\square = 2$

05 $\left\{\left(-\frac{2y^2}{x}\right)^3\right\}^2 = \left(-\frac{2^3y^6}{x^3}\right)^2 = \frac{2^6y^{12}}{x^6} = \frac{64y^{12}}{x^6}$

06 (가) $x^2 \times (x^3)^4 = x^2 \times x^{12} = x^{14}$ $\therefore \square = 14$
(나) $(x^2)^3 \div x^{\square} = \frac{1}{x^2}$ 에서 $x^6 \div x^{\square} = \frac{1}{x^2}$
즉, $\square - 6 = 2$이므로 $\square = 8$
(다) $\left(\frac{x}{y^{\square}}\right)^2 = \frac{x^2}{y^6}$ 이므로 $2\square = 6$ $\therefore \square = 3$
따라서 □ 안에 들어갈 세 수의 합은 25이다.

07 $4^5 + 4^5 + 4^5 + 4^5 = 4 \times 4^5 = 4^6$

08 $2 \times 3 \times \cdots \times 10 = 2^x \times 3^y \times 5^z \times 7^w$에서
(좌변)$= 2 \times 3 \times 2^2 \times 5 \times (2 \times 3) \times 7 \times 2^3 \times 3^2 \times (2 \times 5)$
$= 2^8 \times 3^4 \times 5^2 \times 7$
따라서 $x=8$, $y=4$, $z=2$, $w=1$이므로
$x+y+z+w = 8+4+2+1 = 15$

09 $8^4 \div 4^9 = 2^{12} \div 2^{18} = \frac{1}{2^6} = \frac{1}{(2^3)^2} = \frac{1}{A^2}$

10 ② $(-2x^2y)^3 \times (2xy)^2 = (-8x^6y^3) \times 4x^2y^2 = -32x^8y^5$

11 $A = \frac{5ab^4}{4a^2b} = \frac{5b^3}{4a}$, $B = \frac{12a^3b^2}{9a^2b^4} = \frac{4a}{3b^2}$
$\therefore AB = \frac{5b^3}{4a} \times \frac{4a}{3b^2} = \frac{5}{3}b$

12 어떤 식을 A라고 하면 $A \div (-3p^2q^3) = 5pq^2$
$\therefore A = 5pq^2 \times (-3p^2q^3) = -15p^3q^5$

13 $4x^3y \times \square \div (-x^2y)^2 = 12xy$에서
$4x^3y \times \square \div x^4y^2 = 12xy$
$\therefore \square = 12xy \times \frac{1}{4x^3y} \times x^4y^2 = 3x^2y^2$

14 밑면의 지름의 길이가 $6a$이므로 밑면의 반지름의 길이는 $3a$이다.
즉, (원뿔의 부피)$= \frac{1}{3} \times (3a)^2\pi \times$(높이)$= 30\pi a^3b$이므로
$3a^2\pi \times$(높이)$= 30\pi a^3b$
$\therefore$ (높이)$= \frac{30\pi a^3b}{3a^2\pi} = 10ab$

15 $2^{x+3} + 2^{x+2} + 2^x = 208$에서
(좌변)$= 2^x \times 2^3 + 2^x \times 2^2 + 2^x$
$= 2^x \times (2^3 + 2^2 + 1)$
$= 13 \times 2^x = 208$
이므로
$2^x = 16 = 2^4$ $\therefore x = 4$

16 $a = 5^{x+2} = 5^2 \cdot 5^x = 25 \cdot 5^x$이므로 $5^x = \frac{a}{25}$
$b = 2^{x-1} = \frac{2^x}{2}$ 이므로 $2b = 2^x$
$\therefore 10^x = 5^x \cdot 2^x = \frac{a}{25} \cdot 2b = \frac{2ab}{25}$

17 빛이 1초에 $3 \times 10^8(\text{m}) = 3 \times 10^5(\text{km})$의 속력으로 나아가므로 태양의 빛이 지구에 도달하는데 걸리는 시간은
$\frac{1.5 \times 10^8}{3 \times 10^5} = \frac{10^3}{2} = 500$(초)

18 $\frac{2^8 \times 15^{14}}{45^5} = \frac{2^8 \times (3 \times 5)^{14}}{(3^2 \times 5)^5} = \frac{2^8 \times 3^{14} \times 5^{14}}{3^{10} \times 5^5}$
$= 2^8 \times 3^4 \times 5^9 = 3^4 \times 5 \times (2^8 \times 5^8)$
$= 3^4 \times 5 \times (2 \times 5)^8$
$= 405 \times 10^8$
따라서 11자리의 자연수이다.

19 $(-2xy^2)^a \div 4x^by \times 2x^7y^2 = cx^4y^5$에서

$$\frac{(-2)^a x^a y^{2a} \times 2x^7y^2}{4x^by} = cx^4y^5$$

y의 지수는 $2a+2-1=5$이므로 $a=2$

x의 지수는 $a+7-b=4$이므로 $2+7-b=4$ $\quad \therefore b=5$

상수항은 $c=\dfrac{(-2)^2 \times 2}{4}=2$

$\therefore a+b+c=2+5+2=9$

20 직사각형의 넓이는 $2a^2b \times 8ab^4=16a^3b^5$

삼각형의 높이를 h라고 하면 넓이는

$\dfrac{1}{2} \times 4ab^3 \times h = 2ab^3h$

두 넓이가 같으므로 $2ab^3h=16a^3b^5$

$\therefore h=\dfrac{16a^3b^5}{2ab^3}=8a^2b^2$

2. 다항식의 계산

개념 CHECK 01. 다항식의 덧셈과 뺄셈

개념 확인 (1) 동류항 (2) 이차식

01 (1) $2b-4$ (2) $4x+3y+6$ (3) $2a+\dfrac{1}{3}b$ (4) $\dfrac{3}{4}x-\dfrac{1}{6}y$

02 (1) $-2x^2+4x-7$ (2) $7x^2-6x-6$ (3) $-2x-2$ (4) $6a^2-3a+5$

03 $5x^2-3x$ **04** $-x+2y-2$

03 (주어진 식)

$=4x^2-\{x-2x^2-(2x-3x^2-4x+2x^2)\}$

$=4x^2-\{x-2x^2-(-x^2-2x)\}$

$=4x^2-(x-2x^2+x^2+2x)$

$=4x^2-(-x^2+3x)$

$=4x^2+x^2-3x$

$=5x^2-3x$

04 어떤 식을 A라고 하면

$2(x-y)-A=3x-4y+2$

$\therefore A=2(x-y)-(3x-4y+2)$

$=2x-2y-3x+4y-2$

$=-x+2y-2$

개념 CHECK 02. 다항식의 곱셈과 나눗셈 085쪽

개념 확인 (1) 전개 (2) 분배

01 (1) $-12x^2+8xy$ (2) $4a^2-12ab+8a$ (3) $2a^2+11a$ (4) $2xy^2+2xy$

02 (1) $a-2b$ (2) $-4x-2y$ (3) $-5a+3$ (4) $6x-10y^2$

03 (1) $-2a^2$ (2) $14x^2-7xy+4y^2$ **04** 100

01 (3) (주어진 식)$=6a^2+9a-4a^2+2a=2a^2+11a$

(4) (주어진 식)$=2x^2y+2xy^2-2x^2y+2xy=2xy^2+2xy$

03 (1) (주어진 식)$=-4a^2+2a+2a^2-2a=-2a^2$

(2) (주어진 식)$=15x^2-10xy-x^2+3xy+4y^2$

$=14x^2-7xy+4y^2$

04 $2x(3x-2)+(8x^3-16x^2)\div(-4x)$

$=6x^2-4x+(8x^3-16x^2)\times\left(-\dfrac{1}{4x}\right)$

$=6x^2-4x-2x^2+4x=4x^2$

이때 $x=-5$이므로 $4x^2=4\times(-5)^2=100$

유형 EXERCISES

유형 ❶ (1) $7a-2b$ (2) $-4x+6y-3$

1-1 ③ 1-2 $x+7y$

1-3 $x-7y+12$

유형 ❷ (1) $3x^2-2x-1$ (2) $-3x^2+3x-4$

2-1 ⑤ 2-2 $8x^2-3x$

2-3 $4x^2-9x-1$

유형 ❸ (1) $6x^2-3xy+3x$ (2) $-5x^2+2xy$

3-1 72 3-2 $2a+b-3$

3-3 $2ab^3-3b$

유형 ❹ $-8x^2+2x$ 4-1 $-x-7y$

4-2 -1 4-3 23

유형 ❶

(2) (주어진 식)$=-x+4y-3-3x+2y=-4x+6y-3$

1-1 $\frac{x+3y}{2}-\frac{2x-5y}{3}=\frac{3(x+3y)}{6}-\frac{2(2x-5y)}{6}$

$=\frac{3x+9y}{6}-\frac{4x-10y}{6}$

$=\frac{3}{6}x-\frac{4}{6}x+\frac{9}{6}y+\frac{10}{6}y$

$=-\frac{1}{6}x+\frac{19}{6}y$

따라서 $A=-\frac{1}{6}$, $B=\frac{19}{6}$이므로

$A+B=-\frac{1}{6}+\frac{19}{6}=3$

1-2 (주어진 식)$=7x-\{2x-y-(-4x+6y)\}$

$=7x-(6x-7y)$

$=x+7y$

1-3 어떤 식을 A라고 하면

$A+(x+2y-4)=3x-3y+4$

$\therefore A=3x-3y+4-(x+2y-4)=2x-5y+8$

따라서 바르게 계산한 식은

$2x-5y+8-(x+2y-4)=x-7y+12$

유형 2

(2) (주어진 식)$=x^2-7-4x^2+3x+3=-3x^2+3x-4$

2-1 (주어진 식)$=6x^2-x+4+3x^2-3x+3$

$=9x^2-4x+7$

따라서 x^2의 계수는 9, 상수항은 7이므로 그 합은 16이다.

2-2 (주어진 식)$=5x^2-\{x-x^2-(2x^2-2x)\}$

$=5x^2-(-3x^2+3x)$

$=8x^2-3x$

2-3 어떤 식을 A라고 하면

$A-(3x^2-5x+1)=-2x^2+x-3$

$\therefore A=-2x^2+x-3+(3x^2-5x+1)=x^2-4x-2$

따라서 바르게 계산한 식은

$x^2-4x-2+(3x^2-5x+1)=4x^2-9x-1$

유형 3

(1) (주어진 식)$=2x^2-xy+3x-2xy+4x^2=6x^2-3xy+3x$

(2) (주어진 식)$=-2x^2-2xy+4xy-3x^2=-5x^2+2xy$

3-1 $(x^2+2xy)\div\left(-\frac{x}{6}\right)=(x^2+2xy)\times\left(-\frac{6}{x}\right)$

$=-6x-12y$

따라서 각 항의 계수의 곱은 $(-6)\times(-12)=72$

3-2 $\square=(9ab-6a^2b-3ab^2)\div(-3ab)=2a+b-3$

3-3 $\pi\times(3a)^2\times$(높이)$=18\pi a^3b^3-27\pi a^2b$

$\therefore$ (높이)$=(18\pi a^3b^3-27\pi a^2b)\div 9\pi a^2$

$=\frac{18\pi a^3b^3-27\pi a^2b}{9\pi a^2}=2ab^3-3b$

유형 4

(주어진 식)$=\frac{11x^3-33x^2}{-11x}-x(7x+1)$

$=-x^2+3x-7x^2-x$

$=-8x^2+2x$

4-1 (주어진 식)$=x-3y-(2x+4y)=-x-7y$

4-2 (주어진 식)$=\frac{10a^2b-8ab}{-2a}-(ab^2-b^2)\times\frac{3}{b}$

$=-5ab+4b-3ab+3b=7b-8ab$

따라서 $A=7$, $B=-8$이므로

$A+B=7+(-8)=-1$

4-3 $(ab-a^2)\div\left(-\frac{a}{2}\right)-(14b^2-21ab)\div 7b$

$=(ab-a^2)\times\left(-\frac{2}{a}\right)-\frac{14b^2-21ab}{7b}$

$=-2b+2a-2b+3a$

$=5a-4b$

이때 $a=3$, $b=-2$이므로

$5a-4b=5\times3-4\times(-2)=23$

중단원 EXERCISES

088~090쪽

01 ④ **02** ② **03** ④ **04** 5
05 ① **06** ⑤ **07** ② **08** ③
09 ④ **10** ⑤ **11** $-2x^3+8x^2y-4xy^2$
12 ⑤ **13** $4ab-6$ **14** $2xy-4x+5$
15 $8x-8y$ **16** ③ **17** $2x^2y^2+xy^2$ **18** ②
19 -94 **20** $12\pi ab^3-12\pi a^2b^2$ **21** $12a^2+2ab$

01 $\frac{2x+y}{2}-\frac{2x+3y}{3}+\frac{3x-2y}{4}$

$=\frac{12-8+9}{12}x+\frac{6-12-6}{12}y=\frac{13}{12}x-y$

따라서 $a=\frac{13}{12}$, $b=-1$이므로

$a+b=\frac{13}{12}+\left(-\frac{12}{12}\right)=\frac{1}{12}$

02 ① $3x+2$이므로 차수가 가장 높은 항의 차수는 1이다.

② $-x^2+2x-1$이므로 차수가 가장 높은 항의 차수는 2이다.

③ $-x-1$이므로 차수가 가장 높은 항의 차수는 1이다.

④ 차수가 가장 높은 항의 차수는 1이다.

⑤ 차수가 가장 높은 항의 차수는 3이다.

03 (주어진 식)$=6x^2-x+8+2x^2+2x-2=8x^2+x+6$

따라서 x^2의 계수는 8, 상수항은 6이므로 그 합은 14이다.

04 $\frac{x^2-3x+2}{2}-\frac{x^2-4x-2}{3}$

$=\frac{3(x^2-3x+2)-2(x^2-4x-2)}{6}$

$=\frac{3x^2-9x+6-2x^2+8x+4}{6}$

$=\frac{x^2-x+10}{6}$

$=\frac{1}{6}x^2-\frac{1}{6}x+\frac{5}{3}$

따라서 $a=\frac{1}{6}$, $b=-\frac{1}{6}$, $c=\frac{5}{3}$이므로

$3(a+b+c)=3\times\frac{5}{3}=5$

05 $3(\square)=(4a+5b-1)-(10a-13b-7)$

$=4a+5b-1-10a+13b+7$

$=-6a+18b+6$

$\therefore \square=-2a+6b+2$

06 $(3x-2y+1)-A=-x+5y-2$이므로

$A=(3x-2y+1)-(-x+5y-2)$

$=3x-2y+1+x-5y+2$

$=4x-7y+3$

07 (주어진 식)$=x^2+\{3x-(5x+2x^2-6)-1\}$

$=x^2+(3x-5x-2x^2+6-1)$

$=x^2+(-2x^2-2x+5)$

$=x^2-2x^2-2x+5$

$=-x^2-2x+5$

08 어떤 식을 A라고 하면

$A+(-x^2+6x-2)=3x^2-x+6$이므로

$A=3x^2-x+6-(-x^2+6x-2)$

$=3x^2-x+6+x^2-6x+2$

$=4x^2-7x+8$

따라서 바르게 계산한 식은

$(4x^2-7x+8)-(-x^2+6x-2)$

$=4x^2-7x+8+x^2-6x+2$

$=5x^2-13x+10$

09 (주어진 식)$=(4x^3-12x^2y)\div4x^2y^2\times3xy^2$

$=(4x^3-12x^2y)\times\frac{1}{4x^2y^2}\times3xy^2$

$=\left(\frac{x}{y^2}-\frac{3}{y}\right)\times3xy^2$

$=3x^2-9xy$

10 어떤 다항식을 A라고 하면

$A\div(-5x)=10y-4$

$\therefore A=-5x(10y-4)=-50xy+20x$

11 $\square\times\left(-\frac{y}{2x}\right)=x^2y-4xy^2+2y^3$에서

$\square=(x^2y-4xy^2+2y^3)\div\left(-\frac{y}{2x}\right)$

$=(x^2y-4xy^2+2y^3)\times\left(-\frac{2x}{y}\right)$

$=-2x^3+8x^2y-4xy^2$

12 $2a(2a-b+5)-a(-3a+b+1)$

$=4a^2-2ab+10a+3a^2-ab-a$

$=7a^2-3ab+9a$

13 $24a^2b^3-36ab^2=6ab^2\times$(높이)

$\therefore$ (높이)$=(24a^2b^3-36ab^2)\div6ab^2$

$=\frac{24a^2b^3-36ab^2}{6ab^2}$

$=4ab-6$

14 어떤 식을 A라고 하면

$A\times2xy=8x^3y^3-16x^3y^2+20x^2y^2$

$\therefore A=\frac{8x^3y^3-16x^3y^2+20x^2y^2}{2xy}=4x^2y^2-8x^2y+10xy$

따라서 바르게 계산한 식은

$$\frac{4x^2y^2-8x^2y+10xy}{2xy}=2xy-4x+5$$

15 (주어진 식)$=2x-3y-(5y-6x)$

$=2x-3y-5y+6x$

$=8x-8y$

16 $A=2a-(4b-2a+2b)-b$

$=2a-4b+2a-2b-b=4a-7b$

$B=(9a^2b-6ab^2)\times\frac{3}{ab}=27a-18b$

$\therefore A+B=(4a-7b)+(27a-18b)=31a-25b$

따라서 $m=31$, $n=-25$이므로

$m+n=31-25=6$

17 (색칠한 부분의 넓이)

=(큰 직사각형의 넓이)−(작은 직사각형의 넓이)

$=xy^2(2x+3)-2xy^2$

$=2x^2y^2+3xy^2-2xy^2$

$=2x^2y^2+xy^2$

18 $\overline{DF}=4a-b$, $\overline{CE}=5a-2b=3b$이므로

$\triangle AEF$

=(직사각형의 넓이)−(세 삼각형의 넓이의 합)

$=20ab-\left\{\frac{1}{2}\times 8ab+\frac{1}{2}\times 3b^2+\frac{1}{2}\times 5b(4a-b)\right\}$

$=20ab-4ab-\frac{3}{2}b^2-10ab+\frac{5}{2}b^2$

$=6ab+b^2$

19 $36^2=2^4\times 3^4=2^{2x}\times 3^y$에서 $x=2$, $y=4$

주어진 식을 정리하면

$\left(3x^3y^4-\frac{1}{8}x^4y^3\right)\div\left(-\frac{1}{2}xy\right)^3$

$=\left(3x^3y^4-\frac{1}{8}x^4y^3\right)\div\left(-\frac{x^3y^3}{8}\right)$

$=\left(3x^3y^4-\frac{1}{8}x^4y^3\right)\times\left(-\frac{8}{x^3y^3}\right)$

$=-24y+x$

위 식에 $x=2$, $y=4$를 대입하면

$-24y+x=(-24)\times 4+2=-96+2=-94$

20 원기둥의 밑넓이는 $\pi\times(2ab)^2=4\pi a^2b^2$

원기둥의 옆넓이는

$2\pi\times 2ab\times(3b^2-5ab)=12\pi ab^3-20\pi a^2b^2$

따라서 원기둥의 겉넓이는

$2\times 4\pi a^2b^2+(12\pi ab^3-20\pi a^2b^2)$

$=8\pi a^2b^2+12\pi ab^3-20\pi a^2b^2$

$=12\pi ab^3-12\pi a^2b^2$

21 (남아 있는 물의 양)

=(직육면체 모양의 그릇의 부피)−(상자의 부피)

$=(2a+b)\times 3\times 2a-2a\times 2\times b$

$=6a(2a+b)-4ab$

$=12a^2+6ab-4ab$

$=12a^2+2ab$

대단원 EXERCISES

092~095쪽

01 ②	**02** ③	**03** ④	**04** ⑤
05 ②	**06** 5	**07** ①	**08** -1
09 ⑤	**10** ②	**11** ②	**12** $\frac{7}{6}x+y$
13 $x-4y$	**14** ①	**15** ③	**16** 16
17 ④	**18** ③	**19** ③	**20** ②
21 ④	**22** ③	**23** 5	
24 $6xy^2+2x^2y+2xy+4y^2$	**25** $3xy+\frac{3}{2}y^2$		

01 ② $a^5\times a^3\div a^4=a^{5+3-4}=a^4$

02 $\frac{a}{b}=\frac{7^{2x}}{7^{2y}}=7^{2x-2y}=7^{2(x-y)}=7^{2\times 3}=7^6$

03 $(2^2)^{\square}\div 2^2\times 4^3=2^{2\times\square}\div 2^2\times 2^6=2^{2\times\square-2+6}$

$=2^{2\times\square+4}=2^{12}$

즉, $2\times\square+4=12$이므로 $2\times\square=8$

$\therefore\square=4$

04 $2^{x+1}(3^x+3^x+3^x)=2^{x+1}(3\times 3^x)$

$=2^{x+1}\times 3^{x+1}$

$=(2\times 3)^{x+1}=6^{x+1}$

05 $81^{10}=(3^4)^{10}=3^{40}$

이때 $\frac{1}{A}=3^{10}$이므로 $3^{40}=\left(\frac{1}{A}\right)^4=\frac{1}{A^4}$

06 $4^{m+2}=256$에서 $(2^2)^{m+2}=2^8$, $2^{2m+4}=2^8$

즉, $2m+4=8$이므로 $m=2$

$4^m\times2^{n+1}=256$에서

$4^2\times2^{n+1}=2^8$, $2^{n+1}=2^4$

즉, $n+1=4$이므로 $n=3$

$\therefore m+n=2+3=5$

07 ① $2x^2\times4x^2y=8x^4y$

08 $(-2x^2y^a)^3\times(-xy^3)^b=-8x^6y^{3a}\times(-1)^bx^by^{3b}$

$=(-8)\times(-1)^bx^{6+b}y^{3a+3b}$

$=cx^{10}y^{21}$

이때 $6+b=10$이므로 $b=4$

$(-8)\times(-1)^4=-8=c$

$3a+3b=21$이므로 $3a+12=21$, $3a=9$ $\quad\therefore a=3$

$\therefore a+b+c=3+4+(-8)=-1$

09 $(xy^2)^2\div\{-(xy^3)^2\}\times(-x^2y)^3$

$=x^2y^4\div(-x^2y^6)\times(-x^6y^3)$

$=x^2y^4\times\left(-\dfrac{1}{x^2y^6}\right)\times(-x^6y^3)$

$=x^6y$

10 (주어진 식)$=4x^6y^2\times\dfrac{1}{4x^9y}\times2x^5y^2=2x^2y^3$

따라서 $a=2$, $b=2$, $c=3$이므로

$a+b+c=2+2+3=7$

11 $\square\times(-xy^3)^2=9x^6y^{12}$에서

$\square=9x^6y^{12}\div(-xy^3)^2$

$=9x^6y^{12}\div x^2y^6$

$=9x^4y^6$

12 (주어진 식)$=\dfrac{2(5x-3y)-3(x-2y)+6y}{6}$

$=\dfrac{10x-6y-3x+6y+6y}{6}$

$=\dfrac{7x+6y}{6}=\dfrac{7}{6}x+y$

13 (주어진 식)$=x-\{6x+3y-(2x+3y+4x-4y)\}$

$=x-\{6x+3y-(6x-y)\}$

$=x-(6x+3y-6x+y)$

$=x-4y$

14 $x^2-2x+5-A=4x^2-x+6$

$\therefore A=x^2-2x+5-(4x^2-x+6)$

$=x^2-2x+5-4x^2+x-6$

$=-3x^2-x-1$

따라서 바르게 계산한 식은

$x^2-2x+5+(-3x^2-x-1)=-2x^2-3x+4$

15 길을 제외한 화단은 오른쪽 그림과 같으므로 길을 제외한 화단의 넓이는

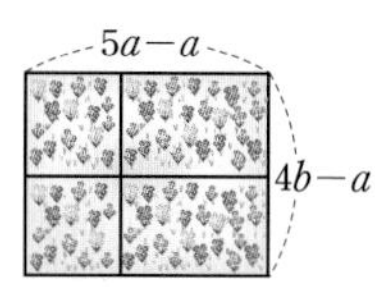

$(5a-a)(4b-a)=4a(4b-a)$

$=16ab-4a^2$

16 (주어진 식)$=-6x^2-12x+5x^2+15xy$

$=-x^2-12x+15xy$

따라서 $a=-1$, $b=15$이므로

$b-a=15-(-1)=16$

17 ② $(9x^2-21xy)\div(-3x)=\dfrac{9x^2-21xy}{-3x}$

$=-3x+7y$

③ $\dfrac{x^2-8xy}{x}+\dfrac{9y^2-3xy}{3y}=x-8y+3y-x=-5y$

④ $(2xy+3y)\div\dfrac{y}{2}=(2xy+3y)\times\dfrac{2}{y}=4x+6$

⑤ $4x(3x-2)-(10x^2y+5xy)\div5y$

$=12x^2-8x-2x^2-x$

$=10x^2-9x$

18 $\dfrac{8x^2+6xy+A}{2x}=7x+3y-9$에서

$8x^2+6xy+A=2x(7x+3y-9)$

$8x^2+6xy+A=14x^2+6xy-18x$

$\therefore A=14x^2+6xy-18x-8x^2-6xy$

$=6x^2\quad18x$

19 $A=(12x^2-8xy)\div4x=\dfrac{12x^2-8xy}{4x}=3x-2y$

$B=(20xy^2-15x^2y)\div\dfrac{5}{4}xy$

$=(20xy^2-15x^2y)\times\dfrac{4}{5xy}=16y-12x$

$\therefore A-B=3x-2y-(16y-12x)$

$=3x-2y-16y+12x$

$=15x-18y$

개념 BOOK

20 $\left(\frac{x^2y}{5}-xy\times A\right)\div\frac{xy}{5}=5B+2y$에서

(좌변)$=\left(\frac{x^2y}{5}-xy\times A\right)\times\frac{5}{xy}=x-5A$

즉, $x-5A=5B+2y$이므로

$5(A+B)=x-2y$

$\therefore A+B=\frac{1}{5}(x-2y)$

21 (주어진 식)$=\frac{6x^2}{2x}+\frac{4xy}{2x}-\frac{9y^2}{3y}-\frac{3xy}{3y}$

$=3x+2y-3y-x$

$=2x-y$

22 $A=4xy^3(2x^2y-4x^2y^2-xy^2)\div(2xy^2)^2$

$=(8x^3y^4-16x^3y^5-4x^2y^5)\div4x^2y^4$

$=\frac{8x^3y^4-16x^3y^5-4x^2y^5}{4x^2y^4}$

$=2x-4xy-y$

$B=2x(1-2x+3y)=2x-4x^2+6xy$

이때 $B-(A+C)=10xy+y-y^2$이므로

$B-A-C=10xy+y-y^2$

$\therefore C=B-A-(10xy+y-y^2)$

$=2x-4x^2+6xy-(2x-4xy-y)-10xy-y+y^2$

$=2x-4x^2+6xy-2x+4xy+y-10xy-y+y^2$

$=-4x^2+y^2$

23 $240=2^4\times3\times5$, $125=5^3$이므로 ...... ❶

$240\times125=2^4\times3\times5\times5^3$

$=2^4\times3\times5^4$

$=3\times(2\times5)^4$

$=3\times10^4$ ...... ❷

따라서 240×125는 5자리의 자연수이므로 $n=5$ ...... ❸

채점 기준	배점
❶ 240과 125를 소인수분해하기	30 %
❷ 240×125를 $a\times10^k$ 꼴로 나타내기	40 %
❸ n의 값 구하기	30 %

24 직육면체의 밑넓이는 $xy\times y=xy^2$이므로

(직육면체의 부피)$=xy^2\times$(높이)$=x^2y^2+2xy^3$

$\therefore$ (높이)$=\frac{x^2y^2+2xy^3}{xy^2}=x+2y$ ...... ❶

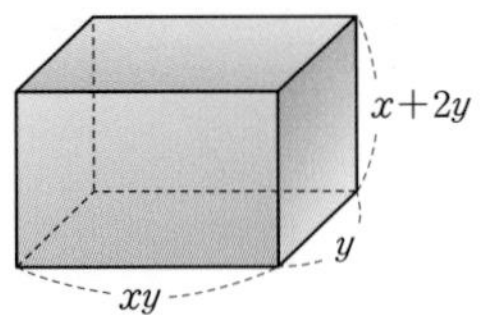

$\therefore$ (직육면체의 겉넓이)

$=2\{xy\times y+xy\times(x+2y)+y\times(x+2y)\}$

$=2(xy^2+x^2y+2xy^2+xy+2y^2)$

$=2(3xy^2+x^2y+xy+2y^2)$

$=6xy^2+2x^2y+2xy+4y^2$ ...... ❷

채점 기준	배점
❶ 직육면체의 높이 구하기	40 %
❷ 직육면체의 겉넓이 구하기	60 %

25 원기둥과 원뿔의 밑면인 원의 넓이는

$\pi(2x)^2=4\pi x^2$ ...... ❶

이때 원기둥과 원뿔의 높이를 각각 h_1, h_2라고 하면

(원기둥의 부피)$=4\pi x^2\times h_1=6\pi x^3y-3\pi x^2y^2$이므로

$h_1=\frac{6\pi x^3y-3\pi x^2y^2}{4\pi x^2}=\frac{3}{2}xy-\frac{3}{4}y^2$

또한 (원뿔의 부피)$=\frac{1}{3}\times4\pi x^2\times h_2=2\pi x^3y+3\pi x^2y^2$

이므로

$h_2=\frac{6\pi x^3y+9\pi x^2y^2}{4\pi x^2}=\frac{3}{2}xy+\frac{9}{4}y^2$ ...... ❷

$\therefore h_1+h_2=\left(\frac{3}{2}xy-\frac{3}{4}y^2\right)+\left(\frac{3}{2}xy+\frac{9}{4}y^2\right)$

$=3xy+\frac{3}{2}y^2$ ...... ❸

채점 기준	배점
❶ 원기둥과 원뿔의 밑넓이 구하기	30 %
❷ 원기둥과 원뿔의 높이 각각 구하기	50 %
❸ 원기둥과 원뿔의 높이의 합 구하기	20 %

Advanced Lecture

096~097쪽

[유제] **01** (1) 1 (2) 1 (3) $\frac{1}{8}$ (4) $\frac{1}{9}$

02 (1) x^2+x-2 (2) $2x^2+9x+4$

(3) $ax+bx+cx+ay+by+cy$

Ⅲ 부등식과 방정식

1. 부등식

개념 CHECK 01. 부등식의 뜻과 성질

110쪽

개념 확인 (1) 부등식 (2) 음수

01 (1) $x-5>3$ (2) $3x-4\le17$
(3) $4+2x<20$ (4) $4x\ge1.5$

02 ㄴ, ㄹ, ㅂ

03 $\ge$, $<$, $\ge$, $<$

04 $-2<A<16$

02 각 부등식에 $x=2$를 대입하면
ㄱ. $2+3<3$ (거짓)
ㄴ. $4+1\le5$ (참)
ㄷ. $2+2>4$ (거짓)
ㄹ. $1-2\ge-2$ (참)
ㅁ. $3-2<0$ (거짓)
ㅂ. $8-5\ge3$ (참)
따라서 $x=2$를 해로 갖는 부등식은 ㄴ, ㄹ, ㅂ이다.

03 (1) $2a\ge2b$의 양변을 2로 나누면 $a\ge b$
(2) $a+3<b+3$의 양변에서 3을 빼면 $a<b$
(3) $-\frac{a}{2}\le b$의 양변에 -2를 곱하면 $a\ge-2b$
(4) $1-a>1-b$의 양변에서 1을 빼면 $-a>-b$
양변에 -1을 곱하면 $a<b$

04 $-4<x<2$의 각 변에 -3을 곱하면
$-6<-3x<12$
각 변에 4를 더하면 $-2<-3x+4<16$
$\therefore -2<A<16$

개념 CHECK 02. 일차부등식의 풀이

116쪽

개념 확인 (1) 일차부등식 (2) $x\le a$, $x\ge a$ (3) 정수

01 ①, ⑤ **02** (가) : 4, (나) : 10, (다) : 5

03 ⑤

04 (1) $x<2$, 풀이 참조 (2) $x\ge3$, 풀이 참조

05 (1) $x\le4$ (2) $x>5$ (3) $x<-10$ (4) $x\le-5$

01 ② 부등호가 없으므로 부등식이 아니다.
③ 우변의 모든 항을 좌변으로 이항하면 $2\le0$으로 차수가 1인 항이 없어지므로 일차부등식이 아니다.
④ 우변의 항을 좌변으로 이항하면 좌변이 이차식이 되므로 일차부등식이 아니다.
따라서 일차부등식인 것은 ①, ⑤이다.

03 $2x-5(x-3)<-6$의 괄호를 풀면
$2x-5x+15<-6$
$-3x<-21$ $\therefore x>7$
따라서 해를 수직선 위에 바르게 나타낸 것은 ⑤이다.

04 (1) $-8x+4>x-14$, $-9x>-18$
$\therefore x<2$

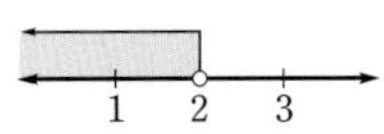

(2) $10-4x\le2x-8$, $-6x\le-18$
$\therefore x\ge3$

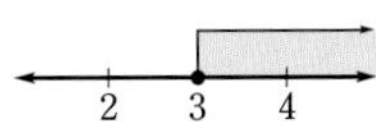

05 (1) $0.3x\le0.1x+0.8$
$3x\le x+8$, $2x\le8$
$\therefore x\le4$
(2) $0.5x-1.2>0.3+0.2x$
$5x-12>3+2x$, $3x>15$
$\therefore x>5$
(3) $0.4x+1.8<\frac{1}{5}(x-1)$, $4x+18<2(x-1)$
$4x+18<2x-2$, $2x<-20$
$\therefore x<-10$
(4) $\frac{x-1}{3}+1\ge\frac{x+3}{2}$, $2(x-1)+6\ge3(x+3)$
$2x-2+6\ge3x+9$, $-x\ge5$
$\therefore x\le-5$

개념 CHECK 03. 일차부등식의 활용

121쪽

개념 확인 (1) 일차부등식, 일차부등식

01 (1) $400(30-x)$, 13000 (2) $x\le10$ (3) 10개

02 $\frac{77+87+92+x}{4}\ge87$, $x\ge92$, 92점

03 96, 98, 100 **04** 5개월

03 연속하는 세 짝수를 $x-2$, x, $x+2$라 하고 부등식을 세우면

$(x-2)+x+(x+2)<300$

$3x<300$

$\therefore x<100$

이때 x는 짝수이므로 $x=98$

따라서 가장 큰 세 짝수는 96, 98, 100이다.

04 x개월 후에 준호의 저금액이 찬성이의 저금액의 2배 이상이 된다고 하면

$15000+3000x \geq 2(10000+1000x)$

$15000+3000x \geq 20000+2000x$

$1000x \geq 5000$

$\therefore x \geq 5$

따라서 5개월 후부터 준호의 저금액이 찬성이의 저금액의 2배 이상이 된다.

유형 EXERCISES

122~125쪽

유형 1	⑤	1-1	②, ③	1-2	④		
유형 2	②, ④	2-1	②, ③	2-2	③	2-3	2
유형 3	⑤	3-1	②	3-2	④		
유형 4	③	4-1	14				
		4-2	(1) $1<a+3\leq 7$ (2) $-8\leq -2a<4$ (3) $-1<\frac{a}{2}\leq 2$ (4) $-\frac{3}{2}\leq -\frac{a}{4}-\frac{1}{2}<0$				
		4-3	6				
유형 5	①	5-1	⑤	5-2	②	5-3	$x<29$
유형 6	2	6-1	-6	6-2	$6\leq a<8$		
		6-3	5				
유형 7	2	7-1	④	7-2	26권	7-3	92점
		7-4	8개	7-5	160 g	7-6	4 km
		7-7	3명				

유형 1

1-1 ①, ④는 부등식이 아닌 등식이다.
⑤는 부등호가 없으므로 부등식이 아니다.
따라서 부등식인 것은 ②, ③이다.

1-2 ④ 8 %의 소금물 x g에 녹아 있는 소금의 양은 6 g 이하이다. ➡ $\frac{8}{100}x \leq 6$

유형 2

각 부등식에 $x=2$를 대입하면

① $2+3<4+1$ (거짓)

② $4\leq 9$ (참)

③ $5-4>1$ (거짓)

④ $\frac{2}{4}\geq 0$ (참)

⑤ $2\leq -3$ (거짓)

따라서 참이 되는 부등식은 ②, ④이다.

2-1 [ ] 안의 수를 주어진 부등식에 대입했을 때, 참이 되는 것을 찾아보자.

① $x=0$을 대입하면 $0-2\geq 5$ (거짓)

② $x=1$을 대입하면 $1+5<8$ (참)

③ $x=2$를 대입하면 $2\leq 8-2$ (참)

④ $x=1$을 대입하면 $-2\geq 1+2$ (거짓)

⑤ $x=2$를 대입하면 $\frac{2+1}{2}>3$ (거짓)

2-2 ③ $-3>-3$ (거짓)

2-3 $x=1$일 때 $1<7$ (참), $x=2$일 때 $5<8$ (참)
$x=3$일 때 $9<9$ (거짓)
따라서 x의 값이 자연수일 때, 부등식 $4x-3<x+6$의 해는 1, 2로 2개이다.

유형 3

$a>b$일 때

① $-a<-b$

② $a-c>b-c$

③ $-a+c<-b+c$

④ $c<0$이면 $ac<bc$

따라서 옳은 것은 ⑤이다.

3-1 $a<b$의 양변에 어떤 수를 더하거나 빼어도 부등호의 방향은 바뀌지 않으므로

① $a-c<b-c$

② $a-d<b-d$

음수인 d를 양변에 곱하거나 나누면 부등호의 방향이 바뀌므로

③ $\frac{ac}{d}>\frac{bc}{d}$

④ $\frac{ad}{c}>\frac{bd}{c}$

⑤ $\frac{a-c}{d}>\frac{b-c}{d}$

따라서 항상 성립하는 것은 ②이다.

3-2 ①, ②, ③, ⑤ <

④ >

유형 4

$-1\le x<3$의 각 변에 -4를 곱하면 $-12<-4x\le 4$

또 각 변에 6을 더하면 $-6<6-4x\le 10$

4-1 $-3\le x\le 4$의 각 변에 2를 곱하면 $-6\le 2x\le 8$

따라서 $a=-6$, $b=8$이므로

$b-a=8-(-6)=14$

4-2 (1) $-2<a\le 4$의 각 변에 3을 더하면

$1<a+3\le 7$

(2) $-2<a\le 4$의 각 변에 -2를 곱하면

$-8\le -2a<4$

(3) $-2<a\le 4$의 각 변을 2로 나누면 $-1<\frac{a}{2}\le 2$

(4) $-2<a\le 4$의 각 변을 -4로 나누면

$-1\le -\frac{a}{4}<\frac{1}{2}$

또 각 변에서 $\frac{1}{2}$을 빼면 $-\frac{3}{2}\le -\frac{a}{4}-\frac{1}{2}<0$

4-3 $-3<x<6$에서 $-4<-\frac{2}{3}x<2$

$-3<1-\frac{2}{3}x<3$ $\quad\therefore -3<A<3$

따라서 $a=-3$, $b=3$이므로

$b-a=3-(-3)=6$

유형 5

양변에 10을 곱하면

$5x-5<3x+3$

$5x-3x<3+5$, $2x<8$ $\quad\therefore x<4$

따라서 자연수 x는 1, 2, 3으로 3개이다.

5-1 ① $-2x<-8$ $\quad\therefore x>4$

② $4x<8$ $\quad\therefore x<2$

③ $2x>12$ $\quad\therefore x>6$

④ $4x<12$ $\quad\therefore x<3$

⑤ $-3x>12$ $\quad\therefore x<-4$

5-2 주어진 그림은 $x>2$

① $3x<-9$ $\quad\therefore x<-3$

② $-2x<-4$ $\quad\therefore x>2$

③ $-4x\le -2$ $\quad\therefore x\ge\frac{1}{2}$

④ $6x+7\le 2x-5$, $4x\le -12$ $\quad\therefore x\le -3$

⑤ $2-x\ge -4x+8$, $3x\ge 6$ $\quad\therefore x\ge 2$

5-3 $0.2(x+1)-\frac{x-3}{4}>-\frac{1}{2}$의 양변에 20을 곱하면

$4(x+1)-5(x-3)>-10$

$4x+4-5x+15>-10$

$-x>-29$ $\quad\therefore x<29$

유형 6

$(a-5)x+8\ge 23$에서 $(a-5)x\ge 15$

주어진 그림에서 이 부등식의 해가 $x\le -5$이므로 $a-5<0$

따라서 $x\le\frac{15}{a-5}$이므로 $\frac{15}{a-5}=-5$

$15=-5a+25$, $5a=10$ $\quad\therefore a=2$

6-1 $6(x-1)+4\ge 8x+k$에서 $6x-6+4\ge 8x+k$

$-2x\ge k+2$ $\quad\therefore x\le -\frac{k+2}{2}$

$-\frac{k+2}{2}=2$, $k+2=-4$ $\quad\therefore k=-6$

6-2 $4x-a\le 2x$를 풀면

$2x\le a$ $\quad\therefore x\le\frac{a}{2}$

이를 만족하는 자연수 x의 개수가 3이므로

$3\le\frac{a}{2}<4$ $\quad\therefore 6\le a<8$

6-3 $2x-(ax+4)>5$의 괄호를 풀면

$2x-ax-4>5$

$(2-a)x>9$

이 부등식의 해가 $x<-3$이므로 $2-a<0$

따라서 $x<\frac{9}{2-a}$이므로

$\frac{9}{2-a}=-3$

$-3(2-a)=9$, $-6+3a=9$, $3a=15$

$\therefore a=5$

유형 7

주어진 문장을 부등식으로 세우면

$3x-10\le 4(1-x)$

괄호를 풀면

$3x-10\le 4-4x$

$7x\le 14$ $\quad\therefore x\le 2$

따라서 자연수 x는 1, 2로 2개이다.

7-1 사과의 개수를 x라고 하면

귤의 개수는 $(15-x)$가 된다.

$2000x+1000(15-x)\le 25000$

$2x+15-x\le 25$

$\therefore x\le 10$

따라서 살 수 있는 사과의 최대 개수는 10이다.

7-2 x권을 사면 B 문구점에서 사는 것이 유리하다고 하자.

B 문구점에서 x권을 구입한 비용이 A 문구점에서 구입한 비용보다 적어야 하므로

$1000x>900x+2500$

$100x>2500$

$\therefore x>25$

따라서 26권 이상을 사면 B 문구점에서 사는 것이 유리하다.

7-3 다음 시험의 성적을 x점이라고 하면

$\frac{82+91+95+x}{4}\ge 90$

$82+91+95+x\ge 360$

$\therefore x\ge 92$

따라서 다음 시험에서 92점 이상 받아야 한다.

7-4 사용한 한 모서리의 길이가 5 cm인 블록의 개수를 x라고 하면 사용한 한 모서리의 길이가 3 cm인 블록의 개수는 $(10-x)$이므로

$5x+3(10-x)\ge 45$

$5x+30-3x\ge 45$

$2x\ge 15$

$\therefore x\ge \frac{15}{2}=7.5$

따라서 한 모서리의 길이가 5 cm인 블록은 최소한 8개 사용해야 한다.

7-5 증발시킨 물의 양을 x g이라고 하면 소금의 양은

$\frac{3}{100}\times 400=12(\text{g})$이므로

$\frac{12}{400-x}\times 100\ge 5$

양변에 $400-x$를 곱하면

$1200\ge 5(400-x)$

$1200\ge 2000-5x$

$5x\ge 800$

$\therefore x\ge 160$

따라서 160 g 이상의 물을 증발시키면 된다.

7-6 자전거가 고장이 난 곳이 A 지점에서 x km 떨어진 곳이라고 하면

$\frac{x}{12}+\frac{14-x}{5}\le\frac{7}{3}$

양변에 60을 곱하면

$5x+12(14-x)\le 140$

$5x+168-12x\le 140$

$-7x\le -28$

$\therefore x\ge 4$

따라서 자전거가 고장이 난 곳은 A 지점에서 4 km 이상 떨어진 곳이다.

7-7 어른이 x명, 어린이가 $(20-x)$명 입장한다고 하면

$2000x+800(20-x)\le 20000$

$20x+8(20-x)\le 200$

$20x+160-8x\le 200$

$12x\le 40$

$\therefore x\le\frac{10}{3}$

따라서 어른은 최대 3명까지 입장할 수 있다.

중단원 EXERCISES

126~128쪽

01 ⑤	**02** ③	**03** $a<-b<b<-a$	
04 ②	**05** ①	**06** ①	**07** $x>1$
08 ⑤	**09** -7	**10** $x\ge\frac{6}{a}$	**11** ③
12 3	**13** 21	**14** ④	**15** 3 km
16 ⑤	**17** 4	**18** ③	**19** $x>-2$
20 14장	**21** 60분		

02 ③ $-3a+1<-3b+1$의 양변에서 1을 빼면
$-3a<-3b$
양변을 9로 나누면 $-\frac{a}{3}<-\frac{b}{3}$
양변에 1을 더하면 $1-\frac{a}{3}<1-\frac{b}{3}$

03 $a+b<0$에서 음수인 a의 절댓값이 양수인 b의 절댓값보다 큼을 알 수 있다.
따라서 a, b, $-a$, $-b$의 대소 관계를 부등호를 사용하여 나타내면 $a<-b<b<-a$

04 $-1<a<3$의 각 변에 -2를 곱하면 $-6<-2a<2$
또 각 변에 5를 더하면 $-1<5-2a<7$
따라서 $m=-1$, $n=7$이므로 $m-n=-8$

05 ㄱ. $x^2+5x<x^2-1$ ➡ $5x+1<0$
일차부등식이다.
ㄴ. $x^2+2<3x$ ➡ $x^2-3x+2<0$
좌변이 이차식이므로 일차부등식이 아니다.
ㄷ. $2x-9<5+2x$ ➡ $-14<0$
일차부등식이 아니다.
ㄹ. $4(x-5)\ge-x$ ➡ $5x-20\ge0$
일차부등식이다.
ㅁ. $x^2-x+1<2x^2$ ➡ $-x^2-x+1<0$
좌변이 이차식이므로 일차부등식이 아니다.
따라서 일차부등식인 것은 ㄱ, ㄹ이다.

06 $5x-2>4+3x$를 풀면
$5x-3x>4+2$, $2x>6$ $\therefore x>3$
이를 수직선 위에 나타내면 다음과 같다.

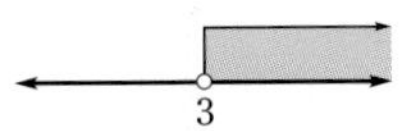

07 $x-2<3(x-2)+2$에서 $x-2<3x-6+2$
$x-3x<-4+2$, $-2x<-2$
$\therefore x>1$

08 주어진 부등식의 양변에 4를 곱하면
$x-3<2(x-1)$, $x-3<2x-2$
$-x<1$ $\therefore x>-1$
따라서 x의 값 중 가장 작은 정수는 0이다.

09 $-0.1x-\frac{7}{2}>\frac{4}{5}x+1.9$의 양변에 10을 곱하면
$-x-35>8x+19$, $-x-8x>19+35$
$-9x>54$ $\therefore x<-6$
따라서 주어진 부등식을 만족하는 x의 값 중 가장 큰 정수는 -7이다.

10 $ax-1\le5$에서 $ax\le6$ $\therefore x\ge\frac{6}{a}$ $(\because a<0)$

11 $2x-a\le3$에서 $2x\le a+3$ $\therefore x\le\frac{a+3}{2}$
자연수 x가 4개이므로 $4\le\frac{a+3}{2}<5$
각 변에 2를 곱하면 $8\le a+3<10$
또 각 변에서 3을 빼면 $5\le a<7$

12 $x-10<4(x+5)$를 풀면
$x-10<4x+20$, $x-4x<20+10$, $-3x<30$
$\therefore x>-10$
$-0.2x<a+0.1x$를 풀면
$-2x<10a+x$, $-3x<10a$ $\therefore x>-\frac{10}{3}a$
두 부등식의 해가 서로 같으므로
$-10=-\frac{10}{3}a$ $\therefore a=3$

13 $2x+6\le18$이므로 $2x\le12$ $\therefore x\le6$
따라서 자연수 x는 1, 2, 3, 4, 5, 6이므로 합은 21이다.

14 세 변 중 길이가 가장 긴 변의 길이는 $2x+7$이므로
$2x+7<(x+1)+(2x+2)$
$2x+7<3x+3$
$-x<-4$ $\therefore x>4$

15 A지점으로부터 x km 떨어진 곳까지 시속 3 km로 간다고 하면 시속 4 km로 가는 거리는 $(11-x)$km이다.

x km (11−x) km
A 시속 3 km 시속 4 km B

따라서 부등식을 세우면

$\frac{x}{3}+\frac{11-x}{4}\le 3$

분모의 최소공배수 12를 양변에 곱하여 풀면

$4x+3(11-x)\le 36$

$4x+33-3x\le 36$ $\quad\therefore x\le 3$

따라서 A지점으로부터 최대 3 km 떨어진 곳까지는 시속 3 km로 갈 수 있다.

16 $6x+3y=2$를 y에 대하여 풀면 $y=-2x+\frac{2}{3}$

$-3\le x<\frac{1}{2}$의 각 변에 -2를 곱하면 $-1<-2x\le 6$

각 변에 $\frac{2}{3}$를 더하면 $-\frac{1}{3}<-2x+\frac{2}{3}\le\frac{20}{3}$

따라서 y의 값의 범위는 $-\frac{1}{3}<y\le\frac{20}{3}$이므로

$a=-\frac{1}{3}$, $b=\frac{20}{3}$

$\therefore a+b=-\frac{1}{3}+\frac{20}{3}=\frac{19}{3}$

17 x의 값은 $-2, -1, 0, 1, 2$

부등식 $x-1<4x+3$을 풀면

$-3x<4$ $\quad\therefore x>-\frac{4}{3}$

따라서 부등식의 해는 $-1, 0, 1, 2$로 4개이다.

18 $ax-3\le b(x-4)$에서

$ax-3\le bx-4b$

$(a-b)x\le 3-4b$

① $a=b$, $b>\frac{3}{4}$이면 $0\cdot x\le$(음수) $\quad\therefore$ 해가 없다.

② $a>b$이면 $a-b>0$이므로 $x\le\frac{3-4b}{a-b}$

③ $a<b$이면 $a-b<0$이므로 $x\ge\frac{3-4b}{a-b}$

④ $a=b$, $b<\frac{3}{4}$이면 $0\cdot x\le$(양수) $\quad\therefore$ 해는 무수히 많다.

⑤ $a=3$, $b=\frac{1}{2}$이면 $\left(3-\frac{1}{2}\right)x\le 3-2$

$\frac{5}{2}x\le 1$ $\quad\therefore x\le\frac{2}{5}$

따라서 부등식을 만족하는 자연수 x는 없다.

19 $(2a-b)x-a+3b<0$에서 $(2a-b)x<a-3b$

이 부등식의 해가 $x>\frac{4}{3}$이므로 $2a-b<0$

따라서 $x>\frac{a-3b}{2a-b}$이므로 $\frac{a-3b}{2a-b}=\frac{4}{3}$

$3a-9b=8a-4b$

$-5a=5b$ $\quad\therefore a=-b$

$2a-b<0$에 a 대신 $-b$를 대입하면

$-2b-b<0$, $-3b<0$ $\quad\therefore b>0$

$(a-2b)x+5a-b<0$에 a 대신 $-b$를 대입하면

$-3bx-6b<0$, $3bx>-6b$

$\therefore x>-2$ ($\because b>0$)

20 현상할 사진의 수를 x장이라 하면

$4000+(x-6)\times 200\le 400\times x$

$4000+200x-1200\le 400x$

$-200x\le -2800$ $\quad\therefore x\ge 14$

따라서 14장 이상 현상하면 된다.

21 10분에 50 L씩 물을 빼므로 1분에는 5 L씩 뺀다.

$600-5x\ge 3(400-5x)$

$600-5x\ge 1200-15x$

$10x\ge 600$ $\quad\therefore x\ge 60$

따라서 60분 후에 A의 물의 양이 B의 물의 양의 3배 이상이 된다.

2. 연립방정식

개념 CHECK
01. 연립방정식 133쪽

개념 확인 (1) 2, 일차 (2) m, n

01 ㄱ, ㄴ
02 $(5, 4)$, $(10, 2)$
03 ㄷ, ㄹ
04 $(4, 2)$
05 $a=12$, $b=3$

01 ㄷ. x의 차수가 2이므로 일차방정식이 아니다.

ㄹ. 우변의 모든 항을 좌변으로 이항하면

$2x+y-2x-6=0 \Rightarrow y-6=0$

이므로 미지수가 1개뿐이다.

따라서 미지수가 2개인 일차방정식은 ㄱ, ㄴ이다.

02 $y=1, 2, 3, \cdots$을 대입하여 x의 값을 구하면 다음 표와 같다.

x	$\frac{25}{2}$	10	$\frac{15}{2}$	5	$\frac{5}{2}$	0	$\cdots$
y	1	2	3	4	5	6	$\cdots$

이때 x의 값도 자연수이어야 하므로 주어진 방정식의 해는 $(10, 2)$, $(5, 4)$이다.

03 보기의 연립방정식에 $x=1$, $y=4$를 각각 대입해 보자.

ㄱ. $5\times1+3\times4\neq2$

ㄴ. $2\times1+4=6$

$3\times1-2\times4\neq0$

ㄷ. $3\times1-2\times4=-5$

$5\times1+4=9$

ㄹ. $2\times1-4=-2$

$4\times1-3\times4=-8$

따라서 $(1, 4)$를 해로 갖는 연립방정식은 ㄷ, ㄹ이다.

04 x, y가 자연수일 때, $x+y=6$의 해는

x	1	2	3	4	5
y	5	4	3	2	1

x, y가 자연수일 때, $x-y=2$의 해는

x	3	4	5	6	$\cdots$
y	1	2	3	4	$\cdots$

따라서 주어진 연립방정식의 해는 $(4, 2)$이다.

05 $x=6$, $y=-3$을 두 일차방정식에 각각 대입하면

$6-2\times(-3)=a \qquad \therefore a=12$

$b\times6+3\times(-3)=9$, $6b=18 \qquad \therefore b=3$

개념 CHECK

02. 연립방정식의 풀이 142쪽

개념 확인 (1) 대입법, 가감법 (2) $A=B$, $A=C$

01 (1) $x=5$, $y=2$ (2) $x=3$, $y=5$

02 (1) $x=3$, $y=3$ (2) $x=4$, $y=1$

03 (1) $x=2$, $y=-1$ (2) $x=5$, $y=4$

(3) $x=2$, $y=1$ (4) $x=1$, $y=4$

04 (1) 해가 무수히 많다. (2) 해가 없다.

01 (1) $y=x-3$을 $2y=-2x+14$에 대입하면

$2(x-3)=-2x+14$, $2x-6=-2x+14$

$4x=20 \qquad \therefore x=5$

$x=5$를 $y=x-3$에 대입하면

$y=5-3=2$

(2) $x=y-2$를 $4x-y=7$에 대입하면

$4(y-2)-y=7$, $4y-8-y=7$, $3y=15$

$\therefore y=5$

$y=5$를 $x=y-2$에 대입하면

$x=5-2=3$

02 (1) $\begin{cases}2x-y=3 & \cdots\cdots ㉠\\ x+y=6 & \cdots\cdots ㉡\end{cases}$에서 ㉠+㉡을 하면

$$\begin{array}{rr} & 2x-y=3\\ +) & x+y=6\\ \hline & 3x \quad =9\end{array} \qquad \therefore x=3$$

$x=3$을 ㉡에 대입하면 $3+y=6 \qquad \therefore y=3$

(2) $\begin{cases}x+3y=7 & \cdots\cdots ㉠\\ 3x-y=11 & \cdots\cdots ㉡\end{cases}$에서 ㉠$\times3-$㉡을 하면

$$\begin{array}{rr} & 3x+9y=21\\ -) & 3x-\ y=11\\ \hline & 10y=10\end{array} \qquad \therefore y=1$$

$y=1$을 ㉠에 대입하면

$x+3=7 \qquad \therefore x=4$

03 (1) 주어진 연립방정식의 괄호를 풀고 정리하면

$\begin{cases}x-4y=6 & \cdots\cdots ㉠\\ 3x-y=7 & \cdots\cdots ㉡\end{cases}$

㉠$\times3-$㉡을 하면

$$\begin{array}{rr} & 3x-12y=18\\ -) & 3x-\quad y=7\\ \hline & -11y=11\end{array} \qquad \therefore y=-1$$

$y=-1$을 ㉠에 대입하면

$x+4=6 \qquad \therefore x=2$

(2) $\begin{cases}\frac{x}{3}-\frac{y}{2}=-\frac{1}{3} & \cdots\cdots ㉠\\ 0.4x+0.1y=2.4 & \cdots\cdots ㉡\end{cases}$에서

㉠$\times6$을 하면 $2x-3y=-2$

㉡$\times10$을 하면 $4x+y=24$

즉, $\begin{cases}2x-3y=-2 & \cdots\cdots ㉢\\ 4x+y=24 & \cdots\cdots ㉣\end{cases}$

㉢$\times2-$㉣을 하면

$$\begin{array}{rr} & 4x-6y=-4\\ -) & 4x+\ y=24\\ \hline & -7y=-28\end{array} \qquad \therefore y=4$$

$y=4$를 ㉢에 대입하면

$2x-12=-2,\ 2x=10 \qquad \therefore x=5$

(3) $x+y=2x-y=3$을

연립방정식 $\begin{cases} x+y=3 & \cdots\cdots ㉠ \\ 2x-y=3 & \cdots\cdots ㉡ \end{cases}$ 으로 고친 후

㉠+㉡을 하면

$$\begin{array}{rl} & x+y=3 \\ +) & 2x-y=3 \\ \hline & 3x \quad\ =6 \end{array} \qquad \therefore x=2$$

$x=2$를 ㉠에 대입하면

$2+y=3 \qquad \therefore y=1$

(4) $\dfrac{2x+y}{6}=\dfrac{x+2y}{9}=1$을

연립방정식 $\begin{cases} \dfrac{2x+y}{6}=1 & \cdots\cdots ㉠ \\ \dfrac{x+2y}{9}=1 & \cdots\cdots ㉡ \end{cases}$ 로 고친 후

㉠×6, ㉡×9를 하면

$\begin{cases} 2x+y=6 & \cdots\cdots ㉢ \\ x+2y=9 & \cdots\cdots ㉣ \end{cases}$

㉢×2−㉣을 하면

$$\begin{array}{rl} & 4x+2y=12 \\ -) & x+2y=9 \\ \hline & 3x \quad\ =3 \end{array} \qquad \therefore x=1$$

$x=1$을 ㉢에 대입하면

$2+y=6 \qquad \therefore y=4$

04 (1) $\begin{cases} 3x-2y=-2 & \cdots\cdots ㉠ \\ 9x-6y=-6 & \cdots\cdots ㉡ \end{cases}$ 에서

㉠×3을 하면 $9x-6y=-6$

이는 ㉡과 일치하므로 해가 무수히 많다.

(2) $\begin{cases} x-y=4 & \cdots\cdots ㉠ \\ 3x-3y=5 & \cdots\cdots ㉡ \end{cases}$ 에서

㉠×3을 하면 $3x-3y=12$

이는 ㉡과 x, y의 계수가 각각 같고, 상수항만 다르므로 해가 없다.

개념 CHECK　03. 연립방정식의 활용  147쪽

개념 확인 (1) 연립방정식, 연립방정식

01 닭 : 13마리, 돼지 : 7마리

02 300원　　**03** 11 cm

04 7문제　　**05** 240 m

01 농장에 닭이 x마리, 돼지가 y마리가 있다고 하면 모두 20마리가 있으므로 $x+y=20$

다리는 모두 54개이므로 $2x+4y=54$

연립방정식을 세우면 $\begin{cases} x+y=20 & \cdots\cdots ㉠ \\ 2x+4y=54 & \cdots\cdots ㉡ \end{cases}$

㉠×2−㉡을 하면

$$\begin{array}{rl} & 2x+2y=40 \\ -) & 2x+4y=54 \\ \hline & \quad -2y=-14 \end{array} \qquad \therefore y=7$$

$y=7$을 ㉠에 대입하면 $x+7=20$

$\therefore x=13$

따라서 닭은 13마리, 돼지는 7마리가 있다.

02 연필 1자루의 값을 x원, 사인펜 1자루의 값을 y원이라고 하면 연필 3자루와 사인펜 2자루의 값이 1900원이므로

$3x+2y=1900$

또 연필 5자루와 사인펜 3자루의 값이 3000원이므로

$5x+3y=3000$

연립방정식을 세우면

$\begin{cases} 3x+2y=1900 & \cdots\cdots ㉠ \\ 5x+3y=3000 & \cdots\cdots ㉡ \end{cases}$

㉠×3−㉡×2를 하면

$$\begin{array}{rl} & 9x+6y=5700 \\ -) & 10x+6y=6000 \\ \hline & -x \qquad =-300 \end{array} \qquad \therefore x=300$$

$x=300$을 ㉠에 대입하면

$900+2y=1900,\ 2y=1000 \qquad \therefore y=500$

따라서 연필 1자루의 값은 300원이다.

03 직사각형의 가로의 길이를 x cm, 세로의 길이를 y cm라고 하면 가로의 길이가 세로의 길이보다 5 cm 짧으므로

$x=y-5$

또 둘레의 길이가 34 cm이므로

$2x+2y=34 \Rightarrow x+y=17$

연립방정식을 세우면

$\begin{cases} x=y-5 & \cdots\cdots ㉠ \\ x+y=17 & \cdots\cdots ㉡ \end{cases}$

㉠을 ㉡에 대입하면

$(y-5)+y=17,\ 2y=22 \qquad \therefore y=11$

$y=11$을 ㉠에 대입하면

$x=11-5=6$

따라서 직사각형의 세로의 길이는 11 cm이다.

04 맞힌 문제의 수를 x문제, 틀린 문제의 수를 y문제라고 하면 총 10문제를 풀었으므로

$x+y=10$

또 75점을 얻었으므로

$15x-10y=75$, $3x-2y=15$

연립방정식을 세우면

$\begin{cases} x+y=10 & \cdots\cdots ㉠ \\ 3x-2y=15 & \cdots\cdots ㉡ \end{cases}$

㉠$\times 2+$㉡을 하면

$$\begin{array}{rl} & 2x+2y=20 \\ +) & 3x-2y=15 \\ \hline & 5x \quad\;\; =35 \end{array} \qquad \therefore x=7$$

$x=7$을 ㉠에 대입하면

$7+y=10 \qquad \therefore y=3$

따라서 맞힌 문제의 수는 7문제이다.

05 이룸이가 걸어간 거리를 x m, 숨마가 걸어간 거리를 y m라고 하면 둘이 만날 때까지 걸어간 거리의 합은 1200 m이므로

$x+y=1200$

걸어간 시간이 서로 같으므로

$\frac{x}{20}=\frac{y}{30}$, $30x-20y=0$

연립방정식을 세우면

$\begin{cases} x+y=1200 & \cdots\cdots ㉠ \\ 30x-20y=0 & \cdots\cdots ㉡ \end{cases}$

㉠$\times 2+$㉡$\div 10$을 하면

$$\begin{array}{rl} & 2x+2y=2400 \\ +) & 3x-2y=0 \\ \hline & 5x \quad\;\; =2400 \end{array} \qquad \therefore x=480$$

$x=480$을 ㉠에 대입하면

$480+y=1200 \qquad \therefore y=720$

따라서 숨마는 이룸이보다 $720-480=240$(m) 더 걸었다.

유형 EXERCISES

148~151쪽

유형 ❶ (1, 7), (2, 5), (3, 3), (4, 1)

1-1 ②, ④

1-2 ②, ⑤

1-3 $a=-1$, $b=5$

유형 ❷ $a=1$, $b=3$

2-1 (1) 방정식 $x+2y=8$의 해 :

(6, 1), (4, 2), (2, 3)

방정식 $2x+y=10$의 해 :

(1, 8), (2, 6), (3, 4), (4, 2)

(2) (4, 2)

2-2 (1) ㄱ (2) ㄹ **2-3** ⑤

유형 ❸ (1) $x=-2$, $y=-7$ (2) $x=3$, $y=1$

3-1 $x-6$, 11, 11, 5, 11, 5

3-2 ①

3-3 ⑤ **3-4** 7 **3-5** 3

3-6 $a=2$, $b=3$

유형 ❹ $x=3$, $y=2$

4-1 $x=-11$, $y=-9$

4-2 ④

4-3 (1) $x=2$, $y=4$ (2) $x=\frac{8}{5}$, $y=-\frac{1}{5}$

유형 ❺ $a=4$, $b=-5$

5-1 ④ **5-2** $-\frac{1}{3}$

5-3 ⑤

유형 ❻ 8 **6-1** 43세 **6-2** ② **6-3** 4 km

6-4 3 %의 소금물 : 90 g

6 %의 소금물 : 180 g

6-5 4일

6-6 남학생 수 : 306명

여학생 수 : 644명

유형 ❶

$2x+y=9$에 $x=1, 2, 3, \cdots$을 대입하여 y의 값을 구하면

x	1	2	3	4	5	$\cdots$
y	7	5	3	1	-1	$\cdots$

이때 x, y는 모두 자연수이므로 구하는 해는

(1, 7), (2, 5), (3, 3), (4, 1)

1-1 ① 좌변이 x에 대한 이차식이므로 일차방정식이 아니다.

③ 주어진 등식의 우변의 항을 좌변으로 이항하여 정리하면 $x+3y=x \Rightarrow 3y=0$

이므로 미지수가 1개인 일차방정식이다.

⑤ 등식이 아니므로 방정식이 아니다.

따라서 미지수가 2개인 일차방정식은 ②, ④이다.

1-2 각각의 순서쌍을 $2x+3y=13$에 대입해 보면

① $(1, 4)$: $2\times1+3\times4=14\neq13$

② $(2, 3)$: $2\times2+3\times3=13$

③ $(3, 3)$: $2\times3+3\times3=15\neq13$

④ $(4, 2)$: $2\times4+3\times2=14\neq13$

⑤ $(5, 1)$: $2\times5+3\times1=13$

따라서 주어진 일차방정식의 해는 ②, ⑤이다.

1-3 $x=2$, $y=a$를 주어진 일차방정식에 대입하면

$4-3a=7$, $-3a=3$ $\quad\therefore a=-1$

$x=b$, $y=1$을 주어진 일차방정식에 대입하면

$2b-3=7$, $2b=10$ $\quad\therefore b=5$

유형 ❷

$x=1$, $y=-1$을

$ax-2y=3$에 대입하면 $a+2=3$ $\quad\therefore a=1$

$2x+by=-1$에 대입하면 $2-b=-1$ $\quad\therefore b=3$

2-1 (1) $x+2y=8$을 $x=8-2y$로 고친 후

$y=1, 2, 3, \cdots$을 대입하여 x의 값을 구하면

x	6	4	2	0	$\cdots$
y	1	2	3	4	$\cdots$

x, y는 모두 자연수이므로 $x+2y=8$의 해는

$(6, 1)$, $(4, 2)$, $(2, 3)$

또, $2x+y=10$을 $y=10-2x$로 고친 후

$x=1, 2, 3, \cdots$을 대입하여 y의 값을 구하면

x	1	2	3	4	5	$\cdots$
y	8	6	4	2	0	$\cdots$

x, y는 모두 자연수이므로 $2x+y=10$의 해는

$(1, 8)$, $(2, 6)$, $(3, 4)$, $(4, 2)$

(2) 주어진 연립방정식의 해는 두 일차방정식의 공통인 해이므로 $(4, 2)$

2-2 (1) 보기의 순서쌍을 연립방정식 $\begin{cases} x-y=2 \\ 3x-5y=8 \end{cases}$에

각각 대입해 보면

ㄱ. $(1, -1)$: $\begin{cases} 1+1=2 \\ 3+5=8 \end{cases}$

ㄴ. $(1, 1)$: $\begin{cases} 1-1=0\neq2 \\ 3-5=-2\neq8 \end{cases}$

ㄷ. $(2, 2)$: $\begin{cases} 2-2=0\neq2 \\ 6-10=-4\neq8 \end{cases}$

ㄹ. $(3, 1)$: $\begin{cases} 3-1=2 \\ 9-5=4\neq8 \end{cases}$

따라서 보기 중 주어진 연립방정식의 해는 ㄱ이다.

(2) 보기의 순서쌍을 연립방정식 $\begin{cases} 3x+2y=11 \\ 4x-3y=9 \end{cases}$에

각각 대입해 보면

ㄱ. $(1, -1)$: $\begin{cases} 3-2=1\neq11 \\ 4+3=7\neq9 \end{cases}$

ㄴ. $(1, 1)$: $\begin{cases} 3+2=5\neq11 \\ 4-3=1\neq9 \end{cases}$

ㄷ. $(2, 2)$: $\begin{cases} 6+4=10\neq11 \\ 8-6=2\neq9 \end{cases}$

ㄹ. $(3, 1)$: $\begin{cases} 9+2=11 \\ 12-3=9 \end{cases}$

따라서 보기 중 주어진 연립방정식의 해는 ㄹ이다.

2-3 $x=3$, $y=-6$을 각각의 연립방정식에 대입해 보면

① $\begin{cases} 3-6=-3\neq1 \\ 6-30=-24\neq6 \end{cases}$

② $\begin{cases} 6-6=0\neq2 \\ -6\neq6 \end{cases}$

③ $\begin{cases} 9+12=21\neq-15 \\ 12-6=6 \end{cases}$

④ $\begin{cases} 9-6=3\neq-3 \\ 3+12=15\neq5 \end{cases}$

⑤ $\begin{cases} 6+6=12 \\ 9-24=-15 \end{cases}$

따라서 $(3, -6)$을 해로 갖는 연립방정식은 ⑤이다.

유형 ❸

(1) $\begin{cases} y=3x-1 & \cdots\cdots ㉠ \\ 2x-y=3 & \cdots\cdots ㉡ \end{cases}$

㉠을 ㉡에 대입하면

$2x-(3x-1)=3$, $2x-3x+1=3$

$\therefore x=-2$

$x=-2$를 ㉠에 대입하면

$y=-6-1=-7$

(2) $\begin{cases} 2x-5y=1 & \cdots\cdots ㉠ \\ 5x-y=14 & \cdots\cdots ㉡ \end{cases}$

㉠－㉡×5를 하면

$$\begin{array}{rl} & 2x-5y=1 \\ -) & 25x-5y=70 \\ \hline & -23x \quad =-69 \end{array} \qquad \therefore x=3$$

$x=3$을 ㉡에 대입하면

$15-y=14 \qquad \therefore y=1$

3-1 ㉠을 ㉡에 대입하면

$2x-3(\boxed{x-6})=7,\ 2x-3x+18=7$

$\therefore x=\boxed{11}$

$x=\boxed{11}$을 ㉠에 대입하면 $y=\boxed{5}$

따라서 연립방정식의 해는 $x=\boxed{11},\ y=\boxed{5}$이다.

3-2 주어진 연립방정식에서

㉠을 ㉡에 대입하면

$(7y+8)-2y=3,\ 5y=-5$

따라서 $5y=A$에서 A의 값은 -5이다.

3-3 x를 소거하려면 두 방정식에서 x의 계수의 절댓값이 같아야 한다.

3, 2의 최소공배수가 6이므로 절댓값이 6이 되게 하려면 ㉠×2, ㉡×3을 하면 된다. 이때 x의 계수의 부호가 같으므로 두 식을 뺀다.

따라서 x를 소거하기 위해 필요한 식은

㉠×2－㉡×3이다.

3-4 $\begin{cases} 6x-2y=10 & \cdots\cdots ㉠ \\ 2x+y=5 & \cdots\cdots ㉡ \end{cases}$

㉠＋㉡×2를 하면

$$\begin{array}{rl} & 6x-2y=10 \\ +) & 4x+2y=10 \\ \hline & 10x \quad =20 \end{array} \qquad \therefore x=2$$

$x=2$를 ㉡에 대입하면

$4+y=5 \qquad \therefore y=1$

따라서 $a=2,\ b=1$이므로

$3a+b=3\times2+1=7$

3-5 $x : y=1 : 2$에서 $y=2x$

주어진 연립방정식의 해는 연립방정식

$\begin{cases} 4x-y=4 & \cdots\cdots ㉠ \\ y=2x & \cdots\cdots ㉡ \end{cases}$의 해와 같다.

㉡을 ㉠에 대입하면

$4x-2x=4 \qquad \therefore x=2$

$x=2$를 ㉡에 대입하면 $y=4$

따라서 $x=2,\ y=4$를 $x+2y=7+a$에 대입하면

$2+8=7+a \qquad \therefore a=3$

3-6 두 연립방정식의 해가 서로 같으므로 두 연립방정식의 해는 연립방정식

$\begin{cases} 2x-y=7 & \cdots\cdots ㉠ \\ -3x+y=-11 & \cdots\cdots ㉡ \end{cases}$의 해와 같다.

㉠＋㉡을 하면 $-x=-4 \qquad \therefore x=4$

$x=4$를 ㉡에 대입하면

$-12+y=-11 \qquad \therefore y=1$

$x=4,\ y=1$이 두 일차방정식 $ax-6y=2,\ 6x-5by=9$의 해이므로 각각 대입하면

$4a-6=2,\ 4a=8 \qquad \therefore a=2$

$24-5b=9,\ -5b=-15 \qquad \therefore b=3$

유형 4

$\begin{cases} 0.3x+0.4y=1.7 & \cdots\cdots ㉠ \\ \frac{2}{3}x+\frac{1}{2}y=3 & \cdots\cdots ㉡ \end{cases}$

각 방정식의 계수를 정수로 만들기 위해

㉠×10, ㉡×6을 하면

$\begin{cases} 3x+4y=17 & \cdots\cdots ㉢ \\ 4x+3y=18 & \cdots\cdots ㉣ \end{cases}$

㉢×4－㉣×3을 하면

$$\begin{array}{rl} & 12x+16y=68 \\ -) & 12x+\ 9y=54 \\ \hline & \qquad 7y=14 \end{array} \qquad \therefore y=2$$

$y=2$를 ㉢에 대입하면

$3x+8=17,\ 3x=9 \qquad \therefore x=3$

4-1 주어진 연립방정식을 괄호를 풀고 정리하면

$\begin{cases} 4x-3y=-17 & \cdots\cdots ㉠ \\ 3x-4y=3 & \cdots\cdots ㉡ \end{cases}$

㉠×3－㉡×4를 하면

$$\begin{array}{rl} & 12x-\ 9y=-51 \\ -) & 12x-16y=12 \\ \hline & \qquad 7y=-63 \end{array} \qquad \therefore y=-9$$

$y=-9$를 ㉡에 대입하면

$3x+36=3,\ 3x=-33 \qquad \therefore x=-11$

4-2 $\begin{cases} 0.2(x+y)-0.1y=1.8 & \cdots\cdots ㉠ \\ \frac{1}{2}x+\frac{2}{5}y=3 & \cdots\cdots ㉡ \end{cases}$

각 방정식의 계수를 정수로 만들기 위해

㉠$\times 10$, ㉡$\times 10$을 하고 괄호를 풀어 정리하면

$\begin{cases} 2x+y=18 & \cdots\cdots ㉢ \\ 5x+4y=30 & \cdots\cdots ㉣ \end{cases}$

㉢$\times 4-$㉣을 하면

$$\begin{array}{rl} & 8x+4y=72 \\ -) & 5x+4y=30 \\ \hline & 3x \quad\quad =42 \end{array} \qquad \therefore x=14$$

$x=14$를 ㉢에 대입하면

$28+y=18 \qquad \therefore y=-10$

따라서 $a=14$, $b=-10$이므로

$a-b=14-(-10)=24$

4-3 (1) 주어진 방정식을 연립방정식

$\begin{cases} 3x+2y=5x+y \\ 5x+y=2x+3y-2 \end{cases}$ 로 고친 후 정리하면

$\begin{cases} 2x-y=0 & \cdots\cdots ㉠ \\ 3x-2y=-2 & \cdots\cdots ㉡ \end{cases}$

㉠$\times 2-$㉡을 하면

$$\begin{array}{rl} & 4x-2y=0 \\ -) & 3x-2y=-2 \\ \hline & x \quad\quad =2 \end{array}$$

$x=2$를 ㉠에 대입하면

$4-y=0 \qquad \therefore y=4$

(2) 주어진 방정식을 연립방정식

$\begin{cases} \frac{2x+y}{3}=1 & \cdots\cdots ㉠ \\ \frac{x}{2}-y=1 & \cdots\cdots ㉡ \end{cases}$ 로 고친 후

각 방정식의 계수를 정수로 만들기 위해

㉠$\times 3$, ㉡$\times 2$를 하면

$\begin{cases} 2x+y=3 & \cdots\cdots ㉢ \\ x-2y=2 & \cdots\cdots ㉣ \end{cases}$

㉢$\times 2+$㉣을 하면

$$\begin{array}{rl} & 4x+2y=6 \\ +) & x-2y=2 \\ \hline & 5x \quad\quad =8 \end{array} \qquad \therefore x=\frac{8}{5}$$

$x=\frac{8}{5}$을 ㉢에 대입하면

$\frac{16}{5}+y=3 \qquad \therefore y=-\frac{1}{5}$

유형 5

$\begin{cases} ax+2y=-10 & \cdots\cdots ㉠ \\ 2x+y=b & \cdots\cdots ㉡ \end{cases}$

두 방정식에서 y의 계수가 같아지도록 ㉡$\times 2$를 하면

$4x+2y=2b$

이 방정식과 ㉠의 x의 계수와 상수항도 각각 같아야 하므로

$a=4$이고 $2b=-10$에서 $b=-5$

5-1 ④ $\begin{cases} 4x-2y=5 & \cdots\cdots ㉠ \\ 2x-y=1 & \cdots\cdots ㉡ \end{cases}$

㉡$\times 2$를 하면 $4x-2y=2$

이 방정식을 ㉠과 비교해 보면 x의 계수, y의 계수가 각각 같고 상수항만 다르므로 이 연립방정식의 해는 없다.

5-2 $\begin{cases} x+3y=8 & \cdots\cdots ㉠ \\ y=ax+1 & \cdots\cdots ㉡ \end{cases}$

연립방정식의 해가 없으므로 두 일차방정식은 x의 계수, y의 계수가 각각 같고 상수항은 달라야 한다.

㉡에서 x항을 좌변으로 이항하면

$-ax+y=1$이고, 양변에 3을 곱하면

$-3ax+3y=3$

㉠과 x의 계수가 같아야 하므로

$-3a=1 \qquad \therefore a=-\frac{1}{3}$

5-3 $\begin{cases} ax-3y=3 & \cdots\cdots ㉠ \\ 2x+by=2 & \cdots\cdots ㉡ \end{cases}$

연립방정식의 해가 무수히 많으므로 두 방정식이 완전히 일치해야 한다. 상수항이 같아지도록 ㉠$\times 2$, ㉡$\times 3$을 하면

$\begin{cases} 2ax-6y=6 \\ 6x+3by=6 \end{cases}$

x의 계수가 같아야 하므로

$2a=6 \qquad \therefore a=3$

y의 계수가 같아야 하므로

$3b=-6 \qquad \therefore b=-2$

$\therefore a+b=3-2=1$

유형 6

사과를 x개, 배를 y개 샀다고 하면 합하여 14개를 샀으므로

$x+y=14$

구입한 사과와 배의 값이 9400원이므로

$500x+800y=9400$, $5x+8y=94$

연립방정식을 세우면

$\begin{cases} x+y=14 & \cdots\cdots ㉠ \\ 5x+8y=94 & \cdots\cdots ㉡ \end{cases}$

㉠×5−㉡을 하면

$-3y=-24 \qquad \therefore y=8$

$y=8$을 ㉠에 대입하면

$x+8=14 \qquad \therefore x=6$

따라서 배의 개수는 8이다.

6-1 현재 어머니의 나이를 x세, 아들의 나이를 y세라고 하면 어머니와 아들의 나이의 합은 58세이므로

$x+y=58$

13년 후에 어머니의 나이가 아들의 나이의 2배가 되므로

$x+13=2(y+13)$, $x-2y=13$

연립방정식을 세우면 $\begin{cases} x+y=58 & \cdots\cdots ㉠ \\ x-2y=13 & \cdots\cdots ㉡ \end{cases}$

㉠−㉡을 하면

$$\begin{array}{r} x+\ \ y=58 \\ -\big)\ x-2y=13 \\ \hline 3y=45 \end{array} \qquad \therefore y=15$$

$y=15$를 ㉠에 대입하면

$x+15=58 \qquad \therefore x=43$

따라서 현재 어머니의 나이는 43세이다.

6-2 십의 자리의 숫자를 x, 일의 자리의 숫자를 y라고 하면 각 자리의 숫자의 합은 9이므로

$x+y=9$

이 수의 십의 자리의 숫자와 일의 자리의 숫자를 바꾼 수는 처음 수보다 9가 크므로

$10y+x=10x+y+9$, $-9x+9y=9$

$x-y=-1$

연립방정식을 세우면

$\begin{cases} x+y=9 & \cdots\cdots ㉠ \\ x-y=-1 & \cdots\cdots ㉡ \end{cases}$

㉠+㉡을 하면

$2x=8 \qquad \therefore x=4$

$x=4$를 ㉠에 대입하면

$4+y=9 \qquad \therefore y=5$

따라서 처음 수의 십의 자리의 숫자는 4이다.

6-3 올라간 거리를 x km, 내려온 거리를 y km라고 하면 내려온 거리는 올라간 거리보다 2 km 짧으므로

$x-y=2$

올라가는 데 걸린 시간은 $\frac{x}{3}$시간, 내려오는 데 걸린 시간은 $\frac{y}{4}$시간이고 모두 3시간이 걸렸으므로

$\frac{x}{3}+\frac{y}{4}=3$, $4x+3y=36$

연립방정식을 세우면

$\begin{cases} x-y=2 & \cdots\cdots ㉠ \\ 4x+3y=36 & \cdots\cdots ㉡ \end{cases}$

㉠×3+㉡을 하면

$7x=42 \qquad \therefore x=6$

$x=6$을 ㉠에 대입하면

$6-y=2 \qquad \therefore y=4$

따라서 내려온 거리는 4 km이다.

6-4 3 %의 소금물을 x g, 6 %의 소금물을 y g 섞었다고 하면 두 소금물을 섞어서 270 g이 되었으므로

$x+y=270$

소금물에 녹아 있는 소금의 양은 변하지 않으므로

$x\times\frac{3}{100}+y\times\frac{6}{100}=270\times\frac{5}{100}$

$3x+6y=1350$, $x+2y=450$

연립방정식을 세우면

$\begin{cases} x+y=270 & \cdots\cdots ㉠ \\ x+2y=450 & \cdots\cdots ㉡ \end{cases}$

㉠−㉡을 하면

$-y=-180 \qquad \therefore y=180$

$y=180$을 ㉠에 대입하면

$x+180=270 \qquad \therefore x=90$

따라서 3 %의 소금물은 90 g, 6 %의 소금물은 180 g 섞어야 한다.

6-5 전체 일의 양을 1로 보고, 예진이가 하루에 할 수 있는 일의 양을 x, 진서가 하루에 할 수 있는 일의 양을 y라고 하면 예진이가 일을 3일 한 후에 진서가 6일 하면 마칠 수 있으므로 $3x+6y=1$

또 예진이가 일을 5일 한 후에 진서가 2일 하면 마칠 수

있으므로 $5x+2y=1$

연립방정식을 세우면

$\begin{cases} 3x+6y=1 & \cdots\cdots ㉠ \\ 5x+2y=1 & \cdots\cdots ㉡ \end{cases}$

㉠$-$㉡$\times 3$을 하면

$-12x=-2 \qquad \therefore x=\frac{1}{6}$

$x=\frac{1}{6}$을 ㉠에 대입하면

$\frac{1}{2}+6y=1,\ 6y=\frac{1}{2} \qquad \therefore y=\frac{1}{12}$

예진이가 하루에 할 수 있는 일의 양은 $\frac{1}{6}$, 진서가 하루에 할 수 있는 일의 양은 $\frac{1}{12}$이므로 둘이 함께 일을 하면 하루에 $\left(\frac{1}{6}+\frac{1}{12}\right)$만큼의 일을 할 수 있다. 둘이 함께 a일 동안 일을 하여 마쳤다고 하면

$\left(\frac{1}{6}+\frac{1}{12}\right)a=1,\ \frac{1}{4}a=1 \qquad \therefore a=4$

따라서 둘이 함께 일을 하면 4일 만에 일을 마칠 수 있다.

6-6 작년 남학생 수를 x명, 작년 여학생 수를 y명이라고 하면 작년 학생 수는 1000명이었으므로

$x+y=1000$

전체 학생 수는 5 % 감소하여 $1000\times\frac{5}{100}=50$(명)이 줄었으므로

$x\times\frac{2}{100}-y\times\frac{8}{100}=-50$

$2x-8y=-5000,\ x-4y=-2500$

연립방정식을 세우면

$\begin{cases} x+y=1000 & \cdots\cdots ㉠ \\ x-4y=-2500 & \cdots\cdots ㉡ \end{cases}$

㉠$-$㉡을 하면

$5y=3500 \qquad \therefore y=700$

$y=700$을 ㉠에 대입하면

$x+700=1000 \qquad \therefore x=300$

따라서 올해의 남학생 수는

$300\times\left(1+\frac{2}{100}\right)=306$(명)

올해의 여학생 수는

$700\times\left(1-\frac{8}{100}\right)=644$(명)

중단원 EXERCISES

152~154쪽

01 ④ **02** (15, 1), (10, 2), (5, 3)
03 ⑤ **04** 6 **05** ⑤ **06** ④
07 (1) $x=2,\ y=1$ (2) $x=5,\ y=-3$ **08** 6
09 (1) $x=-\frac{8}{5},\ y=\frac{9}{5}$ (2) $x=1,\ y=2$ **10** -15
11 -1 **12** ③, ④ **13** $a=3,\ b=-1$
14 200 g **15** 16회 **16** ⑤ **17** -1
18 4 **19** ②
20 소금물 A : 1 %, 소금물 B : 13 %
21 시속 15 km **22** 600 m

01 ①, ② : 미지수가 1개인 일차방정식이다.
③ : x의 차수가 2이므로 일차방정식이 아니다.
④ : 미지수가 2개인 일차방정식이다.
⑤ : 좌변이 x에 대한 이차식이므로 일차방정식이 아니다.

02 $x+5y=20$에 $y=1,\ 2,\ 3,\ \cdots$을 대입하여 x의 값을 구하면

x	15	10	5	0	$\cdots$
y	1	2	3	4	$\cdots$

이때 $x,\ y$는 모두 자연수이므로 구하는 해는
(15, 1), (10, 2), (5, 3)

03 일차방정식의 해를 순서쌍 $(x,\ y)$로 나타내면 다음과 같다.
① (4, 1), (5, 3), (6, 5), $\cdots$
② (5, 1), (2, 2)
③ (2, 2)
④ (1, 12), (2, 8), (3, 4)
⑤ 자연수인 해가 없다.

04 $x=1,\ y=-1$을
$ax-y=3$에 대입하면 $a+1=3 \qquad \therefore a=2$
$5x+by=1$에 대입하면 $5-b=1 \qquad \therefore b=4$
$\therefore a+b=2+4=6$

05
$$\begin{array}{rl} & x-y=8 \\ +\big) & 3x+y=4 \\ \hline & 4x \quad\ =12 \end{array} \qquad \therefore x=3$$
$x=3$을 $x-y=8$에 대입하면 $3-y=8$
$\therefore y=-5$

06 y를 소거하기 위해 ㉠을 $y=3x-8$로 고쳐서 ㉡에 대입하면
$7x+2(3x-8)=3$, $7x+6x-16=3$, $13x-16=3$
$ax-b=3$과 비교하면 $a=13$, $b=16$이므로
$b-a=16-13=3$

07 (1) $\begin{cases} y=3-x & \cdots\cdots ㉠ \\ x+2y=4 & \cdots\cdots ㉡ \end{cases}$
㉠을 ㉡에 대입하여 풀면
$x+2(3-x)=4$, $x+6-2x=4$
$-x=-2 \quad \therefore x=2$
$x=2$를 ㉠에 대입하면 $y=1$
(2) $\begin{cases} 2x-y=13 & \cdots\cdots ㉠ \\ 4x+3y=11 & \cdots\cdots ㉡ \end{cases}$
㉠$\times 2-$㉡을 하면
$-5y=15 \quad \therefore y=-3$
$y=-3$을 ㉠에 대입하면
$2x+3=13$, $2x=10 \quad \therefore x=5$

08 $x=-1$, $y=-2$와 $x=4$, $y=6$을 일차방정식
$ax+by=4$에 각각 대입하면
$\begin{cases} -a-2b=4 & \cdots\cdots ㉠ \\ 4a+6b=4 & \cdots\cdots ㉡ \end{cases}$
㉠$\times 3+$㉡을 하면 $a=16$
$a=16$을 ㉠에 대입하면
$-16-2b=4$, $-2b=20$
$\therefore b=-10$
$\therefore a+b=16+(-10)=6$

09 (1) 주어진 연립방정식의 괄호를 풀고 정리하면
$\begin{cases} 3x+y=-3 & \cdots\cdots ㉠ \\ -2x+y=5 & \cdots\cdots ㉡ \end{cases}$
㉠$-$㉡을 하면 $5x=-8 \quad \therefore x=-\frac{8}{5}$
$x=-\frac{8}{5}$을 ㉡에 대입하면
$\frac{16}{5}+y=5 \quad \therefore y=\frac{9}{5}$
(2) $\begin{cases} 0.5x-0.2y=0.1 & \cdots\cdots ㉠ \\ \frac{x}{3}+\frac{y}{2}=\frac{4}{3} & \cdots\cdots ㉡ \end{cases}$
계수를 정수로 고치기 위해 ㉠$\times 10$, ㉡$\times 6$을 하면
$\begin{cases} 5x-2y=1 & \cdots\cdots ㉢ \\ 2x+3y=8 & \cdots\cdots ㉣ \end{cases}$
㉢$\times 3+$㉣$\times 2$를 하면
$19x=19 \quad \therefore x=1$
$x=1$을 ㉣에 대입하면
$2+3y=8$, $3y=6 \quad \therefore y=2$

10 주어진 방정식을 연립방정식
$\begin{cases} \frac{2x-y}{3}=\frac{x-3y}{4} & \cdots\cdots ㉠ \\ \frac{x-3y}{4}=\frac{x+3}{2} & \cdots\cdots ㉡ \end{cases}$ 으로 고친 후
계수를 정수로 고치기 위해 ㉠$\times 12$, ㉡$\times 4$를 하고 정리하면
$\begin{cases} x+y=0 & \cdots\cdots ㉢ \\ x+3y=-6 & \cdots\cdots ㉣ \end{cases}$
㉢$-$㉣을 하면
$-2y=6 \quad \therefore y=-3$
$y=-3$을 ㉢에 대입하면
$x-3=0 \quad \therefore x=3$
따라서 $p=3$, $q=-3$이므로
$5p+10q=5\times 3+10\times(-3)$
$=15-30=-15$

11 $\begin{cases} 2x+ay=3 & \cdots\cdots ㉠ \\ x-2y=b & \cdots\cdots ㉡ \end{cases}$
연립방정식의 해가 무수히 많으므로 두 방정식이 완전히 일치해야 한다. x의 계수가 같아지도록 ㉡$\times 2$를 하면
$2x-4y=2b$
이는 ㉠과 y의 계수가 같아야 하므로
$a=-4$
또, 상수항이 같아야 하므로
$2b=3 \quad \therefore b=\frac{3}{2}$
$\therefore a+2b=-4+2\times\frac{3}{2}=-4+3=-1$

12 ③ $\begin{cases} 2x-3y=3 & \cdots\cdots ㉠ \\ 4x-6y=4 & \cdots\cdots ㉡ \end{cases}$에서
㉠$\times 2$를 하면 $4x-6y=6$
이를 ㉡과 비교해 보면 x의 계수, y의 계수가 각각 같고 상수항만 다르므로 연립방정식의 해는 없다.
④ $\begin{cases} x=-3y-5 & \cdots\cdots ㉠ \\ 2x+6y=4 & \cdots\cdots ㉡ \end{cases}$에서
㉠$\times 2$를 하고 y항을 좌변으로 이항하면
$2x=-6y-10$, $2x+6y=-10$
이를 ㉡과 비교해 보면 x의 계수, y의 계수가 각각 같고 상수항만 다르므로 연립방정식의 해는 없다.

13 $a+4=b+8=3a+2b$이므로

$\begin{cases} a+4=b+8 \\ a+4=3a+2b \end{cases}$ ➡ $\begin{cases} a-b=4 & \cdots\cdots ㉠ \\ a+b=2 & \cdots\cdots ㉡ \end{cases}$

㉠+㉡을 하면 $2a=6$ $\quad \therefore a=3$

$a=3$을 ㉠에 대입하면

$3-b=4$ $\quad \therefore b=-1$

14 6 %의 소금물을 x g, 9 %의 소금물을 y g 섞는다고 하면 두 소금물을 섞어서 300 g이 되었으므로

$x+y=300$

두 소금물에 녹아 있는 소금의 양은 변하지 않으므로

$x\times\frac{6}{100}+y\times\frac{9}{100}=300\times\frac{8}{100}$

$6x+9y=2400$, $2x+3y=800$

연립방정식을 세우면

$\begin{cases} x+y=300 & \cdots\cdots ㉠ \\ 2x+3y=800 & \cdots\cdots ㉡ \end{cases}$

㉠×2−㉡을 하면

$$\begin{array}{rr} & 2x+2y=600 \\ -) & 2x+3y=800 \\ \hline & -y=-200 \end{array} \qquad \therefore y=200$$

$y=200$을 ㉠에 대입하면

$x+200=300$ $\quad \therefore x=100$

따라서 9 %의 소금물은 200 g이 필요하다.

15 A가 x회, B가 y회 이겼다고 하면 A는 y회 지고, B는 x회 진 것이므로 각각 올라간 계단의 수를 표로 나타내면 다음과 같다.

	이긴 횟수	진 횟수	올라간 계단의 수
A	x	y	$2x-y$
B	y	x	$2y-x$

A는 20개의 계단을 올라가 있으므로 $2x-y=20$

B는 8개의 계단을 올라가 있으므로 $2y-x=8$

연립방정식을 세우면

$\begin{cases} 2x-y=20 & \cdots\cdots ㉠ \\ -x+2y=8 & \cdots\cdots ㉡ \end{cases}$

㉠+㉡×2를 하면

$$\begin{array}{rr} & 2x-\ \ y=20 \\ +) & -2x+4y=16 \\ \hline & 3y=36 \end{array} \qquad \therefore y=12$$

$y=12$를 ㉠에 대입하면

$2x-12=20$, $2x=32$ $\quad \therefore x=16$

따라서 A가 이긴 횟수는 16회이다.

16 전체 일의 양을 1로 보고, 이룸이가 하루에 할 수 있는 일의 양을 x, 숨마가 하루에 할 수 있는 일의 양을 y라고 하자.

둘이 함께 하면 30일 만에 일을 끝낼 수 있으므로

$30x+30y=1$

또 이룸이가 15일 동안 일하고 숨마가 40일 동안 일하여 끝냈으므로 $15x+40y=1$

연립방정식을 세우면

$\begin{cases} 30x+30y=1 & \cdots\cdots ㉠ \\ 15x+40y=1 & \cdots\cdots ㉡ \end{cases}$

㉠−㉡×2를 하면

$-50y=-1$ $\quad \therefore y=\frac{1}{50}$

$y=\frac{1}{50}$을 ㉠에 대입하면

$30x+\frac{3}{5}=1$, $30x=\frac{2}{5}$ $\quad \therefore x=\frac{1}{75}$

따라서 이룸이가 혼자서 일하면

$1\div\frac{1}{75}=75$(일)만에 끝낼 수 있다.

17 두 연립방정식의 해가 서로 같으므로 두 연립방정식의

해는 연립방정식 $\begin{cases} x+\frac{7}{2}y=17 \\ \frac{1}{6}x-0.5y=-\frac{3}{2} \end{cases}$ 의 해와 같다.

정리하면 $\begin{cases} 2x+7y=34 & \cdots\cdots ㉠ \\ x-3y=-9 & \cdots\cdots ㉡ \end{cases}$

㉠−㉡×2를 하면

$13y=52$ $\quad \therefore y=4$

$y=4$를 ㉡에 대입하면

$x-12=-9$ $\quad \therefore x=3$

$x=3$, $y=4$가 방정식 $6x+ay=10$의 해이므로 대입하면

$18+4a=10$, $4a=-8$ $\quad \therefore a=-2$

또, $x=3$, $y=4$가 방정식 $ax-by=-10$의 해이고,

$a=-2$이므로 대입하면

$-6-4b=-10$, $-4b=-4$ $\quad \therefore b=1$

$\therefore a+b=-2+1=-1$

18 이룸이는 바르게 보고 풀어서 $x=-3$, $y=1$을 얻었으므로 이를 연립방정식에 대입하면

$-3a+b=5$ $\cdots\cdots$ ㉠

$-6+c=-3$ $\quad \therefore c=3$

또, 수지는 c를 잘못 보고 풀었으므로 $x=9$, $y=7$을

$ax+by=5$에 대입하면

$9a+7b=5$ $\cdots\cdots$ ㉡

㉠×3+㉡을 하면

$10b=20 \quad \therefore b=2$

$b=2$를 ㉠에 대입하면

$-3a+2=5, -3a=3 \quad \therefore a=-1$

$\therefore a+b+c=-1+2+3=4$

19 빠른 사람의 속력을 초속 x m, 느린 사람의 속력을 초속 y m라고 하면

$\begin{cases} 50x+50y=250 \\ 250x=250y+250 \end{cases} \Rightarrow \begin{cases} x+y=5 & \cdots\cdots ㉠ \\ x=y+1 & \cdots\cdots ㉡ \end{cases}$

㉡을 ㉠에 대입하면

$(y+1)+y=5, 2y=4 \quad \therefore y=2$

따라서 느린 사람의 속력은 초속 2 m이다.

20 소금물 A의 농도를 x %, 소금물 B의 농도를 y %라고 하면 소금물 A를 100 g, 소금물 B를 300 g 섞어서 농도가 10 %인 소금물 400 g을 만들었으므로

$100\times\frac{x}{100}+300\times\frac{y}{100}=400\times\frac{10}{100}$

$x+3y=40$

또 소금물 A를 200 g, 소금물 B를 200 g 섞어서 농도가 7 %인 소금물 400 g을 만들었으므로

$200\times\frac{x}{100}+200\times\frac{y}{100}=400\times\frac{7}{100}$

$x+y=14$

연립방정식을 세우면

$\begin{cases} x+3y=40 & \cdots\cdots ㉠ \\ x+y=14 & \cdots\cdots ㉡ \end{cases}$

㉠−㉡을 하면

$2y=26 \quad \therefore y=13$

$y=13$을 ㉡에 대입하면

$x+13=14 \quad \therefore x=1$

따라서 소금물 A의 농도는 1 %, 소금물 B의 농도는 13 %이다.

21 흐르지 않는 물에서의 배의 속력을 시속 x km, 강물의 속력을 시속 y km라고 하면 배가 강물이 흐르는 반대 방향으로 갈 때의 속력은 시속 $(x-y)$ km이고, 배가 강물이 흐르는 방향으로 갈 때의 속력은 시속 $(x+y)$ km이다.
길이가 36 km인 강을 거슬러 올라가는 데 3시간이 걸렸으므로

$3(x-y)=36, x-y=12$

내려오는 데 2시간이 걸렸으므로

$2(x+y)=36, x+y=18$

연립방정식을 세우면

$\begin{cases} x-y=12 & \cdots\cdots ㉠ \\ x+y=18 & \cdots\cdots ㉡ \end{cases}$

㉠+㉡을 하면

$2x=30 \quad \therefore x=15$

$x=15$를 ㉡에 대입하면

$15+y=18 \quad \therefore y=3$

따라서 흐르지 않는 물에서의 배의 속력은 시속 15 km이다.

22 기차의 길이를 x m, 기차의 속력을 분속 y m라고 하자.
길이가 1000 m인 다리를 기차가 완전히 건너려면 $(1000+x)$ m를 달려야 하고, 길이가 1400 m인 터널을 기차가 완전히 통과하려면 $(1400+x)$ m를 달려야 한다.
연립방정식을 세우면

$\begin{cases} 1000+x=4y & \cdots\cdots ㉠ \\ 1400+x=5y & \cdots\cdots ㉡ \end{cases}$

㉠−㉡을 하면

$-400=-y \quad \therefore y=400$

$y=400$을 ㉠에 대입하면

$1000+x=1600 \quad \therefore x=600$

따라서 기차의 길이는 600 m이다.

대단원 EXERCISES

156~159쪽

01 ②, ③	**02** ④	**03** ①, ④	**04** ⑤
05 ⑤	**06** $x<\frac{11}{5}$	**07** -6	**08** ①
09 150 g	**10** 20장	**11** ③, ⑤	**12** ④
13 (2, 7), (4, 4), (6, 1)		**14** -16	
15 $x=6, y=11$		**16** ①	
17 $x=-2, y=3$		**18** ④	**19** -4
20 5000원	**21** 남학생 수 : 260명, 여학생 수 : 180명		
22 $-5\le k<-3$		**23** 2 km	**24** 14

01 $a<b$일 때

① $3a<3b$ (거짓)

② $-a+2>-b+2$ (참)

③ $-3a>-3b$ (참)

④ $\frac{1}{2}a<\frac{1}{2}b$ (거짓)

⑤ $-2a-7>-2b-7$ (거짓)

02 $-1\le x<2$의 각 변에 -2를 곱하면 $-4<-2x\le 2$
각 변에 1을 더하면
$-3<-2x+1\le 3$ $\therefore -3<A\le 3$

03 ② 이항하면 x항이 없어지므로 일차부등식이 아니다.
③, ⑤ 이항하면 이차식이 있으므로 일차부등식이 아니다.

04 ①, ②, ③, ④ $x<-3$ ⑤ $x>4$

05 $5x-2(x-1)\ge a$에서 $3x\ge a-2$ $\therefore x\ge \frac{a-2}{3}$
즉, $\frac{a-2}{3}=4$이므로 $a-2=12$ $\therefore a=14$

06 $\frac{3}{2}-\frac{x-1}{4}>x-1$의 양변에 4를 곱하면
$6-(x-1)>4(x-1)$, $6-x+1>4x-4$
$-5x>-11$ $\therefore x<\frac{11}{5}$

07 $0.3(x-5)>\frac{x-3}{2}+1$의 양변에 10을 곱하면
$3(x-5)>5(x-3)+10$
$3x-15>5x-15+10$
$-2x>10$ $\therefore x<-5$
따라서 x의 값 중에서 가장 큰 정수는 -6이다.

08 $ax-4<3x-18$, $ax-3x<-18+4$
$(a-3)x<-14$
주어진 부등식의 해가 $x>2$이므로
$a-3<0$ 즉, $a<3$이다.
또, $x>-\frac{14}{a-3}$에서 $-\frac{14}{a-3}=2$
$2(a-3)=-14$, $2a-6=-14$, $2a=-8$
$\therefore a=-4$

09 2 %의 소금물의 양을 x g이라고 하면
$300\times\frac{8}{100}+x\times\frac{2}{100}\le(300+x)\times\frac{6}{100}$
양변에 100을 곱하면
$2400+2x\le 6(300+x)$
$2400+2x\le 1800+6x$
$-4x\le -600$
$\therefore x\ge 150$
따라서 2 %의 소금물을 150 g 이상 넣어야 한다.

10 뽑는 증명 사진의 수를 x장이라고 하면
$10000+1000(x-6)\le 1200x$
$10000+1000x-6000\le 1200x$
$1000x-1200x\le -4000$
$-200x\le -4000$
$\therefore x\ge 20$
따라서 20장 이상을 뽑으면 1장의 가격이 1200원 이하가 된다.

11 ① $2x-3y=2x+5$ ➡ $-3y-5=0$
이므로 미지수가 1개뿐이다.
② xy^2의 차수가 1이 아니므로 일차방정식이 아니다.
③ $4x=y+2$는 미지수가 2개인 일차방정식이다.
④ 세 항의 차수가 모두 2이므로 일차방정식이 아니다.
⑤ $x^2+2y=x^2+3x$ ➡ $-3x+2y=0$
이므로 미지수가 2개인 일차방정식이다.

12 $ax+y=4x-y$, $ax-4x+y+y=0$
$(a-4)x+2y=0$이므로 미지수가 2개인 일차방정식이 되려면 $a-4\ne 0$
$\therefore a\ne 4$

13 $3x+2y=20$에 $x=1, 2, 3, \cdots$을 대입하여 y의 값을 구하면

x	1	2	3	4	5	6	$\cdots$
y	$\frac{17}{2}$	7	$\frac{11}{2}$	4	$\frac{5}{2}$	1	$\cdots$

이때 x, y는 모두 자연수이므로 구하는 일차방정식의 해는
$(2, 7)$, $(4, 4)$, $(6, 1)$

14 $x=1$, $y=2$를 주어진 일차방정식에 대입하면
$2+2a=b$ ⋯⋯ ㉠
$x=-2$, $y=1$을 주어진 일차방정식에 대입하면
$-4+a=b$ ⋯⋯ ㉡
㉠$-$㉡을 하면

$$\begin{array}{rl} & 2+2a=b \\ -) & -4+a=b \\ \hline & 6+a=0 \end{array}$$
$\therefore a=-6$

$a=-6$을 ㉡에 대입하면
$-4-6=b$ $\therefore b=-10$
$\therefore a+b=-6+(-10)=-16$

15 주어진 연립방정식의 괄호를 풀고 정리하면

$\begin{cases} 3x-2y=-4 & \cdots\cdots ㉠ \\ 2x-y=1 & \cdots\cdots ㉡ \end{cases}$

㉠$-$㉡$\times 2$를 하면 $-x=-6$ $\quad \therefore x=6$

$x=6$을 ㉡에 대입하면

$12-y=1$ $\quad \therefore y=11$

16 $\begin{cases} \dfrac{x}{4}+\dfrac{y}{2}=1 & \cdots\cdots ㉠ \\ 2(y+1)-\dfrac{2x+9y}{3}=-1 & \cdots\cdots ㉡ \end{cases}$

각 방정식의 계수를 정수로 만들기 위해

㉠$\times 4$, ㉡$\times 3$을 하고 정리하면

$\begin{cases} x+2y=4 & \cdots\cdots ㉢ \\ 2x+3y=9 & \cdots\cdots ㉣ \end{cases}$

㉢$\times 2-$㉣을 하면 $y=-1$

$y=-1$을 ㉢에 대입하면

$x-2=4$ $\quad \therefore x=6$

따라서 $a=6$, $b=-1$이므로

$ab=6\times(-1)=-6$

17 주어진 방정식을 연립방정식

$\begin{cases} 5x+2y+3=3x+y+2 \\ 3x+y+2=4x+2y+1 \end{cases}$로 고친 후

각각을 정리하면

$\begin{cases} 2x+y=-1 & \cdots\cdots ㉠ \\ x+y=1 & \cdots\cdots ㉡ \end{cases}$

㉠$-$㉡을 하면 $x=-2$

$x=-2$를 ㉡에 대입하면

$-2+y=1$ $\quad \therefore y=3$

18 연립방정식 $\begin{cases} 2x+3y=b & \cdots\cdots ㉠ \\ 6x+ay=3 & \cdots\cdots ㉡ \end{cases}$의 해가 무수히 많으므로 두 방정식이 서로 같아야 한다.

x의 계수가 같아지도록 ㉠$\times 3$을 하면

$\begin{cases} 6x+9y=3b \\ 6x+ay=3 \end{cases}$

y의 계수도 같아야 하므로 $a=9$

상수항도 같아야 하므로 $3b=3$ $\quad \therefore b=1$

$\therefore a-b=9-1=8$

19 연립방정식 $\begin{cases} 2x+ay=3 & \cdots\cdots ㉠ \\ x-2y=2 & \cdots\cdots ㉡ \end{cases}$의 해가 없으므로

두 방정식은 x의 계수, y의 계수가 각각 같고 상수항은 달라야 한다.

x의 계수가 같아지도록 ㉡$\times 2$를 하면

$2x-4y=4$

이때 y의 계수도 같아야 하므로 $a=-4$

20 자장면 한 그릇의 가격을 x원, 짬뽕 한 그릇의 가격을 y원이라고 하면

$\begin{cases} 3x+2y=23500 & \cdots\cdots ㉠ \\ y=x+500 & \cdots\cdots ㉡ \end{cases}$

㉡을 ㉠에 대입하여 풀면

$3x+2(x+500)=23500$

$5x=22500$ $\quad \therefore x=4500$

$x=4500$을 ㉡에 대입하면 $y=5000$

따라서 짬뽕 한 그릇의 가격은 5000원이다.

21 작년의 남학생 수를 x명, 여학생 수를 y명이라고 하면

작년의 전체 학생 수는 $15+425=440$(명)이고 줄어든 학생 수의 합은 15명이므로 연립방정식을 세우면

$\begin{cases} x+y=440 & \cdots\cdots ㉠ \\ x\times\dfrac{3}{100}+y\times\dfrac{4}{100}=15 & \cdots\cdots ㉡ \end{cases}$

계수를 정수로 만들기 위해 ㉡$\times 100$을 하면

$\begin{cases} x+y=440 & \cdots\cdots ㉢ \\ 3x+4y=1500 & \cdots\cdots ㉣ \end{cases}$

㉢$\times 3-$㉣을 하면 $-y=-180$ $\quad \therefore y=180$

$y=180$을 ㉢에 대입하면

$x+180=440$ $\quad \therefore x=260$

따라서 작년의 남학생 수는 260명, 여학생 수는 180명이다.

22 $4x-1<2x-k$를 풀면

$2x<1-k$ $\quad \therefore x<\dfrac{1-k}{2}$ ······ ❶

이를 만족하는 자연수 x의 개수가 2이므로

$2<\dfrac{1-k}{2}\le 3$ ······ ❷

$4<1-k\le 6$, $3<-k\le 5$

$\therefore -5\le k<-3$ ······ ❸

채점 기준	배점
❶ 일차부등식 풀기	30 %
❷ 경곗값이 속하는 범위 구하기	40 %
❸ 상수 k의 값의 범위 구하기	30 %

23 걸어간 거리를 x km라 하면 뛰어간 거리는 $(7-x)$ km

이고 (걸어간 시간)+(뛰어간 시간)$\le\frac{3}{2}$이므로

$\frac{x}{3}+\frac{7-x}{6}\le\frac{3}{2}$ ······ ❶

양변에 6을 곱하면

$2x+7-x\le9\quad\therefore x\le2$ ······ ❷

따라서 걸어간 거리는 최대 2 km이다. ······ ❸

채점 기준	배점
❶ 일차부등식 세우기	40 %
❷ 일차부등식 풀기	40 %
❸ 답 구하기	20 %

24 두 연립방정식의 해가 서로 같으므로 두 연립방정식의 해는

연립방정식 $\begin{cases}2x-y=3 & \cdots\cdots ㉠\\ y=3x-5 & \cdots\cdots ㉡\end{cases}$의 해와 같다.

㉡을 ㉠에 대입하여 풀면

$2x-(3x-5)=3,\ 2x-3x+5=3$

$-x=-2\quad\therefore x=2$

$x=2$를 ㉡에 대입하면 $y=1$ ······ ❶

$x=2,\ y=1$은 두 일차방정식 $ax-4y=6,\ y=-4x+b$의 해이므로 각각 대입하면

$2a-4=6,\ 2a=10\quad\therefore a=5$

$1=-8+b\quad\therefore b=9$ ······ ❷

$\therefore a+b=5+9=14$ ······ ❸

채점 기준	배점
❶ 연립방정식의 해 구하기	60 %
❷ 상수 a, b의 값 구하기	30 %
❸ $a+b$의 값 구하기	10 %

Advanced Lecture

[유제] **01** (1) $-1<x<4$ (2) $x\le-1$ 또는 $x\ge2$

02 $x=3,\ y=2,\ z=4$

01 (1) $|2x-3|<5$에서

$2x-3=A$라고 하면

$|A|<5 \Rightarrow -5<A<5$

$A=2x-3$을 대입하면

$-5<2x-3<5$

$-2<2x<8\quad\therefore -1<x<4$

(2) $|1-2x|\ge3$에서

$1-2x=A$라고 하면

$|A|\ge3 \Rightarrow A\le-3$ 또는 $A\ge3$

$A=1-2x$를 대입하면

$1-2x\le-3$ 또는 $1-2x\ge3$

$\therefore x\ge2$ 또는 $x\le-1$

02 $\begin{cases}x-y+z=5 & \cdots\cdots ㉠\\ x+y-z=1 & \cdots\cdots ㉡\\ 2x-3y+z=4 & \cdots\cdots ㉢\end{cases}$에서

㉠+㉡을 하면 $2x=6\quad\therefore x=3$

㉡+㉢을 하면 $3x-2y=5$

여기에 $x=3$을 대입하면 $9-2y=5\quad\therefore y=2$

$x=3,\ y=2$를 ㉠에 대입하면

$3-2+z=5\quad\therefore z=4$

따라서 구하는 해는 $x=3,\ y=2,\ z=4$이다.

일차함수

1. 일차함수와 그래프

개념 CHECK 01. 함수와 일차함수  174쪽

개념 확인 (1) 함수 (2) 일차함수 (3) $f(p)$

01 ②

02 ㄱ, ㄴ, ㄹ

03 (1) -8 (2) 3 (3) 1 (4) $\frac{5}{2}$

04 (1) -2 (2) $\frac{1}{4}$

05 2

01 ① $y=$(자연수 x의 배수)이므로

x	1	2	3	⋯
y	1, 2, 3, ⋯	2, 4, 6, ⋯	3, 6, 9, ⋯	⋯

즉, x의 값에 대응하는 y의 값이 2개 이상이므로 y는 x의 함수가 아니다.

② $y=$(자연수 x를 3으로 나눈 나머지)이므로

x	1	2	3	4	5	⋯
y	1	2	0	1	2	⋯

즉, x의 값이 변함에 따라 y의 값이 하나씩 정해지므로 y는 x의 함수이다.

③ $y=$(자연수 x의 소인수)이므로

x	1	2	3	4	5	6	7	8	9	10	⋯
y	없다.	2	3	2	5	2, 3	7	2	3	2, 5	⋯

즉, x의 값에 대응하는 y의 값이 없거나 2개 이상인 경우가 있으므로 y는 x의 함수가 아니다.

④ $y=$(자연수 x와 서로소인 수)이므로

x	1	2	3	⋯
y	모든 자연수	1, 3, 5, ⋯	1, 2, 4, 5, 7, ⋯	⋯

즉, x의 값에 대응하는 y의 값이 2개 이상이므로 y는 x의 함수가 아니다.

⑤ $y=$(절댓값이 x인 자연수)이므로

x	1	2	3	4	⋯
y	-1, 1	-2, 2	-3, 3	-4, 4	⋯

즉, x의 값에 대응하는 y의 값이 2개 이상이므로 y는 x의 함수가 아니다.

02 ㄷ. $xy=6$에서 $y=\frac{6}{x}$ (일차함수가 아니다.)

ㄹ. $y=x(x-2)-x^2=-2x$ (일차함수이다.)

03 (1) $f(2)=(-4)\times 2=-8$

(2) $f(2)=\frac{6}{2}=3$

(3) $f(2)=2\times 2-3=1$

(4) $f(2)=\frac{3}{2}+1=\frac{5}{2}$

04 (1) $f(a)=4a-1=-9$이므로

$4a=-8$ $\quad\therefore a=-2$

(2) $f(a)=4a-1=0$이므로

$4a=1$ $\quad\therefore a=\frac{1}{4}$

05 $f(-1)=a\times(-1)+3=-a+3=1$

$\therefore a=2$

개념 CHECK 02. 일차함수의 그래프 178쪽

개념 확인 (1) 평행이동 (2) b

01 (1) 1 (2) -2 (3) 4 (4) -3

02 풀이 참조

03 풀이 참조

04 -3

02

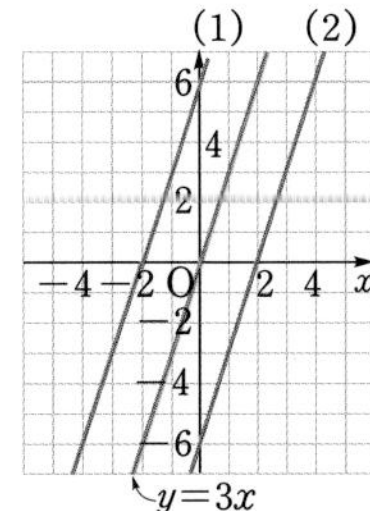

03

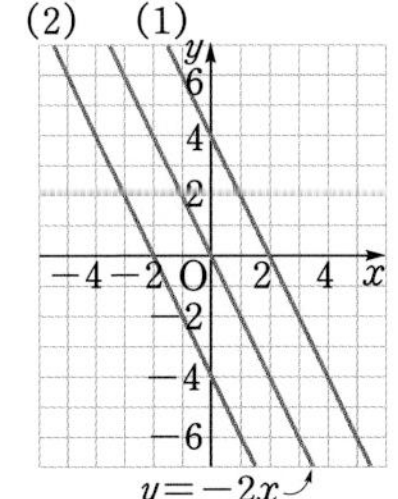

04 $y=-5x+2$의 그래프를 y축의 방향으로 -4만큼 평행이동한 그래프의 식은 $y=-5x+2-4=-5x-2$

따라서 $a=-5$, $b=-2$이므로

$a-b=-5-(-2)=-3$

개념 CHECK
03. 절편과 기울기 184쪽

개념 확인 (1) x절편, y절편 (2) 기울기

01 (1) x절편 : 4, y절편 : -4 (2) x절편 : 2, y절편 : 2

(3) x절편 : $\frac{1}{2}$, y절편 : 1 (4) x절편 : 18, y절편 : 9

02 ㄱ, ㄷ

03 (1) 기울기 : -2, y절편 : -4 (2) 기울기 : -1, y절편 : 3

(3) 기울기 : $\frac{3}{2}$, y절편 : -3

04 3

05 (1) $-\frac{1}{2}$, 2 (2) 1; 풀이 참조

01 (1) $y=x-4$에 $y=0$을 대입하면 $0=x-4$ $\therefore x=4$

즉, x절편은 4, y절편은 -4이다.

(2) $y=-x+2$에 $y=0$을 대입하면

$0=-x+2$ $\therefore x=2$

즉, x절편은 2, y절편은 2이다.

(3) $y=1-2x$에 $y=0$을 대입하면

$0=1-2x$ $\therefore x=\frac{1}{2}$

즉, x절편은 $\frac{1}{2}$, y절편은 1이다.

(4) $y=-\frac{1}{2}x+9$에 $y=0$을 대입하면

$0=-\frac{1}{2}x+9$ $\therefore x=18$

즉, x절편은 18, y절편은 9이다.

03 (1) (기울기)$=\frac{-4}{2}=-2$

(2) (기울기)$=\frac{-3}{3}=-1$

(3) (기울기)$=\frac{3}{2}$

04 두 점 $(-2, 0)$, $(0, 6)$을 지나므로

(기울기)$=\frac{0-6}{-2-0}=\frac{-6}{-2}=3$

05

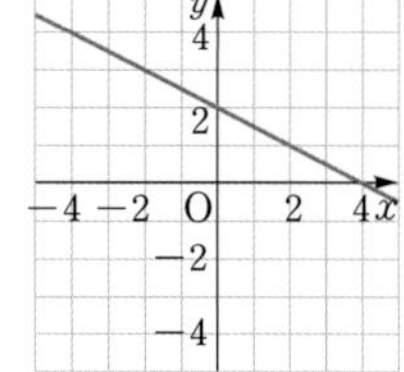

유형 EXERCISES
185~187쪽

유형 1 ④ 1-1 ①, ④ 1-2 ㄱ, ㄷ

유형 2 ③ 2-1 -4 2-2 7 2-3 9

유형 3 0 3-1 $y=-\frac{3}{2}x-5$ 3-2 ④, ⑤ 3-3 $y=4x+6$

유형 4 -2 4-1 -2 4-2 1 4-3 $\frac{9}{2}$

유형 5 ⑤ 5-1 20 5-2 (1) -2 (2) $\frac{3}{2}$ 5-3 -5

유형 6 ③ 6-1 ④ 6-2 $\frac{15}{2}$

유형 1

① $x+y=7$이므로 $y=-x+7$ (함수이다.)

② 1분은 60초이므로 x분은 $60x$초이다.

$\therefore y=60x$ (함수이다.)

③ (시간)$=\frac{(\text{거리})}{(\text{속력})}$이므로 $y=\frac{60}{x}$ (함수이다.)

④

x	1	2	3	4	5	6	…
y	없다.	1	1	1, 3	1, 3	1, 3, 5	…

(함수가 아니다.)

⑤ $y=300x$ (함수이다.)

1-1 ④ $y=2x(x+1)=2x^2+2x$ (일차함수가 아니다.)

⑤ $y=x^2-x(x-3)=3x$ (일차함수이다.)

1-2 ㄱ. $y=3x$

ㄴ. $\frac{1}{2}xy=30$이므로 $y=\frac{60}{x}$

ㄷ. $y=x-3$

ㄹ. $y=360$

따라서 y가 x에 대한 일차함수인 것은 ㄱ, ㄷ이다.

유형 2

$f(3)=-9+5=-4$, $f(-2)=6+5=11$

$\therefore f(3)+2f(-2)=-4+22=18$

2-1 $24=2^3\times3$이므로

$f(24)=$(자연수 24의 약수의 개수)

$=(3+1)\times(1+1)=8$

또 $72=2^3\times3^2$이므로

$f(72)=$(자연수 72의 약수의 개수)

$=(3+1)\times(2+1)=12$

$\therefore f(24)-f(72)=8-12=-4$

2-2 $f(3)=-3+b=3$이므로 $b=6$

따라서 $f(x)=-x+6$이므로 $f(-1)=1+6=7$

2-3 $f(1)=a-2=5$이므로 $a=7$

$f(b)=ab-2=12$이므로

$7b-2=12$, $7b=14$ $\quad\therefore b=2$

$\therefore a+b=7+2=9$

유형 3

$y=-2x+b$의 그래프를 y축의 방향으로 3만큼 평행이동한 그래프의 식은 $y=-2x+b+3$이므로 $a=-2$, $b=2$

$\therefore a+b=-2+2=0$

3-2 ④ $y=-\frac{2}{3}x$의 그래프를 y축의 방향으로 -5만큼 평행이동하면 겹쳐진다.

⑤ $y=-\frac{2}{3}x$의 그래프를 y축의 방향으로 $\frac{1}{2}$만큼 평행이동하면 겹쳐진다.

3-3 $y=4x+b$의 그래프를 y축의 방향으로 -5만큼 평행이동한 그래프의 식은 $y=4x+b-5$이므로

$b-5=-1$ $\quad\therefore b=4$

$y=4x+4$의 그래프를 y축의 방향으로 2만큼 평행이동한 그래프의 식은 $y=4x+4+2$ $\quad\therefore y=4x+6$

유형 4

$y=\frac{3}{2}x-6$에 $y=0$을 대입하면

$0=\frac{3}{2}x-6$, $\frac{3}{2}x=6$이므로 $\quad\therefore x=4$

즉, x절편은 4이므로 $a=4$

y절편은 -6이므로 $b=-6$

$\therefore a+b=4+(-6)=-2$

4-1 $y=2x-4$에 $y=0$을 대입하면

$0=2x-4$, $x=2$ $\quad\therefore n=2$

y절편은 -4이므로 $m=-4$

$\therefore m+n=-4+2=-2$

4-2 $y=2x+3$의 그래프를 y축의 방향으로 -5만큼 평행이동한 그래프의 식은 $y=2x+3-5$ $\quad\therefore y=2x-2$

$y=2x-2$에 $y=0$을 대입하면 $0=2x-2$ $\quad\therefore x=1$

따라서 x절편은 1이다.

4-3 $y=ax+b$의 그래프의 y절편이 3이므로 $b=3$

x절편이 -2이므로 $y=ax+3$에 $x=-2$, $y=0$을 대입하면 $0=-2a+3$ $\quad\therefore a=\frac{3}{2}$

$\therefore a+b=\frac{3}{2}+3=\frac{9}{2}$

유형 5

구하는 그래프의 기울기는 $\frac{-6}{4}=-\frac{3}{2}$이다.

5-1 그래프의 기울기가 4이므로

$4=\frac{(y\text{의 값의 증가량})}{3-(-2)}$ $\quad\therefore$ (y의 값의 증가량)$=20$

5-2 (1) (기울기)$=\frac{6-(-2)}{-3-1}=-2$

(2) (기울기)$=\frac{-6-3}{-4-2}=\frac{3}{2}$

5-3 두 점을 지나는 일차함수의 그래프의 기울기가 -2이므로

$\frac{-5-9}{k-(-12)}=-2$, $-2(k+12)=-14$ $\quad\therefore k=-5$

유형 6

$y=\frac{1}{3}x-2$의 그래프의 x절편은 6이고, y절편은 -2이므로 그 그래프는 ③과 같다.

6-1 $y=-\frac{3}{2}x-3$의 그래프의 x절편은 -2이고, y절편은 -3이므로 그 그래프는 ④와 같다.

6-2 $y=\frac{3}{2}x+3$의 그래프의 x절편은 -2, y절편은 3이고, $y=-x+3$의 그래프의 x절편은 3이고, y절편은 3이므로 두 일차함수의 그래프는 오른쪽 그림과 같다. 따라서 구하는 도형의 넓이는

$\frac{1}{2}\times5\times3=\frac{15}{2}$

개념 CHECK 04. 일차함수의 그래프의 성질 191쪽

개념 확인 (1) 위 (2) 평행, 일치

01 (1) $a>0,\ b>0$ (2) $a<0,\ b>0$

(3) $a>0,\ b<0$ (4) $a<0,\ b<0$

02 (1) ㄱ, ㄴ (2) ㄴ, ㄹ (3) ㄷ

03 $-\frac{1}{3}$ **04** $a=-2,\ b=1$

02 (1) 기울기가 양수인 것은 ㄱ, ㄴ이다.

(2) y절편이 음수인 것은 ㄴ, ㄹ이다.

(3) 기울기가 -1인 것은 ㄷ이다.

03 두 일차함수 $y=-\frac{1}{3}x+2,\ y=ax-2$의 그래프가 서로 평행하므로 기울기가 같다.

$\therefore a=-\frac{1}{3}$

04 두 일차함수 $y=\frac{a}{2}x-3,\ y=-x-3b$의 그래프가 서로 일치하므로 기울기와 y절편이 각각 같다.

즉, $\frac{a}{2}=-1,\ -3=-3b$이므로 $a=-2,\ b=1$

개념 CHECK 05. 일차함수의 식 구하기 

195쪽

개념 확인 (1) $ax+b$ (2) $-\frac{n}{m},\ n$

01 (1) $y=3x-2$ (2) $y=-\frac{2}{3}x-1$

02 (1) $y=2x+4$ (2) $y=\frac{2}{3}x+4$

03 (1) $y=3x+1$ (2) $y=-3x+3$ (3) $y=x-5$

(4) $y=-\frac{1}{2}x+3$

04 (1) $y=-2x+6$ (2) $y=\frac{1}{2}x-2$

05 $y=-x+5$

02 (1) 기울기가 2이므로 $y=2x+b$로 놓고

$x=1,\ y=6$을 대입하면 $6=2+b$ $\quad\therefore b=4$

$\therefore y=2x+4$

(2) 기울기가 $\frac{2}{3}$이므로 $y=\frac{2}{3}x+b$로 놓고

$x=3,\ y=6$을 대입하면 $6=\frac{2}{3}\times3+b$ $\quad\therefore b=4$

$\therefore y=\frac{2}{3}x+4$

03 (1) (기울기)$=\frac{10-4}{3-1}=3$이므로 $y=3x+b$로 놓고

$x=1,\ y=4$를 대입하면 $4=3\times1+b$ $\quad\therefore b=1$

$\therefore y=3x+1$

(2) (기울기)$=\frac{-9-(-3)}{4-2}=-3$이므로

$y=-3x+b$로 놓고 $x=2,\ y=-3$을 대입하면

$-3=-6+b$ $\quad\therefore b=3$

$\therefore y=-3x+3$

(3) (기울기)$=\frac{2-(-2)}{7-3}=1$이므로 $y=x+b$로 놓고

$x=3,\ y=-2$를 대입하면 $-2=3+b$ $\quad\therefore b=-5$

$\therefore y=x-5$

(4) (기울기)$=\frac{1-4}{4-(-2)}=-\frac{1}{2}$이므로

$y=-\frac{1}{2}x+b$로 놓고 $x=-2,\ y=4$를 대입하면

$4=1+b$ $\quad\therefore b=3$ $\quad\therefore y=-\frac{1}{2}x+3$

04 (1) 두 점 $(3,\ 0),\ (0,\ 6)$을 지나므로

(기울기)$=\frac{6-0}{0-3}=-2$, y절편은 6이다.

$\therefore y=-2x+6$

(2) 두 점 $(4,\ 0),\ (0,\ -2)$를 지나므로

(기울기)$=\frac{-2-0}{0-4}=\frac{1}{2}$, y절편은 -2이다.

$\therefore y=\frac{1}{2}x-2$

05 두 점 $(1,\ 4),\ (5,\ 0)$을 지나므로 (기울기)$=\frac{0-4}{5-1}=-1$

즉, 구하는 일차함수의 식을 $y=-x+b$로 놓고

$x=5,\ y=0$을 대입하면

$0=-5+b$ $\quad\therefore b=5$ $\quad\therefore y=-x+5$

개념 CHECK 06. 일차함수의 활용 199쪽

개념 확인 (1) 관계식, 답

01 (1) $y=0.6x+331$ (2) 초속 343 m

02 (1) $y=0.5x+4$ (2) 6분

03 (1) $y=-4x+400$ (2) 75분

01 (1) 기온이 1 ℃ 오를 때마다 소리의 속력은 초속 0.6 m씩 증가하므로 기온이 x ℃ 오를 때, 소리의 속력은 초속

0.6x m 증가한다.
따라서 x와 y 사이의 관계식은 $y=0.6x+331$이다.
(2) $y=0.6x+331$에 $x=20$을 대입하면
$y=0.6\times20+331=343$
따라서 구하는 소리의 속력은 초속 343 m이다.

02 (1) 물이 1분에 0.5톤씩 채워지므로 x분 후에는 0.5x톤의 물이 채워진다. 따라서 x와 y 사이의 관계식은 $y=0.5x+4$이다.
(2) $y=0.5x+4$에 $y=7$을 대입하면
$7=0.5\times x+4$, $0.5\times x=3$ $\quad\therefore x=6$
따라서 물을 채워 넣기 시작한지 6분 후이다.

03 (1) 100분 동안 400 mL를 넣었으므로 1분 동안에는 4 mL를 넣은 것이다. 따라서 x분 동안 4x mL를 넣었으므로 x와 y 사이의 관계식은 $y=400-4x$, 즉 $y=-4x+400$이다.
(2) $y=-4x+400$에 $y=100$을 대입하면 $100=-4x+400$
$4x=300$ $\quad\therefore x=75$
따라서 75분 동안 수액을 넣었다.

유형 EXERCISES

유형 ❶ ③ 1-1 제1, 2, 4사분면 1-2 $a>0$, $b>0$
1-3 제2사분면
유형 ❷ $a=-2$, $b\neq-3$ 2-1 $\frac{9}{2}$ 2-2 1
2-3 -7
유형 ❸ $y=2x+4$ 3-1 $y=-\frac{2}{3}x+2$
3-2 $\frac{7}{2}$ 3-3 $y=2x-6$
유형 ❹ (1) $y=-6x+25$ (2) 7 ℃
4-1 $y=-\frac{1}{15}x+60$ 4-2 15 cm

유형 ❶

① $y=-2x-6$에 $y=0$을 대입하면
$0=-2x-6$ $\quad\therefore x=-3$
③ $-2\times3-6=-12\neq-2$
④ $y=-2x-6$의 그래프는 오른쪽 그림과 같으므로 제1사분면을 지나지 않는다.

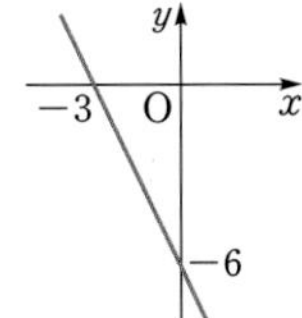

⑤ y절편이 -6이므로 y축과 음의 부분에서 만난다.

1-1 $y=-\frac{1}{2}x$의 그래프를 y축의 방향으로 3만큼 평행이동한 그래프의 식은 $y=-\frac{1}{2}x+3$이고, 이 그래프는 오른쪽 그림과 같으므로 제1, 2, 4사분면을 지난다.

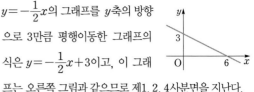

1-2 $y=ax+b$의 그래프가 오른쪽 위를 향하는 직선이므로
$a>0$
y절편이 양수이므로 $b>0$

1-3 $a<0$, $b>0$이므로 $-a>0$, $-b<0$
따라서 $y=-ax-b$의 그래프는 오른쪽 그림과 같으므로 제2사분면을 지나지 않는다.

유형 ❷

$y=ax-3$과 $y=-2x+b$의 그래프가 평행하므로
$a=-2$, $b\neq-3$

2-1 $y=3x+2b$와 $y=2ax-6$의 그래프가 일치하므로
$2a=3$, $2b=-6$이어야 한다.
즉, $a=\frac{3}{2}$, $b=-3$이므로
$a-b=\frac{3}{2}-(-3)=\frac{9}{2}$

2-2 $y=ax+b$의 그래프가 두 점 $(4, 0)$, $(0, -2)$를 지나는 직선의 기울기와 평행하므로
$a=\frac{0-(-2)}{4-0}=\frac{1}{2}$
즉, $y=\frac{1}{2}x+b$라고 하면 x절편이 -1이므로
$0=-\frac{1}{2}+b$ $\quad\therefore b=\frac{1}{2}$
$\therefore a+b=\frac{1}{2}+\frac{1}{2}=1$

2-3 일차함수 $y=\frac{a}{2}x+\frac{3}{2}$의 그래프를 y축의 방향으로 $-\frac{1}{2}$만큼 평행이동한 그래프의 식은
$y=\frac{a}{2}x+\frac{3}{2}-\frac{1}{2}=\frac{a}{2}x+1$
이 그래프와 $y=-4x+b$의 그래프가 일치하므로
$\frac{a}{2}=-4$에서 $a=-8$, $b=1$
$\therefore a+b=-8+1=-7$

유형 3

기울기가 2이므로 구하는 일차함수의 식을 $y=2x+b$라고 하면 점 $(2, 8)$을 지나므로

$8=2\times2+b \quad \therefore b=8-4=4$

따라서 구하는 일차함수의 식은 $y=2x+4$이다.

3-1 (기울기)$=-\frac{2}{3}$이고 y절편이 2이므로 일차함수의 식은

$y=-\frac{2}{3}x+2$

3-2 (기울기)$=\frac{1-3}{3-2}=-2$이므로 구하는 일차함수의 식을 $y=-2x+b$라고 하면 점 $(2, 3)$을 지나므로

$3=-4+b \quad \therefore b=7$

따라서 일차함수의 식은 $y=-2x+7$이므로 $y=0$을 대입하면 $0=-2x+7$, $2x=7 \quad \therefore x=\frac{7}{2}$

따라서 x절편은 $\frac{7}{2}$이다.

3-3 두 점 $(3, 0)$, $(0, -6)$을 지나므로

(기울기)$=\frac{0-(-6)}{3-0}=2$, (y절편)$=-6$

$\therefore y=2x-6$

유형 4

(1) 100 m씩 증가함에 따라 기온이 0.6 ℃씩 내려가므로 1 km마다 6 ℃씩 내려간다. 따라서 지면으로부터 높이가 x km인 지점의 기온 y ℃는 $y=-6x+25$

(2) 지면으로부터 높이가 3 km인 곳의 기온은 $y=-6x+25$에 $x=3$을 대입하면 $y=(-6)\times3+25=7$

따라서 지면으로부터 높이가 3 km인 곳의 기온은 7 ℃이다.

4-1 1 L로 15 km를 달릴 수 있으므로 1 km에는 $\frac{1}{15}$ L의 휘발유가 사용된다. 이때 자동차가 x km 달렸을 때 남아 있는 휘발유의 양 y L는 $y=-\frac{1}{15}x+60$

4-2 10분마다 2 cm씩 짧아지므로 1분마다 0.2 cm씩 짧아진다. x분 후 남아 있는 양초의 길이를 y cm라고 하면

$y=20-0.2x$

따라서 불을 붙인 지 25분 후 양초의 길이는

$y=20-0.2x$에 $x=25$를 대입하면

$y=20-5=15$

중단원 EXERCISES

202~204쪽

01 ④	**02** ㄴ, ㅁ	**03** 2	**04** 9
05 ⑤	**06** ①	**07** $-\frac{2}{3}$	**08** ①
09 0	**10** ⑤	**11** ㄱ과 ㄹ	**12** $y=2x+5$
13 $y=-\frac{1}{2}x+1$		**14** (1) $y=-0.01x+5$ (2) 3.4 kg	
15 제4사분면		**16** $-2, 3$	**17** $\frac{2}{3}\le a\le5$
18 ④	**19** (1) 164회 (2) 8회		**20** 375 cm^2

01 ① $y=x+2$ (함수이다.)

② $y=\frac{5}{x}$ (함수이다.)

③ $y=\frac{x}{100}\times300=3x$ (함수이다.)

④ $y=$(자연수 x보다 작은 짝수)이므로

x	1	2	3	4	5	6	7	⋯
y	없다.	없다.	2	2	2, 4	2, 4	2, 4, 6	⋯

즉, x의 값에 대응하는 y의 값이 없거나 2개 이상인 경우가 있으므로 y는 x의 함수가 아니다.

⑤ $y=$(정수 x의 절댓값)이므로

x	⋯	-3	-2	-1	0	1	2	3	⋯
y	⋯	3	2	1	0	1	2	3	⋯

즉, x의 값이 변함에 따라 y의 값이 하나씩 정해지므로 y는 x의 함수이다.

02 ㄱ. $y=x(x-1)=x^2-x$ (일차함수가 아니다.)

ㄴ. $y=4(2x-1)-7x=x-4$ (일차함수이다.)

ㄷ. $y=-7$ (일차함수가 아니다.)

ㄹ. $y=\frac{4}{x}$ (일차함수가 아니다.)

ㅁ. $y=5x-1$ (일차함수이다.)

03 $f(-2)=-2a+b=\frac{11}{3}$, $f(2)=2a+b=\frac{7}{3}$이므로

두 식을 연립하여 풀면 $a=-\frac{1}{3}$, $b=3$

따라서 $f(x)=-\frac{1}{3}x+3$이므로

$f(3)=\left(-\frac{1}{3}\right)\times3+3=2$

04 $y=\frac{1}{2}x+b$의 그래프를 y축의 방향으로 -4만큼 평행이동한 그래프의 식은 $y=\frac{1}{2}x+b-4$

$y=\frac{1}{2}x+b-4$에 $x=-2$, $y=-2$를 대입하면

$-2=-1+b-4 \quad \therefore b=3$

따라서 $y=\frac{1}{2}x-1$에 $x=a$, $y=2$를 대입하면

$2=\frac{1}{2}a-1 \quad \therefore a=6$

$\therefore a+b=6+3=9$

05 $y=-2x-3$의 그래프를 y축의 방향으로 6만큼 평행이동한 그래프의 식은 $y=-2x-3+6 \quad \therefore y=-2x+3$

$y=-2x+3$에 $y=0$을 대입하면

$0=-2x+3 \quad \therefore x=\frac{3}{2}$

즉, x절편은 $\frac{3}{2}$이므로 $a=\frac{3}{2}$

y절편은 3이므로 $b=3$

$\therefore a+b=\frac{3}{2}+3=\frac{9}{2}$

06 $y=2x-3$에 $y=0$을 대입하면 $0=2x-3 \quad \therefore x=\frac{3}{2}$

두 일차함수의 그래프가 x축 위의 점에서 만나려면 x절편이 같아야 한다.

① $0=-2x+3 \quad \therefore x=\frac{3}{2}$

② $0=3x-1 \quad \therefore x=\frac{1}{3}$

③ $0=-3x+1 \quad \therefore x=\frac{1}{3}$

④ $0=\frac{1}{2}x-3 \quad \therefore x=6$

⑤ $0=-\frac{2}{3}x+2 \quad \therefore x=3$

07 $y=ax+2\,(a<0)$의 x절편은 $-\frac{2}{a}$, y절편은 2이므로 그 그래프는 오른쪽 그림과 같다.

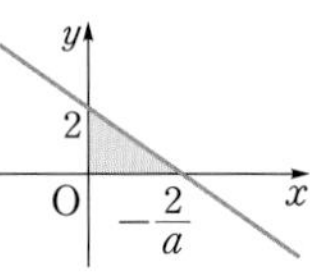

이 그래프와 x축, y축으로 둘러싸인 삼각형의 넓이가 3이므로

$\frac{1}{2}\times\left(-\frac{2}{a}\right)\times 2=3$, $-\frac{2}{a}=3 \quad \therefore a=-\frac{2}{3}$

08 두 점 $(-2, 3)$, $(4, k)$를 지나는 일차함수의 기울기가 -3이므로 $\frac{k-3}{4-(-2)}=-3$, $k-3=-18 \quad \therefore k=-15$

09 세 점이 한 직선 위에 있으므로 어느 두 점을 지나는 일차함수의 그래프의 기울기가 모두 같다. 즉,

$\frac{k-(-2)}{3-2}=\frac{4-(-2)}{5-2}$, $k+2=2 \quad \therefore k=0$

10 ⑤ $x=-3$일 때, $y=-\frac{4}{3}\times(-3)+1=5$

$x=6$일 때, $y=-\frac{4}{3}\times 6+1=-7$

점 $(6, 10)$은 $y=-\frac{4}{3}x+1$의 그래프 위의 점이 아니므로 주어진 두 점을 연결하여 그릴 수 없다.

12 두 점 $(0, -3)$, $\left(\frac{3}{2}, 0\right)$을 지나는 일차함수의 그래프와 평행하므로 (기울기)$=\frac{0-(-3)}{\frac{3}{2}-0}=2$

따라서 기울기가 2이고, y절편이 5인 일차함수의 식은 $y=2x+5$

13 두 점 $(-2, 2)$, $(4, -1)$을 지나는 직선이므로

(기울기)$=\frac{-1-2}{4-(-2)}=-\frac{1}{2}$

구하는 일차함수의 식을 $y=-\frac{1}{2}x+b$라고 하면

점 $(-2, 2)$를 지나므로

$2=-\frac{1}{2}\times(-2)+b \quad \therefore b=1$

$\therefore y=-\frac{1}{2}x+1$

14 (1) 처음 수소의 양이 5 kg이고 x km를 주행할 때 소비하는 수소의 양이 $0.01x$ kg이므로

$y=5-0.01x \quad \therefore y=-0.01x+5$

(2) $x=160$을 대입하면 $y=-0.01\times 160+5=3.4$

따라서 수소는 3.4 kg이 남는다.

15 $y=ax+b$의 그래프에서 $a<0$, $b>0$이므로

$y=bx-a$의 그래프에서 (기울기)$=b>0$, (y절편)$=-a>0$이다.

따라서 $y=bx-a$의 그래프는 오른쪽 그림과 같으므로 제4사분면을 지나지 않는다.

16 $y=3x-3$의 그래프의 x절편은 1이므로 $\mathrm{A}(1, 0)$

$y=-\frac{1}{2}x+k$의 그래프의 x절편을 b라고 하면 $\mathrm{B}(b, 0)$

$b>1$일 때, $\overline{\mathrm{AB}}=b-1=5$이므로 $b=6 \quad \therefore \mathrm{B}(6, 0)$

$b<1$일 때, $\overline{\mathrm{AB}}=1-b=5$이므로 $b=-4 \quad \therefore \mathrm{B}(-4, 0)$

$y=-\frac{1}{2}x+k$에 $x=6$, $y=0$을 대입하면

$0=\left(-\frac{1}{2}\right)\times 6+k \quad \therefore k=3$

$y=-\frac{1}{2}x+k$에 $x=-4$, $y=0$을 대입하면

$0=\left(-\frac{1}{2}\right)\times(-4)+k \quad \therefore k=-2$

따라서 k의 값은 -2, 3이다.

17 $y=ax-3$의 그래프는 y절편이 -3이므로 항상 점 $(0, -3)$을 지난다.

이때 $y=ax-3$의 그래프가 선분 AB의 양 끝 점 A, B를 각각 지나도록 그리면 오른쪽 그림과 같다.

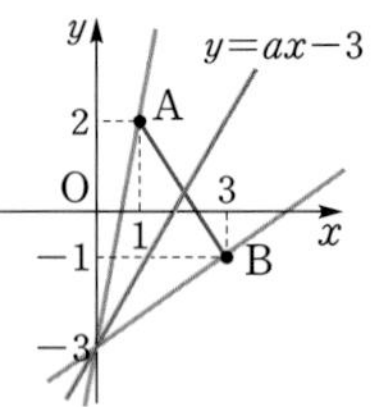

$y=ax-3$의 그래프가 점 $A(1, 2)$를 지날 때, $2=a-3 \quad \therefore a=5$

$y=ax-3$의 그래프가 점 $B(3, -1)$을 지날 때,

$-1=3a-3 \quad \therefore a=\frac{2}{3}$

따라서 $y=ax-3$의 그래프가 선분 AB와 만나도록 하는 상수 a의 값의 범위는 $\frac{2}{3}\le a\le 5$

18 ④ $y=400$을 $y=20x+100$에 대입하면

$400=20x+100$, $20x=300 \quad \therefore x=15$

따라서 물통의 물이 400 L가 되려면 15분이 걸린다.

⑤ $y=500$을 $y=20x+100$에 대입하면

$500=20x+100$, $20x=400 \quad \therefore x=20$

따라서 물통의 물이 500 L가 되려면 20분이 걸린다.

19 (1) $h=-0.8a+176$에 $a=15$를 대입하면

$h=-0.8\times 15+176=164$

(2) 기울기가 -0.8이므로 $-0.8=\frac{-8}{10}$

따라서 운동 중 분당 최대 한계 심장 박동 수는 8회씩 감소한다.

20 x초 후의 사다리꼴의 넓이를 $y\ \text{cm}^2$라고 하면

x초 후의 $\overline{PC}$의 길이는 $(35-2x)$ cm이므로

$y=\frac{1}{2}\times(35+35-2x)\times 15=525-15x$

따라서 10초 후의 사다리꼴의 넓이는

$y=525-150=375(\text{cm}^2)$

2. 일차함수와 일차방정식의 관계

개념 CHECK 01. 일차함수와 일차방정식의 관계 

개념 확인 (1) $-\frac{a}{b}x-\frac{c}{b}$ (2) y, x (3) 직선의 방정식

01 풀이 참조 **02** -2

03 풀이 참조

04 (1) $y=3$ (2) $x=-3$ (3) $x=2$ (4) $y=5$

01 (1) $x+y-4=0$을 y에 대하여 풀면

$y=-x+4$

(2) $2x-3y+6=0$을 y에 대하여 풀면

$-3y=-2x-6$

$\therefore y=\frac{2}{3}x+2$

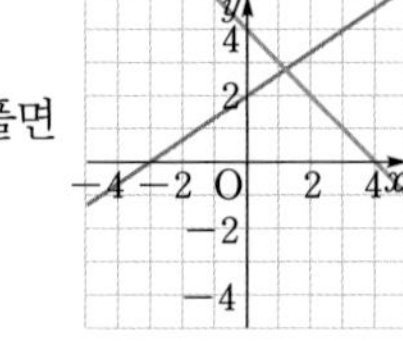

02 일차방정식 $ax+y+6=0$에 $x=5$, $y=4$를 대입하면

$5a+4+6=0 \quad \therefore a=-2$

03 (1) $x+3=0$에서 $x=-3$

(2) $3x-6=0$에서 $3x=6$

$\therefore x=2$

(3) $y-3=0$에서 $y=3$

(4) $2y+4=0$에서 $2y=-4$

$\therefore y=-2$

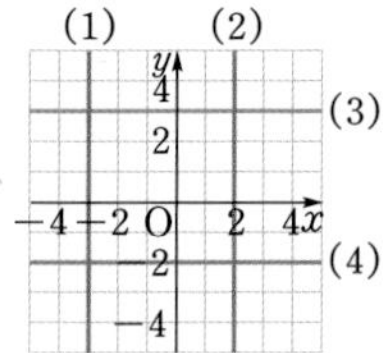

04 (3) 두 점 $(2, -3)$, $(2, 7)$의 x좌표가 같으므로 $x=k$ 꼴이다. $\therefore x=2$

(4) 두 점 $(-2, 5)$, $(-1, 5)$의 y좌표가 같으므로 $y=k$ 꼴이다. $\therefore y=5$

개념 CHECK

02. 연립방정식의 해와 그래프  213쪽

개념 확인 (1) 교점 (2) 없다

01 $x=2,\ y=1$　　**02** -3

03 (1) 해가 없다. (2) 해가 무수히 많다.

04 $a=-1,\ b=-4$

01 두 일차방정식의 그래프가 점 $(2,\ 1)$에서 만나므로 연립방정식의 해는 $x=2,\ y=1$

02 $3x+4y=1$에 $x=-1$을 대입하면

$-3+4y=1$　　$\therefore y=1$

$2x+ay=-5$에 $x=-1,\ y=1$을 대입하면

$-2+a=-5$　　$\therefore a=-3$

03 (1) 두 방정식을 y에 대하여 풀면

$\begin{cases} y=-2x+1 \\ y=-2x+3 \end{cases}$

이를 그래프로 나타내면 오른쪽 그림과 같이 두 직선이 평행하므로 연립방정식의 해가 없다.

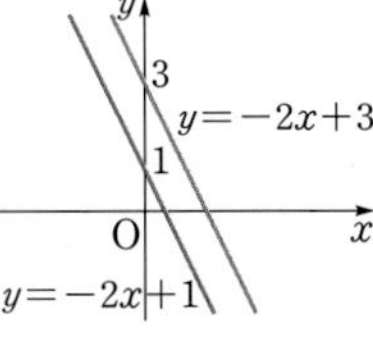

(2) 두 방정식을 y에 대하여 풀면

$\begin{cases} y=x-2 \\ y=x-2 \end{cases}$

이를 그래프로 나타내면 오른쪽 그림과 같이 일치하므로 연립방정식의 해가 무수히 많다.

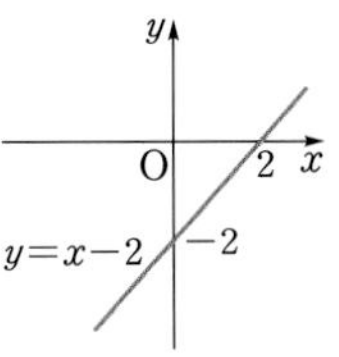

04 $ax+2y=3$에서 $y=-\frac{a}{2}x+\frac{3}{2}$

$2x+by=-6$에서 $y=-\frac{2}{b}x-\frac{6}{b}$

두 직선이 일치해야 하므로 기울기와 y절편이 각각 같아야 한다.

따라서 $\frac{3}{2}=-\frac{6}{b}$에서 $b=-4$

$-\frac{a}{2}=-\frac{2}{b}$에서 $\frac{a}{2}=-\frac{1}{2}$　　$\therefore a=-1$

유형 EXERCISES

 214~216쪽

유형 1 -1　　1-1 ④　　1-2 ③

유형 2 2　　2-1 3　　2-2 4　　2-3 $\frac{2}{3}$

유형 3 ④　　3-1 ⑤　　3-2 ①

유형 4 $x=3$　　4-1 2　　4-2 $y=2$

4-3 $-\frac{1}{4}$

유형 5 $\frac{17}{3}$　　5-1 $x=3,\ y=-2$　　3-2 3

5-3 7

유형 6 0　　6-1 2　　6-2 -3

6-3 제1, 2, 3사분면

유형 1

$ax+by-4=0$에서 $by=-ax+4$

$\therefore y=-\frac{a}{b}x+\frac{4}{b}$

즉, $y=-\frac{a}{b}x+\frac{4}{b}$의 그래프와 $y=\frac{1}{2}x-2$의 그래프가 일치하므로 $-\frac{a}{b}=\frac{1}{2},\ \frac{4}{b}=-2$에서 $b=-2,\ a=1$

$\therefore a+b=1+(-2)=-1$

1-1 $x-2y+1=0$에서 $-2y=-x-1$

$\therefore y=\frac{1}{2}x+\frac{1}{2}$

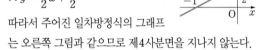

따라서 주어진 일차방정식의 그래프는 오른쪽 그림과 같으므로 제4사분면을 지나지 않는다.

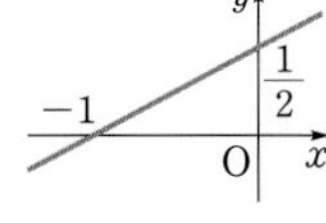

1-2 $3x+2y-8=0$에서 $2y=-3x+8$　　$\therefore y=-\frac{3}{2}x+4$

① $3\times2+2\times1-8=0$이므로 점 $(2,\ 1)$을 지난다.

③ $y=-\frac{3}{2}x+4$에 $y=0$을 대입하면

$0=-\frac{3}{2}x+4,\ \frac{3}{2}x=4$　　$\therefore x=\frac{8}{3}$

즉, x절편은 $\frac{8}{3}$이다.

④ 주어진 일차방정식의 그래프는 오른쪽 그림과 같으므로 제3사분면을 지나지 않는다.

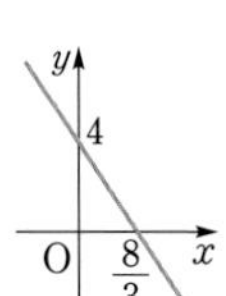

유형 ❷

$x+ay+4=0$의 그래프가 점 $(0, -2)$를 지나므로

$0-2a+4=0$ $\quad\therefore a=2$

■ 다른 풀이 ■

주어진 그래프에서 기울기는 $-\frac{1}{2}$이고, y절편은 -2이므로

$y=-\frac{1}{2}x-2$

양변에 2를 곱하여 정리하면 $x+2y+4=0$ $\quad\therefore a=2$

2-1 일차방정식 $ax+y=-1$의 그래프가 점 $(-1, 2)$를 지나므로 $x=-1$, $y=2$를 주어진 일차방정식에 대입하면

$-a+2=-1$ $\quad\therefore a=3$

2-2 기울기가 -3이고 y절편이 1인 일차함수의 식은

$y=-3x+1$ $\quad\therefore 3x+y-1=0$

따라서 $a=3$, $b=1$이므로

$a+b=3+1=4$

2-3 $2x+ay+6=0$에 $x=3$, $y=4$를 대입하면

$6+4a+6=0$, $4a=-12$ $\quad\therefore a=-3$

$2x-3y+6=0$에서 $y=\frac{2}{3}x+2$이므로 이 그래프의 기울기는 $\frac{2}{3}$이다.

유형 ❸

$ax+y+b=0$에서 $y=-ax-b$

주어진 그래프에서 $-a>0$, $-b>0$이므로 $a<0$, $b<0$

3-1 $ax+by+c=0$에서 $y=-\frac{a}{b}x-\frac{c}{b}$

주어진 그래프에서 $-\frac{a}{b}>0$, $-\frac{c}{b}<0$이므로

$\frac{a}{b}<0$, $\frac{c}{b}>0$

$\therefore a>0, b<0, c<0$ 또는 $a<0, b>0, c>0$

3-2 $ax-by-c=0$에서 $y=\frac{a}{b}x-\frac{c}{b}$

$b<0$이고, 주어진 그래프에서 $\frac{a}{b}<0$, $-\frac{c}{b}>0$이므로

$a>0$, $c>0$

유형 ❹

y축에 평행한 직선의 방정식은 $x=k$ 꼴이고,

점 $(3, -4)$를 지나므로 $x=3$

4-1 x축에 평행한 직선의 방정식은 $y=k$ 꼴이고

점 $(3, 2)$를 지나므로 $a=2$

4-2 두 점 $(-3, 2)$, $(2, 2)$의 y좌표가 같으므로 두 점을 지나는 직선의 방정식은 $y=2$

4-3 y축에 평행한 직선이므로 $x=-4$

즉, $-\frac{1}{4}x=1$이므로 $ax+by=1$과 비교해 보면

$a=-\frac{1}{4}$, $b=0$ $\quad\therefore a+b=-\frac{1}{4}$

유형 ❺

연립방정식의 해가 $x=3$, $y=2$이므로 두 일차방정식

$2x+y=a$, $bx-y=5$에 각각 대입하면

$2\times3+2=a$ $\quad\therefore a=8$

$b\times3-2=5$, $3b=7$ $\quad\therefore b=\frac{7}{3}$

$\therefore a-b=8-\frac{7}{3}=\frac{24-7}{3}=\frac{17}{3}$

5-1 연립방정식의 해는 두 직선의 교점의 좌표와 같으므로

$x=3$, $y=-2$

5-2 두 일차방정식의 그래프의 교점의 좌표는

연립방정식 $\begin{cases} x-3y+1=0 & \cdots\cdots ㉠ \\ 6x+y-13=0 & \cdots\cdots ㉡ \end{cases}$의 해와 같다.

㉠+㉡$\times3$을 하면 $19x-38=0$ $\quad\therefore x=2$

$x=2$를 ㉡에 대입하면 $12+y-13=0$ $\quad\therefore y=1$

따라서 $a=2$, $b=1$이므로

$a+b=2+1=3$

5-3 두 일차방정식의 그래프의 교점의 좌표가 $(2, b)$이므로

$x-y-1=0$에 $x=2$, $y=b$를 대입하면

$2-b-1=0$ $\quad\therefore b=1$

$2x+ay=10$에 $x=2$, $y=1$을 대입하면

$4+a=10$ $\quad\therefore a=6$

$\therefore a+b=6+1=7$

유형 ❻

$ax-y+3=0$에서 $y=ax+3$

$4x+by-6=0$에서 $y=-\frac{4}{b}x+\frac{6}{b}$

연립방정식의 해가 무수히 많으려면 두 그래프가 일치해야 하므로

$a=-\frac{4}{b}$, $3=\frac{6}{b}$ $\quad\therefore b=2, a=-2$

$\therefore a+b=-2+2=0$

6-1 $kx+y=3$에서 $y=-kx+3$

$4x+2y=10$에서 $y=-2x+5$

두 직선의 교점이 존재하지 않으려면 두 그래프가 평행해야 하므로

$-k=-2$ $\quad\therefore k=2$

6-2 $ax+y=b$에서 $y=-ax+b$

교점이 무수히 많으려면 두 그래프가 일치해야 하므로

$y=-ax+b$는 $y=\frac{3}{2}x+2$와 같아야 한다.

따라서 $a=-\frac{3}{2}$, $b=2$이므로

$ab=\left(-\frac{3}{2}\right)\times 2=-3$

6-3 $x-2y=3$에서 $y=\frac{1}{2}x-\frac{3}{2}$

$ax+4y=b$에서 $y=-\frac{a}{4}x+\frac{b}{4}$

두 연립방정식의 해가 무수히 많으려면 그래프가 일치해야 하므로

$\frac{1}{2}=-\frac{a}{4}$에서 $a=-2$, $-\frac{3}{2}=\frac{b}{4}$에서 $b=-6$

$y=\frac{b}{a}x+\frac{a}{b}$에 $a=-2$, $b=-6$을 대입하면

$y=3x+\frac{1}{3}$이고, 그 그래프는 오른쪽 그림과 같이 제1, 2, 3 사분면을 지난다.

중단원 EXERCISES

217~219쪽

01 ①	**02** ④	**03** 8	**04** ②
05 $y=-\frac{2}{3}x+4$		**06** ④	**07** $a<0$, $b>0$
08 ②	**09** 2	**10** $x=-\frac{2}{3}$	**11** A$(2, -2)$
12 5	**13** -10	**14** -3	**15** ④
16 $x=-3$	**17** 2	**18** 24	**19** -1
20 6	**21** 1		

01 $x-3y+6=0$에서 $3y=x+6$ $\quad\therefore y=\frac{1}{3}x+2$

즉, 기울기가 $\frac{1}{3}$, y절편이 2인 그래프는 ①이다.

02 $9x+3y+9=0$에서 $3y=-9x-9$

$\therefore y=-3x-3$

이 일차함수의 그래프는 오른쪽 그림과 같으므로 제2, 3, 4사분면을 지난다.

03 $3x+ay-b=0$에 $x=0$, $y=3$을 대입하면 $3a-b=0$

$3x+ay-b=0$에 $x=2$, $y=0$을 대입하면 $6-b=0$

$\therefore b=6$

$b=6$을 $3a-b=0$에 대입하면 $3a-6=0$ $\quad\therefore a=2$

$\therefore a+b=2+6=8$

04 $ax-2y+3=0$에 $x=-1$, $y=2$를 대입하면

$-a-2\times 2+3=0$ $\quad\therefore a=-1$

즉, $-x-2y+3=0$에서 $y=-\frac{1}{2}x+\frac{3}{2}$

따라서 이 그래프의 기울기는 $-\frac{1}{2}$이다.

05 $2x+3y-6=0$에서 $y=-\frac{2}{3}x+2$

$y=-\frac{2}{3}x+2$의 그래프에 평행하므로 구하는 일차함수의 식을 $y=-\frac{2}{3}x+b$로 놓고 $x=6$, $y=0$을 대입하면

$0=\left(-\frac{2}{3}\right)\times 6+b$ $\quad\therefore b=4$ $\quad\therefore y=-\frac{2}{3}x+4$

06 $3x+y-2=0$에서 $y=-3x+2$

$y=-3x+2$의 그래프를 y축의 방향으로 -3만큼 평행이동한 그래프의 식은 $y=-3x+2-3$ $\quad\therefore y=-3x-1$

$y=-3x-1$에 $x=a$, $y=-7$을 대입하면

$-7=-3a-1$, $3a=6$ $\quad\therefore a=2$

07 $x+ay-b=0$에서 $y=-\frac{1}{a}x+\frac{b}{a}$

주어진 그래프에서 $-\frac{1}{a}>0$, $\frac{b}{a}<0$이므로 $a<0$, $b>0$

08 $3x-6=0$에서 $3x=6$ $\quad\therefore x=2$

따라서 $x=2$의 그래프는 ②와 같다.

09 x축에 평행한 직선의 방정식은 $y=k$ 꼴이므로 두 점의 y좌표가 같아야 한다.

즉, $a-1=-2a+5$이므로 $3a=6$ $\quad\therefore a=2$

10 $6x-2y+4=0$에 $y=0$을 대입하면

$6x+4=0 \qquad \therefore x=-\frac{2}{3}$

즉, x축과 만나는 점의 좌표는 $\left(-\frac{2}{3}, 0\right)$

따라서 점 $\left(-\frac{2}{3}, 0\right)$을 지나고 y축에 평행한 직선의 방정식은 $x=-\frac{2}{3}$

11 연립방정식 $\begin{cases} 3x+y=4 & \cdots\cdots ㉠ \\ 2x-y=6 & \cdots\cdots ㉡ \end{cases}$에서

㉠+㉡을 하면 $5x=10 \qquad \therefore x=2$

$x=2$를 ㉠에 대입하면 $3\times2+y=4 \qquad \therefore y=-2$

따라서 점 A의 좌표는 $(2, -2)$이다.

12 $ax+y=7$에 $x=5, y=2$를 대입하면

$5a+2=7, 5a=5 \qquad \therefore a=1$

$x-by=-5$에 $x=5, y=2$를 대입하면

$5-2b=-5, -2b=-10 \qquad \therefore b=5$

$\therefore ab=1\times5=5$

13 $3x-2y=7$에서 $y=\frac{3}{2}x-\frac{7}{2}$,

$ax-by=-14$에서 $y=\frac{a}{b}x+\frac{14}{b}$

두 직선의 교점이 무수히 많으려면 두 직선이 일치해야 하므로

$\frac{3}{2}=\frac{a}{b}, -\frac{7}{2}=\frac{14}{b}$

따라서 $a=-6, b=-4$이므로

$a+b=(-6)+(-4)=-10$

14 $ax+y-1=0$에서 $y=-ax+1$

$3x-y-2=0$에서 $y=3x-2$

연립방정식의 해가 없으려면 두 그래프가 평행해야 하므로

$-a=3 \qquad \therefore a=-3$

15 $ax+by+c=0$에서 $y=-\frac{a}{b}x-\frac{c}{b}$

주어진 그림에서 $-\frac{a}{b}<0, -\frac{c}{b}>0$이므로

$\frac{a}{b}>0, \frac{c}{b}<0$

$\therefore b>0, a>0, c<0$ 또는 $b<0, a<0, c>0 \qquad \cdots\cdots ㉠$

$bx+cy+a=0$에서 $y=-\frac{b}{c}x-\frac{a}{c}$

이때 $-\frac{b}{c}>0, -\frac{a}{c}>0$이므로 제4사분면을 지나지 않는다.

($\because$ ㉠에서 $\frac{b}{c}<0, \frac{a}{c}<0$)

16 점 $(-1, 3)$을 지나고 x축에 평행한 직선은 $y=3$

이 직선에 수직인 직선은 $x=k$ 꼴이고, 점 $(-3, 1)$을 지나므로 $x=-3$

17 p는 양수이므로 네 직선

$x=p, x=4p, y=-3, y=4$

를 그리면 오른쪽 그림과 같다.

색칠한 직사각형에서

(가로의 길이)$=4p-p=3p$

(세로의 길이)$=4-(-3)=7$

따라서 도형의 넓이는 42이므로

$3p\times7=42 \qquad \therefore p=2$

18 연립방정식 $\begin{cases} 3x-y+3=0 & \cdots\cdots ㉠ \\ x+y-7=0 & \cdots\cdots ㉡ \end{cases}$에서

㉠+㉡을 하면

$4x-4=0 \qquad \therefore x=1$

$x=1$을 ㉡에 대입하면

$1+y-7=0 \qquad \therefore y=6$

즉, 두 직선의 교점의 좌표는 $(1, 6)$이다.

또한, 두 직선 $3x-y+3=0$, $x+y-7=0$의 x절편은 각각 -1, 7이다. 따라서 구하는 넓이는

$\frac{1}{2}\times(1+7)\times6=24$

19 연립방정식의 해가 $(5, b)$이므로

$x-2y-11=0$에 $x=5, y=b$를 대입하면

$5-2b-11=0, -2b=6 \qquad \therefore b=-3$

$ax+3y-1=0$에 $x=5, y=-3$을 대입하면

$5a+3\times(-3)-1=0, 5a=10 \qquad \therefore a=2$

$\therefore a+b=2+(-3)=-1$

20 연립방정식의 해가 $(-2, 3)$이므로

$3x-2y+a=0$에 $x=-2, y=3$을 대입하면

$-6-6+a=0 \qquad \therefore a=12 \qquad \therefore 3x-2y+12=0$

$3x+4y-b=0$에 $x=-2, y=3$을 대입하면

$-6+12-b=0 \qquad \therefore b=6 \qquad \therefore 3x+4y-6=0$

$3x-2y+12=0$에 $y=0$을 대입하면 $x=-4$

$\therefore \mathrm{A}(-4, 0)$

$3x+4y-6=0$에 $y=0$을 대입하면 $x=2$

$\therefore$ B(2, 0)

따라서 선분 AB의 길이는 $2-(-4)=6$이다.

21 두 직선 $x+y=3$, $x-2y=6$의 교점의 좌표는

연립방정식 $\begin{cases} x+y=3 & \cdots\cdots ㉠ \\ x-2y=6 & \cdots\cdots ㉡ \end{cases}$의 해와 같다.

㉠－㉡을 하면 $3y=-3$ $\quad\therefore y=-1$

$y=-1$을 ㉠에 대입하면 $x=4$

$ax+2y=2$에 $x=4$, $y=-1$을 대입하면

$4a-2=2$, $4a=4$ $\quad\therefore a=1$

대단원 EXERCISES

222~225쪽

01 ⑤ **02** ㄴ, ㅁ **03** -3 **04** 7
05 8 **06** ① **07** $-8\le b\le 1$
08 ③ **09** ㄴ, ㄷ **10** $\frac{15}{4}$ **11** $\frac{1}{2}$
12 ① **13** $0<k<\frac{1}{2}$ **14** ④
15 $y=3x-2$ **16** $y=-3x+5$
17 (1) $y=4000-100x$ (2) 15초
18 ③ **19** -8 **20** $\frac{7}{4}$ **21** 3
22 6 **23** 12 **24** $y=-\frac{1}{2}x-1$, 풀이 참조
25 $y=-2x+1$ **26** $y=4000-400x$, 10분

01 ① $x+y=1$에서 $y=-x+1$ (함수이다.)

②

x	1	2	3	4	5	6	7	$\cdots$
y	6	6	6	12	30	6	42	$\cdots$

즉, x의 값이 변함에 따라 y의 값이 하나씩 정해지므로 y는 x의 함수이다.

③ $y=200-x$ (함수이다.)

④ $y=2x$ (함수이다.)

⑤ $x=8$일 때, y의 값은 다음과 같다.

가로 : 1 cm, 세로 3 cm ➡ 넓이 : $y=3$

가로 : 2 cm, 세로 2 cm ➡ 넓이 : $y=4$

즉, x의 값에 대응하는 y의 값이 2개 이상이므로 y는 x의 함수가 아니다.

02 ㄱ. x가 분모에 있으므로 일차함수가 아니다.

ㄷ. $y=(x$에 대한 이차식$)$ 꼴이므로 일차함수가 아니다.

ㄹ. 괄호를 풀고 정리하면 $y=2$

x의 일차항이 없으므로 일차함수가 아니다.

따라서 y가 x에 대한 일차함수인 것은 ㄴ, ㅁ이다.

03 $f(3)=-9+2=-7$ $\quad\therefore a=-7$

$f(b)=-3b+2=-10$ $\quad\therefore b=4$

$\therefore a+b=(-7)+4=-3$

04 $120=2^3\times3\times5$이므로

$f(120)=(120$의 서로 다른 소인수의 개수$)=3$

또, $210=2\times3\times5\times7$이므로

$f(210)=(210$의 서로 다른 소인수의 개수$)=4$

$\therefore f(120)+f(210)=3+4=7$

05 $y=ax+b$에 $x=0$, $y=1$을 대입하면

$1=a\times0+b$ $\quad\therefore b=1$

$y=ax+1$에 $x=1$, $y=3$을 대입하면

$3=a+1$ $\quad\therefore a=2$

$y=2x+1$에 $x=c$, $y=11$을 대입하면

$11=2c+1$ $\quad\therefore c=5$

따라서 $a=2$, $b=1$, $c=5$이므로

$a+b+c=2+1+5=8$

06 $y=-\frac{2}{3}x$의 그래프를 y축의 방향으로 2만큼 평행이동한 그래프의 식은 $y=-\frac{2}{3}x+2$

$y=-\frac{2}{3}x+2$에 $x=6$, $y=a$를 대입하면

$a=\left(-\frac{2}{3}\right)\times6+2=-2$

07 $y=3x$의 그래프를 y축의 방향으로 b만큼 평행이동한 그래프의 식은 $y=3x+b$ → y절편

$y=3x+b$의 그래프가 점 A(1, 4)를 지날 때 b의 값이 가장 크고, 점 B(3, 1)을 지날 때 b의 값이 가장 작다.

$y=3x+b$에 $x=1$, $y=4$를 대입하면

$4=3\times1+b$ $\quad\therefore b=1$

$y=3x+b$에 $x=3$, $y=1$을 대입하면

$1=3\times3+b$ $\quad\therefore b=-8$

따라서 b의 값의 범위는 $-8\le b\le 1$

08 $y=ax-1$, $y=-x+4$의 그래프가 x축에서 만나려면 x절편이 같아야 한다.

$y=-x+4$에 $y=0$을 대입하면 $0=-x+4$ $\therefore x=4$

즉, $y=-x+4$의 x절편은 4이다.

$y=ax-1$의 x절편도 4이므로 $y=ax-1$에 $x=4$, $y=0$을 대입하면 $0=4a-1$, $4a=1$ $\therefore a=\frac{1}{4}$

09 ㄱ. $y=-3x+6$과 $y=3x+6$의 그래프는 기울기가 같지 않으므로 평행하지 않다.

ㄴ. $y=-3x+6$에 $y=0$을 대입하면

$0=-3x+6$ $\therefore x=2$

즉, x절편은 2이고, y절편은 6이므로 x절편과 y절편의 합은 8이다.

ㄷ. $y=-3x+6$의 그래프는 오른쪽 그림과 같이 제3사분면을 지나지 않는다.

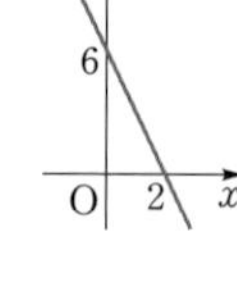

ㄹ. 기울기가 -3이므로 x의 값이 1만큼 증가할 때, y의 값은 3만큼 감소한다.

따라서 옳은 것은 ㄴ, ㄷ이다.

10 두 일차함수 $y=-2x+4$, $y=-2x+1$의 그래프와 x축, y축으로 둘러싸인 도형은 다음 그림에서 색칠한 부분과 같다.

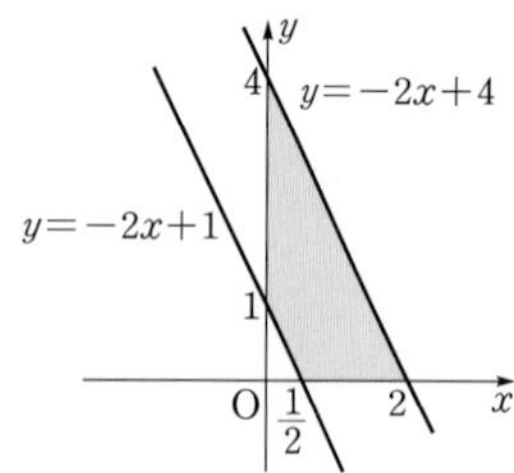

(구하는 도형의 넓이)

=(큰 삼각형의 넓이)−(작은 삼각형의 넓이)

$=\frac{1}{2}\times2\times4-\frac{1}{2}\times\frac{1}{2}\times1$

$=4-\frac{1}{4}=\frac{15}{4}$

11 $y=-\frac{1}{2}x+2$의 그래프의 x절편은 4, y절편은 2이므로

$A(0, 2)$, $B(4, 0)$

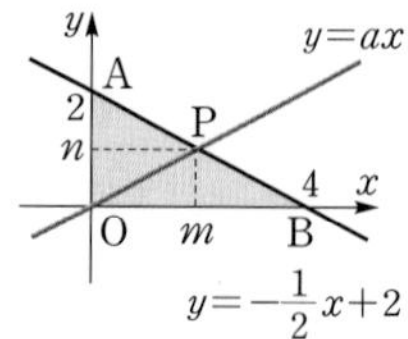

$\therefore \triangle AOB=\frac{1}{2}\times4\times2=4$

두 직선의 교점을 $P(m, n)$이라고 하면

$\triangle POB=\frac{1}{2}\times4\times n=2$ $\therefore n=1$

$\triangle PAO=\frac{1}{2}\times2\times m=2$ $\therefore m=2$

따라서 $y=ax$의 그래프가 점 $P(2, 1)$을 지나므로 $y=ax$에 $x=2$, $y=1$을 대입하면

$1=2a$ $\therefore a=\frac{1}{2}$

12 주어진 $y=ax+b$의 그래프에서

(기울기)$=a<0$, (y절편)$=b<0$이므로

$y=bx-a$의 그래프에서 (기울기)$=-b>0$,

(y절편)$=-a>0$이다.

따라서 $y=-bx-a$의 그래프는 ①과 같다.

13 $y=(2k-1)x+3k$의 그래프가 제1, 2, 4사분면을 지나려면 오른쪽 그림과 같이 (기울기)<0, (y절편)>0

즉, $2k-1<0$, $3k>0$이어야 하므로

$k<\frac{1}{2}$이고 $k>0$ $\therefore 0<k<\frac{1}{2}$

14 ① $y=ax+b$에 $y=0$을 대입하면

$ax+b=0$ $\therefore x=-\frac{b}{a}$

③ $y=ax+b$에 $x=1$을 대입하면 $y=a\times1+b=a+b$

④ $a>0$일 때,

$b>0$이면 제1, 2, 3사분면을 지나고,

$b<0$이면 제1, 3, 4사분면을 지난다.

15 두 점 $A(-1, -7)$, $B(2, 2)$를 지나는 직선은

(기울기)$=\frac{2-(-7)}{2-(-1)}=3$이므로 일차함수의 식을

$y=3x+b$로 놓고 $x=2$, $y=2$를 대입하면

$2=3\times2+b$ $\therefore b=-4$

$\therefore y=3x-4$

따라서 이 그래프를 y축의 방향으로 2만큼 평행이동한 그래프의 식은 $y=3x-4+2$ $\therefore y=3x-2$

16 조건 (가)에서 y절편이 x절편의 3배이므로 x절편을 k라고 하면 y절편은 $3k$이다.

즉, 두 점 $(k, 0)$, $(0, 3k)$를 지나므로

(기울기)$=\frac{0-3k}{k-0}=-3$

조건 (나)에서 두 점 $(1, m)$, $(m, -1)$을 지나는 직선의 기울기가 -3이므로 (기울기)$=\frac{-1-m}{m-1}=-3$

$-1-m=-3(m-1)$, $-1-m=-3m+3$

$2m=4$ $\therefore m=2$

따라서 구하는 일차함수의 식을 $y=-3x+b$로 놓고

$y=-3x+b$에 $x=1$, $y=2$를 대입하면

$2=(-3)\times1+b \qquad \therefore b=5$

$\therefore y=-3x+5$

17 x초 후에 $\overline{BP}=4x \qquad \therefore \overline{CP}=80-4x$

(1) $y=(80+80-4x)\times50\times\frac{1}{2}=4000-100x$

$\therefore y=4000-100x$

(2) $y=4000-100x$에 $y=2500$을 대입하면

$2500=4000-100x \qquad \therefore x=15$

따라서 점 P가 점 B를 출발하고 15초 후에 사각형 APCD의 넓이가 2500 cm^2가 된다.

18 $ax+by+c=0$에서 $y=-\frac{a}{b}x-\frac{c}{b}$

이때 $ab>0$이므로 $-\frac{a}{b}<0$

$ab>0$, $ac<0$이므로 $\frac{c}{b}<0 \qquad \therefore -\frac{c}{b}>0$

따라서 (기울기)<0, (y절편)>0이므로 제3사분면을 지나지 않는다.

19 y축에 평행한 직선의 방정식은 $x=k$ 꼴이므로 두 점의 x좌표가 같아야 한다.

즉, $a-3=2a+5$이므로 $a=-8$

20 두 직선의 교점의 좌표를 $(2, b)$라 하고

$x+2y=8$에 $x=2$, $y=b$를 대입하면

$2+2\times b=8 \qquad \therefore b=3$

즉, 연립방정식의 해가 $x=2$, $y=3$이므로

$ax-\frac{3}{2}y=-1$에 대입하면

$a\times2-\frac{3}{2}\times3=-1 \qquad \therefore a=\frac{7}{4}$

21 두 점 $P(-3, 4)$, $Q(1, 2)$를 지나는 직선의 기울기는

$\frac{4-2}{-3-1}=-\frac{1}{2}$이므로 직선의 방정식을 $y=-\frac{1}{2}x+b$로 놓고 $x=-3$, $y=4$를 대입하면

$4=-\frac{1}{2}\times(-3)+b \qquad \therefore b=\frac{5}{2}$

따라서 주어진 연립방정식의 해는 세 일차함수

$ax+y=5$, $x-y=-1$, $y=-\frac{1}{2}x+\frac{5}{2}$의 그래프의 교점이다.

연립방정식 $\begin{cases} x-y=-1 \\ y=-\frac{1}{2}x+\frac{5}{2} \end{cases}$를 풀면 $x=1$, $y=2$

따라서 $ax+y=5$에 $x=1$, $y=2$를 대입하면

$a\times1+2=5 \qquad \therefore a=3$

22 $3x+2y-2=0$에서 $y=-\frac{3}{2}x+1$

$ax+4y+3=0$에서 $y=-\frac{a}{4}x-\frac{3}{4}$

두 일차함수의 그래프는 평행해야 하므로

$-\frac{3}{2}=-\frac{a}{4} \qquad \therefore a=6$

23 두 그래프의 교점의 좌표를 각각 구해 보자.

$\begin{cases} x+y=5 \\ 2x-y=4 \end{cases}$를 풀면 $x=3$, $y=2$ ➡ $(3, 2)$

$\begin{cases} 2x-y=4 \\ y=-2 \end{cases}$를 풀면 $x=1$, $y=-2$ ➡ $(1, -2)$

$\begin{cases} x+y=5 \\ y=-2 \end{cases}$를 풀면 $x=7$, $y=-2$ ➡ $(7, -2)$

따라서 구하는 도형의 넓이는 오른쪽 그림에서 색칠된 삼각형의 넓이와 같으므로

$\frac{1}{2}\times6\times4=12$

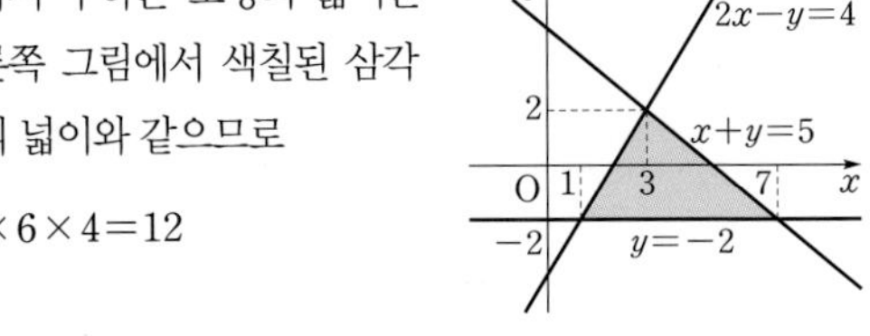

24 $y=-\frac{1}{2}x+3$의 그래프를 y축의 방향으로 p만큼 평행이동한 일차함수의 식은 $y=-\frac{1}{2}x+3+p$ ……㉠

이 식에 $x=2$, $y=-2$를 대입하면

$-2=\left(-\frac{1}{2}\right)\times2+3+p \qquad \therefore p=-4$ …… ❶

즉, 평행이동한 일차함수의 식은 ㉠에 $p=-4$를 대입하면

$y=-\frac{1}{2}x-1$ …… ❷

따라서 $y=-\frac{1}{2}x-1$의 그래프는 기울기가 $-\frac{1}{2}$, y절편이 -1이므로 오른쪽 그림과 같다. …… ❸

채점 기준	배점
❶ p의 값 구하기	40 %
❷ 평행이동한 일차함수의 식 구하기	20 %
❸ 평행이동한 일차함수의 그래프 그리기	40 %

25 두 점 $(-1, 1)$, $(2, -5)$를 지나는 일차함수의 그래프의 기울기는

$\frac{-5-1}{2-(-1)}=\frac{-6}{3}=-2$ …… ❶

구하는 일차함수의 식을 $y=-2x+b$로 놓고 $x=1$, $y=-1$을 대입하면

$-1=(-2)\times1+b \quad \therefore b=1$ …… ❷

따라서 구하는 일차함수의 식은 $y=-2x+1$ …… ❸

채점 기준	배점
❶ 기울기 구하기	30 %
❷ y절편 구하기	30 %
❸ 일차함수의 식 구하기	40 %

26 x분 동안 지훈이는 $250x$ m를, 진서는 $150x$ m를 걸으므로 x분 후의 두 사람 사이의 거리 y m는

$y=4000-(250x+150x)=4000-400x$ …… ❶

두 사람이 만나려면 두 사람 사이의 거리가 0이어야 하므로 $y=4000-400x$에 $y=0$을 대입하면

$4000-400x=0 \quad \therefore x=10$

따라서 두 사람은 출발한 지 10분 후에 만난다. …… ❷

채점 기준	배점
❶ x와 y 사이의 관계식 구하기	50 %
❷ 두 사람이 출발한 지 몇 분 후에 만나는지 구하기	50 %

Advanced Lecture

226~229쪽

[유제] 01~02 풀이 참조

01 (1) $-3x+6=0$의 해, 즉 $x=2$는 직선 $y=-3x+6$과 $y=0$(x축)의 교점의 x좌표이다.

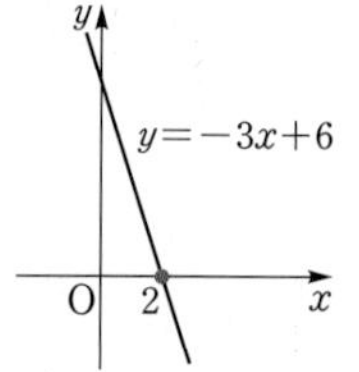

(2) $-3x+6=3$의 해, 즉 $x=1$은 직선 $y=-3x+6$과 $y=3$의 교점의 x좌표이다.

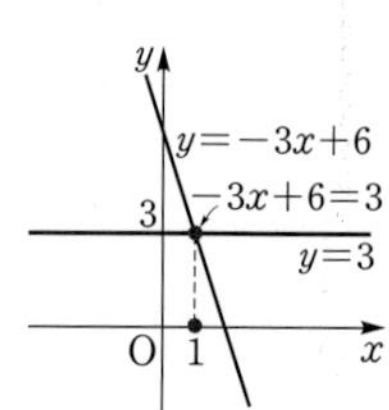

(3) $-3x+6>0$의 해, 즉 $x<2$는 직선 $y=-3x+6$ 위의 점들 중 직선 $y=0$(x축)보다 위쪽에 있는 점들의 x좌표의 범위이다.

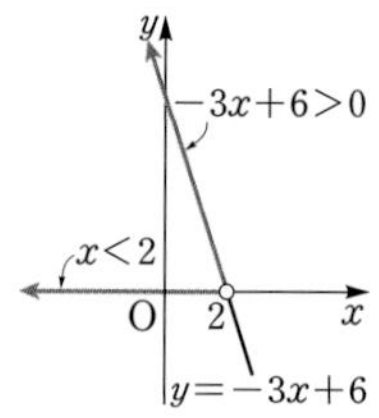

(4) $-3x+6<3$의 해, 즉 $x>1$은 직선 $y=-3x+6$ 위의 점들 중 직선 $y=3$보다 아래쪽에 있는 점들의 x좌표의 범위이다.

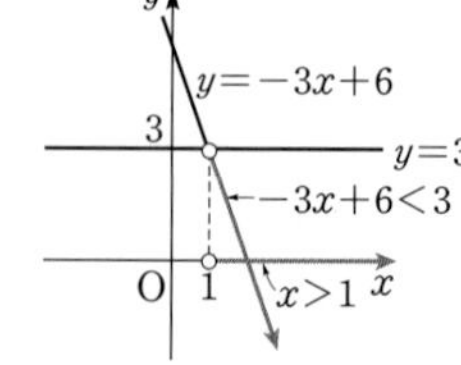

02 (가)의 경우 진행 방향은 2초 때와 7초 때 두 번 바뀌었고, 7초 때가 출발점에서 가장 멀리 떨어져 있으며, 출발 후 4초와 10초 때 출발점으로 돌아왔다.

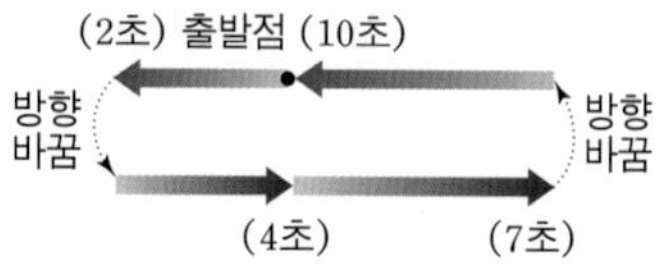

(가) 그래프로 본 로봇의 움직임

(나)의 경우 진행 방향은 4초 때 한 번 바뀌었고, 10초 때가 출발점에서 가장 멀리 떨어져 있다.

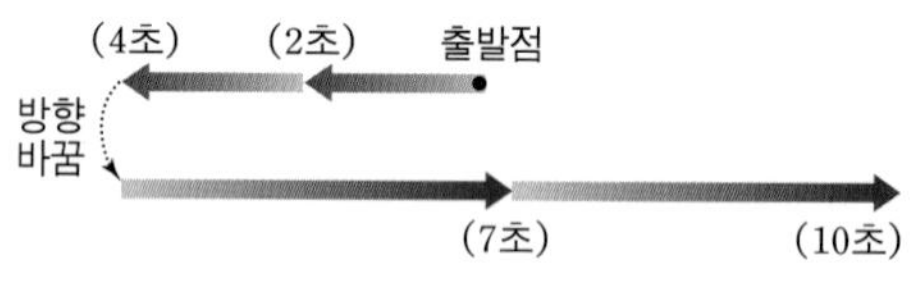

(나) 그래프로 본 로봇의 움직임

03 (1) $y=|x|-3$에서

$x\geq0$이면 $y=x-3$

$x<0$이면 $y=-x-3$

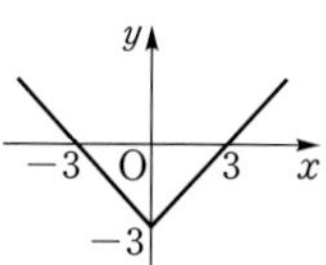

(2) $y=|x-3|$에서

$x\geq3$이면 $y=x-3$

$x<3$이면 $y=-x+3$

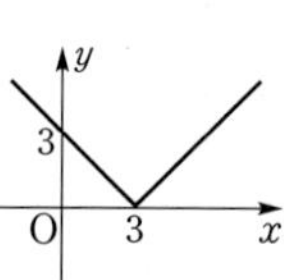

(3) $|y|=x-3$에서

$y\geq0$이면 $y=x-3$

$y<0$이면 $-y=x-3$

➡ $y=-x+3$

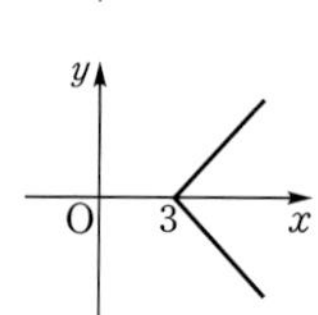

I 유리수와 순환소수

1. 유리수와 순환소수

유형 TEST
01. 유리수와 소수
02. 순환소수
002~004쪽

01 $a=4$, $b=16$, $c=0.16$		**02** ②	**03** 8
04 ①, ⑤	**05** ②, ③	**06** ③	**07** 9
08 ③	**09** ⑤	**10** ④	**11** ④, ⑤
12 ③	**13** 16	**14** ③	**15** ①, ④
16 ④	**17** (1) 05 (2) 0	**18** ④	**19** ①
20 ⑤			

01 $\frac{4}{25}=\frac{4}{5^2}=\frac{4\times2^2}{5^2\times2^2}=\frac{16}{100}=0.16$

$\therefore a=4, b=16, c=0.16$

02 $\frac{13}{40}=\frac{13}{2^3\times5}=\frac{13\times5^2}{2^3\times5\times5^2}=\frac{325}{2^3\times5^3}=\frac{325}{1000}=0.325$

② 3

03 $\frac{3}{2\times5^2}=\frac{3\times2}{2\times5^2\times2}=\frac{3\times2}{2^2\times5^2}=\frac{6}{10^2}$

이때 $a+n$의 값이 최소이려면 $a=6$, $n=2$이어야 하므로

$a+n=8$

04 각각의 분수를 기약분수로 고쳤을 때 분모의 소인수가 2나 5 이외의 수가 있는 것을 찾는다.

① $\frac{8}{45}=\frac{8}{3^2\times5}$ (무한소수)

② $\frac{6}{2^2\times3\times5}=\frac{1}{2\times5}$ (유한소수)

③ $\frac{42}{2^2\times5^2\times7}=\frac{3}{2\times5^2}$ (유한소수)

④ $\frac{35}{2^2\times5^3\times7}=\frac{1}{2^2\times5^2}$ (유한소수)

⑤ $\frac{21}{2\times3^3\times5^2\times7}=\frac{1}{2\times3^2\times5^2}$ (무한소수)

05 각각의 분수를 기약분수로 고친 후 분모의 소인수가 2나 5뿐인 것을 찾는다.

① $\frac{15}{45}=\frac{1}{3}$ (무한소수)

② $\frac{27}{45}=\frac{3}{5}$ (유한소수)

③ $\frac{11}{50}=\frac{11}{2\times5^2}$ (유한소수)

④ $\frac{8}{70}=\frac{4}{35}=\frac{4}{5\times7}$ (무한소수)

⑤ $\frac{3}{180}=\frac{1}{60}=\frac{1}{2^2\times3\times5}$ (무한소수)

06 주어진 분수는 모두 기약분수이므로 분모의 소인수가 2나 5뿐인 것을 고르면

$\frac{1}{2}, \frac{1}{2^2}, \frac{1}{2^3}, \frac{1}{2^4}, \frac{1}{2^5}, \frac{1}{2^6}, \frac{1}{5}, \frac{1}{5^2},$

$\frac{1}{2\times5}, \frac{1}{2^2\times5}, \frac{1}{2^3\times5}, \frac{1}{2^4\times5}, \frac{1}{2\times5^2}$

따라서 유한소수로 나타낼 수 없는 것의 개수는

$79-13=66$

07 $\frac{7}{90}\times x=\frac{7}{2\times3^2\times5}\times x$가 유한소수로 나타내어지므로 x는 9의 배수이다.

따라서 9의 배수 중 가장 작은 자연수는 9이므로 $x=9$

08 $\frac{27}{45\times x}=\frac{3}{5\times x}$

① $\frac{3}{5\times3}=\frac{1}{5}$　② $\frac{3}{5\times6}=\frac{1}{5\times2}$

③ $\frac{3}{5\times9}=\frac{1}{5\times3}$　④ $\frac{3}{5\times12}=\frac{1}{5\times2^2}$

⑤ $\frac{3}{5\times15}=\frac{1}{5^2}$

09 조건 (가)에서 A는 11, 22, 33, 44, ⋯, 99이다.

조건 (나)에서 $\frac{A}{140}=\frac{A}{2^2\times5\times7}$가 유한소수로 나타내어지므로 A는 7의 배수이다.

$\therefore A=77$

테스트 BOOK

10 $\frac{7}{30}\times x=\frac{7}{2\times 3\times 5}\times x$가 유한소수로 나타내어지므로 x는 3의 배수이다. …… ㉠

$\frac{x}{35}=\frac{x}{5\times 7}$가 유한소수로 나타내어지므로 x는 7의 배수이다. …… ㉡

㉠, ㉡에 의해 x는 21의 배수이므로

$a=84,\ b=21$

$\therefore a+b=105$

11 $\frac{18}{264}\times x=\frac{3}{44}\times x=\frac{3}{2^2\times 11}\times x$가 유한소수로 나타내어지므로 x는 11의 배수이다.

$\frac{24}{525}\times x=\frac{8}{175}\times x=\frac{8}{5^2\times 7}\times x$가 유한소수로 나타내어지므로 x는 7의 배수이다.

따라서 x는 77의 배수인 ④ 77과 ⑤ 231이다.

12 $\frac{35}{x}$는 기약분수이므로 x와 35는 서로소이다.

또 $\frac{35}{x}=\frac{5\times 7}{x}$이 유한소수가 되려면 x를 소인수분해했을 때, 소인수가 2뿐이어야 한다.

이때 $100\le x\le 200$이므로 $x=2^7=128$

13 $\frac{12}{2\times 5\times a}=\frac{6}{5\times a}$이 무한소수가 되도록 하는 한 자리의 자연수 a의 값은 7, 9이므로 구하는 합은 16이다.

14 ① 6 ② 24 ④ 115 ⑤ 30

15 ① $1.6161\cdots=1.\dot{6}\dot{1}$

④ $0.163163\cdots=0.\dot{1}6\dot{3}$

16 ① $0.4343\cdots>0.4333\cdots$

② $0.777\cdots>0.7575\cdots$

③ $0.288\cdots<0.3$

④ $0.201201\cdots>0.2010101\cdots$

⑤ $0.1010\cdots<0.111\cdots$

17 (1) $5.050505\cdots=5.\dot{0}\dot{5}$이므로 순환마디는 05이다.

(2) $53=2\times 26+1$이므로 소수점 아래 53번째 자리의 숫자는 0이다.

18 $\frac{11}{54}=0.2\dot{0}3\dot{7}$

$50=1+3\times 16+1$이므로 소수점 아래 50번째 자리의 숫자는 $a=0$

$70=1+3\times 23$이므로 소수점 아래 70번째 자리의 숫자는 $b=7$

$\therefore a+b=0+7=7$

19 $\frac{5}{7}=0.\dot{7}1428\dot{5}$

$2020=6\times 336+4$이므로 소수점 아래 2020번째 자리의 숫자는 순환마디의 4번째 숫자인 2이다.

20 $\frac{15}{22}=0.6818181\cdots$

$=0.6+0.08+0.001+0.0008+0.00001+\cdots$

즉, $x_1=6,\ x_2=8,\ x_3=1,\ x_4=8,\ x_5=1,\ \cdots$

$100=1+2\times 49+1$이므로 $x_{100}=8$

유형 TEST 03. 순환소수의 분수 표현 005~007쪽

01 ①, ②	**02** ③	**03** ④	**04** ④
05 ③	**06** $\frac{4}{33}$	**07** 9	**08** 5
09 (1) $a=37,\ b=90$ (2) $2.\dot{4}3\dot{2}$			**10** $1.\dot{0}\dot{2}$
11 ②	**12** $2.\dot{4}$	**13** ①	**14** 31
15 11	**16** 18	**17** ②, ④	**18** 99
19 ③	**20** ③, ⑤	**21** ①, ④	

01 ③ (다) : $1000-10=990$

④ (라) : $1034.3434\cdots-10.3434\cdots=1024$

⑤ (마) : $\frac{1024}{990}=\frac{512}{495}$

02 $x=0.5732732\cdots$이므로

$10000x=5732.732\cdots$ …… ㉠

$10x=5.732\cdots$ …… ㉡

㉠−㉡을 하면 $9990x=5727$

$\therefore x=\frac{5727}{9990}=\frac{1909}{3330}$

따라서 가장 편리한 식은 ③ $10000x-10x$이다.

03 ①, ②, ③ $1.575757\cdots=1.\dot{5}\dot{7}$이므로 순환마디는 57이다.

④ $x=1.575757\cdots$ ······ ㉠

$100x=157.5757\cdots$ ······ ㉡

㉡−㉠을 하면

$100x-x=157.5757\cdots-1.5757\cdots=156$

$99x=156$ $\therefore x=\frac{156}{99}=\frac{52}{33}$

04 ① $1.\dot{2}\dot{0}=\frac{120-1}{99}=\frac{119}{99}$

② $0.3\dot{5}=\frac{35-3}{90}=\frac{32}{90}=\frac{16}{45}$

③ $7.\dot{0}1\dot{2}=\frac{7012-7}{999}=\frac{7005}{999}=\frac{2335}{333}$

⑤ $0.98\dot{7}=\frac{987-98}{900}=\frac{889}{900}$

05 ② $0.1\dot{9}=\frac{19-1}{90}=\frac{18}{90}=\frac{1}{5}$

③ $4.\dot{8}=\frac{48-4}{9}=\frac{44}{9}$

④ $2.5\dot{1}\dot{3}=\frac{2513-25}{990}=\frac{2488}{990}=\frac{1244}{495}$

⑤ $0.23\dot{4}=\frac{234-23}{900}=\frac{211}{900}$

06 $\frac{1}{10}+\frac{2}{100}+\frac{1}{1000}+\frac{2}{10000}+\frac{1}{100000}+\cdots$

$=0.1+0.02+0.001+0.0002+0.00001+\cdots$

$=0.121212\cdots=0.\dot{1}\dot{2}$

$=\frac{12}{99}=\frac{4}{33}$

07 어떤 자연수를 x라고 하면

$x\times 4.\dot{5}-x\times 4.5=0.5$

$\frac{41}{9}x-\frac{45}{10}x=\frac{5}{10}$, $\frac{1}{18}x=\frac{1}{2}$

$\therefore x=\frac{1}{2}\times 18=9$

08 어떤 자연수를 x라고 하면

$x\times 4.\dot{6}-x\times 4.6=0.\dot{3}$

$\frac{14}{3}x-\frac{23}{5}x=\frac{1}{3}$, $\frac{1}{15}x=\frac{1}{3}$

$\therefore x=5$

09 (1) 지연이는 분자를 바르게 보았으므로

$0.\dot{3}\dot{7}=\frac{37}{99}$ 에서 $a=37$

민정이는 분모를 바르게 보았으므로

$0.4\dot{7}=\frac{47-4}{90}=\frac{43}{90}$ 에서 $b=90$

(2) $\frac{b}{a}=\frac{90}{37}=2.\dot{4}3\dot{2}$

10 재열이는 분모를 바르게 보았으므로

$1.\dot{2}\dot{3}=\frac{123-1}{99}=\frac{122}{99}$ 에서 처음 기약분수의 분모는 99이다.

슬기는 분자를 바르게 보았으므로

$1.1\dot{2}=\frac{112-11}{90}=\frac{101}{90}$ 에서 처음 기약분수의 분자는 101이다.

따라서 처음 기약분수는 $\frac{101}{99}$ 이므로

$\frac{101}{99}=1.\dot{0}\dot{2}$

11 $3.\dot{1}2\dot{3}=\frac{3123-3}{999}=\frac{3120}{999}$

$=312\times\frac{10}{999}$

$=312\times 0.\dot{0}1\dot{0}$

12 $x\times\frac{8}{11}=1.\dot{7}$

$\therefore x=1.\dot{7}\times\frac{11}{8}=\frac{16}{9}\times\frac{11}{8}=\frac{22}{9}=2.\dot{4}$

13 $\frac{1}{2}<0.\dot{x}<0.7$에서 $\frac{1}{2}<\frac{x}{9}<\frac{7}{10}$

즉, $\frac{45}{90}<\frac{10x}{90}<\frac{63}{90}$이므로

$45<10x<63$ $\therefore 4.5<x<6.3$

이를 만족하는 한 자리의 자연수 x의 값은 5, 6이다.

따라서 모든 x의 값의 합은 $5+6=11$

14 $1.1\dot{6}=\frac{116-11}{90}=\frac{105}{90}=\frac{7}{6}$이므로

$1.1\dot{6}\times\frac{b}{a}=0.\dot{5}$에서 $\frac{7}{6}\times\frac{b}{a}=\frac{5}{9}$

$\therefore \frac{b}{a}=\frac{5}{9}\times\frac{6}{7}=\frac{10}{21}$

따라서 $a=21$, $b=10$이므로 $a+b=21+10=31$

15 $0.\dot{2}\dot{7}=\frac{27}{99}=\frac{3}{11}$에 곱할 수 있는 자연수는 11의 배수이므로 가장 작은 자연수는 11이다.

16 $0.\dot{2}=\frac{2}{9}$이므로 x는 9의 배수이어야 한다.

따라서 가장 작은 두 자리의 자연수는 18이므로 $x=18$

17 $0.32\dot{7}=\frac{327-32}{900}=\frac{295}{900}=\frac{59}{180}=\frac{59}{2^2\times5\times3^2}$

이므로 x는 9의 배수이어야 한다.

18 $0.4\dot{6}\dot{3}=\frac{463-4}{990}=\frac{459}{990}=\frac{51}{110}=\frac{51}{2\times5\times11}$

이므로 x는 11의 배수이어야 한다.

따라서 가장 큰 두 자리의 자연수는 99이므로 $x=99$

19 ① 0은 유리수이다.

② 무한소수 중에는 순환하지 않는 무한소수도 있다.

④ 유한소수는 모두 유리수이다.

⑤ 무한소수 중 순환하지 않는 무한소수는 유리수가 아니다.

20 x는 유리수이므로 주어진 수 중 유리수가 아닌 것을 고르면 ③ π, ⑤ 2.010010001⋯이다.

21 ② 순환소수는 분수로 나타낼 수 있으므로 모두 유리수이다.

③ 무한소수 중 순환소수는 유리수이다.

⑤ 기약분수인 경우에만 분모에 2 또는 5 이외의 소인수를 가지면 순환소수이다.

실력 TEST

008~011쪽

01 129	**02** 2개	**03** 15개	**04** 46
05 45	**06** 582	**07** 132	**08** 135
09 36	**10** -108	**11** $\frac{7}{198}$	
12 198, 396	**13** 945	**14** $\frac{17}{33}$	**15** 20

01 $\frac{1}{80}=\frac{1}{2^4\times5}=\frac{1\times5^3}{2^4\times5^4}=\frac{125}{10000}=\frac{125}{10^4}$

$a+n$의 값이 최소가 되는 것은 $a=125$, $n=4$일 때이므로 $a+n$의 최솟값은 $125+4=129$

02 $\frac{17}{204}=\frac{1}{12}=\frac{1}{2^2\times3}$, $\frac{35}{364}=\frac{5}{52}=\frac{5}{2^2\times13}$ 이므로

자연수 N은 3과 13의 공배수, 즉 39의 배수이다.

따라서 두 자리의 자연수 N은 39, 78의 2개이다.

03 구하는 분수를 $\frac{a}{35}$라고 하면

$\frac{1}{5}=\frac{7}{5\times7}$, $\frac{5}{7}=\frac{25}{5\times7}$ 이므로

$\frac{7}{5\times7}<\frac{a}{5\times7}<\frac{25}{5\times7}$

이때 $\frac{a}{5\times7}$가 순환소수로 나타낼 수 있으려면 a는 7의 배수가 아니어야 한다.

즉, $7<a<25$이고 $a\neq14$, $a\neq21$이어야 한다.

따라서 $\frac{a}{5\times7}$ 중 순환소수로 나타내어지는 분수는

$17-2=15$(개)

04 $\frac{x}{120}=\frac{x}{2^3\times3\times5}$가 유한소수로 나타내어지려면 x는 3의 배수이어야 한다.

또 기약분수로 나타내면 $\frac{11}{y}$이므로 x는 11의 배수이어야 한다. 따라서 x는 3과 11의 공배수, 즉 33의 배수이고

$60<x<70$이므로 $x=66$ ⋯⋯ ❶

즉, $\frac{66}{120}=\frac{11}{y}$ $\quad\therefore y=20$ ⋯⋯ ❷

$\therefore x-y=66-20=46$ ⋯⋯ ❸

채점 기준	배점
❶ x의 값 구하기	60 %
❷ y의 값 구하기	30 %
❸ $x-y$의 값 구하기	10 %

05 조건 (가)에서 A는 홀수이고, 조건 (다)에서 A는 9의 배수이므로 ➡ $A=27, 45, 63, \cdots$

조건 (나)에서 A는 50보다 작은 두 자리의 자연수이므로

➡ $A=27, 45$

$\frac{8}{27}$과 $\frac{8}{45}$에 각각 9를 곱했을 때 유한소수가 되는 것은

$\frac{8}{27}\times9=\frac{8}{3}=2.\dot{6}$: 순환소수

$\frac{8}{45}\times9=\frac{8}{5}=1.6$: 유한소수

$\therefore A=45$

06 $101=1+3\times33+1$이므로

$a=8+(7+5+6)\times33+7=609$ …… ❶

$\frac{7}{13}=0.\dot{5}3846\dot{1}$이므로

$b=5+3+8+4+6+1=27$ …… ❷

$\therefore a-b=609-27=582$ …… ❸

채점 기준	배점
❶ a의 값 구하기	50 %
❷ b의 값 구하기	40 %
❸ $a-b$의 값 구하기	10 %

07 $\frac{27}{110}=0.2\dot{4}\dot{5}$이므로

$f(1)=2,\ f(2)=4,\ f(3)=5,\ f(4)=4,\ f(5)=5,\ \cdots$

$\therefore f(1)+f(2)+\cdots+f(30)$

$=2+\underbrace{\{(4+5)+(4+5)+\cdots+(4+5)\}}_{28개}+4$

$=2+9\times14+4$

$=132$

08 $\frac{3}{7}=0.\dot{4}2857\dot{1}$

$=\frac{4}{10}+\frac{2}{10^2}+\frac{8}{10^3}+\frac{5}{10^4}+\frac{7}{10^5}+\frac{1}{10^6}+\cdots$

$\therefore a_1+a_2+\cdots+a_{30}=5\times(4+2+8+5+7+1)$

$=5\times27=135$

09 $\frac{4}{15}=0.2\dot{6}$, 즉 $0.x\dot{y}=0.2\dot{6}$ $\quad\therefore x=2,\ y=6$

$0.y\dot{x}=0.6\dot{2}=\frac{62-6}{90}=\frac{56}{90}=\frac{28}{45}$

즉, $\frac{z}{45}=\frac{28}{45}$ $\quad\therefore z=28$

$\therefore x+y+z=2+6+28=36$

10 $1.3\dot{4}=\frac{134-13}{90}=\frac{121}{90},\ 0.1\dot{4}=\frac{14-1}{90}=\frac{13}{90}$ …… ❶

$\frac{121}{90}\times m=\frac{13}{90}\times n$ $\quad\therefore 121m=13n$

이때 m, n은 서로소이므로 $m=13,\ n=121$ …… ❷

$\therefore m-n=13-121=-108$ …… ❸

채점 기준	배점
❶ 순환소수를 분수로 나타내기	40 %
❷ m, n의 값 구하기	50 %
❸ $m-n$의 값 구하기	10 %

11 $\frac{1}{3}\times\left(\frac{1}{10}+\frac{6}{10^3}+\frac{6}{10^5}+\frac{6}{10^7}+\cdots\right)$

$=\frac{1}{3}\times0.1060606\cdots=\frac{1}{3}\times0.1\dot{0}\dot{6}$

$=\frac{1}{3}\times\frac{105}{990}=\frac{7}{198}$

12 $0.2\dot{7}=\frac{25}{90}=\frac{5}{18}$이므로 $\frac{5}{18}\times a$가 자연수가 되려면 a는 18의 배수이어야 한다. …… ❶

$0.\dot{3}\dot{6}=\frac{36}{99}=\frac{4}{11}$이므로 $\frac{4}{11}\times a$가 자연수가 되려면 a는 11의 배수이어야 한다. …… ❷

따라서 a는 198의 배수이고, 400보다 작은 자연수이므로 198, 396이다. …… ❸

채점 기준	배점
❶ $0.2\dot{7}\times a$에서 a의 조건 구하기	40 %
❷ $0.\dot{3}\dot{6}\times a$에서 a의 조건 구하기	40 %
❸ a의 값 모두 구하기	20 %

13 $0.4\dot{6}=\frac{46-4}{90}=\frac{42}{90}=\frac{7}{15}$이므로 $\frac{7}{15}\times a$가 어떤 자연수의 제곱이 되려면 a는 $15\times7\times\square^2$ 꼴이어야 한다.

이때 가장 큰 세 자리의 자연수 a는

$15\times7\times9=945$

14 $\left(\frac{5}{10}+\frac{5}{10^3}+\frac{5}{10^5}+\cdots\right)+\left(\frac{1}{10^2}+\frac{1}{10^4}+\frac{1}{10^6}+\cdots\right)$

$=\frac{5}{10}+\frac{1}{10^2}+\frac{5}{10^3}+\frac{1}{10^4}+\frac{5}{10^5}+\frac{1}{10^6}+\cdots$

$=0.515151\cdots=0.\dot{5}\dot{1}$

$=\frac{51}{99}=\frac{17}{33}$

15 $1+\frac{1}{5}+\frac{1}{2\times5^2}+\frac{1}{2^2\times5^3}+\frac{1}{2^3\times5^4}+\cdots$

$=1+\frac{2}{10}+\frac{2}{100}+\frac{2}{1000}+\frac{2}{10000}+\cdots$

$=1.222\cdots=1.\dot{2}$

$=\frac{11}{9}$

따라서 $a=11,\ b=9$이므로

$a+b=11+9=20$

대단원 TEST

012~014쪽

01 ②, ④	**02** ①	**03** ②	**04** ③
05 ③	**06** ④	**07** ②	
08 (1) 2, 8 (2) 199		**09** ④	**10** ②
11 $0.0\dot{2}\dot{1}$	**12** 6	**13** 7, 8	**14** $\frac{22}{5}$
15 27	**16** ③	**17** ⑤	**18** $0.4\dot{3}$
19 6	**20** ④	**21** ③	**22** ③

01 ① $0.\dot{9}=\frac{9}{9}=1$: 정수

② -2.7 : 정수가 아닌 유리수

③ π : 유리수가 아님

④ $8.\dot{0}\dot{8}=\frac{808-8}{99}=\frac{800}{99}$: 정수가 아닌 유리수

⑤ $\frac{35}{7}=5$: 정수

02 $\frac{28}{16\times n}=\frac{7}{4\times n}$이 유한소수가 되므로 n의 값이 될 수 없는 것은 ① 3이다.

03 $\frac{13}{42}=\frac{13}{2\times3\times7}$이므로 $\frac{13}{2\times3\times7}\times a$가 유한소수가 되려면 a는 21의 배수이어야 한다.

$\frac{49}{60}=\frac{49}{2^2\times3\times5}$이므로 $\frac{49}{2^2\times3\times5}\times a$가 유한소수가 되려면 a는 3의 배수이어야 한다.

따라서 a는 21의 배수이어야 하므로 가장 작은 세 자리의 자연수는 105이다.

04 $\frac{x}{140}=\frac{x}{2^2\times5\times7}$가 유한소수로 나타내어지므로 x는 7의 배수이다.

또 $\frac{x}{2^2\times5\times7}=\frac{3}{y}$이므로 x는 3의 배수이다.

따라서 x는 21의 배수이고 30보다 작은 자연수이므로 $x=21$

즉, $\frac{21}{2^2\times5\times7}=\frac{3}{2^2\times5}=\frac{3}{y}$이므로 $y=20$

05 ① $\frac{1}{3}=0.\dot{3}$ ② $\frac{1}{30}=0.0\dot{3}$ ③ $\frac{1}{33}=0.\dot{0}\dot{3}$

④ $\frac{8}{15}=0.5\dot{3}$ ⑤ $\frac{10}{3}=3.\dot{3}$

따라서 ③만 순환마디가 03이고 나머지는 모두 3이다.

06 ① $\frac{17}{510}=\frac{1}{30}=\frac{1}{2\times3\times5}$: 유한소수로 나타낼 수 없다.

② $\frac{21}{60}=\frac{7}{20}=\frac{7}{2^2\times5}$: 유한소수로 나타낼 수 있다.

③ $0.2\dot{1}\dot{3}=\frac{213-2}{990}=\frac{211}{990}$

⑤ $0.032032032\cdots=0.\dot{0}3\dot{2}$의 순환마디는 032이다.

07 구하는 분수를 $\frac{a}{55}$라고 하면 $\frac{a}{55}=\frac{a}{5\times11}$가 유한소수로 나타낼 수 없으므로 a는 11의 배수가 아니어야 한다.

이때 $\frac{1}{5}=\frac{11}{55}$, $0.\dot{8}\dot{1}=\frac{81}{99}=\frac{9}{11}=\frac{45}{55}$이므로

$\frac{11}{55}<\frac{a}{55}<\frac{45}{55}$이려면 $11<a<45$

따라서 이를 만족하는 a의 값은 12에서 44까지의 자연수 중 22, 33, 44를 제외한 자연수이므로 그 개수는

$(44-12+1)-3=30$

08 (1) $\frac{11}{7}=1.\dot{5}7142\dot{8}$에서 $35=6\times5+5$이므로 소수점 아래 35번째 숫자는 2이다. …… ❶

$78=6\times13$이므로 78번째 숫자는 8이다. …… ❷

(2) (구하는 합)

$=2+8+7\times(5+7+1+4+2+8)$

$=10+7\times27=199$ …… ❸

채점 기준	배점
❶ 소수점 아래 35번째 숫자 구하기	30 %
❷ 소수점 아래 78번째 숫자 구하기	30 %
❸ 합 구하기	40 %

09 $x=2.4\dot{7}\dot{5}=2.47575\cdots$이므로

$1000x=2475.7575\cdots$ …… ㉠

$10x=24.7575\cdots$ …… ㉡

㉠−㉡을 하면 $990x=2451$

$\therefore x=\frac{2451}{990}=\frac{817}{330}$

따라서 가장 편리한 식은 ④ $1000x-10x$이다.

10 ② $1.\dot{0}\dot{4}=\frac{104-1}{99}=\frac{103}{99}$

11 $0.2\dot{3}=\frac{23-2}{90}=\frac{21}{90}=\frac{7}{30}$이므로

구하는 기약분수의 분자는 7이다.

$3.1\dot{2}\dot{4}=\frac{3124-31}{990}=\frac{3093}{990}=\frac{1031}{330}$이므로

구하는 기약분수의 분모는 330이다.

따라서 처음 기약분수는 $\frac{7}{330}$이므로

$\frac{7}{330}=0.0\dot{2}\dot{1}$

12 $A\times 2.\dot{7}-A\times 2.7=0.4\dot{6}$ ······ ❶

이때 $2.\dot{7}=\frac{25}{9}$, $0.4\dot{6}=\frac{42}{90}=\frac{7}{15}$이므로

$\frac{25}{9}A-\frac{27}{10}A=\frac{7}{15}$ ······ ❷

양변에 90을 곱하면 $250A-243A=42$

$7A=42 \quad \therefore A=6$ ······ ❸

채점 기준	배점
❶ 주어진 문장을 식으로 나타내기	30 %
❷ 계수를 분수로 나타내기	40 %
❸ 식을 풀어 A의 값 구하기	30 %

13 $\frac{2}{3}<0.\dot{x}<0.9\dot{8}$에서

$\frac{2}{3}<\frac{x}{9}<\frac{89}{90}$, $\frac{60}{90}<\frac{10x}{90}<\frac{89}{90}$

즉, $60<10x<89$이므로 부등식을 만족하는 한 자리의 자연수 x는 7, 8이다.

14 $a=0.\dot{2}\dot{4}=\frac{24}{99}=\frac{8}{33}$ ······ ❶

$b=1.0\dot{6}=\frac{106-10}{90}=\frac{96}{90}=\frac{16}{15}$ ······ ❷

$\therefore \frac{b}{a}=b\div a=\frac{16}{15}\div\frac{8}{33}=\frac{16}{15}\times\frac{33}{8}=\frac{22}{5}$ ······ ❸

채점 기준	배점
❶ a의 값 구하기	40 %
❷ b의 값 구하기	40 %
❸ $\frac{b}{a}$의 값 구하기	20 %

15 $\frac{5}{13}=0.\dot{3}8461\dot{5}$

$=\frac{3}{10}+\frac{8}{10^2}+\frac{4}{10^3}+\frac{6}{10^4}+\frac{1}{10^5}+\frac{5}{10^6}+\cdots$

이때 $x_7=3$, $x_8=8$, $x_9=4$, $x_{10}=6$, $x_{11}=1$, $x_{12}=5$이므로

$x_7+x_8+x_9+x_{10}+x_{11}+x_{12}=3+8+4+6+1+5=27$

16 $0.\dot{3}\dot{1}=\frac{31}{99}=31\times\frac{1}{99}=31\times 0.\dot{0}\dot{1}$이므로

$x=0.\dot{0}\dot{1}$

17 $x=2.\dot{0}2\dot{1}=\frac{2021-2}{999}=\frac{2019}{999}$

$\therefore x\times(999.\dot{9}-1)=\frac{2019}{999}\times\left(\frac{9999-999}{9}-1\right)$

$=\frac{2019}{999}\times(1000-1)$

$=\frac{2019}{999}\times 999$

$=2019$

18 $0.1\dot{3}=\frac{13-1}{90}=\frac{2}{15}$이므로

$1-2a=\frac{2}{15}$, $2a=1-\frac{2}{15}=\frac{13}{15}$

$\therefore a=\frac{13}{30}=0.4\dot{3}$

19 $x\times 1.\dot{5}-x\times 1.5=0.\dot{3}$이므로

$\frac{14}{9}x-\frac{3}{2}x=\frac{1}{3}$

양변에 18을 곱하면 $28x-27x=6$

$\therefore x=6$

20 $1.\dot{4}=\frac{13}{9}$이므로 (가)는 9의 배수이다.

이 중 가장 작은 자연수는 9이다.

21 $1.0\dot{1}\dot{2}=\frac{1002}{990}=\frac{167}{165}=\frac{167}{3\times5\times11}$이므로

x는 33의 배수이어야 한다.

따라서 두 자리의 자연수 x의 개수는 33, 66, 99로 3이다.

22 ① 무한소수 중에서 순환하지 않는 무한소수는 유리수가 아니다.

② 유한소수는 모두 유리수이다.

④ 무한소수 중에는 순환하지 않는 무한소수도 있다.

⑤ 순환소수는 모두 분수로 나타낼 수 있다.

창의사고력 TEST

015쪽

01 -1　　**02** 5　　**03** $\frac{29}{81}$

01 $\frac{3}{24}=\frac{1}{8}$은 유한소수로 나타낼 수 있으므로

$3*24=-1$

$\frac{18}{108}=\frac{1}{6}$은 유한소수로 나타낼 수 없으므로

$18*108=1$

$\frac{65}{169}=\frac{5}{13}$는 유한소수로 나타낼 수 없으므로

$65*169=1$

$\therefore$ (주어진 식)$=-1-1+1=-1$

02 $\frac{a}{140}=\frac{a}{2^2\times5\times7}$가 유한소수로 나타내어지므로 a는 7의 배수이다.

$\frac{a+b}{140}=\frac{a+b}{2^2\times5\times7}$를 소수로 나타내면 소수점 아래 첫 번째 자리부터 순환마디가 시작되는 순환소수이므로

$\frac{a+b}{2^2\times5\times7}$는 $\frac{c}{99\cdots9}$의 꼴이다.

이때 $2^2\times5$에 어떤 수를 곱해도 $99\cdots9$가 될 수 없으므로 $2^2\times5$는 분자의 $a+b$와 약분되어야 한다.

따라서 $a+b$는 $2^2\times5$의 배수, 즉 20의 배수이다.

이를 만족하는 (a, b)의 값은 다음과 같다.

a \ $a+b$	20	40	60
7	(7, 13)		
14	(14, 6)	(14, 26)	
21		(21, 19)	
28		(28, 12)	

그러므로 순서쌍의 개수는 5이다.

03 $S=\frac{3}{10}+\frac{5}{100}+\frac{7}{1000}+\frac{9}{10000}+\frac{11}{100000}+\cdots$ ······ ㉠

㉠의 양변에 10을 곱하면

$10S=3+\frac{5}{10}+\frac{7}{100}+\frac{9}{1000}+\frac{11}{10000}+\cdots$ ······ ㉡

㉡－㉠을 하면

$$\begin{array}{rl} 10S= & 3+\frac{5}{10}+\frac{7}{100}+\frac{9}{1000}+\frac{11}{10000}+\cdots \\ -)\quad S= & \quad\ \ \frac{3}{10}+\frac{5}{100}+\frac{7}{1000}+\frac{9}{10000}+\cdots \\ \hline 9S= & 3+\frac{2}{10}+\frac{2}{100}+\frac{2}{1000}+\frac{2}{10000}+\cdots \end{array}$$

$9S=3.222\cdots=3.\dot{2}=\frac{29}{9}$

$\therefore S=\frac{29}{81}$

Ⅱ 식의 계산

1. 단항식의 계산

유형 TEST 01. 지수법칙 016~018쪽

01 ③	**02** ②, ⑤	**03** ③	**04** 6
05 ⑤	**06** ③	**07** 5	**08** 6
09 ⑤	**10** ①	**11** ⑤	**12** 2
13 ③	**14** 26	**15** ③, ⑤	**16** 18
17 ③	**18** 2	**19** ④	**20** ①
21 ②	**22** ③	**23** 7자리	**24** 23

01 $81=3^4$이므로 $3^3\times3^4=3^{3+4}=3^7$ $\quad\therefore \square=7$

02 ② $a^2\times a^3=a^5$ $\quad$ ⑤ $a^7\times a=a^8$

03 ① $x^{\square}\times x^2=x^{\square+2}=x^6$이므로 $\square+2=6$ $\quad\therefore \square=4$
② $2^2\times2^{\square}=2^{2+\square}=2^5$이므로 $2+\square=5$ $\quad\therefore \square=3$
③ $x\times x^2\times x^3=x^{1+2+3}=x^6$ $\quad\therefore \square=6$
④ $x^2\times y^2\times y^3=x^2\times y^{2+3}=x^2y^5$ $\quad\therefore \square=5$
⑤ $a^4\times a^{\square}\times a=a^{4+\square+1}=a^9$이므로 $4+\square+1=9$
$\therefore \square=4$
따라서 □ 안에 알맞은 수 중 가장 큰 것은 ③이다.

04 $3\times4\times5\times6=3\times2^2\times5\times2\times3=2^3\times3^2\times5$
따라서 $x=3$, $y=2$, $z=1$이므로
$x+y+z=3+2+1=6$

05 $(a^3)^2\times b^3\times a\times(b^4)^3=a^6\times b^3\times a\times b^{12}=a^7b^{15}$

06 ① $x^2\times x^2\times x^2=x^{2+2+2}=x^6$, $(x^2)^3=x^6$
③ $(x^3)^5\times x=x^{15+1}=x^{16}$

07 $8^x\times32=16^5$에서 $8=2^3$, $16=2^4$, $32=2^5$이므로
$(2^3)^x\times2^5=(2^4)^5$, $2^{3x+5}=2^{20}$
즉, $3x+5=20$이므로 $3x=15$ $\quad\therefore x=5$

08 (가) $(7^2)^3\times(7^m)^2=7^{14}$이므로 $7^6\times7^{2m}=7^{6+2m}=7^{14}$
즉, $6+2m=14$이므로 $2m=8$ $\quad\therefore m=4$
(나) $(a^n)^3\times(a^3)^5\times a^4=(a^5)^5$이므로
$a^{3n}\times a^{15}\times a^4=a^{25}$
즉, $3n+15+4=25$이므로 $3n=6$ $\quad\therefore n=2$
$\therefore m+n=4+2=6$

09 ① $a^6\div a^3=a^{6-3}=a^3$
② $a^2\div a^2=1$
③ $a^3\div a^8=\dfrac{1}{a^{8-3}}=\dfrac{1}{a^5}$
④ $a^{11}\div a^6\div a=a^{11-6-1}=a^4$
⑤ $(a^4)^2\div(a^3)^2=a^8\div a^6=a^{8-6}=a^2$

10 $5^a\div5^2=5^{a-2}=5^3$이므로 $a-2=3$ $\quad\therefore a=5$
$7^2\div7^b=\dfrac{1}{7^{b-2}}=\dfrac{1}{7^2}$이므로 $b-2=2$ $\quad\therefore b=4$
$\therefore a-b=5-4=1$

11 ⑤ $(x^3)^4\div(x^4)^2=x^{12}\div x^8=x^4$

12 $2^7\div2^{2x}\div2=4$에서 $2^{7-2x-1}=2^2$이므로
$7-2x-1=2$ $\quad\therefore x=2$

13 $(5x^a)^b=5^bx^{ab}=5^3x^{12}$이므로 $b=3$
즉, $3a=12$이므로 $a=4$
$\therefore a+b=4+3=7$

14 $\left(\dfrac{x^b}{3y^3}\right)^3=\dfrac{x^{3b}}{27y^9}=\dfrac{x^{12}}{ay^c}$이므로 $a=27$, $b=4$, $c=9$
$\therefore a+2b-c=27+2\times4-9=26$

15 ① $(a^3b^2)^3=a^9b^6$
② $(-2ab^2)^3=-8a^3b^6$
④ $\left(\dfrac{x^2}{y}\right)^2=\dfrac{x^4}{y^2}$

16 $96^2=(2^5\times3)^2=2^{10}\times3^2$이므로
$a=5$, $b=1$, $c=10$, $d=2$
$\therefore a+b+c+d=5+1+10+2=18$

17 $3^4\times3^4\times3^4=3^{4+4+4}=3^{12}$ $\quad\therefore x=12$
$3^5+3^5+3^5=3\times3^5=3^{1+5}=3^6$ $\quad\therefore y=6$
$\therefore x-y=12-6=6$

18 $\dfrac{3^4+3^4+3^4}{8^2+8^2}\times\dfrac{2^7+2^7}{9^2+9^2+9^2}=\dfrac{3\times3^4}{2\times(2^3)^2}\times\dfrac{2\times2^7}{3\times(3^2)^2}$
$=\dfrac{3^5}{2^7}\times\dfrac{2^8}{3^5}=2$

19 $432=2^4\times3^3=(2^2)^2\times3^3=A^2B$

20 $a=2^{x-1}=\dfrac{2^x}{2}$ 이므로 $2^x=2a$
$\therefore 8^x=2^{3x}=(2a)^3=8a^3$

21 $8^5\div8^{10}=(2^3)^5\div(2^3)^{10}=2^{15}\div2^{30}=\dfrac{1}{2^{15}}=\dfrac{1}{(2^5)^3}=\dfrac{1}{A^3}$

22 $2^{16}\times5^{20}=5^4\times2^{16}\times5^{16}=5^4\times10^{16}=625\times10^{16}$
따라서 $2^{16}\times5^{20}$은 19자리의 자연수이므로 $n=19$

23 $A=\dfrac{2^7\times5^8}{10}=\dfrac{2^7\times5^8}{2\times5}=2^6\times5^7=5\times2^6\times5^6=5\times10^6$
따라서 A는 7자리의 자연수이다.

24 $4^6\times25^4\times30=(2^2)^6\times(5^2)^4\times(2\times3\times5)$
$=2^{13}\times3\times5^9=2^4\times3\times2^9\times5^9$
$=48\times10^9$
따라서 $4^6\times25^4\times30$은 11자리의 자연수이므로 $x=11$
또한 각 자리의 숫자의 합은 $y=4+8=12$
$\therefore x+y=11+12=23$

유형 TEST 02. 단항식의 곱셈과 나눗셈 019~021쪽

01 (1) $2a^5b^3$ (2) $36x^{17}y^9$		**02** ②	**03** 115
04 30	**05** ⑤	**06** 9	**07** ③
08 -11	**09** ④	**10** ④	**11** $\dfrac{16}{a^4}$
12 74	**13** $4a^2$	**14** ③	**15** ①
16 $-\dfrac{1}{6}ab^3c^5$	**17** $16b^5$	**18** ③	**19** $-45x^5y$
20 $27x^5y^7z^3$	**21** $6x^3y^7$	**22** $\dfrac{1}{2}\pi x^3$	**23** $2a^2b$
24 $\dfrac{15}{2}ab^2$			

01 (1) $(-a^2b)^2\times2ab=a^4b^2\times2ab=2a^5b^3$
(2) $(4x^5y)^3\times\left(-\dfrac{3}{4}xy^3\right)^2=64x^{15}y^3\times\dfrac{9}{16}x^2y^6=36x^{17}y^9$

02 ① $2a^2\times4a^3=8a^5$
③ $(-6xy)^2\times\dfrac{1}{3}xy^2=36x^2y^2\times\dfrac{1}{3}xy^2=12x^3y^4$
④ $(3x)^2\times(-4x^4)=9x^2\times(-4x^4)=-36x^6$
⑤ $15m^{12}\times(-5m^2)=-75m^{14}$

03 $(-x)^3\times3xy\times(-6y)^2=-x^3\times3xy\times36y^2$
$=-108x^4y^3$
따라서 $a=-108$, $b=4$, $c=3$이므로
$-a+b+c=108+4+3=115$

04 $(-5xy^a)^2\times(x^2y)^b=25x^2y^{2a}\times x^{2b}y^b$
$=25x^{2+2b}y^{2a+b}$
$=cx^8y^7$
즉, $c=25$, $2+2b=8$, $2a+b=7$이므로
$b=3$, $a=2$, $c=25$
$\therefore a+b+c=2+3+25=30$

05 ⑤ $(-8a^4b^3)\div\left(-\dfrac{1}{2}a\right)^2=(-8a^4b^3)\times\dfrac{4}{a^2}=-32a^2b^3$

06 $(9x^5y^3)^2\div(-2xy^2)^2\div\left(\dfrac{3}{2}x^2y\right)^3$
$=81x^{10}y^6\div4x^2y^4\div\dfrac{27x^6y^3}{8}$
$=81x^{10}y^6\times\dfrac{1}{4x^2y^4}\times\dfrac{8}{27x^6y^3}=\dfrac{6x^2}{y}$
따라서 $a=6$, $b=2$, $c=1$이므로
$a+b+c=6+2+1=9$

07 $(-x^2y)\div\{(-xy)^3\div3x^3y^2\}$
$=(-x^2y)\div\left\{(-x^3y^3)\times\dfrac{1}{3x^3y^2}\right\}$
$=(-x^2y)\div\left(-\dfrac{y}{3}\right)$
$=(-x^2y)\times\left(-\dfrac{3}{y}\right)=3x^2$

08 $(-2xy^a)^4\div(-x^by)^3=\dfrac{16x^4y^{4a}}{-x^{3b}y^3}=\dfrac{cy^5}{x^5}$
즉, $3b-4=5$, $4a-3=5$, $c=-16$이므로
$a=2$, $b=3$, $c=-16$
$\therefore a+b+c=2+3-16=-11$

09 $(a^2b^3)^2\times\left(\dfrac{a^2}{b}\right)^3\div a^4b=a^4b^6\times\dfrac{a^6}{b^3}\times\dfrac{1}{a^4b}=a^6b^2$

10 $16a^3b^8\times(-4a^3b^2)^3\div(4ab)^3$

$=16a^3b^8\times(-64a^9b^6)\div64a^3b^3$

$=16a^3b^8\times(-64a^9b^6)\times\dfrac{1}{64a^3b^3}$

$=-16a^9b^{11}$

11 $(-2a^2b^3)^2\div\left(\dfrac{3}{2}ab^2\right)^2\times\left(\dfrac{3}{a^3b}\right)^2$

$=4a^4b^6\div\dfrac{9}{4}a^2b^4\times\dfrac{9}{a^6b^2}$

$=4a^4b^6\times\dfrac{4}{9a^2b^4}\times\dfrac{9}{a^6b^2}=\dfrac{16}{a^4}$

12 $49x^2y^3\div7x^3y\times(3x^2y^3)^2=\dfrac{49x^2y^3\times9x^4y^6}{7x^3y}$

$=63x^3y^8=ax^by^c$

따라서 $a=63$, $b=3$, $c=8$이므로

$a+b+c=63+3+8=74$

13 $12a^2b\div\square\times3b=9b^2$에서

$\square=\dfrac{12a^2b\times3b}{9b^2}=4a^2$

14 $4x^3y\div3x^2y^2\times\square=xy^2$에서

$\square=xy^2\times\dfrac{3x^2y^2}{4x^3y}=\dfrac{3}{4}y^3$

15 $(-x^6y^3)\times xy^4\div\square=-xy^2$에서

$\square=\dfrac{(-x^6y^3)\times xy^4}{-xy^2}=x^6y^5$

16 $\dfrac{1}{3}a^2b^4c\div\square\times\left(-\dfrac{1}{2}ab^2c^3\right)^2=-\dfrac{1}{2}a^3b^5c^2$에서

$\square=\left(\dfrac{1}{3}a^2b^4c\times\dfrac{1}{4}a^2b^4c^6\right)\div\left(-\dfrac{1}{2}a^3b^5c^2\right)$

$=\dfrac{1}{12}a^4b^8c^7\times\left(-\dfrac{2}{a^3b^5c^2}\right)$

$=-\dfrac{1}{6}ab^3c^5$

17 어떤 식을 A라고 하면 $A\div\dfrac{2b}{a}=4a^2b^3$

$\therefore A=4a^2b^3\times\dfrac{2b}{a}=8ab^4$

따라서 바르게 계산하면 $8ab^4\times\dfrac{2b}{a}=16b^5$

18 어떤 식을 A라고 하면 $A\times3ab^3=-12a^4b^5$

$\therefore A=\dfrac{-12a^4b^5}{3ab^3}=-4a^3b^2$

따라서 바르게 계산하면

$(-4a^3b^2)\div3ab^3=\dfrac{-4a^3b^2}{3ab^3}=-\dfrac{4a^2}{3b}$

19 어떤 식을 A라고 하면 $15x^4y^3\times A=-5x^3y^5$

$\therefore A=\dfrac{-5x^3y^5}{15x^4y^3}=-\dfrac{y^2}{3x}$

따라서 바르게 계산한 식은

$15x^4y^3\div\left(-\dfrac{y^2}{3x}\right)=15x^4y^3\times\left(-\dfrac{3x}{y^2}\right)=-45x^5y$

20 어떤 식을 A라고 하면 $(-9x^2y^5z)\div A=\dfrac{3y^3}{xz}$

$\therefore A=(-9x^2y^5z)\times\dfrac{xz}{3y^3}=-3x^3y^2z^2$

따라서 바르게 계산하면

$(-9x^2y^5z)\times(-3x^3y^2z^2)=27x^5y^7z^3$

21 (삼각형의 넓이)$=\dfrac{1}{2}\times4xy^3\times3x^2y^4=6x^3y^7$

22 생기는 회전체는 밑면의 반지름의 길이가 $\dfrac{3}{2}x$이고,

높이가 $\dfrac{2}{3}x$인 원뿔이므로

(원뿔의 부피)$=\dfrac{1}{3}\times\pi\times\left(\dfrac{3}{2}x\right)^2\times\dfrac{2}{3}x$

$=\dfrac{1}{3}\times\pi\times\left(\dfrac{9}{4}x^2\right)\times\dfrac{2}{3}x$

$=\dfrac{1}{2}\pi x^3$

23 직육면체의 높이를 h라고 하면

$8a^2\times12b\times h=192a^4b^2$

$\therefore h=\dfrac{192a^4b^2}{96a^2b}=2a^2b$

24 정사각뿔의 높이를 h라고 하면

$\dfrac{1}{3}\times(2a^2b)^2\times h=10a^5b^4$

$\dfrac{4a^4b^2}{3}\times h=10a^5b^4$

$\therefore h=10a^5b^4\times\dfrac{3}{4a^4b^2}=\dfrac{15}{2}ab^2$

실력 TEST 022~024쪽

01 ④	02 ④	03 15	04 ⑤
05 2^{14}개	06 1	07 -30	08 29
09 $2x^3y^2$	10 $\frac{1}{27}x^9y^4$	11 $\frac{3}{8}x$	

01 ① $a^{\square}\times a^4=a^{\square+4}=a^7$에서 $\square+4=7$ $\quad\therefore \square=3$

② $x^4\div x^{\square}=1$에서 $\square=4$

③ $(y^4)^2\div y^{\square}=y^8\div y^{\square}=y^{8-\square}=y^3$에서

$8-\square=3$ $\quad\therefore \square=5$

④ $(x^2y^{\square})^3=x^6y^{3\square}=x^6y^{18}$에서 $3\square=18$ $\quad\therefore \square=6$

⑤ $(b^2)^3\times b\div b^{\square}=b^6\times b\div b^{\square}=b^7\div b^{\square}=b^3$에서

$7-\square=3$ $\quad\therefore \square=4$

따라서 □ 안에 들어갈 수가 가장 큰 것은 ④이다.

02 $25^{2x-3}=5^{x+6}$에서 $(5^2)^{2x-3}=5^{x+6}$

즉, $5^{4x-6}=5^{x+6}$이므로 $4x-6=x+6$, $3x=12$

$\therefore x=4$

03 w가 가장 크려면 w는 24, 12, 18의 최대공약수이어야 하므로 $w=6$

즉, $a^{24}b^{12}c^{18}=(a^4b^2c^3)^6$이므로 $x=4$, $y=2$, $z=3$

$\therefore x+y+z+w=4+2+3+6=15$

04 $a=2^x\times 2^2$이므로 $2^x=\frac{a}{4}$

$b=\frac{3^x}{3}$이므로 $3^x=3b$

$\therefore 6^x=(2\times3)^x=2^x\times3^x=\frac{a}{4}\times 3b=\frac{3}{4}ab$

05 $16(\text{GB})=2^4\times2^{10}(\text{MB})=2^{14}(\text{MB})$

$=2^{14}\times2^{10}(\text{KB})=2^{24}(\text{KB})$

또 $1024(\text{KB})=2^{10}(\text{KB})$

따라서 용량이 16 GB인 저장 공간에 용량이 1024 KB인 파일을 $2^{24}\div2^{10}=2^{24-10}=2^{14}$(개)까지 저장할 수 있다.

06 (주어진 식)$=(-x)^{2n+2}-(-1)^{2n+1}-x^{2n+2}$

n이 자연수일 때, $2n+2$는 항상 짝수이고 $2n+1$은 항상 홀수이므로

$(-x)^{2n+2}-(-1)^{2n+1}-x^{2n+2}=x^{2n+2}-(-1)-x^{2n+2}=1$

07 $(-2x^a)^b=(-2^b)x^{ab}=-8x^{15}$에서

$(-2)^b=-8$이므로 $b=3$

$ab=15$이므로 $3a=15$ $\quad\therefore a=5$

$\therefore (-8a^3b^2)^2\div4a^2b^3\div(-2a)^3$

$=64a^6b^4\times\frac{1}{4a^2b^3}\times\frac{1}{-8a^3}$

$=-2ab$

$=-2\times5\times3=-30$

08 $3<p\le4$인 자연수 p는 4이므로 …… ❶

$\left(-\frac{x^3}{y^2}\right)^4\times\left(-\frac{y}{x}\right)^2\div\left(-\frac{y}{2x^2}\right)^3$

$=\frac{x^{12}}{y^8}\times\frac{y^2}{x^2}\times\left(-\frac{8x^6}{y^3}\right)$

$=-\frac{8x^{16}}{y^9}=-\frac{8x^q}{y^r}$

따라서 $q=16$, $r=9$이므로 …… ❷

$p+q+r=4+16+9=29$ …… ❸

채점 기준	배점
❶ p의 값 구하기	30 %
❷ q, r의 값 각각 구하기	50 %
❸ $p+q+r$의 값 구하기	20 %

09 (직사각형의 넓이)$=3x^3y\times2xy^2=6x^4y^3$ …… ❶

(삼각형의 넓이)$=\frac{1}{2}\times6xy\times h=3xy\times h$ …… ❷

이때 직사각형과 삼각형의 넓이가 서로 같으므로

$6x^4y^3=3xy\times h$

$\therefore h=\frac{6x^4y^3}{3xy}=2x^3y^2$ …… ❸

채점 기준	배점
❶ 직사각형의 넓이 구하기	40 %
❷ 삼각형의 넓이 구하기	40 %
❸ h의 값 구하기	20 %

10 물의 높이를 h라고 하면 물의 부피는

$5x^2y\times9xy^3\times h=\frac{5}{3}x^{12}y^8$, $45x^3y^4\times h=\frac{5}{3}x^{12}y^8$

$\therefore h=\frac{5}{3}x^{12}y^8\div45x^3y^4$

$=\frac{5}{3}x^{12}y^8\times\frac{1}{45x^3y^4}=\frac{1}{27}x^9y^4$

따라서 물의 높이는 $\frac{1}{27}x^9y^4$이다.

11 $(-4x^3y^2)\times$ ㉠ $\div(-2xy)^2=-3x^3y$에서

㉠ $=(-3x^3y)\times4x^2y^2\div(-4x^3y^2)$

$=-12x^5y^3\times\left(-\frac{1}{4x^3y^2}\right)$

$=3x^2y$

$(xy^2)^2\div x^3y\times(-4xy)^3\div$ ㉡ $=-8xy^5$에서

㉡ $=(xy^2)^2\div x^3y\times(-4xy)^3\div(-8xy^5)$

$=x^2y^4\times\frac{1}{x^3y}\times(-64x^3y^3)\times\left(-\frac{1}{8xy^5}\right)$

$=8xy$

$\therefore$ ㉠$\div$㉡$=3x^2y\div8xy=3x^2y\times\frac{1}{8xy}=\frac{3}{8}x$

2. 다항식의 계산

유형 TEST 01. 다항식의 덧셈과 뺄셈 02. 다항식의 곱셈과 나눗셈 025~027쪽

01 (1) $2a+2b-2$ (2) $-2x+16y-6$
02 ③ **03** $\frac{2}{3}x+\frac{1}{12}y$ **04** $-x-5y-1$
05 (1) $-x^2+5x-16$ (2) $2x^2+2x-1$
06 $2x^2+x+1$ **07** $\frac{7}{6}$ **08** $3x^2+4x+1$
09 ③ **10** 13 **11** x^2+3x-1
12 $4x^2+3x-3$ **13** 4 **14** ④
15 $9x^2y^3+15x^3y^2$ **16** $4x^2-xy$
17 $-2x+y-3$ **18** $-3x^2-6x+9$
19 $15p^2q-6p+3$ **20** $2ab-12b^2-16b^3$
21 $4y$ **22** $2x^2-3x$ **23** ④ **24** $\frac{4}{3}x+10y$

01 (1) (주어진 식)$=4a-3b+1-2a+5b-3$

$=2a+2b-2$

(2) (주어진 식)$=6x+4y-2-8x+12y-4$

$=-2x+16y-6$

02 $\frac{x+4y}{3}-\frac{2x-y}{5}=\frac{5(x+4y)}{15}-\frac{3(2x-y)}{15}$

$=\frac{5x+20y-6x+3y}{15}$

$=-\frac{1}{15}x+\frac{23}{15}y$

따라서 $a=-\frac{1}{15}$, $b=\frac{23}{15}$이므로

$a+b=-\frac{1}{15}+\frac{23}{15}=\frac{22}{15}$

03 $\left(\frac{3}{2}x-\frac{2}{3}y\right)-\left(\frac{5}{6}x-\frac{3}{4}y\right)=\frac{3}{2}x-\frac{2}{3}y-\frac{5}{6}x+\frac{3}{4}y$

$=\left(\frac{3}{2}x-\frac{5}{6}x\right)-\frac{2}{3}y+\frac{3}{4}y$

$=\left(\frac{9}{6}x-\frac{5}{6}x\right)-\frac{8}{12}y+\frac{9}{12}y$

$=\frac{2}{3}x+\frac{1}{12}y$

04 어떤 식을 A라고 하면

$A-(3x-2y+1)=-4x-3y-2$

$\therefore A=-4x-3y-2+3x-2y+1=-x-5y-1$

05 (1) (주어진 식)$=-2x^2+2x-5+x^2+3x-11$

$=-x^2+5x-16$

(2) (주어진 식)$=5x^2+2x-4-3x^2+3=2x^2+2x-1$

06 (주어진 식)$=5x^2-5x+1-x^2-2x^2+6x$

$=2x^2+x+1$

07 $\frac{x^2+3x-1}{2}-\frac{x^2-x+1}{3}$

$=\frac{3x^2+9x-3-2x^2+2x-2}{6}$

$=\frac{x^2+11x-5}{6}=\frac{1}{6}x^2+\frac{11}{6}x-\frac{5}{6}$

따라서 $a=\frac{1}{6}$, $b=\frac{11}{6}$, $c=-\frac{5}{6}$이므로

$a+b+c=\frac{1}{6}+\frac{11}{6}-\frac{5}{6}=\frac{7}{6}$

08 $\square=4x^2+x+3-(x^2-3x+2)=3x^2+4x+1$

09 (주어진 식)$=5x+2y-\{x-y+(9x-5y)\}$

$=5x+2y-(10x-6y)$

$=-5x+8y$

따라서 $a=-5$, $b=8$이므로

$a+b=-5+8=3$

10 (주어진 식)$=5x-\{6x-2x^2-(8x-2x^2-x^2+3x-4)\}$

$=5x-\{6x-2x^2-(-3x^2+11x-4)\}$

$=5x-(6x-2x^2+3x^2-11x+4)$

$=5x-(x^2-5x+4)$

$=-x^2+10x-4$

따라서 $a=-1$, $b=10$, $c=-4$이므로
$a+b-c=-1+10-(-4)=13$

11 어떤 식을 A라고 하면
$A+(2x^2-x+1)=5x^2+x+1$
$\therefore A=5x^2+x+1-(2x^2-x+1)=3x^2+2x$
따라서 바르게 계산하면
$3x^2+2x-(2x^2-x+1)=x^2+3x-1$

12 어떤 식을 A라고 하면
$A-(x^2-x+2)=2x^2+5x-7$
$\therefore A=2x^2+5x-7+(x^2-x+2)=3x^2+4x-5$
따라서 바르게 계산하면
$3x^2+4x-5+(x^2-x+2)=4x^2+3x-3$

13 $-3x(2x-1)-(-7x^2+x-1)$
$=-6x^2+3x+7x^2-x+1$
$=x^2+2x+1$
따라서 $a=1$, $b=2$, $c=1$이므로
$a+b+c=1+2+1=4$

14 ④ $(12xy^2-8xy)\div\frac{4x}{3y}=(12xy^2-8xy)\times\frac{3y}{4x}$
$=9y^3-6y^2$

15 (사다리꼴의 넓이)$=\frac{1}{2}\times(6xy^2+10x^2y)\times3xy$
$=9x^2y^3+15x^3y^2$

16 (색칠한 부분의 넓이)$=(2x+y)\times2x-3x\times y$
$=4x^2+2xy-3xy$
$=4x^2-xy$

17 $\boxed{}=(10x^2y-5xy^2+15xy)\div(-5xy)$
$=(10x^2y-5xy^2+15xy)\times\left(-\frac{1}{5xy}\right)$
$=-2x+y-3$

18 $\boxed{}=(2x^3+4x^2-6x)\times\left(-\frac{3}{2x}\right)$
$=-3x^2-6x+9$

19 어떤 식을 A라고 하면
$A\times\frac{2}{3}p^2q=10p^4q^2-4p^3q+2p^2q$
$\therefore A=(10p^4q^2-4p^3q+2p^2q)\div\frac{2}{3}p^2q$
$=(10p^4q^2-4p^3q+2p^2q)\times\frac{3}{2p^2q}$
$=15p^2q-6p+3$

20 어떤 식을 A라고 하면
$(a^2-6ab-8ab^2)\div A=\frac{a}{2b}$
$\therefore A=(a^2-6ab-8ab^2)\div\frac{a}{2b}$
$=(a^2-6ab-8ab^2)\times\frac{2b}{a}$
$=2ab-12b^2-16b^3$

21 $\frac{2xy+y^2}{y}-\frac{4x^2-6xy}{2x}=2x+y-2x+3y=4y$

22 $2x(2x-3)-(4x^3-6x^2)\div2x$
$=4x^2-6x-(2x^2-3x)$
$=2x^2-3x$

23 (주어진 식)$=\frac{x^3y-2x^2y}{xy}-\frac{6x^3-15x^2}{-3x}$
$=x^2-2x-(-2x^2+5x)$
$=3x^2-7x$
따라서 $a=3$, $b=-7$이므로
$a+b=-4$

24 직사각형의 가로의 길이를 A라고 하면 직사각형의 넓이는
$A\times3y=2xy+6y^2$
$\therefore A=(2xy+6y^2)\div3y$
$=(2xy+6y^2)\times\frac{1}{3y}$
$=\frac{2}{3}x+2y$
따라서 직사각형의 둘레의 길이는
$2\left(\frac{2}{3}x+2y+3y\right)=\frac{4}{3}x+10y$

실력 TEST

028~029쪽

01 $9x-13y$ **02** $-x^2-5x+6$
03 $4x$ **04** 11 **05** 9
06 $(8xy+12y^2+18y)$배 **07** $\frac{18a}{b}-9-27b$

01 $2(3x-2y)-A=3(-x+3y)$

$\therefore A=2(3x-2y)-3(-x+3y)$

$=6x-4y+3x-9y=9x-13y$

02 $-x^2+4x-1+A=(-5x^2+2x+3)+(3x^2-3x+2)$

$\therefore A=(-2x^2-x+5)-(-x^2+4x-1)$

$=-x^2-5x+6$

03 $7x^2-3-[2x-2\{x^2-3x+1-(\square+3)\}]$

$=7x^2-3-\{2x-2(x^2-3x-2-\square)\}$

$=7x^2-3-(-2x^2+8x+4+2\square)$

$=9x^2-7-8x-2\square$

$=9x^2-16x-7$

즉, $-8x-2\square=-16x$이므로

$-2\square=-8x \qquad \therefore \square=4x$

04 (주어진 식)

$=(9x^4y^7-27x^5y^6)\times\left(-\dfrac{1}{3x^4y^5}\right)-(2x-y)(-y)$

$=-3y^2+9xy-(-2xy+y^2)$

$=-4y^2+11xy$

따라서 xy의 계수는 11이다.

05 (주어진 식)

$=\dfrac{6x^3y}{3xy}+\dfrac{Ax^2y}{3xy}-\dfrac{3xy^2}{3xy}-\dfrac{2x^3}{2x}-\dfrac{4xy}{2x}$

$=2x^2+\dfrac{Ax}{3}-y-x^2-2y$

$=x^2+\dfrac{Ax}{3}-3y$

이때 x의 계수와 y의 계수의 곱이 -9이므로

$\dfrac{A}{3}\times(-3)=-9,\ -A=-9 \qquad \therefore A=9$

06 (삼각형의 넓이)$=\dfrac{1}{2}\times x\times\dfrac{1}{y}=\dfrac{x}{2y}$ …… ❶

(삼각기둥의 겉넓이)$=\dfrac{1}{2}\times3\times x\times2+(2x+3y+3)\times2x$

$=3x+4x^2+6xy+6x$

$=4x^2+6xy+9x$ …… ❷

따라서 삼각기둥의 겉넓이는 삼각형의 넓이의

$(4x^2+6xy+9x)\div\dfrac{x}{2y}=(4x^2+6xy+9x)\times\dfrac{2y}{x}$

$=8xy+12y^2+18y$(배) …… ❸

채점 기준	배점
❶ 삼각형의 넓이 구하기	30 %
❷ 삼각기둥의 겉넓이 구하기	30 %
❸ 답 구하기	40 %

07 어떤 식을 A라고 하면

$A\times\dfrac{2}{3}ab=8a^3b-4a^2b^2-12a^2b^3$ …… ❶

$\therefore A=(8a^3b-4a^2b^2-12a^2b^3)\div\dfrac{2}{3}ab$

$=(8a^3b-4a^2b^2-12a^2b^3)\times\dfrac{3}{2ab}$

$=12a^2-6ab-18ab^2$ …… ❷

따라서 바르게 계산하면

$(12a^2-6ab-18ab^2)\div\dfrac{2}{3}ab$

$=(12a^2-6ab-18ab^2)\times\dfrac{3}{2ab}$

$=\dfrac{18a}{b}-9-27b$ …… ❸

채점 기준	배점
❶ 잘못 계산한 식 세우기	30 %
❷ 어떤 식 구하기	30 %
❸ 바르게 계산하기	40 %

대단원 TEST

030~032쪽

01 ③, ⑤	**02** ⑤	**03** ②	**04** $\dfrac{a^4}{16}$
05 2	**06** 7.5바퀴	**07** 6	**08** ②
09 ①	**10** ②	**11** $\dfrac{8}{9}$배	**12** $9xy$
13 ②	**14** $\dfrac{1}{2}$	**15** ②	**16** ②
17 ④	**18** ⑤	**19** x^2+1	
20 $x-2$	**21** $5x^2-4x+10$		**22** $17a^2+8a$

01 ① $a\div a^3\times a^2=\dfrac{1}{a^2}\times a^2=1$

② $(x^3)^4\times(x^2)^3=x^{12}\times x^6=x^{18}$

③ $(a^3b)^2\times\left(\dfrac{a}{b^2}\right)^3=a^6b^2\times\dfrac{a^3}{b^6}=\dfrac{a^9}{b^4}$

④ $x^3 \div x^3 = 1$

⑤ $(a^2b^4)^2 \div (ab)^3 = a^4b^8 \times \frac{1}{a^3b^3} = ab^5$

02 $(a^xb^yc^z)^2 = a^{2x}b^{2y}c^{2z} = a^{20}b^{12}c^{18}$이므로

$2x=20,\ 2y=12,\ 2z=18$

따라서 $x=10,\ y=6,\ z=9$이므로

$x+y+z=10+6+9=25$

03 $3^8+3^8+3^8=3\times3^8=3^9=(3^3)^3=A^3$

04 $a=2^{x+1}=2\times2^x$이므로 $2^x=\frac{a}{2}$

$\therefore 16^x=2^{4x}=(2^x)^4=\left(\frac{a}{2}\right)^4=\frac{a^4}{16}$

05 $2^9\times5^7\times7^a=2^2\times7^a\times(2\times5)^7=4\times7^a\times10^7$이 10자리의 자연수이므로 4×7^a은 세 자리의 자연수이다.

$a=2$일 때, $4\times7^2=196$이므로 세 자리의 자연수이다.

$\therefore a=2$

06 $(3\times10^5)\div(4\times10^4)=\frac{30}{4}=7.5$(바퀴)

07 $(-4x^3y^b)^2 \div ax^2y = 16x^6y^{2b} \div ax^2y$

$= 16x^6y^{2b} \times \frac{1}{ax^2y}$

$= \frac{16}{a}x^4y^{2b-1} = 8x^4y^7$

즉, $\frac{16}{a}=8,\ 2b-1=7$이므로 $a=2,\ b=4$

$\therefore a+b=2+4=6$

08 $12a^4b^3\times(-2b)^2\div(-6a^3b^2)$

$=12a^4b^3\times4b^2\times\left(\frac{1}{-6a^3b^2}\right)=-8ab^3$

09 $-3x^2y^3=\frac{3}{2}xy\times B$이므로

$B=(-3x^2y^3)\div\frac{3}{2}xy=(-3x^2y^3)\times\frac{2}{3xy}=-2xy^2$

$6x^5y^7=(-3x^2y^3)\times C$이므로

$C=6x^5y^7\div(-3x^2y^3)=6x^5y^7\times\left(\frac{1}{-3x^2y^3}\right)=-2x^3y^4$

이때 $C=A\times B$이므로

$A=C\div B=\frac{C}{B}=\frac{-2x^3y^4}{-2xy^2}=x^2y^2$

10 $\frac{5a^2}{b^3}\times\square\div\frac{b}{4a^3}=\left(-\frac{2a^2}{b}\right)^3$에서

$\square=\left(-\frac{2a^2}{b}\right)^3\div\frac{5a^2}{b^3}\times\frac{b}{4a^3}$

$=\left(-\frac{8a^6}{b^3}\right)\times\frac{b^3}{5a^2}\times\frac{b}{4a^3}=-\frac{2}{5}ab$

11 (원기둥 A의 부피)$=\frac{1}{3}\pi r^2h$ …… ❶

(원기둥 B의 부피)$=\frac{1}{3}\pi\times\left(\frac{2}{3}r\right)^2\times2h=\frac{8}{27}\pi r^2h$ …… ❷

$\therefore$ (원기둥 B의 부피)$\div$(원기둥 A의 부피)

$=\frac{8}{27}\pi r^2h\div\frac{1}{3}\pi r^2h=\frac{8}{27}\times3=\frac{8}{9}$(배) …… ❸

채점 기준	배점
❶ 원기둥 A의 부피 구하기	40 %
❷ 원기둥 B의 부피 구하기	40 %
❸ 답 구하기	20 %

12 어떤 식을 A라고 하면 $A\times\left(-\frac{2}{3}x^3y\right)=4x^7y^3$

$\therefore A=4x^7y^3\times\left(-\frac{3}{2x^3y}\right)=-6x^4y^2$

따라서 바르게 계산하면

$(-6x^4y^2)\div\left(-\frac{2}{3}x^3y\right)=(-6x^4y^2)\times\left(-\frac{3}{2x^3y}\right)=9xy$

13 $(3a-2b-7)-(-3a+2b+3)$

$=3a-2b-7+3a-2b-3$

$=6a-4b-10$

14 $\frac{x-y}{4}-\frac{2x-y}{3}=\frac{3(x-y)-4(2x-y)}{12}$

$=\frac{3x-3y-8x+4y}{12}$

$=\frac{-5x+y}{12}$

따라서 $a=-\frac{5}{12},\ b=\frac{1}{12}$이므로

$b-a=\frac{1}{12}-\left(-\frac{5}{12}\right)=\frac{6}{12}=\frac{1}{2}$

15 ㄱ. x, y에 대한 일차식이다.

ㄹ. x^2이 분모에 있으므로 이차식이 아니다.

ㅁ. 차수가 가장 큰 항이 3차이므로 이차식이 아니다.

ㅂ. $2x^2+x-2x^2=x$이므로 일차식이다.

따라서 이차식은 ㄴ, ㄷ의 2개이다.

16 $(-3a^2+2a+5)+2(4a^2-6a-7)$
$=-3a^2+2a+5+8a^2-12a-14$
$=5a^2-10a-9$
따라서 a^2의 계수는 5, 상수항은 -9이므로 구하는 합은 -4이다.

17 $10a-[5a-3b-\{a-4(a+b)\}]$
$=10a-\{5a-3b-(a-4a-4b)\}$
$=10a-\{5a-3b-(-3a-4b)\}$
$=10a-(5a-3b+3a+4b)$
$=10a-(8a+b)$
$=10a-8a-b$
$=2a-b$

18 ① $(-4xy)\times 2xy^2=-8x^2y^3$
② $3x(x-y+3)=3x^2-3xy+9x$
③ $(x-6y)(-x)=-x^2+6xy$
④ $(-15x^3y^2)\div(-5x^2y)=3xy$
⑤ $(4x^2-6xy)\div\frac{1}{2}x=(4x^2-6xy)\times\frac{2}{x}=8x-12y$

19 $(-16x^2y+4y)\div(-4y)-\frac{9x^4-6x^2}{3x^2}$
$=\frac{-16x^2y+4y}{-4y}-\frac{9x^4-6x^2}{3x^2}$
$=4x^2-1-3x^2+2$
$=x^2+1$

20 어떤 식을 A라고 하면
$A\times(-2xy)-(-3x^2y+2xy)=x^2y+2xy$에서
$A\times(-2xy)=x^2y+2xy+(-3x^2y+2xy)$
$=-2x^2y+4xy$
$\therefore A=(-2x^2y+4xy)\div(-2xy)$
$=(-2x^2y+4xy)\times\left(-\frac{1}{2xy}\right)$
$=x-2$

21 어떤 식을 A라고 하면
$4x^2-x+3+A=3x^2+2x-4$ …… ❶
$\therefore A=3x^2+2x-4-(4x^2-x+3)$
$=-x^2+3x-7$ …… ❷
따라서 바르게 계산하면
$4x^2-x+3-(-x^2+3x-7)$
$=4x^2-x+3+x^2-3x+7$
$=5x^2-4x+10$ …… ❸

채점 기준	배점
❶ 잘못 계산한 식 세우기	30 %
❷ 어떤 식 구하기	30 %
❸ 바르게 계산한 결과 구하기	40 %

22 오른쪽 그림과 같이 선을 그어 두 부분으로 나누어 넓이를 구해보면

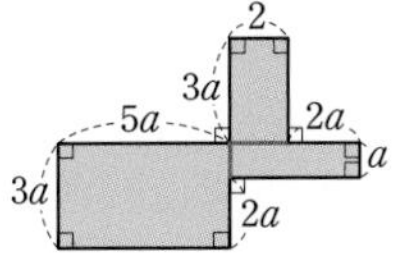

(거실의 넓이)
$=5a\times 3a+2\times 3a+(2+2a)\times a$
$=15a^2+6a+2a+2a^2$
$=17a^2+8a$

창의사고력 TEST
033쪽

01 10 **02** 36개 **03** $2x-2y$

01 3의 거듭제곱의 일의 자리의 숫자는 3, 9, 7, 1의 순서로 반복된다.
$3^{2019}=3^{4\cdot 504+3}=(3^4)^{504}\times 3^3$이므로 3^{2019}의 일의 자리의 숫자는 7이다. $\therefore a=7$
$9\times 3^{23}=3^2\times 3^{23}=3^{25}=3^{4\times 6+1}=(3^4)^6\times 3$이므로 9×3^{23}의 일의 자리의 숫자는 3이다. $\therefore b=3$
$\therefore a+b=7+3=10$

02 직육면체의 부피는 $3x^3y^2\times 2x^2y^2\times\frac{\pi x}{y}=6\pi x^6y^3$
반지름의 길이가 $\frac{1}{2}x^2y$인 구의 부피는
$\frac{4}{3}\pi\times\left(\frac{1}{2}x^2y\right)^3=\frac{4}{3}\pi\times\frac{1}{8}x^6y^3=\frac{1}{6}\pi x^6y^3$
따라서 직육면체 모양의 찰흙으로 만들 수 있는 구는
$6\pi x^6y^3\div\frac{1}{6}\pi x^6y^3=6\pi x^6y^3\times\frac{6}{\pi x^6y^3}=36$(개)

03 $\overline{BF}=\overline{AB}=y$에서 $\overline{FC}=x-y$
$\overline{DG}=\overline{ED}=\overline{FC}=x-y$에서 $\overline{GC}=y-(x-y)=2y-x$
$\overline{JI}=\overline{IC}=\overline{GC}=2y-x$에서
$\overline{FI}=x-y-(2y-x)=2x-3y$
$\therefore$ (직사각형 HFIJ의 둘레의 길이)
$=2(2y-x)+2(2x-3y)$
$=2x-2y$

III 부등식과 방정식

1. 부등식

유형 TEST 01. 부등식의 뜻과 성질~03. 일차부등식의 활용 034~037쪽

01 ③, ④	**02** ⑤	**03** ②, ④	**04** ②
05 ③	**06** $-5\le A<7$		**07** 10
08 ②, ③	**09** ⑤	**10** ㄷ, 풀이 참조	**11** ④
12 (1) $x<-3$ (2) $x\ge -6$		**13** ④	**14** 3
15 ④	**16** 3	**17** 5	**18** 11
19 ②	**20** 6	**21** 1	**22** $x\ge -3$
23 8, 10, 12	**24** 84점	**25** 10개	**26** 17개월
27 16 cm	**28** 12500원	**29** 2 km	**30** 1000 g

01 ③ 등식이므로 부등식이 아니다.
④ 다항식이므로 부등식이 아니다.

02 ① x의 3배는 12보다 작다. ➡ $3x<12$
② x는 2 이상 10 미만이다. ➡ $2\le x<10$
③ x에 3을 더하면 x의 2배보다 크다. ➡ $x+3>2x$
④ x의 2배에서 4를 뺀 수는 x 초과이다. ➡ $2x-4>x$

03 [ ] 안의 수를 x에 대입해 보면
① $5\times 0-1\le 4$ (참)
② $-2\ge 2\times 2$ (거짓)
③ $3\times(-1)<(-1)+2$ (참)
④ $1+7<7$ (거짓)
⑤ $\frac{2-1}{4}-\frac{2}{2}\le 1$ (참)

04 ② $a<b$의 양변에 -2를 곱하면 $-2a>-2b$
양변에서 7을 빼면 $-2a-7>-2b-7$

05 $-3a+4<-3b+4$에서 $-3a<-3b$ $\quad\therefore a>b$
① $\frac{1}{4}a>\frac{1}{4}b$ $\quad$ ② $-a<-b$
④ $-5a<-5b$ $\quad\therefore -5a+2<-5b+2$
⑤ $-\frac{1}{2}a<-\frac{1}{2}b$ $\quad\therefore 3-\frac{1}{2}a<3-\frac{1}{2}b$

06 $-1<x\le 3$의 각 변에 -3을 곱하면
$-9\le -3x<3$
$-9\le -3x<3$의 각 변에 4를 더하면
$-5\le -3x+4<7$ $\quad\therefore -5\le A<7$

07 $-4<x\le 6$의 각 변에 $\frac{1}{2}$을 곱하면 $-2<\frac{1}{2}x\le 3$
$-2<\frac{1}{2}x\le 3$의 각 변에 1을 더하면
$-1<\frac{1}{2}x+1\le 4$ $\quad\therefore -1<A\le 4$
따라서 모든 정수 A의 값의 합은
$0+1+2+3+4=10$

08 ① $x-3<x^2+x$ ➡ $-x^2-3<0$
② $-6(x-3)\ge 18$ ➡ $-6x\ge 0$
③ $x^2+3x>x^2-9$ ➡ $3x+9>0$
④ $3x-5<3x+5$ ➡ $-10<0$
⑤ $\frac{1}{x}+2\le\frac{2}{x}$ ➡ $-\frac{1}{x}+2\le 0$
따라서 일차부등식인 것은 ②, ③이다.

09 각각의 문장을 식으로 나타내어 보면 다음과 같다.
① $2x\le 10$ ➡ $2x-10\le 0$
② $3x>5x$ ➡ $-2x>0$
③ $2(x-3)<x$ ➡ $x-6<0$
④ $\frac{x}{50}\ge 1$ ➡ $\frac{x}{50}-1\ge 0$
⑤ $x^2\le 12$ ➡ $x^2-12\le 0$
따라서 일차부등식이 아닌 것은 ⑤이다.

10 ㄷ : 부등호의 성질 중 음수로 양변을 나누면 부등호의 방향이 바뀐다는 성질을 잘못 적용하였다.

11 ① $x\le -2$ $\quad$ ② $x\ge 2$ $\quad$ ③ $x\le 2$
④ $x\ge -2$ $\quad$ ⑤ $x\le -2$

12 (1) $2x-3>5x+6$에서 $-3x>9$ $\quad\therefore x<-3$
(2) $3x+2\le 8x+32$에서 $-5x\le 30$ $\quad\therefore x\ge -6$

13 주어진 수직선이 나타내는 x의 값의 범위는 $x\ge 3$
① $3x-2>7$에서 $3x>9$ $\quad\therefore x>3$
② $x-5>2x-8$에서 $-x>-3$ $\quad\therefore x<3$
③ $3x+3\ge x-3$에서 $2x\ge -6$ $\quad\therefore x\ge -3$
④ $3x+1\ge 2x+4$에서 $x\ge 3$
⑤ $2(x+2)\ge 5(x-1)$에서 $2x+4\ge 5x-5$
$-3x\ge -9$ $\quad\therefore x\le 3$

14 $3x-4>5x-9$에서 $-2x>-5$ $\quad\therefore x<\frac{5}{2}$

따라서 주어진 부등식을 만족시키는 자연수 x의 값은 1, 2이므로 구하는 합은 $1+2=3$

15 $0.5(x-3)>-0.5+0.3x$의 양변에 10을 곱하면

$5(x-3)>-5+3x$, $5x-15>-5+3x$

$2x>10$ $\quad\therefore x>5$

16 $\frac{x-1}{2}+\frac{1}{3}<1+\frac{x}{6}$의 양변에 6을 곱하면

$3(x-1)+2<6+x$, $3x-3+2<6+x$

$2x<7$ $\quad\therefore x<\frac{7}{2}$

따라서 주어진 부등식을 만족시키는 자연수 x의 값은 1, 2, 3으로 3개이다.

17 $-0.3(x-4)<\frac{x-3}{2}-\frac{4}{5}$의 양변에 10을 곱하면

$-3(x-4)<5(x-3)-8$

$-3x+12<5x-15-8$

$-3x-5x<-23-12$

$-8x<-35$ $\quad\therefore x>4.3\cdots$

따라서 가장 작은 정수 x의 값은 5이다.

18 $\frac{x}{4}<\frac{5}{12}x-\frac{1}{6}$의 양변에 12를 곱하면

$3x<5x-2$, $-2x<-2$ $\quad\therefore x>1$ $\quad\therefore a=1$

$0.4(x+5)\geq 0.6x+1.4$의 양변에 10를 곱하면

$4(x+5)\geq 6x+14$

$4x+20\geq 6x+14$, $-2x\geq -6$ $\quad\therefore x\leq 3$ $\quad\therefore b=3$

$\therefore 2a+3b=2+3\times 3=11$

19 $0.3x-a\leq 0.7x+2$의 양변에 10을 곱하면

$3x-10a\leq 7x+20$, $-4x\leq 10a+20$

$\therefore x\geq -\frac{5}{2}a-5$

주어진 부등식의 해가 $x\geq -10$이므로

$-\frac{5}{2}a-5=-10$ $\quad\therefore a=2$

20 $\frac{1}{3}\left(5x+\frac{1}{2}\right)\leq x+\frac{a}{4}$에서 $\frac{5}{3}x+\frac{1}{6}\leq x+\frac{a}{4}$

양변에 12를 곱하면

$20x+2\leq 12x+3a$, $8x\leq 3a-2$ $\quad\therefore x\leq\frac{3a-2}{8}$

주어진 부등식을 만족시키는 가장 큰 수가 2이므로

$\frac{3a-2}{8}=2$, $3a-2=16$, $3a=18$ $\quad\therefore a=6$

21 $\frac{5x-1}{2}-a\leq x+3$의 양변에 2를 곱하면

$5x-1-2a\leq 2x+6$

$3x\leq 7+2a$ $\quad\therefore x\leq\frac{7+2a}{3}$

$2(x+3)\geq 5x-3$에서 $2x+6\geq 5x-3$

$-3x\geq -9$ $\quad\therefore x\leq 3$

따라서 $\frac{7+2a}{3}=3$이므로 $7+2a=9$, $2a=2$ $\quad\therefore a=1$

22 $2a(x+3)-1\leq 5+2x$에서

$2ax+6a-1\leq 5+2x$, $2ax-2x\leq 6-6a$

$\therefore (a-1)x\leq -3(a-1)$ $\quad\cdots\cdots$ ㉠

이때 $a<1$이면 $a-1<0$이므로 ㉠의 양변을 $a-1$로 나누면

$x\geq\frac{-3(a-1)}{a-1}$ $\quad\therefore x\geq -3$

23 연속하는 세 짝수를 $x-2$, x, $x+2$라고 하면

$(x-2)+x+(x+2)>25$

$3x>25$ $\quad\therefore x>\frac{25}{3}$

x의 값 중 가장 작은 짝수는 10이므로 연속하는 세 짝수 중 가장 작은 세 수는 8, 10, 12이다.

24 세 번째 수학 시험의 점수가 x점이라고 하면

$\frac{82+74+x}{3}\geq 80$, $156+x\geq 240$ $\quad\therefore x\geq 84$

따라서 지현이는 세 번째 수학 시험에서 최소 84점을 얻어야 한다.

25 과자를 x개 산다고 하면 음료수는 $(28-x)$개 살 수 있으므로

$1200x+1000(28-x)\leq 30000$

$200x\leq 2000$ $\quad\therefore x\leq 10$

따라서 과자는 최대 10개까지 살 수 있다.

26 x개월 후에 연재의 예금액이 연아의 예금액보다 많아진다고 하면

$60000+1000x<10000+4000x$

$-3000x<-50000$ $\quad\therefore x>\frac{50}{3}(=16.\cdots)$

따라서 17개월 후부터 연재의 예금액이 연아의 예금액보다 많아진다.

27 세로의 길이를 x cm라고 하면

$2(18+x)\geq 68$, $18+x\geq 34$ $\therefore x\geq 16$

따라서 세로의 길이는 16 cm 이상이어야 한다.

28 신발의 원가를 x원이라고 하면 정가는 $1.35\times x$원이므로

$1.35x\times 0.8-x\geq 1000$

$0.08x\geq 1000$ $\therefore x\geq 12500$

따라서 신발의 원가는 최소 12500원이어야 한다.

29 역에서 x km의 거리에 있는 상점을 이용한다고 하면

$\frac{x}{5}+\frac{x}{5}+\frac{12}{60}\leq 1$, $\frac{2x}{5}\leq\frac{48}{60}$

양변에 분모의 최소공배수인 60을 곱하면

$24x\leq 48$ $\therefore x\leq 2$

따라서 역에서 2 km 이내의 상점을 이용할 수 있다.

30 더 넣어야 하는 물의 양을 x g이라고 하자.

12 %의 소금물 500 g에 녹아 있는 소금의 양은

$\frac{12}{100}\times 500=60(\text{g})$이므로

$\frac{60}{500+x}\times 100\leq 4$

$4(500+x)\geq 6000$

$4x\geq 4000$ $\therefore x\geq 1000$

따라서 물을 최소 1000 g 더 넣어야 한다.

실력 TEST

038~039쪽

01 ⑤ **02** -2 **03** 17 **04** $a\leq 8$
05 15, 16, 17 **06** $-9<k\leq -7$ **07** 7개
08 ⑤

01 ① $-1+\frac{a}{5}>-1+\frac{b}{5}$에서 $\frac{a}{5}>\frac{b}{5}$ $\therefore a>b$

② $-2a+5<-2b+5$에서 $-2a<-2b$ $\therefore a>b$

③ $a-(-5)>b-(-5)$에서 $a>b$

④ $a\div\left(-\frac{2}{3}\right)<b\div\left(-\frac{2}{3}\right)$에서 $a>b$

⑤ $a\times\left(-\frac{1}{4}\right)-2>b\times\left(-\frac{1}{4}\right)-2$에서

$a\times\left(-\frac{1}{4}\right)>b\times\left(-\frac{1}{4}\right)$ $\therefore a<b$

02 $4a+2ax\geq 0$에서

$2ax\geq -4a$, $ax\geq -2a$

이때 $a<0$이므로 각 변을 a로 나누면

$x\leq -2$

따라서 주어진 조건을 만족시키는 가장 큰 정수 x의 값은 -2이다.

03 $-2\leq x\leq 5$에서 $-6\leq 3x\leq 15$

$-1\leq y\leq 2$에서 $-4\leq -2y\leq 2$

$\therefore -10\leq 3x-2y\leq 17$

따라서 $3x-2y$의 값 중 가장 큰 정수는 17이다.

04 $x=-2$가 $\frac{5-ax}{3}\geq a+\frac{x}{2}$의 해이므로

$\frac{5+2a}{3}\geq a-1$

$5+2a\geq 3a-3$ $\therefore a\leq 8$

05 $1+4x<\frac{a+5x}{2}$에서 $2+8x<a+5x$

$3x<a-2$ $\therefore x<\frac{a-2}{3}$ …… ❶

이 부등식을 만족시키는 자연수 x의 최댓값이 4이므로

$4<\frac{a-2}{3}\leq 5$ …… ❷

1 2 3 4 5 $\frac{a-2}{3}$

$12<a-2\leq 15$ $\therefore 14<a\leq 17$

따라서 자연수 a의 값은 15, 16, 17이다. …… ❸

채점 기준	배점
❶ 일차부등식의 해 구하기	30 %
❷ a에 대한 부등식 세우기	40 %
❸ 자연수 a의 값 구하기	30 %

06 $3x-1\leq x-k$, $2x\leq 1-k$

$\therefore x\leq\frac{1-k}{2}$

이를 만족하는 자연수 x가 4개이어야 하므로

$4\leq\frac{1-k}{2}<5$

$8\leq 1-k<10$, $7\leq -k<9$

$\therefore -9<k\leq -7$

07 B 슈퍼의 판매 가격은 한 개에 $1200\times\frac{70}{100}=840$(원)이다.

x개 이상을 살 때 B 슈퍼에서 사는 것이 유리하다고 하면

$1200x > 840x + 2400$ ······ ❶

$360x > 2400 \quad \therefore x > \frac{20}{3}$ ······ ❷

따라서 최소한 7개 이상을 살 때 B 슈퍼에서 사는 것이 유리하다. ······ ❸

채점 기준	배점
❶ 일차부등식 세우기	30 %
❷ 부등식의 해 구하기	40 %
❸ 답 구하기	30 %

08 무료 통화 100분을 모두 사용한 후 초과해서 통화한 시간을 x분이라고 하면

$15000 + 60 \times 8x \le 27000$, $480x \le 12000$

$\therefore x \le 25$

따라서 최대로 통화할 수 있는 시간은 $100 + 25 = 125$(분)이다.

2. 연립방정식

유형 TEST
01. 연립방정식~ 03. 연립방정식의 활용

040~044쪽

01 ①, ④ **02** ④

03 (1, 8), (2, 6), (3, 4), (4, 2) **04** 6

05 6 **06** 2 **07** ② **08** 10

09 11 **10** ⑤ **11** −2 **12** −1

13 0 **14** 1 **15** $x=-4$, $y=-2$

16 ③, ④ **17** −1 **18** 12 **19** −7

20 $x=8$, $y=2$ **21** 2

22 $x=-3$, $y=5$ **23** −1

24 $x=3$, $y=1$ **25** 4

26 $x=7$, $y=0$ **27** 9

28 4 **29** −8 **30** $\frac{1}{10}$ **31** ④

32 ⑤ **33** 애플파이 : 4개, 크림빵 : 6개

34 21 **35** 2점 슛 : 5개, 3점 슛 : 2개 **36** 10 km

37 441명 **38** 216 cm^2 **39** 학생 수 : 17명, 텐트 : 3개

40 $\frac{90}{7}$리터, $\frac{30}{7}$리터

01 ① 등식이 아니므로 방정식도 아니다.

②, ③ 미지수가 2개인 일차방정식이다.

④ $2x - y = 2(x-7)$ ➡ $-y + 14 = 0$

미지수가 y뿐이므로 미지수가 1개인 일차방정식이다.

⑤ $2x + 3y^2 = 3(x + y^2 - y)$ ➡ $-x + 3y = 0$

미지수가 2개인 일차방정식이다.

02 $2x + y = 9$에 각 순서쌍의 x의 값과 y의 값을 대입해 보면

① $2 \times 0 + 9 = 9$

② $2 \times 1 + 7 = 9$

③ $2 \times 2 + 5 = 9$

④ $2 \times 3 + 4 = 10 \neq 9$

⑤ $2 \times 4 + 1 = 9$

03 $2x + y = 10$에 $x = 1, 2, 3, \cdots$을 대입하여 y의 값을 구하면 다음 표와 같다.

x	1	2	3	4	5	⋯
y	8	6	4	2	0	⋯

이때 x, y는 모두 자연수이므로 구하는 해는 (1, 8), (2, 6), (3, 4), (4, 2)이다.

04 $x + 4y = 25$에 $y = 1, 2, 3, \cdots$을 대입하여 x의 값을 구하면 다음 표와 같다.

x	21	17	13	9	5	1	⋯
y	1	2	3	4	5	6	⋯

이때 x, y는 모두 자연수이므로 구하는 해의 개수는 (21, 1), (17, 2), (13, 3), (9, 4), (5, 5), (1, 6)의 6이다.

05 $x=a$, $y=1$을 일차방정식 $2x - 3y = 9$에 대입하면

$2a - 3 = 9$, $2a = 12 \quad \therefore a = 6$

06 $x=2$, $y=-4$를 $5x + ay = 2$에 대입하면

$10 - 4a = 2$, $-4a = -8 \quad \therefore a = 2$

07 $x=1$, $y=-2$를 $ax + 3y + 2 = 0$에 대입하면

$a - 6 + 2 = 0 \quad \therefore a = 4$

$y=2$를 $4x + 3y + 2 = 0$에 대입하면

$4x + 6 + 2 = 0$, $4x = -8 \quad \therefore x = -2$

08 $x=1$, $y=a$를 $2x + y = 10$에 대입하면

$2 + a = 10 \quad \therefore a = 8$

$x=2b$, $y=b$를 $2x+y=10$에 대입하면

$4b+b=10$, $5b=10$ $\quad \therefore b=2$

$\therefore a+b=8+2=10$

09 x, y가 자연수일 때, $x+y=7$의 해는 (1, 6), (2, 5), (3, 4), (4, 3), (5, 2), (6, 1)의 6개이므로 $a=6$

$3x+y=13$의 해는 (1, 10), (2, 7), (3, 4), (4, 1)의 4개이므로 $b=4$

따라서 연립방정식 $\begin{cases} x+y=7 \\ 3x+y=13 \end{cases}$의 해는 (3, 4)의 1개이므로 $c=1$

$\therefore a+b+c=6+4+1=11$

10 $x=3$, $y=2$를 각각의 연립방정식에 대입해 보면

① $\begin{cases} 3+3\times2=9\neq5 \\ 2\times3+3\times2=12\neq7 \end{cases}$

② $\begin{cases} -2\times3+2=-4\neq3 \\ 2\times3-5\times2=-4\neq3 \end{cases}$

③ $\begin{cases} 2\times3-4\times2=-2 \\ 3+2\times2=7\neq6 \end{cases}$

④ $\begin{cases} 3-2=1 \\ 2\times3-2\times2=2\neq1 \end{cases}$

⑤ $\begin{cases} 3\times3+2=11 \\ 3-2\times2=-1 \end{cases}$

11 $x=-1$, $y=3$을 $2x-y=a$에 대입하면

$2\times(-1)-3=a$ $\quad \therefore a=-5$

$x=-1$, $y=3$을 $bx+2y=3$에 대입하면

$b\times(-1)+2\times3=3$, $-b+6=3$ $\quad \therefore b=3$

$\therefore a+b=-5+3=-2$

12 $x=m$, $y=2$를 $3x+2y=-5$에 대입하면

$3m+2\times2=-5$, $3m=-9$ $\quad \therefore m=-3$

$x=-3$, $y=2$를 $x+ny=1$에 대입하면

$-3+2n=1$, $2n=4$ $\quad \therefore n=2$

$\therefore m+n=-3+2=-1$

13 $\begin{cases} y=-2x+1 & \cdots\cdots ㉠ \\ 3x+4y=-1 & \cdots\cdots ㉡ \end{cases}$

㉠을 ㉡에 대입하면 $3x+4(-2x+1)=-1$

$-5x=-5$ $\quad \therefore x=1$

$x=1$을 ㉠에 대입하면 $y=-2+1=-1$

따라서 $a=1$, $b=-1$이므로

$a+b=1+(-1)=0$

14 ㉠을 ㉡에 대입하면

$2(3y-3-y)-3y=8$, $4y-6-3y=8$

$\therefore y=14$

따라서 상수 a의 값은 1이다.

15 $\begin{cases} x-3y=2 & \cdots\cdots ㉠ \\ 2x-y=-6 & \cdots\cdots ㉡ \end{cases}$에서

㉠$\times2-$㉡을 하면

$$\begin{array}{rl} & 2x-6y=4 \\ -) & 2x-\ \ y=-6 \\ \hline & -5y=10 \end{array} \quad \therefore y=-2$$

$y=-2$를 ㉠에 대입하면

$x+6=2$ $\quad \therefore x=-4$

16 ③ ㉠$\times3-$㉡$\times2$를 하면

$$\begin{array}{rl} & 6x+\ 9y=-15 \\ -) & 6x-10y=42 \\ \hline & 19y=-57 \end{array}$$

➡ x가 소거된다.

④ ㉠$\times5+$㉡$\times3$을 하면

$$\begin{array}{rl} & 10x+15y=-25 \\ +) & 9x-15y=63 \\ \hline & 19x \qquad =38 \end{array}$$

➡ y가 소거된다.

17 $\begin{cases} 3x+2y=16 & \cdots\cdots ㉠ \\ x-5y=-6 & \cdots\cdots ㉡ \end{cases}$

㉠$-$㉡$\times3$을 하면

$$\begin{array}{rl} & 3x+2y=16 \\ -) & 3x-15y=-18 \\ \hline & 17y=34 \end{array} \quad \therefore y=2$$

$y=2$를 ㉡에 대입하면 $x-10=-6$ $\quad \therefore x=4$

$x=4$, $y=2$를 $ax-y=-6$에 대입하면

$4a-2=-6$ $\quad \therefore a=-1$

18 $\begin{cases} x-4y=6 & \cdots\cdots ㉠ \\ x=2y & \cdots\cdots ㉡ \end{cases}$

㉡을 ㉠에 대입하면

$2y-4y=6$, $-2y=6$ $\quad \therefore y=-3$

$y=-3$을 ㉡에 대입하면 $x=-6$

$x=-6$, $y=-3$을 $-3x+2y=k$에 대입하면

$18-6=k$ $\quad \therefore k=12$

19 두 연립방정식의 해가 서로 같으므로 두 연립방정식의 해는 연립방정식 $\begin{cases} 2x-y=4 & \cdots\cdots ㉠ \\ 3x-y=2 & \cdots\cdots ㉡ \end{cases}$의 해와 같다.

㉠$-$㉡을 하면

$$\begin{array}{rl} & 2x-y=4 \\ -) & 3x-y=2 \\ \hline & -x \quad =2 \end{array} \quad \therefore x=-2$$

$x=-2$를 ㉠에 대입하면 $-4-y=4$ $\quad\therefore y=-8$

$x=-2,\ y=-8$이 두 일차방정식

$ax+y=4,\ x+by=6$의 해이므로 대입하면

$-2a-8=4$ $\quad\therefore a=-6$

$-2-8b=6$ $\quad\therefore b=-1$

$\therefore a+b=-6+(-1)=-7$

20 $x=2,\ y=4$는 $x+by=14$의 해이므로

$2+4b=14$ $\quad\therefore b=3$

$x=-1,\ y=-4$는 $2x-ay=10$의 해이므로

$-2+4a=10$ $\quad\therefore a=3$

따라서 주어진 연립방정식은 $\begin{cases} 2x-3y=10 & \cdots\cdots ㉠ \\ x+3y=14 & \cdots\cdots ㉡ \end{cases}$

㉠+㉡을 하면 $3x=24$ $\quad\therefore x=8$

$x=8$을 ㉡에 대입하면 $8+3y=14$ $\quad\therefore y=2$

21 $\begin{cases} x+2(y+1)=13 \\ 4(x-3)-3y=-1 \end{cases}$ 에서

$\begin{cases} x+2y=11 & \cdots\cdots ㉠ \\ 4x-3y=11 & \cdots\cdots ㉡ \end{cases}$

㉠×4−㉡을 하면

$$\begin{array}{rl} & 4x+8y=44 \\ -) & 4x-3y=11 \\ \hline & 11y=33 \end{array} \quad\therefore y=3$$

$y=3$을 ㉠에 대입하면 $x+6=11$ $\quad\therefore x=5$

$\therefore x-y=5-3=2$

22 $\begin{cases} 0.3(x+y)-0.1y=1.9 & \cdots\cdots ㉠ \\ \frac{2}{3}x+\frac{3}{5}y=5 & \cdots\cdots ㉡ \end{cases}$

㉠×10, ㉡×15를 하고 정리하면

$\begin{cases} 3x+2y=19 & \cdots\cdots ㉢ \\ 10x+9y=75 & \cdots\cdots ㉣ \end{cases}$

㉢×9−㉣×2를 하면

$$\begin{array}{rl} & 27x+18y=171 \\ -) & 20x+18y=150 \\ \hline & 7x \qquad = 21 \end{array} \quad\therefore x=3$$

$x=3$을 ㉢에 대입하면

$9+2y=19,\ 2y=10$ $\quad\therefore y=5$

23 $\begin{cases} \frac{x}{2}+\frac{y}{3}=\frac{1}{2} & \cdots\cdots ㉠ \\ 0.2x+\frac{1}{4}y=-\frac{1}{2} & \cdots\cdots ㉡ \end{cases}$

㉠×6, ㉡×20을 하면

$\begin{cases} 3x+2y=3 & \cdots\cdots ㉢ \\ 4x+5y=-10 & \cdots\cdots ㉣ \end{cases}$

㉢×4−㉣×3을 하면

$$\begin{array}{rl} & 12x+\ \ 8y=12 \\ -) & 12x+15y=-30 \\ \hline & -7y=42 \end{array} \quad\therefore y=-6$$

$y=-6$을 ㉢에 대입하면

$3x-12=3,\ 3x=15$ $\quad\therefore x=5$

따라서 $a=5,\ b=-6$이므로

$a+b=5+(-6)=-1$

24 $\begin{cases} 0.\dot{2}x+0.\dot{6}y=1.\dot{3} \\ 0.3x-0.1y=0.8 \end{cases}$ 에서 $\begin{cases} \frac{2}{9}x+\frac{6}{9}y=\frac{12}{9} \\ \frac{3}{10}x-\frac{1}{10}y=\frac{8}{10} \end{cases}$

$\therefore \begin{cases} x+3y=6 & \cdots\cdots ㉠ \\ 3x-y=8 & \cdots\cdots ㉡ \end{cases}$

㉠×3−㉡을 하면

$$\begin{array}{rl} & 3x+9y=18 \\ -) & 3x-\ \ y=8 \\ \hline & 10y=10 \end{array} \quad\therefore y=1$$

$y=1$을 ㉠에 대입하면 $x+3=6$ $\quad\therefore x=3$

25 $(x+2):(-2-y)=1:2$이므로

$-2-y=2(x+2)$ $\quad\therefore 2x+y=-6$

$\begin{cases} 2x+y=-6 & \cdots\cdots ㉠ \\ 4x-3y=8 & \cdots\cdots ㉡ \end{cases}$

㉠×2−㉡을 하면

$$\begin{array}{rl} & 4x+2y=-12 \\ -) & 4x-3y=8 \\ \hline & 5y=-20 \end{array} \quad\therefore y=-4$$

$y=-4$를 ㉠에 대입하면 $2x=-2$ $\quad\therefore x=-1$

따라서 $m=-1,\ n=-4$이므로

$mn=(-1)\times(-4)=4$

26 주어진 방정식을 연립방정식

$\begin{cases} \frac{x-1}{3}=\frac{x-y+5}{6} & \cdots\cdots ㉠ \\ \frac{x-1}{3}=\frac{2x+y-6}{4} & \cdots\cdots ㉡ \end{cases}$ 으로 고친 후

㉠×6, ㉡×12를 하고 정리하면

$\begin{cases} x+y=7 & \cdots\cdots ㉢ \\ 2x+3y=14 & \cdots\cdots ㉣ \end{cases}$

㉢×2−㉣을 하면

$$\begin{array}{r} 2x+2y=14 \\ -\underline{)\ 2x+3y=14} \\ -y=0 \end{array} \qquad \therefore y=0$$

$y=0$을 ㉢에 대입하면 $x=7$

27 주어진 방정식을 연립방정식

$\begin{cases} x-2y+9=3x+y+2 \\ 3x+y+2=4x+2y+1 \end{cases}$로 고친 후 정리하면

$\begin{cases} 2x+3y=7 & \cdots\cdots ㉠ \\ x+y=1 & \cdots\cdots ㉡ \end{cases}$

㉠−㉡×2를 하면

$$\begin{array}{r} 2x+3y=7 \\ -\underline{)\ 2x+2y=2} \\ y=5 \end{array}$$

$y=5$를 ㉡에 대입하면 $x+5=1$ $\quad\therefore x=-4$

따라서 $a=-4$, $b=5$이므로

$b-a=5-(-4)=9$

28 연립방정식 $\begin{cases} ax-3y=6 & \cdots\cdots ㉠ \\ x+y+8=6 & \cdots\cdots ㉡ \end{cases}$의 해가

$x=-3$, $y=b$이므로 이를 ㉡에 대입하면

$-3+b+8=6$ $\quad\therefore b=1$

$x=-3$, $y=1$을 ㉠에 대입하면

$-3a-3=6$, $-3a=9$ $\quad\therefore a=-3$

$\therefore b-a=1-(-3)=4$

29 $\begin{cases} ax+y=3 & \cdots\cdots ㉠ \\ 4x-2y=b & \cdots\cdots ㉡ \end{cases}$에서

두 일차방정식의 y의 계수가 같아지도록 ㉠×(-2)를 하면

$-2ax-2y=-6$

이 일차방정식과 ㉡의 x의 계수와 상수항도 각각 같아야 하므로

$-2a=4$, $-6=b$ $\quad\therefore a=-2$, $b=-6$

$\therefore a+b=-2+(-6)=-8$

■ 다른 풀이 ■

$\frac{a}{4}=\frac{1}{-2}=\frac{3}{b}$이므로 $a=-2$, $b=-6$

$\therefore a+b=-8$

30 $\begin{cases} x-5y=-3 & \cdots\cdots ㉠ \\ 2ax-y=-1 & \cdots\cdots ㉡ \end{cases}$의 해가 없으므로 두 방정식은

x의 계수, y의 계수가 각각 같고 상수항은 달라야 한다.

y의 계수를 같게 만들기 위해 ㉡×5를 하면

$10ax-5y=-5$

㉠과 x의 계수가 같아야 하므로

$10a=1$ $\quad\therefore a=\frac{1}{10}$

■ 다른 풀이 ■

$y=2ax+1$에서 $2ax-y=-1$

해가 없으므로 $\frac{1}{2a}=\frac{-5}{-1}\neq\frac{-3}{-1}$ $\quad\therefore a=\frac{1}{10}$

31 ① $x=1$, $y=1$ ② $x=\frac{4}{7}$, $y=-2$ ③ $x=2$, $y=0$

④ $\begin{cases} 4x-2y=2 \\ 4x-2y=2 \end{cases}$이므로 해가 무수히 많다.

⑤ $\begin{cases} 2x-4y=-6 \\ 2x-4y=9 \end{cases}$이므로 해가 없다.

32 ① $x=-1$, $y=2$

② $\begin{cases} 2x-3y=7 \\ 2x-3y=7 \end{cases}$이므로 해가 무수히 많다.

③ $x=\frac{1}{2}$, $y=0$ ④ $x=\frac{7}{5}$, $y=\frac{1}{5}$

⑤ $\begin{cases} -2x+10y=3 \\ -2x+10y=-2 \end{cases}$이므로 해가 없다.

33 애플파이를 x개, 크림빵을 y개 샀다고 하면 두 종류의 빵을 합하여 10개를 샀으므로

$x+y=10$

이때 10800원을 냈으므로

$1500x+800y=10800$, $15x+8y=108$

연립방정식을 세우면

$\begin{cases} x+y=10 & \cdots\cdots ㉠ \\ 15x+8y=108 & \cdots\cdots ㉡ \end{cases}$

㉠×8−㉡을 하면 $-7x=-28$ $\quad\therefore x=4$

$x=4$를 ㉠에 대입하면 $4+y=10$ $\quad\therefore y=6$

따라서 애플파이는 4개, 크림빵은 6개 샀다.

34 연립방정식을 세우면

$\begin{cases} x-y=13 & \cdots\cdots ㉠ \\ x=4y+1 & \cdots\cdots ㉡ \end{cases}$

㉡을 ㉠에 대입하면

$(4y+1)-y=13$, $3y=12$ $\quad\therefore y=4$

$y=4$를 ㉡에 대입하면 $x=4\times4+1=17$

$\therefore x+y=17+4=21$

35 2점 슛을 x개, 3점 슛을 y개 성공시켰다고 하면 모두 합하여 7개를 성공시켰으므로 $x+y=7$

점수는 16점을 얻었으므로 $2x+3y=16$

연립방정식을 세우면

$\begin{cases} x+y=7 & \cdots\cdots ㉠ \\ 2x+3y=16 & \cdots\cdots ㉡ \end{cases}$

㉠×2−㉡을 하면 $-y=-2$ $\quad \therefore y=2$

$y=2$를 ㉠에 대입하면 $x+2=7$ $\quad \therefore x=5$

따라서 2점 슛은 5개, 3점 슛은 2개를 성공시켰다.

36 사이클을 탄 거리를 x km, 마라톤을 한 거리를 y km라 하고 연립방정식을 세우면

$\begin{cases} x+y=50 & \cdots\cdots ㉠ \\ \dfrac{x}{30}+\dfrac{y}{15}=2 & \cdots\cdots ㉡ \end{cases}$

㉡의 양변에 30을 곱하면

$x+2y=60$ $\quad \cdots\cdots ㉢$

㉢−㉠을 하면 $y=10$

따라서 마라톤을 한 거리는 10 km이다.

37 민수네 학교의 작년의 남학생 수를 x명, 여학생 수를 y명이라고 하면, 올해 남학생 수는 $\dfrac{4}{100}x$명 증가하고 여학생 수는 $\dfrac{2}{100}y$명 감소하였으므로

$\begin{cases} x+y=1050 & \cdots\cdots ㉠ \\ \dfrac{4}{100}x-\dfrac{2}{100}y=15 & \cdots\cdots ㉡ \end{cases}$

㉡의 양변에 50을 곱하면

$2x-y=750$ $\quad \cdots\cdots ㉢$

㉠+㉢을 하면

$3x=1800$ $\quad \therefore x=600$

$x=600$을 ㉠에 대입하면 $y=450$

따라서 민수네 학교의 올해의 여학생 수는

$450-450\times\dfrac{2}{100}=450\quad 9=441$(명)

38 처음 직사각형의 가로의 길이를 x cm, 세로의 길이를 y cm라고 하면 처음 직사각형의 둘레의 길이가 60 cm이므로

$2(x+y)=60$ $\quad \therefore x+y=30$

가로의 길이를 10 % 줄이면 $\left(1-\dfrac{10}{100}\right)\times x=0.9x$(cm),

세로의 길이를 15 % 늘이면 $\left(1+\dfrac{15}{100}\right)\times y=1.15y$(cm)

이때 직사각형의 둘레의 길이는 5 %가 늘어났으므로

$2(0.9x+1.15y)=1.05\times 60$, $1.8x+2.3y=63$

양변에 10을 곱하면 $18x+23y=630$

연립방정식을 세우면

$\begin{cases} x+y=30 & \cdots\cdots ㉠ \\ 18x+23y=630 & \cdots\cdots ㉡ \end{cases}$

㉠×18−㉡을 하면

$-5y=-90$ $\quad \therefore y=18$

$y=18$을 ㉠에 대입하면 $x+18=30$ $\quad \therefore x=12$

따라서 처음 직사각형의 가로의 길이는 12 cm, 세로의 길이는 18 cm이므로 넓이는 $12\times 18=216(\text{cm}^2)$

39 동아리 학생 수를 x명, 텐트 수를 y개라고 하자.

한 텐트에 6명씩 자면 마지막 텐트에는 5명이 자게 되므로

$6(y-1)+5=x$ $\quad \therefore 6y-1=x$

또 한 텐트에 5명씩 자면 2명이 텐트에서 잘 수 없으므로

$5y+2=x$

연립방정식을 세우면

$\begin{cases} 6y-1=x & \cdots\cdots ㉠ \\ 5y+2=x & \cdots\cdots ㉡ \end{cases}$

㉠을 ㉡에 대입하면 $5y+2=6y-1$ $\quad \therefore y=3$

$y=3$을 ㉡에 대입하면 $x=15+2=17$

따라서 동아리 학생 수는 17명, 텐트는 3개이다.

40 두 수도꼭지에서 1분 동안 나오는 물의 양을 각각 x리터, y리터라고 하자.

한 수도꼭지로 물을 받는 것은 다른 수도꼭지로 받는 것에 비하여 시간이 3배 걸리므로 $x=3y$

두 수도꼭지를 이용하여 용량이 360리터인 물통에 물을 가득 채우는 데 21분이 걸리므로

$21(x+y)=360$ $\quad \therefore 7x+7y=120$

연립방정식을 세우면

$\begin{cases} x=3y & \cdots\cdots ㉠ \\ 7x+7y=120 & \cdots\cdots ㉡ \end{cases}$

㉠을 ㉡에 대입하면

$21y+7y=120$, $28y=120$ $\quad \therefore y=\dfrac{30}{7}$

$y=\dfrac{30}{7}$을 ㉠에 대입하면 $x=3\times\dfrac{30}{7}=\dfrac{90}{7}$

따라서 두 수도꼭지에서 1분 동안 나오는 물의 양은 각각 $\dfrac{90}{7}$리터, $\dfrac{30}{7}$리터이다.

실력 TEST

045~047쪽

01 ④　02 ①　03 2　04 25
05 −5　06 −54　07 $x=4,\ y=3$
08 2　09 −10　10 3 km　11 100 g
12 12곡

01 $x=-2,\ y=1$을 $3x+by=1$에 대입하면
$3\times(-2)+b=1\qquad\therefore b=7$
$\therefore 3x+7y=1$
$x=a,\ y=4$를 $3x+7y=1$에 대입하면
$3a+28=1\qquad\therefore a=-9$
$a=-9,\ b=7$을 각각 대입하면
① $ab=-9\times7=-63$
② $a+b=-9+7=-2$
③ $a-b=-9-7=-16$
④ $b-a=7-(-9)=16$
⑤ $\frac{b}{a}=-\frac{7}{9}$
따라서 가장 큰 값은 ④이다.

02 어른이 x명, 청소년이 y명이라고 하면
$3000x+2000y=20000\qquad\therefore 3x+2y=20$
어른 또는 청소년만 입장해도 되므로 $x=0, 1, 2, 3, \cdots$을 일차방정식에 대입하여 y의 값을 구하면 다음과 같다.

x	0	1	2	3	4	5	6	7	…
y	10	$\frac{17}{2}$	7	$\frac{11}{2}$	4	$\frac{5}{2}$	1	$-\frac{1}{2}$	…

이때 x, y는 모두 음이 아닌 정수이므로 구하는 해는
(0, 10), (2, 7), (4, 4), (6, 1)
따라서 총 인원 수로 가능한 것은 10, 9, 8, 7명이다.

03 일차방정식 $0.\dot{1}x+0.\dot{0}\dot{2}y=0.\dot{3}\dot{7}$의 순환소수를 분수로 고치면 $\frac{1}{9}x+\frac{2}{99}y=\frac{37}{99}$
양변에 99를 곱하면 $11x+2y=37$
$x=1, 2, 3, \cdots$을 대입하여 y의 값을 구하면 다음과 같다.

x	1	2	3	4	…
y	13	$\frac{15}{2}$	2	$-\frac{7}{2}$	…

이때 x, y는 모두 자연수이므로 구하는 순서쌍 (x, y)는 (1, 13), (3, 2)의 2개이다.

04 $x:y=2:3$이므로 $3x=2y$ …… ❶
연립방정식 $\begin{cases}\frac{x}{2}-\frac{y}{5}=2 & \cdots\cdots ㉠\\ 3x-2y=0 & \cdots\cdots ㉡\end{cases}$ 에서
㉠$\times10-$㉡을 하면 $2x=20\qquad\therefore x=10$
$x=10$을 ㉡에 대입하면 $30-2y=0$
$\therefore y=15$ …… ❷
$\therefore x+y=10+15=25$ …… ❸

채점 기준	배점
❶ x, y의 값의 비를 일차방정식으로 나타내기	30 %
❷ 연립방정식 풀기	50 %
❸ $x+y$의 값 구하기	20 %

■ 다른 풀이 ■
x, y의 값의 비가 $2:3$이므로 $x=2k,\ y=3k$라고 하자. …… ❶
$\frac{x}{2}-\frac{y}{5}-2=0$의 양변에 10을 곱하면
$5x-2y-20=0$
여기에 $x=2k,\ y=3k$를 대입하면
$10k-6k-20=0$
$4k=20\qquad\therefore k=5$ …… ❷
따라서 $x=10,\ y=15$이므로
$x+y=10+15=25$ …… ❸

채점 기준	배점
❶ x, y를 상수 k에 대한 식으로 나타내기	30 %
❷ 상수 k의 값 구하기	50 %
❸ $x+y$의 값 구하기	20 %

05 $\begin{cases}2x=5y-2 & \cdots\cdots ㉠\\ 2x=-3y+2 & \cdots\cdots ㉡\end{cases}$ 에서 ㉠을 ㉡에 대입하면
$5y-2=-3y+2\qquad\therefore y=\frac{1}{2}$
$y=\frac{1}{2}$을 ㉠에 대입하면
$2x=\frac{5}{2}-2,\ 2x=\frac{1}{2}\qquad\therefore x=\frac{1}{4}$
따라서 $x=\frac{1}{4},\ y=\frac{1}{2}$을 $4x-12y=k$에 대입하면
$k=4\times\frac{1}{4}-12\times\frac{1}{2}=-5$

06 $(x-2):(3-y)=1:3$에서
$3(x-2)=3-y\qquad\therefore 3x+y=9$
즉, 주어진 두 식을 모두 만족하는 x, y의 값은 연립방정식

$\begin{cases} 3x+y=9 & \cdots\cdots ㉠ \\ 2x+y=3 & \cdots\cdots ㉡ \end{cases}$의 해와 같다.

㉠−㉡을 하면 $x=6$

$x=6$을 ㉡에 대입하면 $12+y=3$ $\therefore y=-9$

$\therefore xy=6\times(-9)=-54$

07 연립방정식 $\begin{cases} ax+by=10 \\ bx-ay=5 \end{cases}$에서 a와 b를 서로 바꾸면

$\begin{cases} bx+ay=10 \\ ax-by=5 \end{cases}$ ⋯⋯ ❶

이 연립방정식의 해가 $x=5$, $y=0$이므로

이를 각각의 일차방정식에 대입하면

$5b=10$ $\therefore b=2$

$5a=5$ $\therefore a=1$ ⋯⋯ ❷

따라서 처음 연립방정식은

$\begin{cases} x+2y=10 & \cdots\cdots ㉠ \\ 2x-y=5 & \cdots\cdots ㉡ \end{cases}$이므로 ㉠×2−㉡을 하면

$5y=15$ $\therefore y=3$

$y=3$을 ㉠에 대입하면

$x+6=10$ $\therefore x=4$ ⋯⋯ ❸

채점 기준	배점
❶ a, b를 바꾼 연립방정식 나타내기	10 %
❷ 해를 대입하여 a, b의 값 구하기	40 %
❸ 처음 연립방정식의 해 구하기	50 %

08 $\begin{cases} x+y=4x+2y+1 \\ 5x+3y=1 \end{cases}$, 즉 $\begin{cases} 3x+y=-1 & \cdots\cdots ㉠ \\ 5x+3y=1 & \cdots\cdots ㉡ \end{cases}$에서

㉠×3−㉡을 하면 $4x=-4$ $\therefore x=-1$

$x=-1$을 ㉠에 대입하면 $y=2$

따라서 $x=-1$, $y=2$를 $x+y=3x+ay$에 대입하면

$-1+2=-3+2a$, $4=2a$ $\therefore a=2$

09 연립방정식 $\begin{cases} 2x-3y=6 & \cdots\cdots ㉠ \\ ax+4y=3 & \cdots\cdots ㉡ \end{cases}$의 해가 없으므로

y의 계수를 같게 하면 x의 계수도 같아진다.

㉠×4, ㉡×(-3)을 하면

$\begin{cases} 8x-12y=24 \\ -3ax-12y=-9 \end{cases}$이므로

$-3a=8$ $\therefore a=-\frac{8}{3}$

또 연립방정식 $\begin{cases} 2x-by=3 & \cdots\cdots ㉢ \\ cx+4y=-6 & \cdots\cdots ㉣ \end{cases}$의 해가 무수히 많으므로 상수항을 같게 하면 x, y의 계수도 각각 같아진다. ㉢×(-2)를 하고 ㉣과 비교해 보면

$\begin{cases} -4x+2by=-6 \\ cx+4y=-6 \end{cases}$에서 $c=-4$이고,

$2b=4$이므로 $b=2$

$\therefore 3a+b+c=3\times\left(-\frac{8}{3}\right)+2+(-4)=-10$

10 유리가 걸어간 거리를 x km, 자전거를 타고 간 거리를 y km라 하고 연립방정식을 세우면

$\begin{cases} x+y=6 & \cdots\cdots ㉠ \\ \frac{x}{4}+\frac{y}{12}=1 & \cdots\cdots ㉡ \end{cases}$ ⋯⋯ ❶

㉡×12를 하면

$3x+y=12$ ⋯⋯ ㉢

㉠−㉢을 하면 $-2x=-6$ $\therefore x=3$

$x=3$을 ㉠에 대입하면 $y=3$ ⋯⋯ ❷

따라서 유리가 자전거를 타고 간 거리는 3 km이다. ⋯⋯ ❸

채점 기준	배점
❶ 연립방정식 세우기	40 %
❷ 연립방정식 풀기	50 %
❸ 자전거를 타고 간 거리 구하기	10 %

11 8 %의 소금물의 양을 x g, 12 %의 소금물의 양을 y g이라고 하면 더 넣은 물의 양은 $\frac{2}{3}x$ g이다.

소금물과 물의 양의 합이 600 g이므로

$x+y+\frac{2}{3}x=600$, $\frac{5}{3}x+y=600$ $\therefore 5x+3y=1800$

소금의 양은 변하지 않으므로

$x\times\frac{8}{100}+y\times\frac{12}{100}=600\times\frac{9}{100}$

$\therefore 2x+3y=1350$

연립방정식을 세우면

$\begin{cases} 5x+3y=1800 & \cdots\cdots ㉠ \\ 2x+3y=1350 & \cdots\cdots ㉡ \end{cases}$

㉠−㉡을 하면 $3x=450$ $\therefore x=150$

따라서 더 넣은 물의 양은

$\frac{2}{3}x=\frac{2}{3}\times150=100(\text{g})$

12 원래 계획에서 5분짜리 곡을 x곡, 8분짜리 곡을 y곡 연주하기로 했다고 하고 연립방정식을 세우면

$\begin{cases} 5x+8y+(x+y-1)=80 \\ 8x+5y+(x+y-1)=98 \end{cases}$

괄호를 풀어 정리하면

$\begin{cases} 2x+3y=27 & \cdots\cdots ㉠ \\ 3x+2y=33 & \cdots\cdots ㉡ \end{cases}$

㉠×3−㉡×2를 하면 $5y=15$　　$\therefore y=3$

$y=3$을 ㉠에 대입하면 $2x+9=27$

$2x=18$　　$\therefore x=9$

따라서 이룸이가 연주하는 곡은 모두

$9+3=12$(곡)

대단원 TEST

048~050쪽

01 ②	**02** 12	**03** ④	**04** ⑤
05 ②	**06** 14	**07** ⑤	**08** ⑤
09 7켤레	**10** 15개	**11** ⑤	**12** ④
13 5	**14** (1) $x=-8, y=-1$ (2) $x=-1, y=-1$		
15 14	**16** 2	**17** ⑤	**18** 5 km
19 ⑤	**20** ③		

01 ② $a<b$의 양변에 -1을 곱하면 $-a>-b$

양변에 7을 더하면 $-a+7>-b+7$

02 $-2<x<4$의 각 변에 -2를 곱하면 $-8<-2x<4$

각 변에 7을 더하면 $-1<7-2x<11$

$\therefore -1<A<11$

따라서 $a=-1$, $b=11$이므로 $b-a=11-(-1)=12$

03 ① $2(x+1)>3+2x$ ➡ $-1>0$

② $x(2x-1)>x$ ➡ $2x^2-2x>0$

③ $1+3x<3x+4$ ➡ $-3<0$

④ $(x+3)x\le x^2+5$ ➡ $3x-5\le 0$

⑤ $2x+1\ge 2(x-3)$ ➡ $7\ge 0$

따라서 일차부등식인 것은 ④이다.

04 ①, ②, ③, ④ $x<-3$

⑤ $x<3$

05 $0.5(x-1)+\frac{x}{3}>\frac{1}{3}$의 양변에 30을 곱하면

$15(x-1)+10x>10$, $15x-15+10x>10$

$25x>25$　　$\therefore x>1$

따라서 수직선 위에 나타내면 오른쪽 그림과 같다.

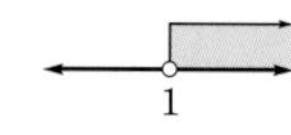

06 $\frac{x-1}{2}-1\le\frac{x+1}{3}$의 양변에 6을 곱하면

$3(x-1)-6\le 2(x+1)$

$3x-3-6\le 2x+2$　　$\therefore x\le 11$　　$\therefore a=11$

$5+x<3x+1$을 풀면 $-2x<-4$　　$\therefore x>2$

$\therefore b=3$

$\therefore a+b=11+3=14$

07 $x+a<2x-3$에서

$-x<-a-3$　　$\therefore x>a+3$

이때 $a+3=-4$이므로 $a=-7$

$3x<x+b$에서 $2x<b$　　$\therefore x<\frac{b}{2}$

이때 $\frac{b}{2}=4$이므로 $b=8$

$\therefore b-a=8-(-7)=15$

08 $2x-a<3$에서 $2x<a+3$　　$\therefore x<\frac{a+3}{2}$

이를 만족하는 자연수 x가 3개이어야 하므로

1　2　3　4　$\frac{a+3}{2}$

$3<\frac{a+3}{2}\le 4$

$6<a+3\le 8$　　$\therefore 3<a\le 5$

09 살 수 있는 양말의 수를 x켤레라고 하면

$1200+500x\le 5000$

$12+5x\le 50$, $5x\le 38$

$\therefore x\le\frac{38}{5}(=7.6)$

따라서 양말은 최대 7켤레를 살 수 있다.

10 무게가 40 kg인 상자를 x개, 30 kg인 상자를 $(20-x)$개 싣는다고 하고 부등식을 세우면

$40x+30(20-x)\le 750$　　…… ❶

$40x+600-30x\le 750$

$10x\le 150$　　$\therefore x\le 15$　　…… ❷

따라서 무게가 40 kg인 상자는 최대 15개까지 실을 수 있다.　　…… ❸

채점 기준	배점
❶ 부등식 세우기	50 %
❷ 부등식 풀기	40 %
❸ 무게가 40 kg인 상자의 최대 개수 구하기	10 %

11 ① 등호가 없으므로 방정식이 아니다.

② 미지수가 1개인 일차방정식이다.

③ 미지수가 분모에 있으므로 일차방정식이 아니다.

④ $5x=5(x-3y)+7 \Rightarrow 15y-7=0$

이므로 미지수가 1개인 일차방정식이다.

⑤ $x(y-1)=y(x-1) \Rightarrow -x+y=0$

이므로 미지수가 2개인 일차방정식이다.

12 ① (1, 10), (2, 7), (3, 4), (4, 1)

② (4, 1)

③ (1, 6), (2, 5), (3, 4), (4, 3), (5, 2), (6, 1)

④ x, y가 자연수인 해가 없다.

⑤ (8, 1), (1, 2)

13 $x=1$, $y=3$을 $ax+y=5$에 대입하면

$a+3=5 \quad \therefore a=2$

$x=1$, $y=3$을 $x-by=-8$에 대입하면

$1-3b=-8 \quad \therefore b=3$

$\therefore a+b=2+3=5$

14 (1) 주어진 연립방정식을 괄호를 풀어 정리하면

$\begin{cases} x-2y=-6 & \cdots\cdots ㉠ \\ 2x-6y=-10 & \cdots\cdots ㉡ \end{cases}$

㉠×2−㉡을 하면

$2y=-2 \quad \therefore y=-1$

$y=-1$을 ㉠에 대입하면

$x+2=-6 \quad \therefore x=-8$

(2) 주어진 방정식을 연립방정식

$\begin{cases} 2x+3y=-x+2y-4 \\ 2x+3y=4x-2y-3 \end{cases}$ 으로 고친 후 각각을 정리하면

$\begin{cases} 3x+y=-4 & \cdots\cdots ㉠ \\ 2x-5y=3 & \cdots\cdots ㉡ \end{cases}$

㉠×5+㉡을 하면

$17x=-17 \quad \therefore x=-1$

$x=-1$을 ㉠에 대입하면

$-3+y=-4 \quad \therefore y=-1$

15 $x=1$, $y=2$를 주어진 일차방정식에 대입하면

$2+2a=b \quad \therefore 2a-b=-2$

$x=-2$, $y=1$을 주어진 일차방정식에 대입하면

$-4+a=b \quad \therefore a-b=4$

연립방정식을 세우면

$\begin{cases} 2a-b=-2 & \cdots\cdots ㉠ \\ a-b=4 & \cdots\cdots ㉡ \end{cases}$ …… ❶

㉠−㉡을 하면 $a=-6$

$a=-6$을 ㉡에 대입하면

$-6-b=4 \quad \therefore b=-10$

$\therefore a-2b=-6-2\times(-10)=14$ …… ❷

채점 기준	배점
❶ a, b에 대한 연립방정식 세우기	50 %
❷ $a-2b$의 값 구하기	50 %

16 $\begin{cases} x+\frac{a}{3}y=\frac{1}{3} & \cdots\cdots ㉠ \\ \frac{b}{2}x+4y=-1 & \cdots\cdots ㉡ \end{cases}$

두 일차방정식의 상수항이 같아지도록 ㉠×(−3)을 하면

$-3x-ay=-1$

이 일차방정식과 ㉡의 x의 계수, y의 계수가 각각 같아야 하므로

$\frac{b}{2}=-3$에서 $b=-6$

$-a=4$에서 $a=-4$

$\therefore a-b=-4-(-6)=2$

17 두 연립방정식의 해가 서로 같으므로 두 연립방정식의 해는 연립방정식

$\begin{cases} \frac{1}{2}x-\frac{1}{3}y=\frac{2}{3} & \cdots\cdots ㉠ \\ \frac{2x+2y}{3}=2 & \cdots\cdots ㉡ \end{cases}$ 의 해와 같다.

각각의 일차방정식의 계수를 정수로 고치기 위해

㉠×6, ㉡×3을 하면

$\begin{cases} 3x-2y=4 & \cdots\cdots ㉢ \\ 2x+2y=6 & \cdots\cdots ㉣ \end{cases}$

㉢+㉣을 하면

$5x=10 \quad \therefore x=2$

$x=2$를 ㉣에 대입하면

$4+2y=6$, $2y=2 \quad \therefore y=1$

$x=2$, $y=1$이 두 일차방정식 $2x-y=a$, $x+by=4$의 해이므로 대입해 보면

$4-1=a \quad \therefore a=3$

$2+b=4 \quad \therefore b=2$

$\therefore ab=6$

18 이룸이가 걸은 거리를 x km, 숨마가 걸은 거리를 y km라고 하면 $x+y=8$

동시에 출발하여 만났으므로 두 사람이 만날 때까지 걸은 시간은 같다.

$\frac{x}{5}=\frac{y}{3} \quad \therefore 3x=5y$

연립방정식을 세우면

$\begin{cases} x+y=8 & \cdots\cdots ㉠ \\ 3x=5y & \cdots\cdots ㉡ \end{cases}$ ······ ❶

㉠을 $x=8-y$로 바꾸어 ㉡에 대입하면

$3(8-y)=5y$, $24-3y=5y$, $8y=24$

$\therefore y=3$

$y=3$을 ㉠에 대입하면 $x=5$ ······ ❷

따라서 이룸이가 걸은 거리는 5 km이다. ······ ❸

채점 기준	배점
❶ 연립방정식 세우기	50 %
❷ 연립방정식 풀기	40 %
❸ 이룸이가 걸은 거리 구하기	10 %

19 3 %의 설탕물을 x g, 6 %의 설탕물을 y g 섞었다고 하면

$\begin{cases} x+y=270 & \cdots\cdots ㉠ \\ \frac{3}{100}x+\frac{6}{100}y=\frac{5}{100}\times 270 & \cdots\cdots ㉡ \end{cases}$

㉡을 정리하면 $3x+6y=1350$

$\therefore x+2y=450$ ······ ㉢

㉠, ㉢을 연립하여 풀면 $x=90$, $y=180$

따라서 6 %의 설탕물은 180 g 섞었다.

20 전체 일의 양을 1이라 하고, 하영이가 하루에 하는 일의 양을 x, 예진이가 하루에 하는 일의 양을 y라 하면

하영이와 예진이가 함께 일하면 4일 만에 끝낼 수 있으므로

$4(x+y)=1$ ······ ㉠

하영이가 2일 일하고, 예진이가 8일 동안 일하여 끝냈으므로

$2x+8y=1$ ······ ㉡

㉠$-$㉡$\times 2$를 하면 $-12y=-1 \quad \therefore y=\frac{1}{12}$

$y=\frac{1}{12}$을 ㉡에 대입하면 $x=\frac{1}{6}$

따라서 하영이는 하루에 전체의 $\frac{1}{6}$을 할 수 있으므로 혼자서 하면 6일 걸린다.

창의사고력 TEST

051쪽

01 $x>-8$ **02** ①

01 $(a+b)x+2a-3b<0$에서

$(a+b)x<-2a+3b$ ······ ㉠

부등식 ㉠의 해가 $x>-\frac{3}{4}$이므로

$a+b<0$ ······ ㉡

㉠의 양변을 $a+b$로 나누면 $x>\frac{-2a+3b}{a+b}$

따라서 $\frac{-2a+3b}{a+b}=-\frac{3}{4}$이어야 하므로 이를 풀면

$4(-2a+3b)=-3(a+b)$

$-8a+12b=-3a-3b$, $-5a=-15b$

$\therefore a=3b$ ······ ㉢

㉢을 ㉡에 대입하면 $4b<0 \quad \therefore b<0$

㉢을 $(a-2b)x+3a-b<0$에 대입하면

$bx+8b<0$, $bx<-8b$

이때 $b<0$이므로 $x>-8$

02 주어진 조건에 의해 A의 해가 (m, n)이면 B의 해는 (n, m)임을 알 수 있다.

$4x-3y=9$의 해가 (m, n)이므로

$4m-3n=9$ ······ ㉠

$3x-2y=-3$의 해가 (n, m)이므로

$3n-2m=-3$ ➡ $-2m+3n=-3$ ······ ㉡

㉠+㉡을 하면 $2m=6 \quad \therefore m=3$

$m=3$을 ㉠에 대입하면

$12-3n=9$, $-3n=-3 \quad \therefore n=1$

따라서 A의 해는 $(3, 1)$, B의 해는 $(1, 3)$이므로

$-2ax+y=b+12$에서

$-6a+1=b+12 \quad \therefore -6a-b=11$ ······ ㉢

$4ax+3y=1$에서 $4a+9=1 \quad \therefore a=-2$

$a=-2$를 ㉢에 대입하면 $12-b=11 \quad \therefore b=1$

$\therefore a-b=-2-1=-3$

 일차함수

1. 일차함수와 그래프

유형 TEST 01. 함수와 일차함수~ 03. 절편과 기울기 052~054쪽

01 ①, ②	**02** ③, ⑤	**03** ④	**04** ④
05 8	**06** -3	**07** 1	**08** ②
09 14	**10** -4	**11** 3	**12** 4
13 $(4, 0)$	**14** 3	**15** $\frac{1}{3}$	**16** -2
17 ④	**18** (1) $-\frac{5}{6}$ (2) $\frac{5}{4}$		**19** -3
20 4	**21** 16	**22** 12	**23** 3

01 ①

x	1	2	3	4	5	6	⋯
y	1	1, 2	1, 3	1, 2, 4	1, 5	1, 2, 3, 6	⋯

(함수가 아니다.)

②

x	1	2	3	⋯
y	3, 4, ⋯	4, 5, 6, ⋯	5, 6, 7, ⋯	⋯

(함수가 아니다.)

③ (거리)=(속력)×(시간)이므로 $y=3x$ (함수이다.)

④ $y=\pi x^2$ (함수이다.)

⑤ $y=\frac{500}{x}$ (함수이다.)

02 ③ $y=2$ (일차함수가 아니다.)

⑤ $y=x^2-2x$ (일차함수가 아니다.)

03 ① $y=x\times\frac{20}{100}$에서 $y=\frac{1}{5}x$ (일차함수이다.)

② $y=2(5+x)$에서 $y=2x+10$ (일차함수이다.)

③ $y=500+3x$ (일차함수이다.)

④ $y=\frac{50}{x}$ (일차함수가 아니다.)

⑤ $y=20-0.5x$ (일차함수이다.)

04 $f(1)=2-3=-1$

$f(-1)=-2-3=-5$

$\therefore f(1)-f(-1)=-1-(-5)=4$

05 $18=2\times3^2$이므로 $f(18)=2$

또, $30=2\times3\times5$이므로 $f(30)=3$

또한, $60=2^2\times3\times5$이므로 $f(60)=3$

$\therefore f(18)+f(30)+f(60)=2+3+3=8$

06 $f(5)=10+b=9$이므로 $b=-1$

따라서 $f(x)=2x-1$이므로 $f(-1)=-2-1=-3$

07 $f(1)=a+6=3$이므로 $a=-3$

$\therefore f(x)=-3x+6$

$f(b)=-3b+6=-6$이므로 $b=4$

$\therefore a+b=-3+4=1$

08 ① $(-4)\times(-1)+3=7$

② $(-4)\times\left(-\frac{1}{2}\right)+3=5\neq1$

③ $(-4)\times\frac{1}{4}+3=2$

④ $(-4)\times\frac{3}{2}+3=-3$

⑤ $(-4)\times2+3=-5$

09 일차함수 $y=-\frac{1}{2}x+a$의 그래프가 점 $(2, 3)$을 지나므로

$3=\left(-\frac{1}{2}\right)\times2+a \qquad \therefore a=4$

$\therefore y=-\frac{1}{2}x+4$

일차함수 $y=-\frac{1}{2}x+4$의 그래프가 점 $(b, -1)$을 지나므로

$-1=\left(-\frac{1}{2}\right)\times b+4 \qquad \therefore b=10$

$\therefore a+b=4+10=14$

10 $y=-3x+b$의 그래프를 y축의 방향으로 3만큼 평행이동한 그래프의 식은 $y=-3x+b+3$

이 그래프의 식이 $y=ax+2$이므로

$a=-3, b+3=2 \qquad \therefore b=-1$

$\therefore a+b=(-3)+(-1)=-4$

11 $y=-\frac{5}{3}x$의 그래프를 y축의 방향으로 -2만큼 평행이동한 그래프의 식은 $y=-\frac{5}{3}x-2$이다.

이 그래프가 점 $(-3, p)$를 지나므로 $y=-\frac{5}{3}x-2$에

$x=-3$, $y=p$를 대입하면

$p=\left(-\frac{5}{3}\right)\times(-3)-2=5-2=3$

12 $y=-\frac{1}{3}x+2$에 $y=0$을 대입하면

$0=-\frac{1}{3}x+2 \qquad \therefore x=6$

즉, x절편은 6이므로 $m=6$

$y=-\frac{1}{3}x+2$에 $x=0$을 대입하면 $y=2$

즉, y절편은 2이므로 $n=2$

$\therefore m-n=6-2=4$

13 주어진 그림에서 $y=-\frac{1}{2}x+b$의 y절편이 2이므로 $b=2$

$y=-\frac{1}{2}x+2$에 $y=0$을 대입하면

$0=-\frac{1}{2}x+2 \qquad \therefore x=4$

따라서 점 A의 좌표는 $(4, 0)$이다.

14 $y=\frac{3}{2}x+b$에 $x=-2$, $y=0$을 대입하면

$0=\frac{3}{2}\times(-2)+b \qquad \therefore b=3$

따라서 y절편은 3이다.

15 $y=ax-2$의 그래프를 y축의 방향으로 3만큼 평행이동하면

$y=ax-2+3 \qquad \therefore y=ax+1$

$y=ax+1$에 $x=1$, $y=-2$를 대입하면

$-2=a+1 \qquad \therefore a=-3$

$y=-3x+1$에 $y=0$을 대입하면

$0=-3x+1 \qquad \therefore x=\frac{1}{3}$

따라서 x절편은 $\frac{1}{3}$이다.

16 $(기울기)=\frac{-6}{3}=-2 \qquad \therefore a=-2$

17 주어진 일차함수의 그래프의 기울기가 $\frac{2}{5}$이므로

$\frac{k-1}{10}=\frac{2}{5}$

$k-1=4 \qquad \therefore k=5$

18 (1) $(기울기)=\frac{-3-2}{3-(-3)}=-\frac{5}{6}$

(2) $(기울기)=\frac{-1-4}{-2-2}=\frac{5}{4}$

19 $(기울기)=\frac{-7-2}{3-k}=-\frac{3}{2}$이므로

$18=3(3-k)$, $6=3-k \qquad \therefore k=-3$

20 $y=-2x+4$에 $y=0$을 대입하면

$0=-2x+4$, $2x=4 \qquad \therefore x=2$

따라서 x절편은 2이고, y절편은 4이므로 $A(2, 0)$, $B(0, 4)$

$\therefore \triangle AOB=\frac{1}{2}\times2\times4=4$

21 $y=-\frac{1}{2}x+4$에 $y=0$을 대입하면

$0=-\frac{1}{2}x+4$, $\frac{1}{2}x=4 \qquad \therefore x=8$

따라서 x절편은 8, y절편은 4이므로 구하는 부분의 넓이는

$\frac{1}{2}\times8\times4=16$

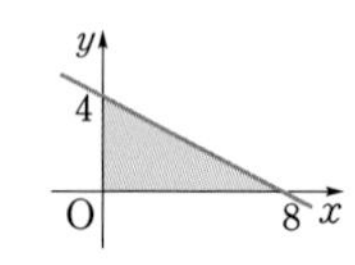

22 두 일차함수의 그래프의 y절편이 4로 같으므로 두 그래프는 $(0, 4)$에서 만난다.

따라서 구하는 넓이는

$\frac{1}{2}\times6\times4=12$

23 $y=-3ax+12$의 x절편은 $\frac{4}{a}$, y절편은 12이다. 이 일차함수의 그래프와 x축, y축의 양의 부분에서 도형이 만들어져야 하므로 오른쪽 그림과 같이 x절편은 양수이다.

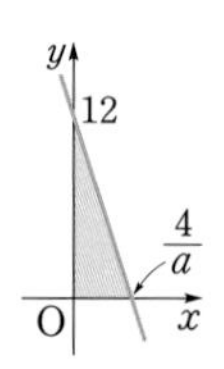

$\therefore \frac{4}{a}>0$

이때 색칠한 부분의 넓이가 8이므로

$\frac{1}{2}\times\frac{4}{a}\times12=8 \qquad \therefore a=3$

유형 TEST 04. 일차함수의 그래프의 성질 ~ 06. 일차함수의 활용 055~057쪽

01 제3사분면 **02** ①, ② **03** ㄹ, ㅂ **04** $a>0$, $b>0$
05 ① **06** ⑤ **07** (1) ㄱ, ㄴ (2) ㄹ
08 5 **09** -2 **10** $a=-1$, $p=-14$
11 8 **12** $y=-2x+1$ **13** $y=\frac{1}{3}x+1$
14 $y=-2x+4$ **15** 7 **16** ⑤
17 $y=-2x-8$ **18** ④ **19** $y=2x+10$
20 초속 346 m **21** 8초
22 (1) $y=-120x+300$ (2) 60 km

01 $y=-\frac{1}{3}x$의 그래프를 y축의 방향으로 2만큼 평행이동한 그래프의 식은 $y=-\frac{1}{3}x+2$이다.
따라서 그 그래프는 오른쪽 그림과 같이 제1, 2, 4사분면을 지난다.

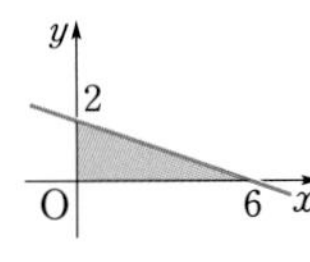

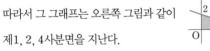

02 $y=2x+6$의 그래프는 오른쪽 그림과 같다.
① 오른쪽 위로 향하는 직선이다.
② y축과 양의 부분에서 만난다.

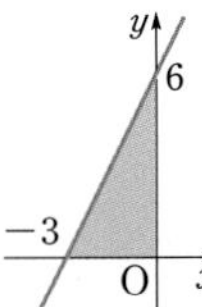

03 x의 값이 증가할 때 y의 값이 감소하면 기울기는 음수이다.
기울기가 음수인 것은 ㄷ, ㄹ, ㅁ, ㅂ이고
이 중 y축과 음의 부분에서 만나는 것은 ㄹ, ㅂ이다.

04 $y=ax-b$의 그래프가 오른쪽 위로 향하므로 $a>0$
y절편이 음수이므로 $-b<0$ $\therefore b>0$

05 $y=-bx-a$의 그래프가 오른쪽 아래로 향하므로
$-b<0$ $\therefore b>0$
y절편은 음수이므로 $-a<0$ $\therefore a>0$

06 $y=ax+b$의 그래프에서 기울기는 음수, y절편은 양수이므로 $a<0$, $b>0$
① $ab<0$ ② $-\frac{b}{a}>0$
③ $a+b$의 부호는 알 수 없다.
④ $a^2>0$이므로 $a^2+b>0$
⑤ $-a>0$이므로 $b-a>0$

07 $y=ax+b$의 그래프의 x절편이 3, y절편이 6이므로 두 점 $(3, 0)$, $(0, 6)$을 지난다.
즉, (기울기)$=a=\frac{0-6}{3-0}=-2$, (y절편)$=b=6$이므로
$y=-2x+6$
(1) 그래프가 평행하려면 기울기는 같고 y절편은 달라야 하므로 ㄱ, ㄴ이다.
(2) 그래프가 일치하려면 기울기와 y절편이 각각 같아야 하므로 ㄹ이다.

08 $y=ax+4$와 $y=-x-3$의 그래프가 평행하므로 $a=-1$
즉, $y=-x+4$의 그래프가 점 $(b, -2)$를 지나므로
$-2=-b+4$ $\therefore b=6$
$\therefore a+b=-1+6=5$

09 $y=ax-3$과 $y=-4x+a+2b$의 그래프가 일치하므로
$a=-4$, $-3=a+2b$에서 $-3=-4+2b$ $\therefore b=\frac{1}{2}$
$\therefore ab=(-4)\times\frac{1}{2}=-2$

10 $y=-3x+8$의 그래프를 y축의 방향으로 p만큼 평행이동한 그래프의 식은 $y=-3x+8+p$
이 그래프가 $y=3ax-6$의 그래프와 일치하므로
$3a=-3$ $\therefore a=-1$
$8+p=-6$ $\therefore p=-14$

11 직선 $y=5x-1$과 평행하고, y절편이 3인 일차함수의 그래프의 식은 $y=5x+3$
이때 $y=5x+3$의 그래프가 점 $(1, k)$를 지나므로
$k=5+3=8$

12 두 점 $(2, 0)$, $(0, 4)$를 지나는 직선과 평행하므로
(기울기)$=\frac{0-4}{2-0}=-2$
즉, 구하는 일차함수의 식을 $y=-2x+b$라 하고 $x=3$, $y=-5$를 대입하면
$-5=(-2)\times3+b$ $\therefore b=1$
$\therefore y=-2x+1$

13 x의 값이 3만큼 증가할 때 y의 값이 1만큼 증가하므로
(기울기)$=\frac{1}{3}$

테스트 BOOK

구하는 일차함수의 식을 $y=\frac{1}{3}x+b$라 하고 $x=3$, $y=2$를 대입하면 $2=1+b$ $\quad\therefore b=1$

따라서 구하는 일차함수의 식은 $y=\frac{1}{3}x+1$이다.

14 두 점 $(1, 2)$, $(3, -2)$를 지나므로

(기울기)$=\frac{-2-2}{3-1}=-2$

즉, 구하는 일차함수의 식을 $y=-2x+b$라 하고

$x=1$, $y=2$를 대입하면

$2=(-2)\times1+b$ $\quad\therefore b=4$

$\therefore y=-2x+4$

■ 다른 풀이 ■

구하는 일차함수의 식을 $y=ax+b$라고 하자.

$y=ax+b$에 $x=1$, $y=2$를 대입하면

$2=a+b$ $\quad\cdots\cdots$ ㉠

$x=3$, $y=-2$를 대입하면

$-2=3a+b$ $\quad\cdots\cdots$ ㉡

㉠$-$㉡을 하면 $4=-2a$ $\quad\therefore a=-2$

$a=-2$를 ㉠에 대입하면 $2=-2+b$ $\quad\therefore b=4$

$\therefore y=-2x+4$

15 두 점 $(1, -1)$, $(-2, 8)$을 지나므로

(기울기)$=\frac{-1-8}{1-(-2)}=\frac{-9}{3}=-3$

즉, $y=-3x+b$라 하고 $x=1$, $y=-1$을 대입하면

$-1=(-3)\times1+b$ $\quad\therefore b=2$

따라서 구하는 일차함수의 식은 $y=-3x+2+2$이므로

$x=-1$, $y=k$를 대입하면 $k=(-3)\times(-1)+4=7$

16 x절편이 -2, y절편이 -3이므로 두 점 $(-2, 0)$, $(0, -3)$을 지난다.

즉, (기울기)$=\frac{0-(-3)}{-2-0}=-\frac{3}{2}$이므로 구하는 일차함수의 식은 $y=-\frac{3}{2}x-3$이다.

⑤ $y=-\frac{3}{2}x-3$에 $x=2$, $y=-4$를 대입하면

$\left(-\frac{3}{2}\right)\times2-3\neq-4$

17 x절편은 -4, y절편은 -8이므로 두 점 $(-4, 0)$, $(0, -8)$을 지난다.

즉, (기울기)$=\frac{0-(-8)}{-4-0}=-2$, (y절편)$=-8$이므로 구하는 일차함수의 식은 $y=-2x-8$이다.

18 두 점 $(-4, 0)$, $(2, 3)$을 지나므로

(기울기)$=\frac{3-0}{2-(-4)}=\frac{1}{2}$

구하는 일차함수의 식을 $y=\frac{1}{2}x+b$라 하고 $x=2$, $y=3$을 대입하면 $3=\frac{1}{2}\times2+b$ $\quad\therefore b=2$

따라서 구하는 일차함수의 식은 $y=\frac{1}{2}x+2$이다.

④ $y=\frac{1}{2}x+2$에 $x=4$, $y=5$를 대입하면

$5\neq\frac{1}{2}\times4+2$

19 10 cm만큼의 물이 담겨져 있고, 물의 높이가 매분 2 cm씩 높아지므로 x분 후의 물의 높이 y cm는

$y=2x+10$

20 x ℃일 때의 소리의 속력을 초속 y m라고 하면 5 ℃씩 오를 때마다 소리의 속력은 초속 3 m씩 증가하므로 1 ℃씩 오를 때마다 초속 $\frac{3}{5}$ m씩 증가한다.

$\therefore y=\frac{3}{5}x+331$

따라서 $y=\frac{3}{5}x+331$에 $x=25$를 대입하면

$y=\frac{3}{5}\times25+331=346$

따라서 기온이 25 ℃일 때 소리의 속력은 초속 346 m이다.

21 높이가 45 m인 빌딩에서 매초 3 m의 빠르기로 내려오므로 출발한 지 x초 후의 지면으로부터 엘리베이터의 천장까지의 높이 y m는 $y=45-3x$

$y=45-3x$에 $y=21$을 대입하면

$21=45-3x$ $\quad\therefore x=8$

따라서 출발한 지 8초 후이다.

22 (1) x시간 동안 달린 거리가 $120x$ km이므로

$y=-120x+300$

(2) $x=2$를 대입하면 $y=(-120)\times2+300=60$

따라서 기차와 B역 사이의 거리는 60 km이다.

실력 TEST

058~060쪽

01 $y=\frac{3}{2}x-3$　02 2　03 $-\frac{5}{3}$
04 -20　05 9　06 2　07 $k<0$
08 $-\frac{1}{2}$, $\frac{1}{2}$　09 6　10 4 cm

01 $y=\frac{3}{2}x-5$에 $x=p$, $y=-p$를 대입하면

$-p=\frac{3}{2}p-5$, $-\frac{5}{2}p=-5$　$\therefore p=2$

따라서 $y=\frac{3}{2}x-5$의 그래프를 y축의 방향으로 2만큼 평행이동한 그래프의 식은

$y=\frac{3}{2}x-5+2=\frac{3}{2}x-3$

02 $y=\frac{3}{2}x-3$의 그래프의 y절편은 -3이므로

$b=-3$　…… ❶

$y=-\frac{1}{3}x+1$에 $y=0$을 대입하면

$0=-\frac{1}{3}x+1$　$\therefore x=3$

즉, $y=ax-3$의 그래프의 x절편이 3이므로 $y=ax-3$에 $x=3$, $y=0$을 대입하면

$0=3a-3$, $3a=3$　$\therefore a=1$　…… ❷

따라서 두 점 $(1, -3)$, $(-2, -9)$를 지나는 일차함수의 그래프의 기울기는

$\frac{-9-(-3)}{-2-1}=\frac{-6}{-3}=2$　…… ❸

채점 기준	배점
❶ b의 값 구하기	30 %
❷ a의 값 구하기	30 %
❸ 기울기 구하기	40 %

03 $f(x)=-\frac{5}{3}x+6$에 대하여 $\frac{f(-2)-f(-5)}{-2-(-5)}$는 두 점 $(-2, f(-2))$, $(-5, f(-5))$를 지나는 직선의 기울기이므로 $-\frac{5}{3}$이다.

04 세 점 A, B, C가 한 직선 위에 있으므로

(직선 A, B의 기울기)=(직선 AC의 기울기)

즉, $\frac{4-2}{-\frac{1}{2}a-(-2)}=\frac{-1-2}{a-(-2)}$이므로

$2(a+2)=-3\left(-\frac{1}{2}a+2\right)$

$2a+4=\frac{3}{2}a-6$, $\frac{1}{2}a=-10$

$\therefore a=-20$

05 두 일차함수 $y=3x+6$, $y=mx+n$의 그래프가 평행하므로 $m=3$

$y=3x+6$에 $y=0$을 대입하면

$0=3x+6$　$\therefore x=-2$

$\therefore \mathrm{A}(-2, 0)$

$y=3x+n$에 $y=0$을 대입하면

$0=3x+n$　$\therefore x=-\frac{n}{3}$

$\therefore \mathrm{B}\left(-\frac{n}{3}, 0\right)$

이때 $\overline{\mathrm{AB}}=4$이므로

$\overline{\mathrm{AB}}=-\frac{n}{3}-(-2)=4$ ($\because n<0$)

$-\frac{n}{3}+2=4$, $-\frac{n}{3}=2$　$\therefore n=-6$

$\therefore m-n=3-(-6)=9$

06 $y=ax+b$와 $y=2x-4$의 그래프가 y축 위에서 만나려면 y절편이 같아야 한다.

$y=2x-4$의 그래프의 y절편은 -4이므로

$b=-4$　…… ❶

$\therefore y=ax-4$

$y=2x-4$의 그래프의 x절편은 2이므로 $\mathrm{B}(2, 0)$

이때 $\overline{\mathrm{OA}}=\overline{\mathrm{OB}}$이므로 $\mathrm{A}(-2, 0)$

$y=ax-4$의 그래프는 점 $\mathrm{A}(-2, 0)$을 지나므로

$y=ax-4$에 $x=-2$, $y=0$을 대입하면

$0=-2a-4$　$\therefore a=-2$　…… ❷

$\therefore a-b=(-2)-(-4)=2$　…… ❸

채점 기준	배점
❶ b의 값 구하기	30 %
❷ a의 값 구하기	50 %
❸ $a-b$의 값 구하기	20 %

07 일차함수 $y=(k-3)x+2k$의 그래프가 제2, 3, 4사분면만을 지나므로 그 그래프는 오른쪽 그림과 같다.

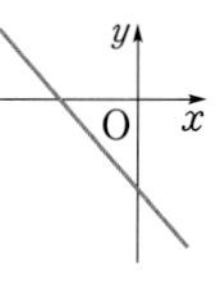

따라서 (기울기)<0, (y절편)<0이어야 하므로 $k-3<0$, $2k<0$

$k<3$, $k<0$

$\therefore k<0$

08 $y=ax-2$의 그래프의 x절편은 $\frac{2}{a}$, y절편은 -2이므로 그 그래프는 a의 값의 부호에 따라 다음 그림과 같다.

(i) $a>0$일 때

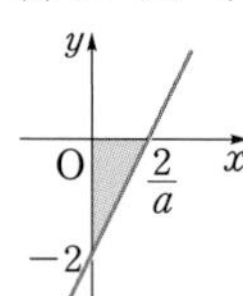

(ii) $a<0$일 때

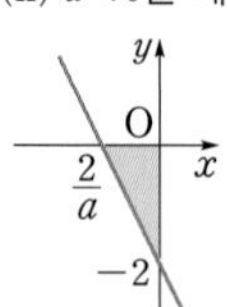

$\frac{1}{2}\times2\times\left|\frac{2}{a}\right|=4$이므로 $\left|\frac{2}{a}\right|=4$에서

$\frac{2}{a}=-4$ 또는 $\frac{2}{a}=4$

$\therefore a=-\frac{1}{2}$ 또는 $a=\frac{1}{2}$

09 두 점 $(-1,\ 8)$, $(6,\ -6)$을 지나는 일차함수의 그래프의 기울기는 $\frac{-6-8}{6-(-1)}=-2$

즉, 구하는 일차함수의 식을 $y=-2x+b$라 하고 $x=-1$, $y=8$을 대입하면

$8=2+b \quad \therefore b=6$

$\therefore y=-2x+6$

이때 $y=-2x+6$의 그래프를 y축의 방향으로 -4만큼 평행이동한 그래프의 식은

$y=-2x+6-4=-2x+2$

따라서 $y=-2x+2$에 $x=-2$, $y=k$를 대입하면

$k=4+2=6$

10 $\overline{PB}$의 길이를 x cm, $\triangle APC$의 넓이를 $y\ \text{cm}^2$라고 하면

$y=\frac{1}{2}\times(6-x)\times8=24-4x$

따라서 $y=-4x+24$에 $y=8$을 대입하면

$8=-4x+24 \quad \therefore x=4$

따라서 $\overline{PB}$의 길이는 4 cm이다.

2. 일차함수와 일차방정식의 관계

유형 TEST 01. 일차함수와 일차방정식의 관계 02. 일차방정식의 해와 그래프 061~063쪽

01 ③	02 ①	03 ④, ⑤	04 -4
05 $-\frac{3}{2}$	06 ⑤	07 ③	08 1
09 $a>0$, $b<0$	10 ④	11 ②	12 -3
13 $y=2$	14 $\frac{1}{5}$	15 20	16 $x=2$, $y=1$
17 A$(1,\ -1)$	18 -1	19 6	20 $\frac{8}{3}$
21 $a\neq-2$	22 -2	23 $a=-4$, $b\neq-4$	

01 $2x-3y+6=0$에서 $3y=2x+6 \quad \therefore y=\frac{2}{3}x+2$

02 $4x+3y-6=0$에서 $3y=-4x+6 \quad \therefore y=-\frac{4}{3}x+2$

따라서 $a=-\frac{4}{3}$, $b=2$이므로

$a+b=\left(-\frac{4}{3}\right)+2=\frac{2}{3}$

03 $3x-4y=12$에서 $4y=3x-12 \quad \therefore y=\frac{3}{4}x-3$

① $y=\frac{3}{4}x-3$에 $y=0$을 대입하면

$0=\frac{3}{4}x-3 \quad \therefore x=4$

③ $y=\frac{3}{4}x-3$에 $x=8$, $y=3$을 대입하면 $3=\frac{3}{4}\times8-3$

따라서 $y=\frac{3}{4}x-3$의 그래프는 점 $(8,\ 3)$을 지난다.

④ $y=\frac{3}{4}x-3$의 그래프는 오른쪽 그림과 같으므로 제2사분면을 지나지 않는다.

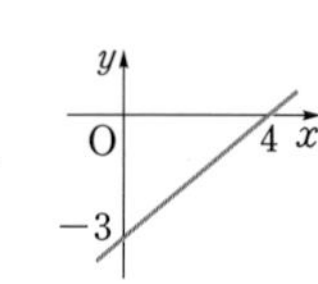

⑤ $y=\frac{3}{4}x-3$의 그래프의 기울기는 $\frac{3}{4}$이고 $y=-\frac{3}{4}x+1$의 그래프의 기울기는 $-\frac{3}{4}$이므로 두 그래프는 평행하지 않다.

04 $3x+y-2=0$에서 $y=-3x+2$

즉, $y=ax+b$의 그래프는 $y=-3x+2$의 그래프와 평행하므로 $a=-3$

$y=-3x+b$의 그래프는 x절편이 $-\frac{1}{3}$이므로 $x=-\frac{1}{3}$, $y=0$을 대입하면

$0=(-3)\times\left(-\frac{1}{3}\right)+b \qquad \therefore b=-1$

$\therefore a+b=(-3)+(-1)=-4$

05 $ax+2y-2=0$에 $x=2,\ y=-2$를 대입하면

$2a+2\times(-2)-2=0,\ 2a=6 \qquad \therefore a=3$

$3x+2y-2=0$을 y에 대하여 풀면

$2y=-3x+2 \qquad \therefore y=-\frac{3}{2}x+1$

따라서 이 그래프의 기울기는 $-\frac{3}{2}$이다.

06 $ax+by-3=0$에서 $by=-ax+3$

$\therefore y=-\frac{a}{b}x+\frac{3}{b}$

이때 이 그래프의 기울기는 -2, y절편은 3이므로

$-\frac{a}{b}=-2,\ \frac{3}{b}=3$

따라서 $b=1,\ a=2$이므로 $a+b=2+1=3$

07 $ax-4y+8=0$에서 $4y=ax+8 \qquad \therefore y=\frac{a}{4}x+2$

두 점 $(-2,\ 2)$, $(2,\ 4)$를 지나는 직선과 평행하므로

$(\text{기울기})=\frac{4-2}{2-(-2)}=\frac{1}{2}$

따라서 $\frac{a}{4}=\frac{1}{2}$이므로 $a=2$

08 $ax+by-6=0$에 $x=2,\ y=0$을 대입하면

$2a-6=0$에서 $a=3$

$3x+by-6=0$에 $x=0,\ y=-3$을 대입하면

$-3b-6=0$에서 $b=-2$

$\therefore a+b=3+(-2)=1$

09 $x+ay+b=0$에서 $ay=-x-b \qquad \therefore y=-\frac{1}{a}x-\frac{b}{a}$

이때 주어진 그래프의 기울기는 음수, y절편은 양수이므로

$-\frac{1}{a}<0,\ -\frac{b}{a}>0 \qquad \therefore a>0,\ b<0$

10 $ax+by+c=0$에서 $by=-ax-c$

$\therefore y=-\frac{a}{b}x-\frac{c}{b}$

이때 $a>0,\ b<0,\ c>0$이므로

$-\frac{a}{b}>0,\ -\frac{c}{b}>0$

따라서 $y=-\frac{a}{b}x-\frac{c}{b}$의 그래프는 오른쪽 그림과 같이 제4사분면을 지나지 않는다.

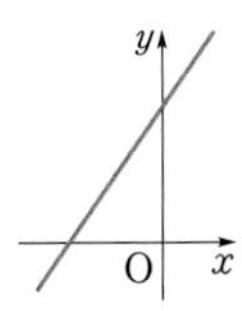

11 $ax-by+c=0$에서 $by=ax+c \qquad \therefore y=\frac{a}{b}x+\frac{c}{b}$

(기울기)>0, (y절편)<0이므로 $\frac{a}{b}>0,\ \frac{c}{b}<0$

$\therefore -\frac{b}{c}>0$

따라서 $y=-\frac{b}{c}x+\frac{a}{b}$의 그래프로 알맞은 것은 ②이다.

12 y축에 평행한 직선의 방정식은 $x=k$ 꼴이므로 두 점의 x좌표가 같아야 한다.

$\therefore a=-3$

13 $3x-3=0$에서 $3x=3 \qquad \therefore x=1$

직선 $x=1$에 수직인 직선의 방정식은 $y=k$ 꼴이고,

점 $(-4,\ 2)$를 지나므로 $y=2$

14 $ax+by=1$에서 $by=-ax+1$

$\therefore y=-\frac{a}{b}x+\frac{1}{b}$

주어진 직선의 방정식은 $y=5$이므로

$-\frac{a}{b}=0,\ \frac{1}{b}=5 \qquad \therefore a=0,\ b=\frac{1}{5}$

$\therefore a+b=0+\frac{1}{5}=\frac{1}{5}$

15 $4x-8=0$에서 $x=2$, $x+3=0$에서 $x=-3$,

$2y=6$에서 $y=3$, $y+1=0$에서 $y=-1$

즉, 네 직선 $x=2,\ x=-3$,

$y=3,\ y=-1$은 오른쪽 그림과 같으므로 구하는 넓이는

$(2+3)\times(3+1)=20$

16 연립방정식 $\begin{cases} x-2y=0 \\ ax+by=6 \end{cases}$의 해는 두 그래프의 교점의 좌표와 같으므로 $x=2,\ y=1$

17 연립방정식 $\begin{cases} 3x+y=2 & \cdots\cdots ㉠ \\ 2x-y=3 & \cdots\cdots ㉡ \end{cases}$에서

㉠+㉡을 하면 $5x=5 \qquad \therefore x=1$

$x=1$을 ㉠에 대입하면

$3\times1+y=2 \qquad \therefore y=-1$

$\therefore \mathrm{A}(1,\ -1)$

18 두 일차방정식의 그래프의 교점의 좌표가 $(2,\ 2)$이므로 두 일차방정식에 $x=2$, $y=2$를 각각 대입하면

$2a+2=4$에서 $a=1$

$2+2b=-2$에서 $b=-2$

$\therefore a+b=1-2=-1$

19 두 점 $(1,\ 0)$, $(0,\ -1)$을 지나는 직선의 방정식은

$l:\ y=x-1$

두 점 $(-3,\ 0)$, $(0,\ 1)$을 지나는 직선의 방정식은

$m:\ y=\frac{1}{3}x+1$

연립방정식 $\begin{cases} y=x-1 & \cdots\cdots ㉠ \\ y=\frac{1}{3}x+1 & \cdots\cdots ㉡ \end{cases}$

㉠을 ㉡에 대입하면 $x-1=\frac{1}{3}x+1 \qquad \therefore x=3$

$x=3$을 ㉠에 대입하면 $y=2$

따라서 연립방정식의 해는 $x=3$, $y=2$이므로

$a=3,\ b=2 \qquad \therefore ab=6$

20 $2x+2y=b$에서 $y=-x+\frac{b}{2}$

$3ax-y=4$에서 $y=3ax-4$

두 직선의 교점이 무수히 많으려면 두 그래프가 일치해야 하므로 $y=-x+\frac{b}{2}$, $y=3ax-4$의 그래프의 기울기와 y절편이 각각 같아야 한다.

따라서 $3a=-1$, $\frac{b}{2}=-4$이므로 $a=-\frac{1}{3}$, $b=-8$

$\therefore ab=\left(-\frac{1}{3}\right)\times(-8)=\frac{8}{3}$

21 $ax-y=-2$에서 $y=ax+2$

$4x+2y=1$에서 $y=-2x+\frac{1}{2}$

오직 한 쌍의 해를 가지려면 두 직선이 한 점에서 만나야 하므로 $a\neq-2$

22 $x+2y=-1$에서 $y=-\frac{1}{2}x-\frac{1}{2}$

$ax-4y=3$에서 $y=\frac{a}{4}x-\frac{3}{4}$

연립방정식의 해가 없으려면 두 일차방정식의 그래프가 평행해야 하므로 기울기가 같고 y절편은 달라야 한다.

따라서 $-\frac{1}{2}=\frac{a}{4}$이므로

$a=-2$

23 $x-2y=1$에서 $y=\frac{1}{2}x-\frac{1}{2}$

$ax+8y=b$에서 $y=-\frac{a}{8}x+\frac{b}{8}$

두 직선의 교점이 존재하지 않으려면 두 그래프가 평행해야 하므로

$\frac{1}{2}=-\frac{a}{8},\ -\frac{1}{2}\neq\frac{b}{8}$

$\therefore a=-4,\ b\neq-4$

실력 TEST

064~065쪽

01 $-2\le a<\frac{1}{3}$		**02** $\frac{3}{2}$	**03** -1
04 $\frac{3}{4}$	**05** 7	**06** 2	**07** 2 : 1

01 $(3a-1)x-y+2+a=0$에서

$y=(3a-1)x+(a+2)$

이 일차방정식의 그래프가 제3사분면을 지나지 않으려면 오른쪽 그림과 같이 (기울기)<0이고 (y절편)≥0이어야 하므로

$3a-1<0,\ a+2\ge0$

$a<\frac{1}{3},\ a\ge-2$

$\therefore -2\le a<\frac{1}{3}$

02 $ax+by-3=0$에서 $by=-ax+3 \qquad \therefore y=-\frac{a}{b}x+\frac{3}{b}$

$y=-\frac{a}{b}x+\frac{3}{b}$의 그래프를 y축의 방향으로 -3만큼 평행이동한 그래프의 식은 $y=-\frac{a}{b}x+\frac{3}{b}-3 \qquad \cdots\cdots ㉠$

이 직선이 두 점 $(3,\ -3)$, $(-2,\ 7)$을 지나므로

㉠에 $x=3$, $y=-3$을 대입하면

$-3=-\frac{3a}{b}+\frac{3}{b}-3,\ 3a-3=0 \qquad \therefore a=1$

$y=-\frac{1}{b}x+\frac{3}{b}-3$에 $x=-2$, $y=7$을 대입하면

$7=\frac{2}{b}+\frac{3}{b}-3$, $10b=2+3$ $\quad\therefore b=\frac{1}{2}$

$\therefore a+b=1+\frac{1}{2}=\frac{3}{2}$

■ 다른 풀이 ■

두 점 $(3, -3)$, $(-2, 7)$을 지나는 직선의 기울기는

$\frac{-3-7}{3-(-2)}=-2$

직선의 방정식을 $y=-2x+n$이라 하고 $x=-2$, $y=7$을 대입하면 $7=4+n$ $\quad\therefore n=3$

직선 $y=-2x+3$을 y축의 방향으로 3만큼 평행이동하면

$y=-2x+3+3=-2x+6$

$\therefore x+\frac{1}{2}y-3=0$

이 식이 일차방정식 $ax+by-3=0$과 일치하므로

$a=1$, $b=\frac{1}{2}$

$\therefore a+b=1+\frac{1}{2}=\frac{3}{2}$

03 $2x-3y+1=0$에서 $y=\frac{2}{3}x+\frac{1}{3}$

이 그래프와 평행하므로 구하는 직선의 방정식을

$y=\frac{2}{3}x+n$이라고 하면 점 $(-3, 1)$을 지나므로

$1=-2+n$ $\quad\therefore n=3$

즉, 구하는 직선의 방정식은

$y=\frac{2}{3}x+3$ $\quad\therefore 2x-3y+9=0$

따라서 $a=2$, $b=-3$이므로

$a+b=2+(-3)=-1$

04 $ax+3y=6$에 $x=0$을 대입하면

$3y=6$ $\quad\therefore y=2$

$ax+3y=6$에 $y=0$을 대입하면

$ax=6$ $\quad\therefore x=\frac{6}{a}$

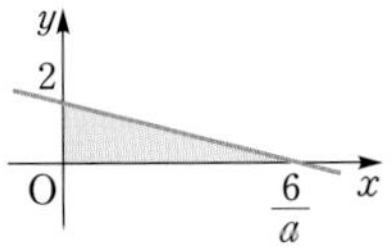

즉, x절편이 $\frac{6}{a}\left(\frac{6}{a}>0\right)$, y절편이 2이므로 삼각형의 넓이는

$\frac{1}{2}\times\frac{6}{a}\times 2=8$, $\frac{6}{a}=8$

$\therefore a=\frac{6}{8}=\frac{3}{4}$

05 두 일차방정식의 그래프가 점 $(3, 2)$에서 만나므로

$x-2y+a=0$에 $x=3$, $y=2$를 대입하면

$3-4+a=0$ $\quad\therefore a=1$

$\therefore x-2y+1=0$

$2x+3y+b=0$에 $x=3$, $y=2$를 대입하면

$6+6+b=0$ $\quad\therefore b=-12$

$\therefore 2x+3y-12=0$ …… ❶

일차방정식 $x-2y+1=0$에 $y=0$을 대입하면

$x+1=0$ $\quad\therefore x=-1$

$\therefore$ A $(-1, 0)$

일차방정식 $2x+3y-12=0$에 $y=0$을 대입하면

$2x-12=0$ $\quad\therefore x=6$

$\therefore$ B $(6, 0)$ …… ❷

따라서 선분 AB의 길이는 $6-(-1)=7$ …… ❸

채점 기준	배점
❶ 두 일차방정식 각각 구하기	40 %
❷ 두 일차방정식의 x절편 각각 구하기	40 %
❸ 선분 AB의 길이 구하기	20 %

06 연립방정식 $\begin{cases} x+3y=6 & \cdots\cdots ㉠ \\ 2x-y=5 & \cdots\cdots ㉡ \end{cases}$

㉠$\times 2-$㉡을 하면 $7y=7$ $\quad\therefore y=1$

$y=1$을 ㉠에 대입하면 $x=3$

직선 $ax+y=4a-1$도 점 $(3, 1)$을 지나야 하므로

$3a+1=4a-1$, $-a=-2$ $\quad\therefore a=2$

07 $x-y+2=0$의 그래프의 x절편은 -2, y절편은 2이므로

A$(-2, 0)$, B$(0, 2)$

$x+y-4=0$의 그래프의 y절편은 4이므로 D$(0, 4)$

연립방정식 $\begin{cases} x-y+2=0 \\ x+y-4=0 \end{cases}$을 풀면 $x=1$, $y=3$이므로

C$(1, 3)$ …… ❶

이때 △OAB의 넓이는 $\frac{1}{2}\times 2\times 2=2$,

△BCD의 넓이는 $\frac{1}{2}\times 2\times 1=1$이므로 …… ❷

△OAB의 넓이와 △BCD의 넓이의 비는 2 : 1이다. …… ❸

채점 기준	배점
❶ 네 점 A, B, C, D의 좌표 각각 구하기	50 %
❷ △OAB의 넓이와 △BCD의 넓이 각각 구하기	30 %
❸ △OAB의 넓이와 △BCD의 넓이의 비 구하기	20 %

대단원 TEST

066~068쪽

01 ②	**02** ③	**03** 3	**04** ④
05 ⑤	**06** 4	**07** -2	**08** ④
09 제1사분면	**10** 4	**11** $y=\frac{3}{2}x+1$	**12** $y=2x-1$
13 ③	**14** (1) $y=2x+1$ (2) 21개		**15** 18분
16 제3사분면	**17** $a=0$, $b=2$	**18** 2	**19** 2
20 -6	**21** -6	**22** 12	

01 ① $y=2x$ (함수이다.)

② 키가 같더라도 몸무게가 다를 수 있으므로 x의 값 하나에 y의 값이 하나씩 대응하지 않는다. 따라서 함수가 아니다.

③ $y=\frac{100}{x}$ (함수이다.)

④ $y=\frac{30}{x}$ (함수이다.)

⑤ $y=0.3x$ (함수이다.)

02 ① 일차함수가 아니다.

② 분모에 x가 있으므로 일차함수가 아니다.

④ $y=x^2-x-3$은 $y=$(x에 대한 이차식) 꼴이므로 일차함수가 아니다.

⑤ $y=$(x에 대한 이차식) 꼴이므로 일차함수가 아니다.

03 $f(-4)=\frac{3}{4}\times(-4)-2=-5$

$f(8)=\frac{3}{4}\times 8-2=4$

$\therefore f(-4)+2f(8)=-5+8=3$

04 $y=-\frac{1}{2}x$의 그래프를 y축의 방향으로 3만큼 평행이동한 그래프의 식은 $y=-\frac{1}{2}x+3$

④ $x=4$, $y=4$를 대입하면 $\left(-\frac{1}{2}\right)\times 4+3=1\neq 4$

따라서 점 $(4, 4)$를 지나지 않는다.

05 각 일차함수의 식에 $y=0$을 대입하여 x축과 만나는 점의 좌표를 각각 구해 보자.

① $0=x-3$ $\therefore x=3 \Rightarrow (3, 0)$

② $0=-\frac{1}{3}x+1$, $\frac{1}{3}x=1$ $\therefore x=3 \Rightarrow (3, 0)$

③ $0=\frac{2}{3}x-2$, $\frac{2}{3}x=2$ $\therefore x=3 \Rightarrow (3, 0)$

④ $0=\frac{1}{6}x-\frac{1}{2}$, $\frac{1}{6}x=\frac{1}{2}$ $\therefore x=3 \Rightarrow (3, 0)$

⑤ $0=\frac{7}{12}x+\frac{7}{4}$, $\frac{7}{12}x=-\frac{7}{4}$ $\therefore x=-3 \Rightarrow (-3, 0)$

따라서 x축과 만나는 점의 좌표가 다른 것은 ⑤이다.

06 세 점 중 어느 두 점을 지나는 일차함수의 그래프의 기울기가 모두 같으므로 (직선 AB의 기울기)=(직선 BC의 기울기)

즉, $\frac{-2-4}{2-(-2)}=\frac{-5-(-2)}{a-2}$이므로 $\frac{-6}{4}=\frac{-3}{a-2}$

$-6(a-2)=-12$ $\therefore a=4$

07 $y=ax+4\,(a<0)$의 그래프의 x절편은 $-\frac{4}{a}$, y절편은 4이므로 그 그래프는 오른쪽 그림과 같다.

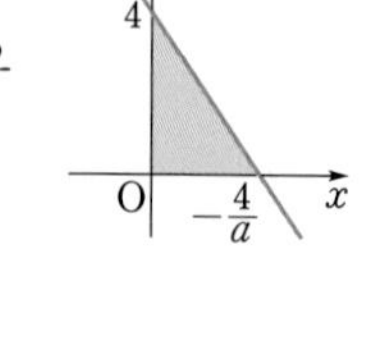

색칠한 도형의 넓이가 4이므로

$\frac{1}{2}\times\left(-\frac{4}{a}\right)\times 4=4$, $-\frac{2}{a}=1$

$\therefore a=-2$

08 ④ $y=\frac{1}{3}x+4$에 $y=0$을 대입하면

$0=\frac{1}{3}x+4$, $\frac{1}{3}x=-4$ $\therefore x=-12$

즉, x절편은 -12이다.

09 $ab<0$, $b>a$이므로 $a<0$, $b>0$

따라서 $-b<0$이므로 $y=ax-b$의 그래프는 오른쪽 그림과 같이 제1사분면을 지나지 않는다.

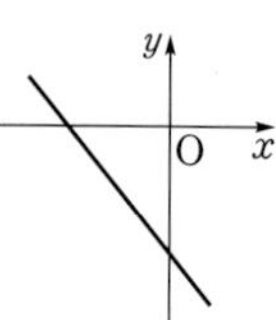

10 두 점 $(1, -2)$, $(k, -4)$를 지나는 직선의 기울기가 $-\frac{2}{3}$이므로

(기울기)$=\frac{-2-(-4)}{1-k}=-\frac{2}{3}$

$1-k=-3$ $\therefore k=4$

11 기울기가 $\frac{3}{2}$이므로 구하는 일차함수의 식을 $y=\frac{3}{2}x+b$라고 하면 점 $(2, 4)$를 지나므로 $4=\frac{3}{2}\times 2+b$

$\therefore b=1$

따라서 구하는 일차함수의 식은 $y=\frac{3}{2}x+1$이다.

12 두 점 $(-1, -3)$, $(2, 3)$을 지나므로

$(\text{기울기})=\frac{3-(-3)}{2-(-1)}=2$

구하는 일차함수의 식을 $y=2x+b$라고 하면 점 $(2, 3)$을 지나므로

$3=2\times2+b$ $\quad\therefore b=-1$

$\therefore y=2x-1$

13 두 점 $(2, 3)$, $(8, 0)$을 지나므로

$(\text{기울기})=\frac{0-3}{8-2}=-\frac{1}{2}$

구하는 일차함수의 식을 $y=-\frac{1}{2}x+b$라고 하면

점 $(8, 0)$을 지나므로

$0=\left(-\frac{1}{2}\right)\times8+b$ $\quad\therefore b=4$

$\therefore y=-\frac{1}{2}x+4$

14 (1) 정삼각형 1개를 만들 때 필요한 성냥개비는 3개이고, 정삼각형이 1개 늘어날 때마다 성냥개비는 2개씩 늘어난다. 따라서 x와 y 사이의 관계식은

$y=3+2(x-1)$ $\quad\therefore y=2x+1$

(2) $y=2x+1$에 $y=43$을 대입하면

$43=2x+1$, $2x=42$ $\quad\therefore x=21$

따라서 21개의 정삼각형을 만들 수 있다.

15 시간을 x분, 물의 온도를 y ℃라고 하면 40 ℃의 물을 데울 때에는 1분에 6 ℃씩 온도가 올라가므로

$y=6x+40$

82 ℃에서 물이 식을 때에는 1분에 2 ℃씩 온도가 내려가므로 $y=-2x+82$ ······ ❶

따라서 40 ℃의 물이 82 ℃까지 올라갈 때 걸린 시간은

$82=6x+40$ $\quad\therefore x=7$

또 물의 온도가 60 ℃까지 내려갈 때 걸린 시간은

$60=-2x+82$ $\quad\therefore x=11$ ······ ❷

따라서 소요된 시간은 $7+11=18$(분) ······ ❸

채점 기준	배점
❶ 물을 데울 때의 관계식과 식힐 때의 관계식 구하기	40 %
❷ 물의 온도가 올라갈 때 걸린 시간과 내려갈 때 걸린 시간 구하기	40 %
❸ 소요된 시간 구하기	20 %

16 $ax-y-b=0$에서 $y=ax-b$

즉, $y=ax-b$의 그래프가 주어진 그림과 같으므로

$(\text{기울기})=a<0$, $(y\text{절편})=-b<0$

$\therefore a<0$, $b>0$

따라서 $ab<0$, $-a>0$이므로

$y=abx-a$의 그래프는 오른쪽 그림과 같이 제3사분면을 지나지 않는다.

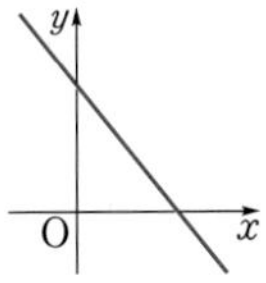

y
O
x

17 주어진 그래프의 식은 $y=3$이다.

$ax+by-6=0$에서 $by=-ax+6$

$\therefore y=-\frac{a}{b}x+\frac{6}{b}$

이 식이 $y=3$과 같으므로

$-\frac{a}{b}=0$, $\frac{6}{b}=3$ $\quad\therefore a=0$, $b=2$

18 $ax+2y+4b=0$에서 $2y=-ax-4b$

$\therefore y=-\frac{a}{2}x-2b$

주어진 함수의 그래프가 두 점 $(2, 1)$, $(0, 2)$를 지나므로

$(\text{기울기})=\frac{1-2}{2-0}=-\frac{1}{2}$, $(y\text{절편})=2$

따라서 $-\frac{a}{2}=-\frac{1}{2}$, $-2b=2$이므로

$a=1$, $b=-1$

$\therefore a-b=1-(-1)=2$

19 주어진 연립방정식의 해를 $x=k$, $y=2$라 하고,

$x+y=6$에 $x=k$, $y=2$를 대입하면

$k+2=6$ $\quad\therefore k=4$

따라서 $x-y=a$에 $x=4$, $y=2$를 대입하면

$a=4-2=2$

20 $ax-2y=4$에서 $y=\frac{a}{2}x-2$

$2x+y=b$에서 $y=-2x+b$

연립방정식의 해가 무수히 많으려면 두 일차방정식의 그래프가 일치해야 하므로

$\frac{a}{2}=-2$, $-2=b$ $\quad\therefore a=-4$, $b=-2$

$\therefore a+b=(-4)+(-2)=-6$

21 $3x+y=4$에서 $y=-3x+4$

$ax-2y=3$에서 $y=\frac{a}{2}x-\frac{3}{2}$

두 직선의 교점이 존재하지 않으려면 두 직선이 평행해야 하므로

$\frac{a}{2}=-3 \quad \therefore a=-6$

22 두 직선의 교점의 좌표는

연립방정식 $\begin{cases} x-y=1 & \cdots\cdots ㉠ \\ 2x+y=14 & \cdots\cdots ㉡ \end{cases}$의 해와 같다.

㉠+㉡을 하면 $3x=15 \quad \therefore x=5$

$x=5$를 ㉠에 대입하면 $5-y=1 \quad \therefore y=4$

$\therefore$ A$(5, 4)$ …… ❶

㉠의 그래프의 x절편은 1이므로 B$(1, 0)$

㉡의 그래프의 x절편은 7이므로 C$(7, 0)$ …… ❷

$\therefore \triangle ABC=\frac{1}{2}\times(7-1)\times4=12$ …… ❸

채점 기준	배점
❶ 점 A의 좌표 구하기	30 %
❷ 점 B, C의 좌표 구하기	40 %
❸ △ABC의 넓이 구하기	30 %

창의사고력 TEST

069쪽

01 2 **02** P$\left(\frac{34}{9}, 0\right)$

03 $-6<a<0$ 또는 $0<a<2$

01 두 일차함수 $y=\frac{a}{3}x+b$, $y=(a+4)x+b-4$의 그래프의 기울기가 서로 같으므로

$\frac{a}{3}=a+4 \quad \therefore a=-6$

즉, 두 일차함수의 그래프는 $y=-2x+b$, $y=-2x+b-4$

두 일차함수의 그래프가 서로 평행하므로 두 점 A, B 사이의 거리는 두 그래프의 x절편의 차와 같다.

$y=-2x+b$에 $y=0$을 대입하면

$-2x+b=0 \quad \therefore x=\frac{b}{2}$

$y=-2x+b-4$에 $y=0$을 대입하면

$-2x+b-4=0 \quad \therefore x=\frac{b}{2}-2$

따라서 두 일차함수 $y=-2x+b$, $y=-2x+b-4$의 x절편은 각각 $\frac{b}{2}$, $\frac{b}{2}-2$이므로 두 점 A, B 사이의 거리는

$\frac{b}{2}-\left(\frac{b}{2}-2\right)=2$

02 점 B와 x축에 대하여 대칭인 점을 B′이라고 하면 B′의 좌표는 $(6, 4)$이다.

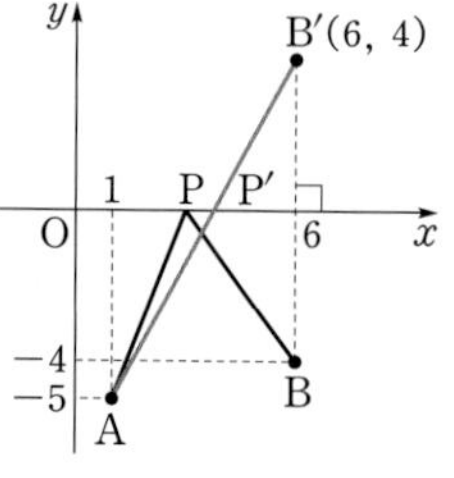

$\overline{AB'}$과 x축과의 교점을 점 P′이라고 하면

$\overline{AP}+\overline{PB}=\overline{AP}+\overline{PB'}$

$\geq\overline{AP'}+\overline{P'B'}$

즉, 점 P가 점 P′이 될 때 $\overline{AP}+\overline{PB}$가 최소가 된다.

두 점 A$(1, -5)$, B′$(6, 4)$를 지나는 그래프의 식을 $y=ax+b$라고 하면

$a=\frac{4-(-5)}{6-1}=\frac{9}{5}$이므로 $y=\frac{9}{5}x+b$

$x=1$, $y=-5$를 $y=\frac{9}{5}x+b$에 대입하면 $b=-\frac{34}{5}$

일차함수 $y=\frac{9}{5}x-\frac{34}{5}$의 그래프의 x절편은 $y=0$을 대입하면

$\frac{9}{5}x-\frac{34}{5}=0 \quad \therefore x=\frac{34}{9}$

따라서 $\overline{AB}+\overline{BP}$가 최소가 되게 하는 점 P의 좌표는

P$\left(\frac{34}{9}, 0\right)$이다.

03 (i) a가 양수인 경우

a의 값이 0보다 크고 점 $(3, 2)$를 지날 때의 기울기보다는 작아야 하므로 $x=3$, $y=2$를 $y=ax-4$에 대입하면

$2=3a-4 \quad \therefore a=2$

$\therefore 0<a<2$

(ii) a가 음수인 경우

a의 값이 0보다 작고 점 $(-1, 2)$를 지날 때의 기울기보다는 커야 하므로

$x=-1$, $y=2$를 $y=ax-4$에 대입하면

$2=-a-4 \quad \therefore a=-6$

$\therefore -6<a<0$

(i), (ii)에서 a의 값의 범위는

$-6<a<0$ 또는 $0<a<2$

SUMMA CUM LAUDE
MIDDLE SCHOOL MATHEMATICS

튼튼한 개념! 흔들리지 않는 실력!

숨마쿰라우데 중학수학 2-상 개념기본서

숨마쿰라우데란 최고의 영예를 뜻하는 말입니다

숨마쿰라우데라는 말은 라틴어로 SUMMA CUM LAUDE라고 씁니다. 이는 최고의 영예를 뜻하는 말인데요. 보통 미국 아이비리그 명문 대학들의 최우수 졸업자에게 부여되는 칭호입니다. 우리나라로 치면 '수석 졸업'이라는 뜻이지요. 그러나 모든 일에 있어서 그렇듯 공부에 있어서도 결과 뿐 아니라 과정이 중요합니다. 최선을 다하는 과정이 있으면 좋은 결과가 따라올 뿐 아니라, 그 과정을 통해 얻어진 깨달음이 평생을 함께하기 때문입니다. 이룸이앤비 숨마쿰라우데는 바로 최선을 다하는 사람 모두에게 최고의 영예를 선사합니다.

개념을 확실히 잡으면 어떤 문제도 두렵지 않다!

수학 공부 도대체 어떻게 해야 할까요? 수많은 공부법과 요령들이 난무하지만 어떤 주장에도 빠지지 않는 내용이 바로 개념 이해의 필요성입니다. 덧셈을 배우면 덧셈을 통해 뺄셈을 배우고, 곱셈을 배우면 곱셈을 통해 나눗셈을 배웁니다. 역사 이야기처럼 수학 개념도 꼬리에 꼬리를 무는 연속성이 있는 것이므로 중간에 하나라도 빠진다면 그 다음 개념을 완벽히 이해할 수 없게 됩니다. 단계적 연계 학습을 하는 숨마쿰라우데로 흔들리지 않는 개념을 잡으세요. 수학의 참 재미를 발견하고, 어떤 문제가 나와도 두렵지 않을 것입니다.

스토리텔링 수학 학습의 결정판!

스토리텔링 학습이란 다양한 예나 이야기를 접목하여 개념과 원리를 쉽고 재미있게 설명하는 학습 방법입니다. "숨마쿰라우데 중학 수학"은 스토리텔링 방식으로 수학을 재미있게 설명해 놓은 최고의 스토리텔링 수학 학습서입니다. QA를 통해 개념을 스스로 묻고 답하면서 공부해 보세요. 수학이 쉽고 재미있게 다가올 것입니다.

학습 교재의 새로운 신화! 이룸이앤비가 만듭니다!